EL PAPIAMENTO, LENGUA CRIOLLA HISPÁNICA

BIBLIOTECA ROMÁNICA HISPÁNICA
FUNDADA POR
DÁMASO ALONSO
I. TRATADOS Y MONOGRAFÍAS, 17

Diseño gráfico e ilustración:
Manuel Janeiro

Depósito legal: M. 26180-1996.
ISBN 84-249-1820-7.
Impreso en España. Printed in Spain.
Gráficas Cóndor, S.A.,
Sánchez Pacheco, 81, Madrid, 1996-6846.

DAN MUNTEANU
con la colaboración de
SIDNEY M. JOUBERT

EL PAPIAMENTO, LENGUA CRIOLLA HISPÁNICA

PRÓLOGO DE
MANUEL ALVAR

BIBLIOTECA ROMÁNICA HISPÁNICA

QMW LIBRARY
(MILE END)

A Eugenia

PRÓLOGO

La publicación de este libro debe señalarse con piedra blanca en los anales de la lingüística española. Porque disponer de una obra excepcional es un regalo que pocas veces se alcanza. Pero a la maestría del trabajo hay que añadir otros factores que no son nada desdeñables: la dificultad del tema, la historia enmarañada, las fuentes escasas. El viejo refrán dice que «no aprisca quien no se arrisca» o, lo que es lo mismo, «no se pescan truchas a bragas enjutas». Y he aquí que un lingüista aún joven se ha enfrentado con todos los problemas que estaban planteados y otros que le han ido apareciendo como trasgos que soliviantaran pesadillas. Porque no hay una sola cuestión que se haya soslayado, ni una pregunta que se quede sin respuesta. Dan Munteanu se enfrenta a una realidad múltiple y cambiante y quiere darle sentido, el único que científicamente es posible. Pero Dan Munteanu es un lingüista sabio y equilibrado, si es que ambos aditamentos no andan juntos (juntos, al menos, deberían andar en este mundillo, tantas veces encrespado, de la investigación). Empieza por el principio, sabia lección, y las cosas se le van desenvolviendo por el peso de las razones coherentes. Pero como Munteanu es sabio y equilibrado, toma todas las razones que se han allegado, las expone, las sopesa y, luego, emite su juicio sin soslayar dificultades y sin someterse a ningún criterio de autoridad, aunque lo respete y lo estudie. De ahí que su libro sea un libro espléndido: cualquier lector sabrá las razones de todos, pero podrá atenerse a la doctrina más segura. Entonces sólo palabras de gratitud merecerá el haberse encontrado con estas muchas, muchísimas páginas, que generosamente ha preparado para nosotros.

El plan del libro es el que debe ser. Ni preferencias ni silencios. Cada tema está ensartado como las piedrecillas en la cuenda de un collar: en su lugar, en su medida y peso, en su sentido de lo que es la armonía. He dicho que empieza por el principio. Y ahí está frente a nosotros un problema nada fácil de resolver cuando tanta gente parece enturbiar las aguas: ¿qué es una lengua criolla? Desde la genialidad de Schuchardt hasta las minucias del investigador recoleto. Los datos que da Munteanu sobrecogen y en estos días nuestros en los que todo cobra caracteres de abrumadora grandeza: unas cinco mil lenguas en ciento cincuenta estados pueden dar fe de lo que significan los problemas de criollización. Explicar el origen de las tales lenguas, la situación de los caribes atlánticos, la persistencia de las que duran todavía en el mundo hispánico (y no tengamos en cuenta la *lengua de gitanos* que, para el siglo XVI bogotano, señaló don Ezequiel Uricoechea), las peculiaridades de sistemas que se resisten a morir (y que no son criollos, porque su origen fue un terso español)... Todo para llegar a los pagos en los que va a trabajar: el *papiamento* de Curazão, Aruba y Bonaire. Poner orden en la terminología y aclarar conceptos es un trabajo que bien merece nuestra gratitud. Luego vendrá, y viene, un enorme caudal de noticias sobre las designaciones del *papiamento,* la historia de las Antillas holandesas, la llegada de los negros esclavos por 1650, las lenguas religiosas y mil motivos tan curiosos como éstos llevan a un asentadero más reposado: «El papiamento, la lengua criolla de Curazão».

Como racimos de cerezas, las cuestiones se van ensartando: corresponde ahora el conocimiento de esta lengua hasta convertirse en el instrumento de la personalidad de un pueblo. Entonces, Munteanu recurre al análisis de la literatura tradicional, de los periódicos, de las obras de mayor empeño. Tenemos establecido el mundo exterior que sirvió para confirmar esta lengua y, lógicamente, la información que de todos estos veneros fueron obteniendo los estudiosos que crearon una vasta literatura científica. Entonces, ordenados los principios,

Munteanu se enfrenta con el peliagudo problema de los orígenes del papiamento: ¿es lengua mixta? ¿O el proceso de adquisición imperfecta de una lengua? Evidentemente las cosas pueden ser así, pero así no basta. Lo que más puede interesarnos es cómo nació el papiamento para que podamos atenernos a nuevas razones coherentes: vino formado por los esclavos negros que traían los portugueses y, por tanto, su origen sería portugués. Sobre tal «jerga» influirían más tarde español y holandés. La doctrina no satisface, aunque se le pongan aditamentos como la rehispanización del criollo en el siglo XIX. Desestimada la tesis de este protocriollo afroportugués, se piensa en el origen español de esa lengua y Munteanu se adhiere apasionadamente a una tesis que arrumba definitivamente que fueran sefardíes portugueses quienes motivaron el nacimiento del papiamento. Las teorías no acaban aquí sino que debemos poner de relieve unas conclusiones que me parecen ciertas: continuidad de los elementos españoles en el período de formación de la lengua criolla. Que llegar a estas conclusiones ha exigido muchas páginas y derroche de no poco ingenio y de enorme erudición, no es cosa que vaya a comentar en este momento. Me parece que es la acertada y como tal la recojo. (No voy a descender a lo mucho que por ese mundo se ignora de la dialectología española, porque no es ahora misión mía el señalar yerros ajenos, sino facilitar al lector una guía en el mar complicado dentro del que debe orientarse).

Claro que a sus conclusiones no llega Munteanu por razones más o menos subjetivas, sino por el establecimiento de algo que es fundamental: los principios metodológicos. Con ellos en la mano, puede explicar los problemas del contacto lingüístico y la criollización, la simplificación de los sistemas periféricos, la naturaleza del contacto lingüístico. Todo ello está muy bien, pero hace falta más: para identificar los rasgos del papiamento es necesario saber cómo era el español que lo condicionó, porque mal se haría (y mal se ha hecho) comparar la sincronía actual sin tener en cuenta la que determinó el nacimiento de la lengua. Entonces las razones se van suavemente y nos permiten llegar desde el castellano que emigra, al español americano que se adapta y conforma y, desde él, a las influencias que ejerció.

Hasta aquí una primera parte. En otra, harto difícil, se nos describen las peculiaridades de la lengua criolla. Al tener en cuenta el polimorfismo que se acredita, nos manifiesta Munteanu que «la existencia de tales variedades no significa que el papiamento sea una lengua fragmentaria y falta de unidad, sino todo lo contrario. Es un idioma unitario, en pleno florecimiento, portador de un elevado nivel de cultura y de una rica tradición». La conciencia nacional de sus hablantes ha cristalizado en un instrumento lingüístico al que el investigador de Las Palmas ha ido describiendo: sistema tonal, estructura vocálica y consonántica, diptongaciones o falta de ellas, fonologizaciones y desfonologizaciones, fonética sintáctica, morfología nominal, verbo, adverbio, preposiciones, conjunciones... En más de doscientas páginas que esta parte ocupa en el volumen que el autor me ha confiado, el abrumado lector comprenderá que están en ellas la discusión de doctrinas contrapuestas y la deducción de muchísimas conclusiones originales, porque no se trata de enumerar sino de interpretar. Todo va pasando bajo nuestra mirada sorprendida y tenemos, aparte lo dicho, y lo que voy a decir, una minuciosa gramática de esta lengua criolla. Pero no es bastante.

En el vocabulario, los datos que nos facilitan los resultados son abrumadores: según Lenz, un 60% es de origen español; un 30% holandés y un 10% de variadas procedencias. Otros cómputos no son muy distintos: 66%, 28%, 6% respectivamente. Los campos semánticos permiten nuevas conclusiones: «ningún término del 'núcleo del vocabulario representativo español' tiene equivalente de origen africano». Con lo que se vienen a confirmar cuestiones que habían quedado marginadas en la primera parte del libro.

Las conclusiones se han ido considerando a lo largo del magistral estudio: simplificación del sistema lingüístico, situación periférica que favorece la manifestación de las tendencias internas, acción de otras lenguas, virulencia de las acciones sociales. Pero no hay que olvidar: «Convertido en lengua materna, el papiamento, igual que otros criollos, experimenta una expansión interna materializada en el enriquecimiento del léxico y el desarrollo de complejidades sintácticas; y una expansión externa de las funciones de la lengua mediante esfuerzos conscientes. De este modo, a las funciones de lengua materna, se suman las de lengua literaria, de cultura y de instrucción, lo que consolida la conciencia sociolingüística de sus hablantes».

Hemos llegado al final, pero aún queda una antología de textos comentados y una impresionante bibliografía. El lector está anonadado. ¿Puede haber grandeza tanta? Dan Munteanu es mi amigo y me ha pedido unas líneas de presentación. La verdad es que no sé qué presentación necesita este libro, como no sea la ostentación de vanidades por mi parte. Créeme, lector que me has seguido, no es esto lo que yo pretendo, sino decirte, desde mi sorpresa, que tienes en las manos un gran libro. Sencillamente, un gran libro, y gracias por la paciencia de haberme acompañado.

MANUEL ALVAR

Primera parte

PLANTEAMIENTO GENERAL

I

INTRODUCCIÓN

Las lenguas criollas llamaron la atención de los especialistas ya desde las últimas décadas del siglo pasado, momento de verdadera ebullición en la lingüística, cuando el método histórico-comparativo se expande por toda Europa y surgen, al mismo tiempo, ideas y teorías nuevas acerca del origen y el parentesco de las lenguas, opuestas a la concepción de los Neogramáticos. No obstante, no se puede hablar de un interés particular por el tema ni tampoco de unos estudios continuados, sino más bien de excepciones.

Hugo Schuchardt, personalidad fuera de los moldes de su tiempo en muchos dominios, «probablemente el lingüista más grande de su época» (Gauger 1989: 115), célebre por la amplitud de sus intereses, es el primero que se dedica a un estudio científico profundo de los pidgins y criollos, en general (Schuchardt 1882-1891), y de los criollos románicos, en particular (Schuchardt 1888-1889). Le siguen Dietrich (1891), Jespersen (1922) y Lenz (1928).

A mediados de nuestro siglo, las lenguas criollas vuelven a ser el centro de atención de los lingüistas, favorecidas por el desarrollo y la amplitud de las investigaciones sobre el contacto lingüístico y la sociolingüística. El interés por estos aspectos es natural si se tiene en cuenta que el contacto lingüístico y la pidginización son hechos cotidianos en un mundo donde se hablan aproximadamente 5.000 lenguas, en unos 150 estados nacionales (Uribe Villegas 1972). La investigación sobre los pidgins y criollos cobró tanta importancia que determinó la aparición de una nueva rama de la lingüística, la criollística. Testimonian el interés por los criollos los numerosos estudios dedicados a estas lenguas, la cantidad de publicaciones especializadas, las reuniones internacionales consagradas al tema, pero, sobre todo, las interesantes controversias científicas generadas por los múltiples problemas teóricos planteados por el estudio de los criollos: origen y evolución, parentesco y estructuras, definición y delimitación sobre bases científicas del concepto de *lengua criolla* [1]. Este peculiar interés es fácil de comprender. Las lenguas criollas ofrecen un amplio campo de investigación para la lingüística general: substrato y superestrato, contacto lingüístico, multilingüismo, con los problemas teóricos que se derivan de estos aspectos en los distintos compartimentos de la lengua; para diversas lingüísticas especiales: relaciones

---

[1] Para detalles sobre la historia y la primera etapa del desarrollo de la criollística, cf. Hall Jr. (1968); Granda (1988: 11-20); Vintilă-Rădulescu (1976). Para el término *lengua criolla* y su reconsideración sobre bases científicas, cf. Vintilă-Rădulescu (1967; 1973; 1973a); Goodman (1964).

El origen de la palabra *criollo* no está aclarado definitivamente. En general, se admite que apareció en una de las colonias portuguesas del siglo XVI (Valkhoff 1966: 38-46) y que del portugués pasó al español y luego a las demás lenguas europeas. Sin embargo, los especialistas no se han puesto de acuerdo todavía si se deriva del verbo *criar*. Una de las etimologías propuestas es el pg. *criadoiro*. Los significados originales del pg. *crioulo* eran: esclavo que servía en Europa, cerca de la casa, persona blanca nacida en las colonias (López Morales 1989: 143, nota 2), o nacida y criada en la casa del señor (Alvar 1987: 114, nota 321). La acepción de persona blanca nacida en las Indias aparece también en español, a finales del siglo XVI (Corominas, Pascual 1980-1984 s.v. *criollo*). Alvar (1987: 114) opina que el término *criollo* tenía ya, para Juan López de Velasco (1571-1574), la acepción de hijo de españoles nacido en las Indias. El Padre Acosta (1954: 323) utiliza también la palabra en un informe de 1586 y la explica más tarde en su *Historia*: «[...] criollo (como allá llaman a los nascidos de españoles en Indias) [...]» (Acosta 1954: 119). A principios del siglo XVI, la voz designaba a la persona nacida en la tierra, independientemente del color de su piel. Para más detalles, véase el interesante y ameno estudio de Alvar (1987: 56-59; 113-118). Un análisis detallado de la voz y su historia se encuentra en Arrom (1951; 1959: 9-26). En cuanto a las distintas opiniones acerca de la etimología de la palabra, véase también Silva Neto (1950: 3-28). Como se puede notar, la acepción étnica y la lingüística (atestiguada apenas hacia finales del siglo XVIII) no coinciden totalmente.

genéticas entre las lenguas europeas participantes en la formación de los criollos y los nuevos idiomas[2]; para la criollística: carácter específico de los sistemas fonéticos y morfosintácticos, distintos de los de las otras lenguas[3]; y, evidentemente, para la sociolingüística, ya que los criollos representan, junto con los pidgins, «el caso colectivo más extremo del contacto de lenguas» (López Morales 1989: 143) con todas sus implicaciones concernientes a la sociología del lenguaje.

La cuestión más polémica, que ha polarizado en sumo grado el interés de los criollistas en los últimos decenios, ha sido y sigue siendo el origen y posterior desarrollo de los idiomas criollos. En la actualidad, continúan enfrentándose dos teorías fundamentales: poligénesis y monogénesis.

La primera teoría, elaborada y desarrollada por Robert A. Hall Jr. en varios estudios, sostiene que los idiomas criollos se han formado como resultado de la asimilación incompleta por parte de los hablantes no europeos de un sistema lingüístico europeo, deliberadamente simplificado por los hablantes europeos, con vistas a una asimilación y utilización más fácil de la estructura del mismo. Por tanto, las lenguas criollas nacen como lenguas derivadas de diferentes bases lingüísticas europeas, en los territorios donde se hablan en la actualidad. De esta manera se establece una relación genética entre la *lengua base* europea y la lengua criolla. Simultáneamente, se desarrolla un proceso de reestructuración, que genera un sistema mínimo u óptimo, muy distinto del sistema de la lengua base, pero derivado de éste.

---

[2] Señalamos algunos de los estudios «clásicos» que tratan tales problemas: Hjelmslev (1939); Gáldi (1949); Hall Jr. (1953; 1955, 1958, 1966); Herculano de Carvalho (1966); Alleyne (1976).

[3] Nos parece interesante recordar que un lingüista como Weinreich (1953: 377) llega a preguntarse si la teoría general de la lengua no debería modificarse en ciertos puntos, para poder ser aplicada también a las lenguas criollas, ya que los rasgos de éstas se alejan mucho de la teoría general. Labov (1980) cree que, debido a la complejidad y la amplitud del espectro de variación sintáctica y semántica, en el análisis de las comunidades criollas no se pueden usar las técnicas variacionistas regulares.

La teoría monogenética, formulada por Douglas Taylor y defendida y desarrollada después por W. Thompson, K. Whinnom, A. Valdman, W. A. Stewart, Germán de Granda y otros, considera que la base de las lenguas criollas es una estructura lingüística única: la mayoría de los defensores de la monogénesis se inclina por un protocriollo afroportugués, mientras otros partidarios de la misma teoría creen que se trataría de una variante atlántica del *sabir* o *lingua franca* (Birmingham Jr. sd.) de la Edad Media. Esta teoría relaciona la aparición de los criollos con las grandes conquistas y colonizaciones llevadas a cabo por los europeos en los siglos XV-XVII en Asia, África y América y con la trata negrera en estos territorios. Se rechaza la existencia de una relación genética entre las diversas lenguas base europeas —francés, inglés, holandés, español, portugués— y las lenguas criollas. Para explicar las diferencias existentes entre los idiomas criollos se invocan los procesos de *relexificación* y *reestructuración*[4].

En las últimas dos décadas, varios estudiosos como Valeriano Salazar (1974), Lessa (1975), Owens (1981), pero, sobre todo, Ferrol (1982), Boretzky (1983), Maurer (1987) y Munteanu (1974; 1991; 1992) han puesto de manifiesto con argumentos rigurosamente científicos la imposibilidad de seguir defendiendo esta teoría. Ante esta posición, partidarios de la monogénesis propusieron una versión restringida de la teoría, según la cual sólo los criollos ibéricos[5] de Asia, África y las Antillas, o por lo menos los criollos atlánticos, tendrían como origen común un protocriollo afroportugués[6]. Esta versión res-

---

[4] Para detalles bibliográficos, cf. Granda (1978: 424-440; 1988: 11-20).

[5] En la clasificación de las lenguas criollas se adoptan dos criterios: geográfico y genético. El primero, propuesto y empleado por Stewart (1962), está basado en las áreas geográficas donde se hablan los criollos. El segundo, propuesto por los defensores de la poligénesis, se basa en el criterio de la relación genética del criollo con la lengua europea y del peso de los elementos léxicos de esta última en el respectivo idioma criollo. Así hablamos de criollos americanos, caribeños, africanos, etc. o de criollos ingleses, franceses, ibéricos, hispánicos, etc., de acuerdo con el criterio adoptado.

[6] Cf. Megenney (1983; 1984; 1985; 1986).

tringida tampoco fue aceptada unánimemente por los especialistas y sus mismos defensores consideraron necesarias ciertas matizaciones, pero la polémica no ha concluido. Granda (1988: 261) precisa que ha aplicado «quizá con excesiva rigidez y falta de matización» la hipótesis

> de la monogénesis de los denominados criollos «atlánticos» y su posible derivación, en este supuesto, de un protodiasistema criollo-portugués africano [...] a la formación de las variedades de este tipo postulables en ciertas zonas de la América española.

Sin embargo, considera que

> el extenso uso del criollo portugués en África (y no sólo en la costa) durante los siglos XVII, XVIII y, en algunas zonas, incluso en el XIX [...] constituye un punto de apoyo básico para la fundamentación de la llamada hipótesis monogenética de la formación de lenguas criollas atlánticas[7].

A su vez, Perl (1989: 372) considera necesario motivar su

> posición con respecto a la discusión sobre la teoría del desarrollo de las lenguas criollas con base léxica europea. Debido a nuestras investigaciones de rasgos estructurales morfosintácticos en lenguas criollas de base española y portuguesa que no podían ser comprobados en las respectivas lenguas europeas, y debido a nuestros estudios acerca de la historia lingüística externa del portugués criollo en África Occidental, no podíamos encontrar razones que pudieran negar la teoría monogenética para la formación de lenguas criollas atlánticas [...]. Cuando no se pueden encontrar ciertos fenómenos en las lenguas básicas y/o en lenguas de substrato, también aceptaríamos tendencias universales de pidginización o criollización.

[7] Para detalles sobre esta polémica y datos sobre los estudios dedicados a los criollos atlánticos, véase Granda (1988: 257-261).

Resulta bastante claro, en nuestra opinión, que el punto de vista del autor ha cambiado con respecto a sus enfoques anteriores[8] y, en cierta forma, acepta los principios metodológicos para el estudio del origen y la evolución del papiamento propuestos por nosotros hace tiempo[9].

Una teoría parecida defendieron Bickerton, Escalante (1970) y Wood (1976). Los autores mencionados contemplan la posible existencia de un protocriollo pancaribeño de base española, en los siglos XVI-XVII, del que se derivarían los criollos y las modalidades hispánicas criollizadas de toda la región.

Últimamente, Lipski (1993: 12-17) pone de manifiesto que, con pocas excepciones, los rasgos invocados en distintas ocasiones como argumentos a favor de un protocriollo afroportugués o afrohispánico del que se derivarían los criollos o variantes pidginizadas o criollizadas del Caribe, así como a favor de la descriollización e hispanización de estas modalidades, se dan en distintas variedades diatópicas o diacrónicas del español, y, por tanto, no pueden ser explicados mediante un origen protocriollo común.

Llegados a este punto, no nos parece de más destacar, de paso, la situación especial de los criollos atlánticos, a la hora de determinar el origen de ciertos fenómenos, dadas las semejanzas entre el español y el portugués. El mismo Lipski (1993: 2) resume de manera muy clara, en nuestra opinión, el estado actual de la cuestión, al afirmar que la existencia de un criollo de base española ha venido a ser ampliamente aceptada, a la vez que la teoría de un protocriollo afroportugués sigue gozando de la misma aceptación, aunque se vio invalidada por evidencias que no avalan la teoría de la relexificación:

> Due to a number of influential studies, the prior existence of a Spanish-based creole in the Caribbean has become widely accepted, and the hypothesis that an earlier Afro-Portuguese creole, such as found in Cape Verde, Annobón and São Tomé enjoys nearly as much support [...]. The

[8] Cf. Perl (1982; 1984; 1985).

[9] Cf. Munteanu (1975; 1991: 65-69).

> presence of a stable creole, if one existed at all is overshadowed by a wide range of pidginized varieties, none of which embodies the creole structures which support the 'relexification' of a previously-acquired Portuguese creole.

En la actualidad, un gran número de lingüistas, que acepta la hipótesis de la poligénesis, y, por tanto, la relación genética entre los idiomas criollos y distintas lenguas europeas, considera que podemos hablar de tres criollos hispánicos: el chabacano filipino, el palenquero colombiano y el papiamento antillano.

El criollo español filipino o chabacano se habla aún hoy en Ternate (ternateño), Cavite (caviteño), la Bahía de Manila, en el oeste de la isla de Luzón, en la isla de Mindanao, Zamboanga, Cotabato y en la isla de Basilan. Según datos de 1988, el número de chabacanohablantes era de aproximadamente 600.000 (Quilis 1993: 6). El ermitaño, variedad que se hablaba en Ermita, el barrio viejo de Manila, desapareció durante la Segunda Guerra Mundial. Y el davaueño, en vías de extinción desde hace años, parece que ya no se habla en Davao (Quilis 1992: 281; Lipski 1992: 198). El chabacano de la Bahía de Manila tiene influencias del tagalo, mientras las variedades sureñas (islas de Mindanao y Basilan, Zamboango y Cotabato), las tienen del cebuano (Quilis 1992: 281; 1993: 9).

El primer estudio del criollo español filipino se debe a Whinnom (1956), defensor del origen afroportugués del chabacano. Le siguen numerosos investigadores, que se dedican a estudiar tanto su génesis y desarrollo, como su estructura actual. Entre los más importantes trabajos mencionamos los de Lipski (1985; 1987; 1988; 1992), especialmente el de 1992, que rechaza el origen afroportugués del zamboangueño y aporta argumentos convincentes a favor de un criollo de base hispánica. No podemos pasar por alto los estudios de Frake (1971), partidario de una teoría bigenética del criollo español filipino, los de Molony (1977; 1977a; 1978) y, sobre todo, los de Quilis (1980; 1986; 1988; 1992; 1993).

El palenquero se habla en el Palenque de San Basilio, localidad situada a poca distancia de Cartagena, en el Departamento de Bolívar, Colombia. Fue objeto de numerosos estudios, entre los que destacan los de Ochoa Franco (1945), Escalante (1954), Montes (1962) y más recientemente Granda (1978: 424-466; 1988: 21-30), Lewis (1970), Friedemann, Patiño Roselli (1983), Del Castillo Mathieu (1984), Megenney (1983; 1985; 1986), Maduro (1987) y Maurer (1987a).

A pesar de este interés, no sólo lingüístico, sino también antropológico y etnográfico [10], generado por la situación especial de esta comunidad —descendientes de los esclavos cimarrones que, en 1599, fundaron un *palenque* o *cumbe* en ese lugar para poder vivir en libertad (Granda 1978: 411)—, hasta hace relativamente poco tiempo, los lingüistas no han contemplado la posible existencia de unos criollos en la América hispánica. Se ha considerado que la única zona del área hispanoamericana donde se habla una lengua criolla es la de las islas Curazao, Aruba y Bonaire (Zamora Vicente 1967: 441). La posible explicación de este «olvido» reside, a nuestro juicio, por un lado, en el número reducido de hablantes de estas modalidades, el aislamiento de las comunidades donde se hablan, la fase de desaparición de las mismas, y, no en último lugar, en el estado incipiente de la criollística hasta hace poco más de cuarenta años. Apenas en 1968, Granda (1988: 21-30) estudia el palenquero desde la perspectiva de un habla tipológicamente criolla y lo deriva, junto con otros criollos o «núcleos criollos», de un protodiasistema criollo-portugués africano.

En el mismo período, Hall Jr. (1968) no creía posible que en la América hispánica existieran o hubiesen existido idiomas criollos. Zavala (1967) y Mintz (1971) adoptan posiciones teóricas semejantes. Solamente Whinnom llama la atención sobre posibles hablas criollas supervivientes en áreas panameñas, venezolanas y dominica-

---

[10] Aquiles Escalante, *El negro en Colombia*, Bogotá, 1964; id., «La familia en el Palenque de San Basilio, comunidad negra colombiana», en *Actas del XXXVI Congreso Internacional de Americanistas, Sevilla*, 1966, t. III: 595-601; Granda (1978: 362-385); Friedemann, Patiño Roselli (1983).

nas (Granda 1978: 410, notas 74 y 75). En las últimas dos décadas, Granda ha publicado varios trabajos dedicados a lo que él considera núcleos criollos en el territorio hispanoamericano (Granda 1968; 1971; 1971a; 1977; 1978; 1988). Según su teoría, gracias a unas estructuras sociales paralelas y a hechos históricos semejantes concernientes a la esclavitud en la América hispánica y en el resto del continente americano, es probable que en la época de la esclavitud hayan existido, en las regiones hispánicas del continente, idiomas criollos semejantes a los que existen en otras zonas americanas. Pero, debido a un proceso de transculturación, muy acelerado después de la abolición de la esclavitud, estas lenguas criollas desaparecieron en su mayoría (Granda 1978: 319-320), conservándose, sin embargo, una serie de rasgos criollos en las distintas modalidades estudiadas (Granda 1974; 1978: 441-452; 424-440; 1988: 21-30). Según el autor citado, las modalidades que conservan rasgos criollos o son claramente lenguas criollas serían el palenquero, el habla 'bozal' caribeña, el criollo de Uré, Departamento de Bolívar, desaparecido hace relativamente poco tiempo, el del Departamento de Chocó (Bolivia) y el habla de Palenque (Ecuador), ambas desaparecidas (Granda 1978: 321-323; 410-423), así como una modalidad española utilizada por los bi- o multilingües en Guinea Ecuatorial (Granda 1985)[11]. En estudios ulteriores, a pesar de reconocer que

> en varias ocasiones, y quizá de un modo excesivamente generalizador que hoy me parece inadecuado, he expuesto la hipótesis de que las variedades lingüísticas actuales de las zonas con alta concentración histórica de habitantes negros pueden haberse originado, como resultado de un proceso de descriollización, en un *continuum* postcriollo que, al culminar, las ha identificado casi totalmente con el acrolecto local aunque, en algunos elementos, sean aún perceptibles determinados rasgos basilectales de su matriz criolla originaria (Granda 1988: 259),

[11] Quilis (1993: 13) no menciona esta modalidad al describir la situación lingüística de este país: «En Guinea, se hablan siete lenguas autóctonas de la familia bantú, un criollo portugués, un pidgin inglés y el español, como lengua general y de koiné».

cree que los estudios de Perl (1984) y

> las conclusiones derivadas del establecimiento de relaciones comparativas tanto con otras áreas postcriollas de Hispanoamérica, en especial la zona de Barlovento venezolana y la costa atlántica panameña, en las que se han detectado rasgos homólogos a los existentes en el habla «bozal» cubana, como, sobre todo, con el Black English Vernacular y el portugués «popular» de Brasil confirman, creo, mis propias hipótesis en cuanto a la matriz basilectal criolla de la llamada «habla bozal» (Granda 1988: 260).

A excepción del español de Guinea (Quilis 1993; Granda 1985), el español de las tierras bajas de Colombia (Granda 1977; Del Castillo Mathieu 1982), el palenquero y el habla 'bozal' caribeña, las modalidades a las que se refiere Granda han sido poco o nada estudiadas hasta ahora y, por tanto, es difícil pronunciarse rotundamente con respecto a su tipología criolla. Rona (1976: 1024) menciona también un criollo en Trinidad, completamente rehispanizado, y varios estudios hacen referencias a un idioma criollo en Portobelo (Panamá) y hablas o modalidades lingüísticas criollas que sobreviven en algunas regiones de Venezuela, Cuba y República Dominicana. Todas estas modalidades del español influido por las lenguas africanas recibieron el nombre común de *español vestigial*; el término no parece ser el más apropiado, ya que hay lingüistas que utilizan esta denominación también para el habla de los tres islotes lingüísticos de Louisiana (EE.UU.): isleño spanish, bruli y adaeseño (Armistead 1992: 2-7) o para la modalidad criollizada de Filipinas, distinta del chabacano (Perl 1990). Más afortunado nos parece el término de *'black' spanish* para designar las distintas modalidades del español americano influidas por las lenguas africanas, propuesto por los lingüistas norteamericanos[12].

[12] Mencionamos, de paso, el interesante proyecto de investigación propuesto por Schwegler (1992) para el estudio del español hablado en la región de Cartagena (Colombia), que puede aportar nuevas luces sobre el tema.

Si nadie pone en duda, en la actualidad, que el chabacano, el palenquero y el papiamento son lenguas criollas, en cambio, el habla 'bozal' antillana tiene un estatus discutido en cuanto a su carácter criollo (Lipski 1993: 5; Munteanu 1991: 16).

La existencia de un posible criollo en Puerto Rico fue señalada por Álvarez Nazario (1961: 123-193), quien, al estudiar varios textos de tradición oral, establece una serie de paralelismos entre este «criollo afroespañol» y las hablas criollas de África, América y Asia. Sobre esta base, Granda (1988: 21, nota 4) opina que

> es fácil de demostrar el carácter igualmente 'criollo' de la modalidad lingüística puertorriqueña, a pesar de que Álvarez Nazario no llega a exponerlo en ningún momento de modo explícito.

El habla 'bozal' de Cuba ha sido objeto de numerosos estudios, entre los que destacan el de Cabrera (1954), y los dedicados, principalmente, a la polémica cuestión suscitada por el estatus de esta modalidad lingüística dentro de la familia de los criollos. La hipótesis de Granda, que considera el habla 'bozal' de Cuba como una modalidad criolla derivada de un protodiasistema criollo-portugués africano,

> que puede identificarse con variantes mesolectales del mencionado *continuum*, preservadas en condiciones, especialmente favorables, de índole sociológica, geográfica, etc. (Granda 1988: 259)[13],

tuvo una amplia aceptación por parte de especialistas como Otheguy (1973), Perl (1982; 1984; 1985), Martínez Gordo (1982). Douglas-Val Ziegler no duda en calificar el habla 'bozal' de lengua criolla (ap. Lipski 1993: 8), al igual que Megenney (1984; 1985), que la incluye con el palenquero y el papiamento entre los criollos atlánticos. Valkhoff (1966: 116) afirma rotundamente que los únicos criollos de base española que sobreviven hoy día son el chabacano, el *negro-spanish* de Cuba y el papiamento. Sin embargo, López Morales

[13] Véase también Granda (1978: 185-215; 311-334; 481-491; 501-518; 1988: 21-30).

(1964; 1980), Laurence (1974) y Lipski (1986; 1987a; 1993) niegan, con argumentos diferentes, la existencia de un criollo cubano (descriollizado), y Fontanella de Weinberg (1980) rechaza los argumentos de Otheguy a favor del mismo. De manera que, hasta ahora, el problema sigue siendo uno de los más controvertidos de los últimos años[14]. Más recientemente, López Morales (1989: 147-148) replantea brevemente el tema desde la perspectiva de la sociolingüística:

> Muchos son los lingüistas que avalan el factor «mezcla cultural y racial» como motor impulsor de pidgins y criollos. Sin embargo, estudios sociolingüísticos recientes han demostrado que las diferencias entre variedades (el pidgin o criollo y las lenguas de las que se deriva, sobre todo la más prestigiosa [...]) surgen de las barreras y del distanciamiento entre hablantes y variedades; el mestizaje, sobre todo el ocurrido a gran escala, no produce el nacimiento de pidgins, como queda demostrado, por ejemplo, en el Caribe insular. Hay una división bastante dicotómica entre los países colonizados por España, en los que no existieron pidgins ni existen criollos, y los que estuvieron bajo la sujeción de Inglaterra, de Francia y de Holanda.[...] España trató a sus colonias como provincias del Reino; las demás potencias coloniales, como auténticas factorías. Concepciones tan disímiles como éstas produjeron, como era de esperar, diferentes patrones de contacto y mezcla de razas, intenso en unas, nulo prácticamente en las otras.

Con respecto a la colonización llevada a cabo por España y la consecuente unidad lingüística de América se pronuncia en términos parecidos Alvar (1991: 149), quien apoya la idea de López Morales con las siguientes palabras de Uslar Pietri: «Si los españoles hubieran ido a América con una mentalidad colonial, a la inglesa o la francesa, México sería la India».

[14] Para un examen crítico de los distintos puntos de vista sobre esta polémica, cf. López Morales (1980). Un interesante panorama de la cuestión ofrece también Pelly Medina (1985).

Sin rechazar totalmente el posible origen criollo del español 'bozal', Lipski (1993) manifiesta, sin embargo, sus dudas con respecto a la existencia de un protocriollo estable en Cuba y Puerto Rico. Su conclusión es que el español 'bozal' del Caribe ha sido siempre una versión pidginizada del español vernáculo regional, cuyas últimas variedades se caracterizan por reducciones fonéticas y morfológicas considerables. Según este autor los rasgos criollos del habla 'bozal' de Cuba se deben a la influencia ejercida por el papiamento. El español 'bozal' cubano, afirma Lipski (1993: 33) (del que traduzco), «recibe una verdadera infusión de auténtico criollo afrohispánico, en la forma de estructuras papiamentas utilizadas por los trabajadores traídos de Curazao».

No obstante, aunque los hablantes del 'bozal' hayan podido utilizar elementos del papiamento para enriquecer su propio español pidginizado, y, en algunos casos, se haya podido producir una reestructuración del habla 'bozal' en la dirección de un criollo más «papiamentizado», la influencia criolla en el Caribe ha sido siempre discreta, sin llegarse a reelaboraciones completas de las verdaderas variedades 'bozales' locales (id., *ibid.*). Nuestro propio punto de vista con respecto al habla 'bozal' lo hemos expresado en otras ocasiones (Munteanu 1991: 36-53), cuando manifestamos serias reservas acerca de un protocriollo afroportugués o afrohispánico, del que se habrían derivado los pidgins o idiomas criollos caribeños, coincidiendo plenamente con el punto de vista expresado también por Maurer (1987a).

La modalidad afroespañola de la República Dominicana ha sido estudiada por Megenney (1990), quien la incluye en la gran familia de lenguas criollas, tras un estudio comparativo sistemático con fenómenos de contacto lingüístico afro-hispánico en otras regiones de la América española. Lipski (1994) defiende un punto de vista contrario, consecuente con sus estudios anteriores, al considerar que los rasgos invocados como argumentos a favor de un habla 'bozal' dominicana, vástago del posible tronco común, el protocriollo afrohispánico, se deben más bien a la influencia del criollo haitiano o de variedades lingüísticas del inglés.

El papiamento[15], estudiado también por numerosos especialistas, fue, como hemos visto, uno de los primeros criollos que se beneficiaron de una monografía amplia que, con las inherentes limitaciones de la época, conserva hasta hoy día su validez[16]. Evidentemente, con respecto a su origen también se enfrentaron y siguen enfrentándose las dos teorías, monogenética y poligenética, con explicables variaciones sobre el tema, como veremos más adelante. Sin embargo, a pesar de que el problema de su origen no parece haber sido solucionado de forma satisfactoria para todos hasta ahora, los especialistas no tienen, en cambio, ninguna duda con respecto a su estatus de lengua criolla. Aun así, los trabajos de cultura general, no especializados, de tipo enciclopédico, diccionarios explicativos generales, definieron durante mucho tiempo el término *papiamento* de forma bastante confusa e imprecisa y casi nunca como idioma criollo. Además, muchos de estos trabajos ofrecen informaciones contradictorias y, en gran medida, poco claras sobre el papiamento. Se llegó incluso a afirmarse que no es una lengua, sino un *patois*[17]. Encontramos definiciones como «holandés chapurreado por los indígenas de las Indias Occidentales; español corrompido; negro español; una jerga a base, principalmente, de un castellano simplificado; a mixture of Dutch, Spanish, English, French, Portuguese, African and Indian; un idioma compuesto, principalmente, de elementos castellanos y holandeses» (ap. Van Wijk 1958a: 169). Últimamente, sin embargo, las definiciones son mucho más científicas: «dícese del idioma o lengua criolla de Curazao» (*DRAE* s.v.); «habla criolla que el castellano ha producido bajo la influencia de la raza negra en las islas de Curazao, Oruba y Buen Aire, colonizadas por España, pero holandesas desde

---

[15] El nombre de la lengua es *papiamentu* en la modalidad lingüística de Curazao y Bonaire y *papiamento*, como en español, en la modalidad hablada en Aruba (Joubert b).

[16] Nos referimos a Lenz (1928).

[17] Cf. Van Wijk (1958a: 169).

1634» (*VOX* s.v.) o «lengua criolla de los negros de las Antillas neerlandesas» (*LAROUSSE* s.v.).

Según los datos conocidos hasta ahora, parece que la más antigua definición del papiamento se debe al padre jesuita Alexius Schabel, natural de Bohemia, misionero en Venezuela y Colombia. Schabel vivió también en Curazao y dirigió los destinos de la Iglesia católica de la isla hasta 1713, año en que abandonó Curazao y la Compañía de Jesús (González Batista 1990: 36). En uno de sus escritos de 1704, setenta años después de la retirada de los españoles de Curazao, Schabel define, de hecho, el papiamento como una modalidad del español, cuando afirma que los esclavos africanos de Curazao, a los que había conocido durante su estancia en la isla, hablan «un español chapurreado» (Van Wijk 1958a: 169; Rona 1971).

Según una opinión bastante generalizada, el nombre de la lengua tendría su origen precisamente en este calificativo del Padre Schabel, ya que la palabra *papiamento* puede ser un derivado del verbo *papear (papiar)* del español y gallego-portugués, con el significado de 'hablar, charlar' o 'chapurrear'. Berceo utilizó este verbo en sus obras (Berceo 1992; Corominas, Pascual 1980-1984 s.v. *papa III*), pero, curiosamente, el *DA* no lo recoge. Los diccionarios actuales del español lo registran con el significado de 'balbucir, tartamudear, hablar sin sentido' (*DRAE* s.v.; *VOX* s.v.). En la jerga actual de los jóvenes españoles, se utiliza con el significado antiguo de 'hablar'[18]. El portugués sigue utilizando el verbo con el significado de 'charlar, parlar, cotorrear, platicar, charlatanear, parlotear, chacharear, susurrar, mover los labios como quien reza, cuchichear' (Ortega Cavero 1977 s.v.). El vocablo se usa aún en Puerto Rico con el significado de 'lenguaje', pero tiene connotación peyorativa (Joubert b).

En opinión de algunos especialistas, el nombre del criollo podría derivarse de *papia*, uno de los nombres de la lengua *pé* de la familia

---

[18] Según los datos recogidos por César Hernández Alonso, presentados en la conferencia «La lengua de la juventud española actual», impartida en la Universidad de Las Palmas de Gran Canaria, abril de 1995.

de los idiomas nigerocameruneses, en alternancia con *pape*, *papu* (Maduro 1966: II, 15; Meillet, Cohen 1952: 804; Rona 1971).

El objetivo del presente libro es hacer un análisis crítico de las teorías más importantes sobre el origen y la evolución del papiamento y analizar la estructura de este criollo en todos los compartimentos de la lengua, tanto sincrónica, como diacrónicamente, en el contexto específico del desarrollo del español en las Antillas neerlandesas y de su evolución general en la Península y América. Este análisis, basado en principios metodológicos presentados en estudios anteriores (Munteanu 1975; 1991: 65-69), que detallaremos y desarrollaremos más adelante (véase «Principios metodológicos») nos permitirá, a nuestro juicio, proponer un escenario distinto para el origen, la cristalización y la evolución del papiamento.

II

DATOS GENERALES SOBRE EL PAPIAMENTO

En la actualidad, el papiamento se habla en las islas Aruba, Bonaire y Curazao (ABC, de aquí en adelante), situadas a menos de 100 kms. al norte de la costa de Venezuela, aproximadamente a la altura del Estado Falcón, entre los meridianos 68 y 70 oeste de Greenwich. Las islas ABC pertenecen a las Antillas Menores, Islas de Sotavento. Junto con las islas Saba, San Martín (Sint Maarten o Saint Martin[1]) y San Eustaquio (Sint Eustatius), formaron, hasta 1986, las Antillas Neerlandesas o, como se las conocía en el pasado, las Indias Occidentales Holandesas. Las tres últimas, menores en superficie, pertenecen al Archipiélago de Barlovento y están situadas al sudeste de las Islas Vírgenes. Las seis islas tienen una superficie de 1.204 km.^{2} y una población de 256.000 habitantes, según el censo de 1992. La distribución demográfica por islas es la siguiente: Curazao, aproximadamente 144.000, Aruba, unos 67.000, San Martín, unos 32.000, Bonaire, unos 10.000, San Eustaquio, unos 1.800 y Saba, aproximadamente 1.100 habitantes. Desde el punto de vista étnico, la población está compuesta por europeos, africanos y, en Aruba y Bonaire, indígenas, descendientes de la gran familia arawak-caribe (Álvarez Nazario 1972: 9).

[1] La parte septentrional de Sint Maarten, con una superficie de 53 km.^{2} y aproximadamente 8.100 habitantes (*LAROUSSE* s.v.), pertenece a Francia desde 1648.

Desde 1954, las Antillas Neerlandesas, con la capital Willemstad, en la isla de Curazao, tienen estatuto de autonomía interna dentro del Reino de los Países Bajos. El movimiento independentista obligó a las autoridades holandesas a negociaciones con vistas a la soberanía total, prevista para 1996, pero este desiderátum no se materializó, a pesar de las recomendaciones de la ONU. En julio de 1985, el consejo legislativo de Aruba aprobó una ley que autorizaba la separación de la isla del resto de las Antillas Neerlandesas, decisión refrendada por el gobierno de Holanda y el gobierno de las otras cinco islas que forman actualmente las Antillas Neerlandesas. Esta separación se hizo efectiva el 1 de enero de 1986, como primera etapa hacia la independencia total, prevista para 1996. Desde esa fecha, Aruba es parte componente, autónoma, del Reino de los Países Bajos, junto con Holanda y las Antillas Neerlandesas por un tiempo indefinido.

El idioma oficial de las Antillas Neerlandesas es el holandés, pero la mayoría de la población habla el papiamento. Según datos del censo de 1981, el 79,8% de los habitantes hablaba el papiamento, el 10,6%, el inglés, el 6,1%, el holandés y el resto de 3,5%, otras lenguas, entre las que destaca el español. Para el 86,9% de la población de Curazao, el papiamento es la lengua materna y para el 6,8%, el holandés. «El papiamento es la lengua nacional de estas islas [...]. Desde el gobernador general hasta el simple obrero hablan papiamento en casa y en el trabajo» (Joubert b). Prácticamente, todas las categorías sociales, desde la gente de la calle hasta los escritores, artistas o científicos hablan el papiamento, que es también la lengua de los medios de comunicación, prensa escrita y audiovisual e instrumento literario, avalado por una rica y valiosa creación literaria oral y culta. De los diez diarios que se publican en Curazao, seis son en papiamento y cuatro en holandés. En el parlamento se utiliza casi exclusivamente el papiamento y los documentos de las reuniones se redactan en la lengua empleada por los parlamentarios (papiamento, inglés u holandés). Desde hace unos años, el papiamento es asignatura obligatoria en la enseñanza primaria de Curazao y Bonaire y, constitucionalmente, existe la posibilidad de implantarlo como lengua de instrucción en toda la enseñanza básica de las dos islas.

Según el modelo descriptivo propuesto por Granda (1978: 395-403) para las lenguas criollas, basado en el sistema establecido por Stewart (1968) para describir las situaciones de multilingüismo desde el punto de vista sociolingüístico, el papiamento tiene el índice 2.1.1. (Granda 1978: 402-403). La primera cifra indica el hecho de que la lengua de prestigio que se sobrepone al papiamento es heterogénea; la segunda cifra indica la utilización a amplia escala, casi general, de la lengua criolla; y la tercera cifra indica la existencia de una posible situación de multilingüismo, que da lugar a «realidades lingüísticas, a veces muy complejas, cuya influencia sobre la estructura y evolución del 'criollo' a estudiar puede ser importante» (Granda 1978: 402).

Entre las distintas hablas que configuran una situación de multilingüismo, un papel importante, según Granda *(loc. cit.)*, puede desempeñar una lengua europea de prestigio, diferente a la del superestrato y a la lengua criolla. Para este autor, en el caso del papiamento, esta lengua es el español[2].

En lo que se refiere a las tendencias funcionales del papiamento, siguiendo también el modelo de Stewart (1968), Granda (1978: 406) propone la fórmula *w > s,l*. Esto significa que la tendencia funcional del papiamento se manifiesta en una evolución desde instrumento de amplia comunicación *(w)* hacia objeto de estudio *(s)* e instrumento literario *(l)*. Opinamos que la realidad lingüística de hoy de las Antillas Neerlandesas permite ampliar la fórmula de la siguiente manera: *w > s,l,e*, donde *(e)* indica el empleo de la lengua en la educación, aunque en una fase incipiente.

Martinus (1990: 563-564) hace una interesante comparación de las diferencias funcionales entre el criollo de Haití y el papiamento,

[2] Para Granda (1978: 407), las lenguas de superestrato son el portugués, que habría generado el protocriollo base del papiamento y, más tarde, el holandés, habla de superestrato político.

por una parte, y las lenguas oficiales de los respectivos países, francés y holandés, por otra parte, de la que resulta claramente que el papiamento tiene una posición netamente superior a la del criollo haitiano. Por otro lado, la comparación con el holandés es, evidentemente, muy positiva. El papiamento tiene los siguientes rasgos: formal (se habla en el parlamento), no oficial, contacto real, oral y escrito, prestigioso, valor comunicativo, asignatura; el holandés, por su parte: formal, oficial, administrativo, oral y escrito, prestigioso, valor simbólico, idioma de instrucción. Sin embargo, Joubert (a) aprecia que el holandés

> no tiene sólo valor simbólico, sino muy real. Dos de los [...] diarios que se publican en Curazao, los más prestigiosos, son en holandés; en la biblioteca, la gran mayoría de los libros que se dan prestados son en holandés; ante el juez, la lengua más hablada, y, en todo caso, la lengua escrita es el holandés; en el parlamento no se habla tan sólo papiamento, sino también holandés e inglés; las mejores novelas escritas por nativos, entre ellos fervientes defensores del papiamento, son en holandés y no en papiamento [...]. Esto demuestra el valor real del holandés, aparte de su valor meramente administrativo.

A pesar de estas reservas, justificadas indudablemente por la realidad lingüística y social, el papiamento ocupa una posición privilegiada dentro de la familia de los criollos hispánicos y de los criollos en general.

1. Breve historia de las Antillas Neerlandesas

La isla de Curazao fue descubierta en 1499 por Alonso de Hojeda (Ojeda), uno de los capitanes que habían acompañado a Cristóbal Colón en su segundo viaje a Santo Domingo (septiembre de 1493). Sin embargo, según Fernández de Oviedo, el mérito del descubrimiento no es de Hojeda, sino de Colón, quien había avistado la isla en 1496 ó 1497, en su tercer viaje, dos o incluso tres años antes que Hojeda:

> Y más adelante descubrió otras islas que se llaman Los Roques, y la isla de la orchilla, que se dice Yaruma, donde hay mucha cantidad della, segund fama. Esta isla está a doce leguas de otra que también descubrió el Almirante, más al Hueste, que se llama Corazao (Fernández de Oviedo 1959: I, 59).

Según algunos investigadores, el verdadero descubridor europeo de Curazao es Américo Vespucci:

> Amerigo Matteo Vespucci [...] seems to have been the first white man to set foot on the island, in September 1499. There is no proof that Ojeda himself landed there, however (Hans W. Hannau, ap. Birmingham Jr. 1971: V).

Parece que Hojeda no se entendió muy bien con Colón en aquel segundo viaje del Almirante, según los testimonios de la época. Lo cierto es que, de regreso a España, al enterarse del descubrimiento de la tierra de Paria en el tercer viaje de Colón, Hojeda decidió organizar él mismo una expedición. Obtuvo licencia para descubrir nuevas tierras y, en mayo de 1499, salió del Puerto de Santa María rumbo a las Indias con cuatro carabelas. Entre sus compañeros de viaje, probablemente como pilotos, se hallaban Juan de la Cosa y el florentino Américo Vespucci. Después de unos 27 días de navegación (según Vespucci) las naves vislumbran el continente (Casas 1986: 120), probablemente la actual Guayana francesa, y Hojeda se convierte en el primer español que pisa la tierra firme de la América del Sur. Después de explorar hacia poniente la costa donde había llegado, reconoció las islas de Trinidad y Margarita, descubiertas ya por Colón. Apenas a finales de julio del mismo año, el capitán descubre o redescubre Curazao, que bautiza con el nombre de «Isla de los Gigantes».

> Extendió su viaje Hojeda hasta la provincia y golfo de Cuquibacoa, en lengua de indios; agora se llama en nuestro lenguaje Venezue-

> la, y de allí al Cabo de la Vela [...] con una renglera de islas que van de Oriente a Poniente, alguna de las cuales llamó Hojeda de los Gigantes (Casas 1986: 128-129).

El nombre podría estar relacionado con la estatura descomunal de los aborígenes (Bayle 1953: 45-53), aunque no todos los cronistas de las Indias coinciden en este detalle. Sin embargo, en una carta dirigida a los Médicis, Vespucci escribía que cada hombre se parecía a un Anteo y cada mujer a una Pentesilea. Y para dar cuenta de la fuerza increíble de los indígenas, afirmaba haber visto muchas veces cómo éstos podían cargar con un peso mayor que el que podría levantar del suelo un hombre normal y transportarlo 30 ó 40 leguas, lo que es indudablemente una exageración (Bayle 1953: 55).

La población de la isla pertenecía a la tribu de los caquetíos, de la gran familia de los pueblos arawak-caribe (Tovar 1961; Birmingham Jr. 1971: VI). Los nombres Aruba, Bonaire y Curazao son de origen amerindio; Curazao significa 'plantación grande' y Hojeda lo oyó, probablemente, en boca de los indígenas, si nos atenemos a las crónicas:

> [...] más al poniente de las Aves está la isla de Bonaire; más al poniente de la isla de Bonaire está otra que se llama Corazante, más al poniente de Corazante está la isla llamada Aruba [...]. A lo que la carta llama Corazante, llaman los indios Curazao [...] (Fernández de Oviedo 1959: II, 322).

En un mapa de 1527 aparece el nombre Curazote (Lenz 1928: 47), entre otras variantes atestiguadas por documentos de época, como Curassol, Curaçau, Curasao, Korossal, Karasao, Kurassau, Quiraçao (Birmingham Jr. 1971: VI). Aquel mismo año de 1527, Juan de Ampíes declara las tres islas territorios de la Corona española e, inmediatamente, los conquistadores implantan entre los amerindios la religión católica y la lengua española. Esto explicaría el hecho de que los indígenas de Curazao y Bonaire que se refugiaron en Venezuela cuando los holandeses conquistaron las islas (1634) hablaban bien el español, según testimonios de la época (Van Wijk 1958: 170), aunque no sabían escribirlo.

Después de poco más de un siglo de dominación española, en 1634, Johan van Walbeeck y Pierre le Grand conquistan sin gran dificultad la isla de Curazao en nombre de la Compañía de las Indias Occidentales. La Compañía estaba interesada por las riquezas naturales del territorio, particularmente sal y madera, pero sobre todo por la posición estratégica de la isla.

La conquista de Curazao significó la extensión de la dominación holandesa también a las otras dos islas mayores, Aruba y Bonaire. Para los españoles, estos territorios (las islas ABC) no revestían mayor importancia político-estratégica y tampoco económica. Desde su colonización, los habían destinado a la cría de ganado. En 1567, un viajero inglés describía la isla de Curazao como un gran rancho de vacunos (Maduro 1992: 3). Los mismos españoles llamaban a estos territorios las «islas inútiles». Los holandeses, a su vez, tampoco mostraron un interés peculiar por los posibles beneficios económicos que habrían podido obtener al desarrollar la agricultura y las plantaciones; pero ésta fue la política que, generalmente, llevaron a cabo todos los europeos en la mayoría de las Antillas, una vez conquistadas. En cambio, en poco tiempo, los holandeses convirtieron Curazao en un importante centro de tráfico negrero.

En los años precedentes a la firma de la paz de Munster (1648), la dirección de la Compañía de las Indias Occidentales se dio cuenta de que la importancia estratégica de Curazao como poderosa base naval en la región se acercaba a su ocaso y decidió poner en práctica otro de los objetivos que le había impulsado a conquistar la isla: convertirla en factoría y centro del tráfico negrero de la zona, que abasteciera el extenso mercado del continente americano, principalmente, las provincias españolas (González Batista 1990: 39). Peter Stuyvesant pone las bases de este centro en 1647.

Los primeros esclavos africanos empiezan a llegar a Curazao hacia 1650, y la trata de negros aumentó año tras año. De modo que, si en 1675, por ejemplo, fueron transportados a Curazao 3.500 esclavos, diez años más tarde, en 1685, su número llegaba a 20.000. Según datos de archivo, entre 1700 y 1715, aproximadamente, el número de esclavos importados de África era de unos 3.500 - 4.000 al año. En 1713, el «asiento» de Curazao deja de funcionar oficialmente, pero continúa de forma clandestina el tráfico negrero desde Curazao y San Eustaquio a otros territorios caribeños (Lipski 1993: 24). En una tercera etapa, entre 1715 y 1750, el número de africanos que llega a Curazao disminuye y se mantiene en un promedio anual de 500-600 esclavos. El último transporte de esclavos africanos llega a Curazao en 1778 (Maurer 1985: 44; 1986a: 98). La mayoría de los esclavos era destinada a la venta en el continente, sobre todo en las colonias españolas, pero también en los territorios franceses e ingleses del Caribe. Hasta su traslado a otras tierras, vivían en dos campos de la isla. Un número relativamente reducido de africanos quedaba en Curazao para trabajar como criados domésticos o en las plantaciones.

Se sabe poco del origen étnico de los esclavos llegados a Curazao. Sin embargo, según los puertos de embarque, se aprecia que la mayor parte de ellos procedía del Golfo de Benín, Congo y Angola.

Otro momento importante para la futura configuración demográfica de la isla es la llegada de los judíos sefardíes. El primer judío que pisó la tierra de Curazao fue el intérprete de Johan van Walbeeck; permaneció en la isla hasta 1642 (Joubert b). Hacia 1659, casi diez años después del primer transporte de esclavos africanos llegado a la isla, empiezan a establecerse allí contingentes de sefardíes. Los sefardíes eran oriundos de España y Portugal, pero procedían, fundamentalmente de Amsterdam y, sobre todo, de Brasil, donde se habían refugiado después de su expulsión de la Península. Es sabido que los neerlandeses llevaron a cabo varios intentos de apoderarse de territorios brasileños, como Bahía, en 1624, y la zona de Pernambuco, conquistada por poco tiempo. A pesar de haber fundado allí un establecimiento gobernado por Juan Mauricio de Nassau (1637-1644), fueron expulsados en 1654, como consecuencia de una revuelta de los colonos portugueses. El número de sefardíes establecidos en Curazao debió de ser relativamente grande, ya que se estima que, en el siglo

XVIII, éstos representaban entre un 30% y un 50% de la población blanca de la isla.

No se conoce con exactitud cuál o cuáles fueron las lenguas vernáculas de los judíos sefardíes. En general, hablaban español, portugués o las dos lenguas. En el museo de la sinagoga Mikvé Israel de Willemstad se halla un folleto de 1711 escrito originalmente en español y traducido, según se puede leer en la portada, al «nos idioma sagradu», es decir, portugués (Maduro 1992: 7). Se sabe que el portugués fue la lengua «oficial» de la Congregación hasta el siglo XIX, por lo menos hasta 1865, cuando fue reemplazado por otras lenguas. En 1865, se predicó por última vez en portugués en la sinagoga sefardí de Curazao. Sin embargo, el uso del portugués en el culto no significaba que la comunidad fuera mayoritariamente lusohablante.

Existen documentos y libros publicados por los sefardíes en castellano ya en el siglo XVIII y testimonios de que éstos servían de traductores a los holandeses en sus contactos comerciales con la América hispánica (Maurer 1986a: 98; 1986b: 148, nota 26).

El abandono del portugués como lengua «oficial» de la Congregación se debe al hecho de que, a partir de 1865, ya no hubo rabinos de habla portuguesa en dicha comunidad, sino de habla holandesa o española, y, desde 1964, de habla inglesa. Actualmente el oficio religioso se celebra en inglés o hebreo y se predica en inglés. Se conservan, no obstante, algunas oraciones y fórmulas sagradas en español o en portugués, así como el rezo por la salud de la familia real holandesa y las autoridades locales, en portugués.

Por otro lado, los descendientes de los sefardíes hablaban ya diferentes lenguas —portugués, español, holandés, inglés y papiamento—. A finales del siglo XIX ocupaban cargos importantes en el gobierno (Emmanuel 1970: 71).

Estos datos son muy importantes, en nuestra opinión, a la hora de decantarse a favor de una de las dos lenguas ibéricas —portugués o español—, cómo lengua base del papiamento. La aportación lingüística de los sefardíes mediante el uso de sus modalidades —judeoportugués y judeoespañol— es notable en el papiamento (cf. Henríquez 1988; 1991) y consolidó ciertamente la posición de una u otra de las dos lenguas ibéricas, que representan, junto con el holandés, los elementos europeos de input en el proceso de nacimiento y cristalización del papiamento (Munteanu 1975a; 1991; 1992. Véase también «Teorías con respecto al origen del papiamento» y «Contacto Lingüístico y Criollización»).

Hasta 1790, cuando se efectuó el primer censo en Curazao, no se conoce con exactitud la composición demográfica de la isla y la relación numérica entre los distintos grupos que configuraban su población. Sin embargo, según testimonios de archivo, sabemos que en 1634, año de la llegada de los neerlandeses, en la isla vivían 421 holandeses y 70 amerindios. En 1650 se menciona, por primera vez, también la existencia de 100 esclavos africanos, cuyo número se elevaba, en 1683, a 2.400. De éstos, 1.800 eran criados domésticos y 600 trabajaban en las plantaciones. Hacia 1700, según los datos que poseemos, la población de Curazao era de 6.000 habitantes, de los cuales 2.400 eran blancos, representando el 40%, y 3.600 negros esclavos, representando el 60%. Los datos del censo de 1790 indican una población total de 19.544 habitantes y la siguiente composición etno-social: 12.804 esclavos africanos; 2.469 holandeses; 1.495 sefardíes; 1.776 libertos (Maurer 1986b: 131-132). En 1795 estalla una sublevación de los esclavos africanos, rápidamente sofocada por las autoridades, sin consecuencias mayores en la vida de la isla.

La situación política en la Europa de finales del siglo XVIII tiene una influencia bastante grande en la vida del continente americano. Como consecuencia de las guerras europeas, en 1795, Curazao pasa a estar bajo dominación francesa. Cinco años después, en 1800, se convierte en protectorado británico, pero en 1802, por la paz de Amiens, vuelve a ser territorio de la Corona holandesa. Los tratados de paz de París, de 1815, refrendan esta situación, a pesar de los esfuerzos de Inglaterra de volver a adueñarse de la isla, y Curazao queda definitivamente como territorio holandés, junto con Aruba y las otras islas que actualmente constituyen las Antillas Neerlandesas.

A comienzos del siglo pasado, llegan y se establecen en la isla numerosas familias de origen colombiano y venezolano (Navarro Tomás 1953: 188, nota 8). Hacia 1845-1846, se produce la migración a Curazao de una nueva ola de sefardíes portugueses, numéricamente insignificante.

2. El papiamento, la lengua criolla de Curazao

El papiamento se originó, probablemente, entre 1650 y 1700 en Curazao (Maurer 1986b: 130; De Haseth 1990), de donde pasó a Bonaire, alrededor de 1700, y a Aruba, hacia finales del siglo XVIII. Éste es precisamente el período en el que la isla se convierte en uno de los más importantes centros de la trata negrera de la zona caribeña y, prácticamente, de toda la América Central y Meridional. También en este lapso llega a Curazao la primera ola de judíos sefardíes. Estos dos acontecimientos y sus consecuencias para la composición demográfica de la isla son fundamentales a la hora de explicar el proceso de formación y cristalización del idioma papiamento.

Una de las mayores dificultades con que tropieza el investigador deseoso de estudiar el origen, la evolución y la cristalización de los rasgos criollos fundamentales del papiamento es la total ausencia de documentos escritos fechados en el período de su nacimiento o, al menos, en la primera etapa de utilización de esta lengua.

Se sabe que en los años 1750-1760 la curia venezolana presentó una queja ante el Consejo de Indias, porque la Compañía de las Indias Occidentales había nombrado a un clérigo holandés que no hablaba el papiamento como párroco de Willemstad. Según el obispo de Venezuela, la población negra de Curazao no entendía «otra lengua que la que allí llaman papiamento», lengua que utilizaban los sacerdotes desde muchos años en el servicio religioso y el trato cotidiano (González Batista 1990: 39). Y según documentos de la época, los misioneros franciscanos holandeses, que se hicieron cargo de los destinos de la iglesia curazoleña a partir de 1776, predicaban en papiamento (Joubert b)[3].

El primer texto escrito en papiamento, conocido hasta hoy, está fechado 1775. Se trata de un fragmento de una carta privada, escrita por Abraham de David da Costa Andrade Jr., un judío sefardí, a su amante, Sarah de Isaac Pardo y Vaz Farro, también judía. Este dato es de suma importancia, porque demuestra que, al cabo de poco más de un siglo de la llegada de los sefardíes a la isla, el papiamento pudo haber servido ya como idioma vernáculo de los mismos (Maurer 1985: 43). La lengua de la carta es bastante parecida al papiamento estándar contemporáneo en los aspectos morfosintáctico y léxico[4]. Sin embargo, al tratarse de un sociolecto determinado, el texto no permite reconstituir de qué manera hablaban el idioma los esclavos o la población libre de origen africano (Maurer 1985: 43, nota 10). Prácticamente del mismo período, más exactamente, de 1776, datan los fragmentos de unos testimonios de dos sefardíes, también en papiamento, publicados por Maduro (1971: 53).

Otros textos relativamente antiguos en papiamento datan del tercer decenio del siglo pasado. Se trata de un libro de oraciones escrito a mediados de la tercera década del siglo XIX en Curazao y de una poesía anónima en octosílabos, escrita en 1830 en Puerto Rico, con motivo de las bodas del monarca español Fernando VII con María Cristina de Borbón.

La existencia del libro de oraciones fue mencionada por Álvarez Nazario (1972: 11) sobre la base de un testimonio oral, pero el documento no se ha conservado y no pudo ser estudiado.

El poema anónimo se publicó en 1831, en San Juan, en un folleto titulado *Descripción de las Fiestas Reales en San Juan de Puerto Ri-*

---

[3] La afirmación de Joubert se basa en la tesis doctoral de Smeulders (1987), que estudia la influencia de la Iglesia católica en el desarrollo del papiamento.

[4] La última página de esta carta fue publicada en facsímil por Emmanuel (1970). La misma página fue reproducida y analizada por Maduro (1971), Ferrol (1982) y Salomon (1982). Este último ofrece también una traducción completa al holandés de la carta original.

co y otros pueblos de la isla en 1830 (Álvarez Nazario, *loc. cit.*) y se atribuye a los «mulatos holandeses que residían en el Sur» (Pasarell 1951: 124). Los versos presentan una serie de errores lingüísticos, que podrían interpretarse como interferencias con el español, y oscilaciones ortográficas, pero representan, indudablemente, la primera creación literaria escrita en papiamento. El poema demuestra remarcables calidades artísticas, testimonio de una larga y rica tradición literaria oral.

La publicación de un texto papiamento en Puerto Rico no debe sorprender. En los siglos XVIII-XIX, en varios territorios caribeños, especialmente Cuba, Puerto Rico, Islas Vírgenes y Venezuela, se establecieron numerosos núcleos de curazoleños, no sólo esclavos africanos, sino también blancos (Morales Carrión 1878: 39; Granda 1988: 121-129; Álvarez Nazario 1970; 1961: 146; Lipski 1993: 23-26; 1993a: 217), que utilizaban como lengua de comunicación el papiamento. Según parece, el papiamento era familiar en todos estos territorios y los hispanohablantes lo comprendían fácilmente. Para Álvarez Nazario (1970: 4), el pequeño poema publicado en 1830 en Puerto Rico

> ofrece pruebas de primera mano que establecen el arraigo definitivo y claro en nuestro suelo por entonces de sectores poblacionales usuarios del papiamento, con raíces que se remontan posiblemente en el tiempo a los siglos XVII y XVIII [...] cuando este instrumento expresivo va definiendo y consolidando históricamente su carácter de lengua criolla del Caribe [...].

Resulta con toda claridad que la modalidad lingüística a la que se refiere el autor es el vestigio del papiamento transplantado a Puerto Rico por generaciones anteriores a la fecha del texto, parcialmente remodelado por el contacto con el 'bozal' y el español criollizado que empezaban a desarrollarse en Puerto Rico (Lipski 1993: 25). En lo que se refiere a Cuba, según los testimonios de viajeros citados por Granda (1988: 121-129), resulta claro que dichos viajeros se refieren al papiamento y no a un pidgin o criollo afrocubano local.

Álvarez Nazario estudia las comunidades curazoleñas de Puerto Rico y analiza los factores socio-históricos y político-económicos que determinaron estos desplazamientos poblacionales de las islas holandesas a otros territorios cercanos. En opinión de Álvarez Nazario (1970: 1-4), estos factores serían el contrabando con esclavos negros curazoleños, señalado también por Lipski (1993: 24), y las evasiones de grupos de africanos de las Antillas holandesas a regiones hispanoamericanas. Con respecto a este último aspecto, el autor hace referencia a la política que la Corona española fomentó hasta finales del siglo XVIII en cuanto a esclavos prófugos de otras colonias, política dictada por razones de orden religioso. Como es sabido, unas disposiciones especiales permitían a los esclavos fugados de las colonias holandesas e inglesas establecerse en los territorios del Imperio. Esto hizo que el flujo de esclavos prófugos de aquellas colonias a tierras hispanas fuera aumentando continuamente. La explicación de Álvarez Nazario para Puerto Rico puede ser perfectamente válida también para otras regiones caribeñas donde existieron comunidades papiamentohablantes (Granda 1988: 124-125). La importancia numérica de los fugitivos de las Antillas no hispánicas se pone de manifiesto en los acuerdos de extradición de esclavos prófugos firmados por la Corona española con Holanda y Dinamarca. Los textos de los acuerdos indican que las deserciones más frecuentes y masivas se producían desde San Eustaquio a Puerto Rico y desde Curazao a Coro (capital del actual Estado venezolano de Falcón), así como entre otros establecimientos (Granda, *loc. cit.*).

A lo largo de los siglos XVII-XVIII, llegaron a Venezuela, especialmente al Estado de Falcón, situado en frente de las islas ABC, contingentes numerosos y relativamente compactos de esclavos africanos procedentes de las Antillas holandesas. Sin embargo, si muchos eran fugitivos (Acosta Saignes 1961) o traídos por contrabando, un número relativamente importante llegó legalmente, en calidad de criados de sus amos holandeses establecidos en la zona (Córdova Bello 1964; Granda 1988: 126), sobre todo en Puerto Cabello, lugar «condenado a parecer por mucho tiempo una dependencia de Holanda más bien que una propiedad española» (Bello 1952: 82). Está claro, a nuestro juicio, que también estas comunidades conservaron, por lo menos cierto tiempo, su idioma vernáculo, el papiamento. Sólo así se explicaría la presencia de un texto en Puerto Cabello, transmitido oralmente, identificado por Granda (1988: 127), «a pesar de sus terribles desfiguraciones, causadas evidentemente por la transmisión oral y por la incomprensión progresiva de su significado, como un texto en papiamento [...]».

La influencia del papiamento sobre esta modalidad y la existencia de rasgos papiamentos en el español 'bozal' caribeño podrían explicarse por la posición privilegiada, desde el punto de vista lingüístico, de los papiamentohablantes frente a los esclavos traídos de África, cuyo único medio de comunicación era un español rudimentario. Un papiamentohablante tenía menos dificultad en comprender el español, sobre todo si se tiene en cuenta que algunos habían podido estar ya en contacto con el español (venezolano) en Curazao.

Resulta bastante evidente, en nuestra opinión, que hasta el siglo pasado el papiamento fue utilizado como lengua de comunicación no sólo en las Antillas holandesas, sino, prácticamente, en toda la región caribeña donde se habían establecido núcleos curazoleños, contribuyendo así a la creación de un ambiente específico, material y espiritual, antillano. Y como resaltaba con tanto afecto Álvarez Nazario (1972: 19):

> [...] la existencia del papiamento en Curazao, Aruba y Bonaire ofrece hoy día a toda una comunidad interinsular en el ámbito del Mar Caribe un esencialísimo núcleo de cohesión material y espiritual, un espejo en el cual se refleja una particular identidad del pueblo antillano y una particular manera de entender la realidad circundante y de reaccionar ante ella. Desde los días cuando se le calificó de español arañado, esta lengua criolla de las Antillas ha recorrido un largo y duro trecho de evolución cultural, en cuyo curso ha dejado asaz constancia de su capacidad para el cultivo artístico a través de la expresión literaria.

3. Desarrollo y florecimiento de la lengua y literatura papiamentas

El camino recorrido por esta «lengua criolla de las Antillas» hacia la «afirmación plena de su personalidad como lengua de un pueblo» (Álvarez Nazario 1972: 19) no fue fácil, ni falto de sinuosidades y obstáculos. Los papiamentohablantes se vieron obligados a luchar por vencer complejos de distintas índoles, principalmente coloniales y racistas, pero también prejuicios entre su propia gente.

A pesar de una larga y riquísima tradición literaria oral y de una incipiente creación literaria culta, en el siglo pasado el papiamento se vio desestimado no pocas veces con respecto al holandés, la lengua oficial, de prestigio, y considerado un instrumento de comunicación primitivo, utilizable exclusivamente en los territorios coloniales. Este punto de vista no debe sorprender mucho, ya que reflejaba la actitud casi general de las metrópolis europeas hacia sus colonias. Más graves nos parecen afirmaciones como las del curazoleño A. Jesurun, quien proclamaba en una revista holandesa, a finales del siglo XIX, que el papiamento no puede ser considerado una lengua en el verdadero sentido de la palabra (Álvarez Nazario 1972: 13); o la del ministro holandés G. P. Bosch, quien opinaba que es perjudicial para el desarrollo de la inteligencia y la asimilación del holandés (Álvarez Nazario 1972: 12; Van Wijk 1958). Desgraciadamente, todavía hoy día hay hablantes nativos de papiamento que comparten esta opinión (Joubert b).

El español gozó también de una posición privilegiada frente al papiamento durante todo el siglo pasado, debido a las intensas relaciones comerciales entre Curazao y los países americanos y a la presencia de numerosos exiliados políticos, víctimas de los regímenes dictatoriales hispanoamericanos, refugiados en este oasis de estabilidad política. Aunque el holandés fuese la lengua oficial, el español era la lengua de educación de una parte de la población, no sólo de la elite de la sociedad curazoleña, y, a veces, era mejor conocido que el holandés. Esta posición del español se consolida en las primeras décadas de nuestro siglo, cuando el papiamento no era todavía considerado una verdadera lengua y, de todas formas, menos un posible instrumento literario (Broek 1994).

Hemos mencionado, de paso, la literatura oral en papiamento, de larga y rica tradición. Dentro de la misma se pueden establecer distinciones en cuanto a los temas tratados y al género. Los temas siguen dos direcciones: la tradición heredada directamente de las muy variadas culturas del occidente de África y la tradición autóctona, que adapta la tradición heredada a la realidad antillana (Baum 1974: 334). En cuanto al género, predominan la copla satírica y el cuento.

La creación oral en verso comprende canciones de cuna, de niños, de trabajo, de cosecha y de tambor *(tambú)*. Pero, quizás, las más conocidas y populares creaciones en verso, que, desde los años cuarenta han desaparecido prácticamente, son las llamadas *banderitas*, compuestas muchas veces para ser recitadas con acompañamiento musical. La *banderita* era un pedacito de papel, generalmente de color, pegado a un palito de madera, en el que se escribía, a máquina o a mano, en letra muy legible, una breve copla de carácter satírico *(pulla)*, un suceso contado en breves palabras, un dicho o un refrán. Además de las creaciones de carácter satírico, irónico e incluso sarcástico y ofensivo, había también banderitas sentimentales y románticas. Las banderitas se vendían o se repartían gratuitamente y la gente las llevaba en el sombrero, en el pañuelo de cabeza o las colocaba a la puerta de entrada de la casa. También se enviaban a amigos o enemigos, de acuerdo con el contenido y la intención (Berry Haseth 1994).

Sin descartar el posible origen africano y las inherentes contaminaciones con el mismo, las raíces de este género se deben buscar, en nuestra opinión, en la tradición española, no africana. Nos parece muy significativa la conservación de la improvisación (de carácter satírico) en las Antillas neerlandesas, porque pone de manifiesto los lazos entre la tradición de las islas y la de toda la región caribeña (insular y continental). Nos referimos a la décima improvisada en México, Venezuela, Colombia, Cuba y Puerto Rico, a las coplas, quintillas y sextinas de México, o a la mediatuna de Santo Domingo (Armistead 1994: 50-53). Y más todavía, porque pone de manifiesto de manera incuestionable la continuidad de una literatura cuyos orígenes se pueden rastrear hasta la romanidad medieval, y la pervivencia en las Antillas neerlandesas de una antigua tradición española del siglo XVI:

> La poesía oral improvisada, en la que la composición y la recitación son simultáneas e inseparables, ha sido, hasta épocas muy recientes, un fenómeno muy extendido en muchas áreas del mundo hispánico y [...] tal fenómeno ha sobrevivido y aún goza de vigorosa vitalidad en varias regiones, incluso hasta la actualidad. [...] Desde los primeros años del siglo XVI, constan varios ejemplos de duelos poéticos [...], competiciones poéticas practicadas por los campesinos españoles, que se conocían y se conocen aún hoy en día en algunas regiones por la voz *pullas* y se decía *echarse pullas* [...] (Armistead 1994: 43- 44)[5].

Entre los que mantuvieron viva la tradición de la literatura satírica oral en verso y prosa pueden ser mencionados Arturo Leito y Oscar van Kampen (Terlingen 1957: 159-261; Álvarez Nazario 1972: 14-15).

En ese contexto de la literatura tradicional, nos parece interesante recordar a dos importantes tocadores de *tambú*: Shon Colá Susana (Don Nicolás) y Petronilla Coco (Petoi) (Joubert b), así como a un personaje muy familiar a los curazoleños: Chan di Lagun. Su verdadero nombre era Luciano Koots y trabajaba en una plantación llamada Lagun. La gente lo mimaba llamándole Chan di Lagun. Falleció a principios de la década de los ochenta y, en aquel período, era el último curazoleño que todavía tocaba el *benta*, instrumento musical de una sola cuerda, de origen africano. A pesar de su desaparición, la tradición no se ha perdido en la actualidad y el arte de Chan di Lagun fue continuado por algunos de sus admiradores.

---

[5] La etimología de la palabra *pulla* es incierta. Pero se suele relacionar con *púas*, por el carácter mordaz del género.

La literatura oral en prosa destaca por los cuentos y las leyendas de origen africano, que tienen como protagonista a algún animal que, en los cuentos del Caribe, vence siempre a su rival por medio de trampas y engaños. Uno de los personajes más famosos de estos cuentos es Kompa Nanzi, figura común en el folklore de varios pueblos de la región caribeña[6]. La mayoría de los estudios identifican al protagonista de estos cuentos con una araña, basándose, probablemente, en la existencia de una especie de arácnido, que en papiamento se llama *nanzi*,

> [...] pero si uno pregunta a los que hemos escuchado estos cuentos en boca de nuestros padres, abuelos, etc., más del 99% de los hablantes de papiamento diremos que, cuando nos contaban estos cuentos, nos imaginábamos que el protagonista era un joven o adolescente y no una araña (Joubert, comunicación personal).

Desde principios de nuestro siglo, la literatura oral llamó la atención de los hombres de letras de las islas, que fueron recogiendo en el campo y publicando paulatinamente este riquísimo tesoro. La más conocida antología de cuentos de Nanzi es la de Nilda M. Geerdink-Jesurun Pinto, de 1952[7], en la que se publican 30 de esos cuentos. El Instituto pa Formashon i Estudio di Papiamentu, actualmente Instituto Raúl Römer, los reeditó en 1983, con el título *Kuenta di Nanzi*.

La dirección de la tradición autóctona está representada, principalmente, por los cuentos breves que tratan, en su mayoría, el tema de las relaciones entre los *katibunan* 'esclavos' y los *shonnan* 'amos' (Baum 1974: 335).

Durante el siglo XIX, paralelamente a la creación literaria oral, empieza a abrirse camino y a afirmarse también la literatura culta. El papiamento intenta imponerse como una lengua evolucionada, de cultura, en todos los niveles de la sociedad. Pero no debemos olvidar

[6] En realidad, se trata de Ananse de la Costa de Oro de África, criollizado bajo las formas Ananzy, en Surinam, Unancy, en Jamaica, o Auntie Nancy, en el sur de los EE.UU. (Joubert b).

[7] Maurer (1988: 442-443) ofrece más datos bibliográficos sobre estas antologías.

que, en aquel entonces, al papiamento no se le consideraba todavía una lengua apta para la expresión artística de alto nivel. Entre los años 1840 y 1885 se publican numerosos libros en papiamento, especialmente de carácter religioso (libros de oraciones, hagiografías, catecismos), pero también gramáticas del papiamento, manuales de conversación y volúmenes de versos[8].

El primer diario de las islas se publicó en San Eustaquio, entre 1790 y 1793 con el nombre *Sint Eustatius Gazette*. En 1812 en Curazao empieza a publicarse el semanario *The Curaçao Gazette*, en inglés, que, desde 1816, pasó a editarse en holandés, con el nombre de *De Curaçaosche Courant* (Lenz 1928: 23-24; Broek 1994). Esta revista, que sigue publicándose en la actualidad, representa una fuente de información inestimable sobre la vida sociocultural, económica y política de Curazao, particularmente del siglo XIX.

---

[8] Lenz (1928: 18-25) aporta una interesante bibliografía de los primeros libros en y sobre el papiamento, desde 1843 hasta 1914. En realidad, se trata de una relación de los libros que tenía en la época H. Schuchardt en su biblioteca y de los adquiridos por el mismo Lenz (Lenz 1928: 18-21). Como el libro de Lenz es bastante difícil de conseguir en la actualidad, no nos parece de más transcribir aquí unos cuantos títulos publicados entre 1840-1885, como botón de muestra: *Pikien ABC boekoe*, Amsterdam, 1843; *Ewanhelie de San Matheo*, Curaçao, sin fecha (1844); *I.H.S. Keda lamantar i reza! - Oen present pa moetsjanan arieba dia di nan promeer santa komoenion,* Santa Rosa, 1851; J. J. Putman, *Bida di Hesoe Kriestoe,* Santa Rosa, 1852; *Meditasjon arieba soefrimeentoe di noos Senjoor Hesu Kriestoe.* Historia, exemplo i orasjon, pa J. J. Putman, Pastoor; i soe roeman Joanna Adr. Putman, fundadora di skool pa moetsja moheer pober na Sta. Rosa, Santa Rosa, 1853; *Oen Floor, ki J. J. Putman ta boeta arieba sepoelkro di soe roeman stimaar Joanna Adriana Putman*, Santa Rosa, 1853; *Catecismo pa uso di katolikanan*, Curaçao, 1874; *Nederlandsch-Papiamentsch-Spaansch Woordenboekje*, Arnhem, 1875; *Guia-Manual para que los españoles puedan hablar y comprender el papiamento ó patois de Curazao y viceversa, para que los de Curazao comprendan el español.* Por N. N., Curazao, 1876; *Lista di palabranan i kombersasjon na leenga di Corssouw.* pa N., Curaçao, 1876; *Ciento cuenta corticoe. Boeki di leza pa uso di school*, Curaçao, 1881; *Boeki di leza pa uso di skool di dia Domingo na Curaçao*, Curaçao, 1881; *Historia corticoenan sacar for di Bybel*, Curaçao, 1881; *Cuater Boeki di Imitacion di Cristoe*, Curazao, 1882; *Boeki di spel*, Curaçao, 1885.

Después de la abolición de la esclavitud en 1863, empiezan a publicarse también numerosos periódicos en papiamento. Algunos de vida breve, que se cuenta en semanas, otros más afortunados. Entre estos últimos mencionamos *Civilisadó, courant di Pueblo* (1871-1875); *La Union* (1889-1897 y desde 1922 hasta hoy); *Amigoe di Curaçao* (a partir de 1884), en papiamento y holandés al principio, y luego sólo en holandés; y más tarde, desde 1900, el semanario *La Cruz*. En el mismo período se publicaron también *L'Echo de Curaçao Français-Espagnol* (1872-1873), así como *Noticioso* y *El Imparcial*, en español. De todas estas publicaciones, los diarios *Civilisadó*, *Noticioso* y *El Imparcial* desempeñan un papel sumamente importante en la vida cultural de las Antillas neerlandesas. En sus páginas se publican creaciones literarias en español y, en *Civilisadó*, también en papiamento, firmadas por autores autóctonos e hispanoamericanos de varias regiones del continente, pero, especialmente, de la zona antillana. Éste es el período que Terlingen (1957: 238) llama «la época prerrenascentista».

El fin del siglo XIX y el comienzo del nuestro significan el verdadero principio del florecimiento de la vida cultural curazoleña, período llamado con justa razón por el mismo Terlingen (1957: 244) «el Renacimiento».

Un acontecimiento de peculiar importancia en la vida cultural de las islas es la aparición del semanario *Notas y Letras, semanario de literatura y bellas artes* (1886-1888), primera publicación curazoleña dedicada exclusivamente a la creación artística, de modo particular a la literatura y música. La revista, editada por la Librería de Bethencourt e Hijos, iba a convertirse en el eje central de todo el movimiento literario y artístico de las islas. Y llegados aquí, no nos parece de más recordar que Agustín Bethencourt fue él mismo poeta y que una de las más importantes imprentas y editoriales de la región fue precisamente la de Bethencourt e Hijos[9]. En los 62 números de la exis-

[9] Oriundo de Santa Cruz de Tenerife, donde nació el 23 de noviembre de 1826, Agustín Bethencourt se estableció en Curazao en 1860, donde vivió hasta su fallecimiento, en 1885.

tencia del semanario, los curazoleños Joseph Sickman Corsen y Ernesto H. Römer, que ocuparon el cargo de redactor jefe del mismo, publicaron versos, prosa, ensayos, artículos de crítica literaria y creaciones musicales firmados por autores latinoamericanos residentes en la isla, colaboradores de Venezuela, Colombia, Ecuador, Perú, Chile, Argentina, México, Cuba y Puerto Rico y autores autóctonos. Curazao llega a convertirse en

> una ínsula de cultura que sorprendía en las últimas décadas del siglo pasado con las máquinas movidas por molinos de viento del Asilo de Huérfanos, con los colegios donde se formaron futuras madres venezolanas y jóvenes de nuestro país y de otras diversas regiones del Caribe, con las cuidadosas editoriales que difundieron en nobles impresiones lo más selecto de la producción de Venezuela [10].

Es éste el período de la eclosión del romanticismo, representado por poetas como Josef Sickman Corsen, H. A. Wolfschoon, A. Z. López-Penha, David M. Chumaceiro, cuya filiación con Bécquer y Campoamor es evidente. Un verdadero hito en el desarrollo de la lírica romántica es la poesía «Atardi» de Sickman Corsen, «una tierna expresión de nostalgia y tristeza» (Baum 1974: 331), de rima consonante en redondilla. El autor escribió este poema, considerado la más antigua poesía artística que se conserva en papiamento, después de haber escrito otros dos sobre el mismo tema en español, para probar a sus amigos las posibilidades artísticas del papiamento (Joubert b). Y según Broek (1994), «se révéla un maître dans l'utilisation d'une langue qui n'avait qu'une tradition très limitée dans l'écriture littéraire». Corsen fue un colaborador regular de la revista, en la que publicó numerosos poemas en español, reunidos póstumamente en el volumen *Poesías* (1915). La poesía de Corsen en español representa lo que la sociedad burguesa de la época consideraba de buen gusto y conveniente.

---

[10] Del discurso de Rafael Caldera, pronunciado durante su visita a Curazao en calidad de presidente de la República de Venezuela, el 27 de Septiembre de 1971.

Paralelamente, sigue cultivándose también la narrativa, que aborda todos los géneros, desde novela y cuento hasta ensayo y memorias, así como el género dramático. Entre los más representativos narradores de este período, hasta finales de los años treinta, hay que mencionar a Benjamin Jesurún, Darío D. Salas y John de Pool, los tres de expresión española. Salas era también dramaturgo de gran éxito. Cabe destacar el libro de memorias de De Pool, *Del Curaçao que se va*, que describe la vida de la elite local de Curazao entre 1860 y 1890: «Des faits nombreux et divers viennent à être discutés, rappelés le plus souvent avec mélancolie et rendus vivants par des anecdotes frappantes et un regard aigu sur les détails» (Broek 1994).

La rica creación literaria, la actividad periodística, los libros de carácter didáctico destinados a la enseñanza de la lengua y, en general, toda la vida cultural de Curazao hacen que Lenz resalte, ya en 1926, que «el papiamento es una lengua de alta cultura, y en esto aventaja, en cuanto alcanzan mis conocimientos, a todas las demás lenguas criollas, que son sólo medios de comunicación» (Lenz 1928: 13).

En las décadas que preceden la Segunda Guerra Mundial, la literatura papiamenta se halla bajo el signo de un gran apego a la religión católica y del compromiso con la problemática del desarrollo económico y social de la sociedad afrocurazoleña (Joubert b). Destacan en este período escritores como W. M. Hoyer, W. E. Kroon, J. S. Sint Jago, S. M. Suriel y M. A. Fraai (Fray), que publican novelas por entregas en papiamento. Se trata de novelas de tesis, cargadas de didacticismo pro católico, que llaman la atención sobre el lamentable efecto de los cambios socioculturales y proponen como única salvación válida el apego al catolicismo.

Una vez obtenida la autonomía en 1954, se observa una nueva actitud frente a la cultura y la lengua nacionales y un interés en continuo aumento por el cultivo de la lengua.

> [...] la curiosité des gens de lettres de l'île [...] cessa de se fixer sur les concepts quelque peu idéalisés de la culture occidentale pour se tour-

> ner vers les modèles socio-culturels, les particularités, les habitudes propres aux îles ou plutôt vers ce qu'il en restait. La 'différence' et 'l'unicité' furent alors mises en valeur plutôt que 'l'acculturation' et 'l'assimilation' (Broek 1994).

Surge una joven generación de poetas, «entusiasmados por revelar las virtudes intrínsecas de su idioma natal» (Baum 1974: 333). Fruto de sus veladas, en que compartían anhelos y sueños enaltecedores por el papiamento, es la revista *Simadan*, que vio la luz en enero de 1951, redactada íntegramente en papiamento. Entre sus miembros fundadores se encontraba también el poeta y cuentista Pierre Lauffer.

Con *Simadan* ('fiesta de la cosecha', en papiamento) se inicia una nueva etapa en el desarrollo de la literatura culta. Podemos hablar de una verdadera producción literaria escrita en papiamento, que «descubre» y se nutre de las raíces nacionales, afroantillanas. Nace y se desarrolla la conciencia artística de una creación original, que está buscando su propio camino, liberándose de los modelos europeos o africanos. Los temas predilectos y las más importantes fuentes de inspiración son la belleza de las islas y las vicisitudes socioculturales. Es representativa para este proceso de emancipación e individualización de la creación literaria la lírica de tres grandes poetas, Elis Juliana, Pierre Lauffer y Luis Daal. Junto a ellos, debemos mencionar también a Henry Habibe y Nydia Ecury, escritores que cultivan abiertamente los modelos rítmicos de la literatura oral, en poesías de gran valor. Cola Debrot, crítico e historiador literario, manifestó su intención de reunir en una antología la creación lírica de las islas representativa para ese momento, escrita tanto en papiamento como en español, en que figurarían Nicolás Piña, Charles Corsen, Mauricio Nouel, José Ramón Vicioso, Tip Marugg y Lidia Obediente. Pero este proyecto no logró concretarse.

Un lugar aparte en el panorama literario de ese período lo ocupan Pierre Lauffer y Elis Juliana, considerados los poetas y cuentistas nacionales de las islas en papiamento. Lauffer vierte en imágenes poéticas todas las realidades de su patria chica, Curazao, tal como dejaba entrever ya en su primer poema, «Corsou», publicado a los 24 años, en el volumen *Patria*, su *opera prima* en papiamento. El autor canta

> el paisaje rocoso y reseco, el canto del turpial, los cactos, los vientos alisios y la dura vida del campesino. [...] la queja del esclavo, el canto, ritmo y baile del *tambú*, característicos de las poesías afroantillanas. Estos temas y el ritmo que ha sabido insertar en su obra poética colocan al autor, junto con otro gigante de la poesía rítmica en papiamento, Elis Juliana, entre los mejores representantes de la poesía afroantillana (Joubert c).

Se puede afirmar que con la obra de Lauffer, Daal y Juliana el prestigio del papiamento como lengua literaria dejó de ser puesto en tela de juicio para siempre. La creación literaria de los tres, tanto en prosa como en verso, se sitúa, indudablemente, al nivel de la mejor literatura escrita en otras lenguas.

La creación literaria de las primeras décadas del período posbélico, tanto en papiamento como en holandés, estuvo bajo el signo del concepto de *criollización*, defendido fundamentalmente por Cola Debrot, personalidad influyente en la vida literaria y social de la isla. Debrot se opone a la pretendida necesidad de la sociedad curazoleña de «occidentalizarse», independientemente de las aspiraciones o exigencias de la región, haciendo hincapié en un inevitable desarrollo sociocultural en el que se fundieran en una amalgama las influencias africanas, latinoamericanas y europeas. Estas ideas se vislumbran ya en su primera novela, escrita en holandés, *Mijn zuster de negerin* (Mi hermana la negra), de 1934, obra «clásica» de la literatura antillana en holandés (Broek 1994). Las relaciones socioculturales entre el mundo europeo y el caribeño fueron tema predilecto también de otros novelistas de expresión holandesa, como Tip Marugg, en la novela *Weekendpelgrimage* (El peregrinaje del fin de semana, 1958) o Boeli van Leeuwen, en *De rots der struikeling* (La piedra del tropiezo, 1959).

En los años sesenta, el concepto de criollización fue blanco de ataques cada vez más duros, especialmente por parte de escritores de expresión papiamenta, que consideraban incongruente la actitud de los escritores que creaban en holandés y defendían el criollismo, sobre todo, cuando esta «defensa» parecía conceder mayor importancia a los elementos culturales europeos que a los africanos supervivientes. Así se explican las despiadadas críticas dirigidas a un escritor como Frank Martinus Arion por haber publicado en holandés su novela *Dubbelspel* (Doble juego, 1973), a pesar de que la misma describe en tono lleno de admiración precisamente el mundo antillano-neerlandés. Broek (1994) resume perfectamente el sentir general del momento, cuando destaca en su mencionado estudio:

> La langue vernaculaire d'environs 90% de la population fut tenue comme la preuve vivante d'un développement antillais unique fortement enraciné dans un passé africain. Ajouté à cela, «l'authenticité» locale fut considérée comme une chose à laquelle la population afro-antillaise tenait beaucoup et sentait lui appartenir.

La narrativa se orienta hacia un arte realista, que rechaza los cánones del romanticismo. Junto al papiamento sigue cultivándose el holandés, pero se manifiesta una clara preferencia por la lengua autóctona.

Esta nueva actitud se debe interpretar como el inicio de una etapa cualitativamente superior en el desarrollo y eclosión del papiamento, la «de una madurez expresiva que le permite independizarse del apoyo nutriz de la lengua madre» (Álvarez Nazario 1972: 14).

En los años setenta y ochenta, se abre camino en la poesía de las islas una fuerte corriente contestataria inspirada por el ámbito independentista del período, la aspiración a la independencia y el progreso sociocultural desde una perspectiva afro-caribeña (Broek 1994). Ilustran esta corriente numerosos jóvenes poetas, entre los que mencionamos a Pacheco Domacassé, Diana Lebacs, Stanley Bonifacio, Rhonnie Sillie, Gibi Bacilio, René Rosalia, Lasana Sekou (de expresión inglesa), Yerba Seku, junto a representantes de generaciones anteriores como Henry Habibe y Federico Oduber, los dos de Aruba. En este contexto, un escritor como Carel de Haseth ataca las restricciones a la idea del auténtico afro-antillanismo y sale a la defensa del criollismo en el poemario *Poesia venena* (Poesía envenenada, 1985) o la novela *Katibu di shon* (Esclavo del amo, 1988).

Además de los tres más grandes —Lauffer, Juliana y Daal, este último considerado por Lauffer, «el Rey de la Metáfora»— así como de los otros citados ya, Joubert (b) menciona también, entre los poetas y cuentistas contemporáneos más importantes, a los siguientes: en Aruba, Nicolás Piña, Hubert Booi, Ernesto Rosenstand y Philomena Wong; en Bonaire, Carlos Nicolaas; en Curazao, Ornelio Martina, Edward A. de Jong, Guillermo Rosario, May Henriquez, Maria Diwan, Lucille Berry Haseth, Enrique Muller, Imelda Valerianus-Fermin y varios otros.

La novela en papiamento está menos cultivada en la actualidad. Entre los pocos que escriben novelas en papiamento destacan Guillermo Rosario y Edward A. de Jongh.

La afición de los curazoleños por el teatro nació ya hacia los años setenta de la pasada centuria, gracias a las giras de las compañías teatrales españolas o hispanoamericanas por las Antillas y el continente. Desde finales del s. XIX hasta los años cincuenta, hubo también representaciones teatrales en papiamento, con obras que, en su mayoría, ensalzaban los ideales católicos, en la línea de las novelas del período antebélico.

En la década de los cincuenta, la mayoría de las obras dramáticas puestas en escena en las Antillas neerlandesas cambia de argumento. Muchas eran traducciones o adaptaciones de obras maestras europeas. En los siguientes dos decenios, se impone también en el teatro la idea de la particularidad, el cambio revolucionario y la autenticidad local. Hoy día, en los escenarios se pueden ver obras dramáticas originales y traducciones y versiones libres de la dramaturgia universal. Entre los que cultivaron y siguen cultivando el género en papiamento mencionamos a May Henriquez (también poeta y cuentista), Raúl G. Römer (también destacado lingüista), René de Rooy, Guillermo Rosario (también poeta y novelista), Ernesto Rosenstand (también poeta y cuentista), Pacheco Domacassé (también poeta) y Eligio Melfor. Este último es el más popular dramaturgo en papiamento y sus obras, de corte satírico-humorístico, atraen a millares de espectadores. Sin embargo, según Joubert (b), «ni las obras dramáticas, ni las novelas alcanzan las alturas a que llegan las obras poéticas y los cuentos».

Joubert (b) hace un análisis realista y, quizás, precisamente por eso, algo pesimista de la situación actual y futura del papiamento. Según él, la gran mayoría de los papiamentohablantes aprecia su lengua, por ser la lengua materna de casi todos ellos y, por tanto, el instrumento de comunicación que manejan con más facilidad. Pero manifiesta dudas con respecto a su valor funcional a niveles más elevados y a la posibilidad de que el papiamento llegue a reemplazar al «holandés, español e inglés, que son lenguas extranjeras de bastante arraigo en las islas». A pesar de las declaraciones de principio de los gobernantes de las islas ABC sobre la necesidad de fomentar el buen uso del papiamento, se notan ciertas reticencias, determinadas por distintas causas.

El papiamento no es una lengua oficial, no está estandarizado por completo y tiene un vocabulario relativamente reducido. Además, hay dos ortografías oficiales: la de Aruba, fonológica y etimológica, y la de Curazao y Bonaire, fonológica (véase «4. Estado actual de los estudios sobre el papiamento»). A pesar de que existe la posibilidad legal de introducir el papiamento como lengua de instrucción en la enseñanza básica, últimamente se insiste más en la necesidad de dar prioridad al holandés, por ser la lengua oficial y la de instrucción en un 95% de las instituciones de enseñanza de las islas ABC. Incluso en la única escuela básica de lengua papiamenta de Curazao se le da más importancia de lo establecido al holandés. Las razones son el número reducido de libros en papiamento y el hecho de que la enseñanza media y superior es en lengua holandesa.

Por otro lado, señala Joubert (*loc. cit.*), se observa una fuerte influencia sobre el papiamento de las lenguas holandesa, inglesa y española. Este aspecto lo viene señalando también Maduro en muchos de sus trabajos destinados a la divulgación del buen uso del papiamento (Maduro 1971; 1991; 1992). El holandés ejerce una fuerte presión, debido a su estatus de lengua oficial y al largo y permanente contacto con el papiamento. También se debe tener en cuenta que hay unos ochenta mil antillanos (Broek 1994), de los cuales más de veinte mil son papiamentohablantes, residentes en Holanda y que la abrumadora mayoría de los intelectuales, profesores y académicos nativos ha estudiado en aquel país. El español también ejerce una influencia considerable, a través de los contactos con venezolanos, dominicanos y colombianos. La influencia del inglés se manifiesta, sobre todo, a raíz de los contactos con los norteamericanos y sus productos culturales difundidos especialmente por los medios audiovisuales, como sucede, además, en la mayoría de los países del mundo hoy en día.

Esta valoración de la situación actual del papiamento coincide, hasta cierto punto, con las conclusiones de Birmingham Jr. (1971: 166), que, sin embargo, se muestra más optimista en cuanto al futuro de esta lengua:

> By way of epilogue, let us say that Papiamentu is now in peril primarily because of the bombardment of other languages. For instance, the strong influence of English is seen in the use of words and phrases [...]. The cosmopolitan atmosphere of Willemstad [...] is undoubtedly a damaging factor as far as the continued existence of the language concerned, although Papiamentu will more than likely continue to be spoken in rural areas. Still, the strong element of pride may very easily save Papiamentu from extinction. As the Curaçoans say [...] «Papiamentu is a language that we must be proud of». And they will undoubtedly continue to be proud of it and to preserve it for years to come.

El tiempo parece haberle dado la razón a Birmingham Jr., ya que, más de veinte años después, el papiamento sigue existiendo y desarrollándose, a pesar de todas las presiones, lo que confirma, en gran parte, la observación de Alleyne sobre el papiamento y el sranan. Alleyne cree que el calificativo de «criollo» aplicado a estas lenguas no tiene ningún valor, ya que son lenguas como cualquier otra, pero conllevan un estatus bajo porque, en la escala jerárquica de las culturas del mundo en el momento actual, sus hablantes ocupan los escalones inferiores (Alleyne 1971: 183).

Menos pesimista y no tan idealista como sugiere el título es la visión de Pierre Lauffer en su artículo «Sueño», del que reproducimos algunos fragmentos traducidos al español:

> Anoche soñé que Curazao había encontrado su total identidad. Por doquier, se oía música curazoleña. [...] en varias escuelas, los niños recitaban poesías en papiamento y leían cuentos originales en papiamento. Algo confuso, salí a pasear por las calles que conocía. Todas tenían nombres en papiamento. Nombres de figuras prominentes y conocidas de Curazao: Hanchi di bientu, Seru di Jos Martijn, Den kobá, Hanchi di Warda, Plasa Concordia... [...] Delante de Correos, me asusté de verdad. Willem de Zwijger en su «baby-doll» había desaparecido y, en su lugar, se alzaba un monumento precioso. Sobre el mismo, dos placas de bronce con nombres de artistas curazoleños. Asombrado, pero conmovido, me detuve a leerlos: Adolfo Wolfschoon, Charles Corsen, Dario Salas, Luis Daal, Jacobo Conrad, Emilio Naar, Shon Coco Palm, Wim Statius Muller, Julian Coco... y muchos otros. [...] Al hojear la guía telefónica, vi que todos los organismos gubernamentales tenían nombres en papiamento. Un empleado me mostró un impreso nuevo, todo en papiamento. Y según las reglas de nuestra nueva ortografía. Increíble. [...] Todos los periódicos estaban en papiamento. Un papiamento elegante, sin barbarismos. En la radio y la televisión se hablaba un papiamento cuidado, sin vulgarismos. No podía creérmelo. Se vivía una fantástica armonía, un ambiente sublime. [...] (Lauffer 1970: 5-6).

4. Estado actual de los estudios sobre el papiamento

Este capítulo se propone pasar revista, en líneas generales, a los trabajos dedicados al papiamento, desde los albores, modestos, de la literatura de especialidad, cuando se publican los primeros manuales, diccionarios y gramáticas, hasta nuestros días. La necesidad de una bibliografía actualizada[11] es cada vez más aguda en nuestros días, aunque la tarea resulte ardua, ya que en los últimos 40 años, aproximadamente, los estudios consagrados al papiamento se han ido multiplicando y diversificando de manera asombrosa, si tenemos en cuenta que la lingüística moderna «descubrió» esta lengua a principios del tercer decenio de nuestro siglo. Se han llevado a cabo y se han publicado investigaciones de carácter monográfico, dedicadas a aspectos generales o puntuales, de particular interés no sólo para esta lengua, sino también para los criollos y la lingüística en general.

No incluimos aquí los estudios dedicados al problema del origen del papiamento, mencionados, en parte, en los capítulos anteriores, y que serán objeto de un análisis más detallado en el siguiente capítulo. Y, naturalmente, tampoco los estudios a los que nos referimos, de una u otra forma, a lo largo de este libro.

Datos sobre los primeros trabajos dedicados al papiamento encontramos, como hemos visto (nota 8), en Lenz (1928: 18-25). Se trata de trabajos publicados, aproximadamente, en el último cuarto del siglo pasado, de carácter práctico, didáctico, cuya finalidad era, fundamentalmente, la asimilación del papiamento, así como de modestos manuales para la enseñanza primaria, de lectura y ortografía. Por tanto, no podemos considerarlos estudios lingüísticos sobre bases científicas, en el verdadero sentido de la palabra. Como curiosas excepciones, mencionamos el artículo «Il dialetto curassese» de Emilio Teza, publicado por la revista *Politecnico* de Milán, en 1863 (t.XI: 342-352) y «Contributions to creole grammar» de Addison van Name, en *Transactions of the American Philological Association* I, 1871: 149-159 (ap. Lenz 1928: 24).

Hacia finales del siglo XIX, estos modestos intentos de cultivar y estudiar el papiamento adquieren un carácter más científico. Se pu-

[11] Hasta ahora se han publicado las bibliografías de Martinus (1972), bastante extensa, y Clemesha (1980). Maritza Coomans-Eustatia está preparando una nueva bibliografía actualizada del papiamento.

blican varios estudios y gramáticas como «The Aruba language and the Papiamento jargon» de Alb. S. Gatchet, en *Proceedings of the American Philosophical Society* (XXII, 1885, 120: 299-305); «Het Papiamentsch» de A. Jesurun, en *Eerste jaarl. Verslag van het Geschichts. Taalen Volkenkundige Genootschap te Willemstad* (II. 1898: 75 y sigs.); *Gramatica Corticoe di Idioma Papiamentoe* de Alfredo F. Sintiago, Curazao, 1898; *Compendio de la Gramática del Papiamento, ó sea Método para aprender á hablarlo y á escribirlo en corto tiempo por N. J. Everstz* (Curaçao, 1898); *Theoretische Spraakkunst der Papiamentsche Taal* de A. Pijpers, Curaçao, 1898 (Lenz 1928: 21; 24; Álvarez Nazario 1972: 13).

Las primeras décadas de nuestra centuria marcan el momento en el que el papiamento empieza a llamar la atención de los lingüistas. A. A. Fokker abre el camino de los estudios lingüísticos con el artículo «Het Papiamentsch of basterd-spaans der West Indiese Eilanden», en *Tijdschr. voor Nederlandsche Taalen Letterkunde* (1914: 54-79). W. M. Hoyer publica el trabajo *Papiamentoe i su manera di skirbié*, (Curaçao, 1918), un intento de tratado ortográfico, seguido de una lista de aproximadamente 4.000 palabras papiamentas, sin traducción, en la que las unidades con grafía holandesa o dudosa están marcadas con un asterisco. El mismo año aparece también otro trabajo de Hoyer, *Woordenlijst en Samenspraak Hollandsch - Papiamentsch - Spaansch* (Curaçao).

Parece que Schuchardt estuvo también interesado de modo peculiar por el papiamento, pero nunca le dedicó un estudio, según confesaba en una carta dirigida a Lenz:

> Yo mismo he mencionado el papiamento sólo ocasionalmente. Creía siempre que, siendo suficientemente conocido, merecería algún día un tratamiento serio de alguna otra persona. Nunca lo he perdido de vista (Lenz 1928: 11).

En 1926-1927, cinco años después de haber conocido al negro curazoleño Natividad Sillie, que le proporcionó textos escritos por él mismo en papiamento y le dio la posibilidad de estudiar esta lengua en vivo, Lenz publica en *Anales de la Universidad de Chile*, y luego, en 1928, en tomo separado, su estudio *El Papiamento, la lengua criolla de Curazao. La gramática más sencilla* (Santiago de Chile). La monografía de Lenz, a pesar de sus inherentes limitaciones, debidas al nivel de la investigación lingüística de la época, por una parte, y al corpus reducido que tuvo a disposición el autor para su investigación[12], por otra, es, no obstante, el primer análisis sistemático, sobre bases científicas, de la estructura lingüística del idioma papiamento. Lenz hace también consideraciones acerca del origen y la evolución de esta lengua, cuestión tan polémica en la criollística contemporánea, y llega a la conclusión de que desciende del portugués (Lenz 1928: 80).

Más allá de los méritos científicos del estudio, hay que reconocer que gracias a esta monografía el papiamento llegó a ser más conocido en el mundo lingüístico de la época, aunque el interés que despertó en las dos orillas del Atlántico se materializó solamente muchos años más tarde en otros estudios.

Las investigaciones sobre el papiamento de los aproximadamente últimos 40 años se orientan hacia dos campos principales:

a) el problema del origen y la evolución de la lengua y su consiguiente pertenencia a uno de los grandes troncos propuestos hasta ahora, (afro)portugués o (afro)español; y

b) la descripción sincrónica de la lengua mediante un estudio profundizado de los fenómenos característicos en todos los compartimentos, con el fin de elaborar una norma estándar y una ortografía del papiamento.

Nos limitaremos aquí solamente al segundo campo de investigación, ya que la cuestión del origen del papiamento será analizada en un capítulo aparte («Teorías con respecto al origen del papiamento»).

---

[12] Véase Lenz (1928: 53-76; 264-320).

Entre los lingüistas y personas que han venido dedicándose al estudio del papiamento en las Antillas Neerlandesas y Aruba destacan, entre otros, W. M. Hoyer, Antoine J. Maduro, Raúl G. Römer, Enrique R. Goilo, Luis Daal, Frank Martinus, Marta B. Dijkhoff, Sidney M. Joubert, Jocelyn Clemencia, Mario Dijkhoff, J. Clemesha, Enrique Muller, May Henríquez, Ramón Todd Dandaré y Henry Habibe.

Los primeros dos se han ocupado de manera especial del léxico y han publicado listas de palabras, diccionarios etimológicos, recopilaciones de dichos y refranes. Destacan por su rigor científico, la amplitud de los temas enfocados y la cualidad y cantidad los estudios de Maduro (1966; 1971; 1990; 1991; 1992). Este distinguido lingüista fue uno de los pioneros de los intentos de elaboración de una ortografía coherente del papiamento (Maduro 1953), y uno de los primeros especialistas nativos que se pronunciaron respecto del origen de su lengua (Maduro 1966; 1967; 1987; 1987a). Debemos mencionar también sus trabajos destinados a propagar el uso correcto del papiamento y a llamar la atención sobre los errores cometidos por los papiamentohablantes bajo la influencia de las otras lenguas habladas en las Antillas holandesas (Maduro 1971; 1991; 1992).

Raúl G. Römer ha estudiado también aspectos múltiples del papiamento, pero ha centrado su atención en dos cuestiones fundamentales para la descripción y estandarización de esta lengua: la ortografía y el sistema tonal (Römer 1991).

Marta B. Dijkhoff ha estudiado y sigue estudiando aspectos particulares de la gramática papiamenta relacionados con el sustantivo, el artículo, el pronombre, la formación del plural, la composición y la formación de palabras en papiamento (Dijkoff 1987; 1993).

Sidney M. Joubert se ha dedicado y sigue trabajando en varios campos, como la lexicografía, la estandarización de la ortografía y el acento tonal en el papiamento (Joubert 1987; 1991; 1994).

La lexicografía y la ortografía son también los principales dominios de investigación de Mario Dijkhoff.

Enrique R. Goilo es uno de los primeros lingüistas curazoleños que elaboraron trabajos didácticos (guías de conversación, manuales, gramáticas) destinados a la enseñanza del papiamento (Goilo 1953; 1974)[13].

Como se puede ver, los problemas de la estandarización del papiamento y de la elaboración de una ortografía unitaria, normada, sobre bases científicas, preocupó de manera peculiar a los más destacados papiamentistas desde mediados de nuestro siglo. Estas preocupaciones fueron y siguen siendo apoyadas por las autoridades de las tres islas, que fomentan la investigación lingüística del papiamento sobre bases modernas y el cultivo de la lengua.

En cuanto a la ortografía, es sabido que hasta hace relativamente poco tiempo no había reglas ortográficas y cada cual escribía en papiamento según sus propias normas, siguiendo, no obstante, uno de los dos modelos más corrientes: la ortografía española (*pastor, queshi, saochi, abao, come*) o la ortografía holandesa (*pastor* < hol. *pastoor* 'cura'; *keesjie* < hol. *kees* 'queso'; *sautjie, sauwtjie* < hol. *zwaluwtje* 'golondrina'; *abou* < esp. *abajo*; *kome* < esp. *comer*). A veces, los dos modelos se entremezclaban y, para mayor complicación, intervenían en la escritura elementos etimológicos de otras lenguas como el inglés:

E cachó a back, dal su cabez contra kantu di e stoel. — 'El cachorro se volvió para atrás y dio con la cabeza contra el borde de la silla'

[13] No pretendemos, y no sería posible, hacer una presentación exhaustiva de los estudios sobre el papiamento elaborados en las islas ABC. Además, no son éstos el lugar apropiado y la finalidad de este apartado. Para una relación detallada de los estudios lingüísticos dedicados al papiamento hasta hace aproximadamente la década de los ochenta véase Clemesha (1980). Para más detalles sobre los estudios de los autores citados véase «Bibliografía». Otros trabajos interesantes, generalmente sobre cuestiones puntuales del papiamento, se encuentran en las referencias bibliográficas de los estudios citados, particularmente, en Dijkhoff (1993) y Joubert (1987; a; b).

Ante esta situación, en 1953, Maduro presenta la propuesta de una ortografía uniforme, basada en el principio etimológico, aunque no de modo consecuente (Maduro 1953). Así, propone que se adopten como tales las voces procedentes del holandés con el diptongo *ij* [ei], mientras en los otros casos donde aparece el diptongo *ei* propone que se escriba como se lee: *cabei* 'cabello', al lado de *bijbel* (< hol. *bijbel*) 'biblia'. De igual manera, para el diptongo [eu], propone las grafías *eu, eeuw*, de acuerdo con el origen: *leu* 'lejos' y *sneeuw* (< hol. *sneeuw*) 'nieve', junto a *breu* (< hol. *breeuwen*) 'calafatear', en vez de *breeuw*, como hubiera sido correcto, de haber sido consecuente con sus principios.

En 1961 una comisión presidida por Luis Daal presenta al gobierno de las Antillas Neerlandesas un proyecto de ortografía fonológica del papiamento, «Fo'i hopi un so» (De entre muchos uno solo), al que, inexplicablemente, no se dio mayor importancia, a pesar de sus evidentes méritos.

En 1969 Raúl G. Römer presentó al gobierno central de las islas un proyecto para un nuevo sistema ortográfico titulado «Ontwerp van een Spelling voor het Papyamento». Fundamentado, principalmente, sobre los criterios de la ortografía fonética, la concordancia entre la grafía y la pronunciación y la eliminación de los modelos español y holandés, el proyecto pretendía, al mismo tiempo, igual que «Fo'i hopi un so», eliminar todas las divergencias e inconsecuencias ortográficas que aparecían en los textos papiamentos. En 1970 una comisión, que posteriormente será conocida como «Komishon Maduro», revisó el proyecto de Römer y lo recomendó al Ministerio de Enseñanza. La Comisión Maduro estaba constituida por Antoine J. Maduro, presidente; Sidney M. Joubert, secretario; Hubert Booi, Enrique R. Goilo, Pierre Lauffer, Carlos A. Nicolaas, René A. Römer, Ernesto E. Rosenstand, miembros. En 1975 el gobierno de Curazao nombró una comisión consultiva que opinara sobre las recomendaciones de la Comisión Maduro y los aspectos de la ortografía Römer-Maduro relacionados con la didáctica de la lengua. La comisión consultiva la integraban Silvio F. Jonis, presidente;. Sidney M. Joubert, secretario; Hubert L. da Costa Gómez, Mágdala M. Gressman, Jules A. Marchena, F. B. I. Marten, miembros. Sin embargo, a pesar de todas esas gestiones, en 1975 el gobierno central decidió que cada territorio insular podía elegir su propia ortografía. Ante esta situación, las eternas rivales, Curazao y Aruba, no tardaron en nombrar sus propias comisiones insulares de ortografía. El gobierno de Curazao informó en una carta oficial de 1976 que había optado por la ortografía Römer-Maduro-Jonis, que ya había publicado Maduro un año antes. Al mismo tiempo, en Aruba, se adoptó una ortografía medio fonológica, medio etimológica propuesta por la Comisión Mansur. Poco tiempo después, Bonaire adoptó también la ortografía «de Curazao». En 1981 la Komishon Grandi pa Introdukshon di Papiamentu den enseñansa di Kòrsou presentó su informe favorable sobre la ortografía Römer-Maduro-Jonis y la Sekshon Informativo di Schooladviesdienst pa promoshon di bon uzo di papiamentu den enseñansa i komunidat (Curazao) inició una campaña para la promoción del papiamento, coordinada por D. van Haaren. Este mismo organismo se encargó de la redacción y publicación de una nueva edición de la ortografía (1993), en la que colaboraron L. Roosberg, Sidney M. Joubert, A. J. Maduro, Fr. Martinus y S. F. Jonis (*Ortografia*: 27)[14].

En 1984 se creó también, por decreto gubernamental, la Komishon di Standarisashon di Papiamentu, integrada por 30 miembros, representantes de las islas ABC y del Departamento de Educación de las Antillas Neerlandesas. Dirigen la comisión, Frank Martinus, en su calidad de suplente del Director de Educación, y Eithel Martis, secretario. La comisión tiene como tarea principal aceptar o rechazar, a propuesta de las subcomisiones insulares, vocablos, variantes regionales, sinónimos y significados de distintas voces como pertenecientes al papiamento estándar. El criterio general en que se basa la labor de la comisión es estandarizar una palabra por concepto y hasta un máximo de tres variantes léxicas como variantes generales

[14] Ésta es también la ortografía que usamos en el presente libro, con la salvedad de que los ejemplos reproducidos de distintas obras o estudios en papiamento respetan la ortografía original.

(pertenecientes al papiamento estándar) o regionales (pertenecientes a una o varias modalidades insulares). Así, por ejemplo, se estandarizaron *minüt* y *minit* 'minuto', como variantes generales.

La primera reunión plenaria de la comisión se celebró en 1984, cuando se estandarizaron unas 1000 palabras. En 1985 y 1986 tuvieron lugar nuevas reuniones plenarias, en las que se siguieron estandarizando otras 1500 voces papiamentas aproximadamente. Hasta febrero de 1995 la comisión había estandarizado un total de 6.500 palabras, que desde ahora forman parte del acervo léxico común de las islas ABC.

Cabe llamar la atención, asimismo, sobre la actividad que despliegan el Instituto Raúl Römer y la Fundashon Pierre Lauffer en el terreno del estudio, propagación y cultivo de la lengua nacional en las islas.

Una mención aparte dentro del panorama de los estudios consagrados al papiamento en las Antillas Neerlandesas y en el mundo merece, a nuestro juicio, la actividad desplegada por los investigadores de los EE.UU. y el Canadá, particularmente la dedicación y el entusiasmo de J. P. Rona. Bajo su dirección, en la Universidad de Ottawa se constituyó un grupo de estudiosos que se dedicó a investigar el controvertido problema del origen del papiamento, así como varios aspectos relacionados con el tema, básicamente la evolución y la relación estructural del papiamento con las lenguas africanas. Entre los integrantes del grupo recordamos a M. E. Kross Dakubu, M. Aparecida de Almeida y Carmen Valeriano Salazar.

En la década de los cincuenta, en las universidades norteamericanas empiezan a redactarse y leerse varias tesis doctorales sobre el papiamento. Mencionamos como botón de muestra las de Ismael Silva-Fuenzalida, *Papiamentu Morphology*, Northwestern University, 1952; Francine Harriet Wattman, *Papiamento Morphology and Syntax*, Cornell University, 1953; Charles Harris, *Papiamentu Phonology*, Cornell University, 1953. La tradición fue continuada en los EE.UU. y el Canadá por Richard E. Wood, *Dutch Phonological, Syntactic and Lexical Contributions to the Papiamentu Language of the Netherlands Antilles*, Indiana University, 1969; J. C. Birmingham Jr., *The Papiamentu Language of Curaçao*, University of Virginia, 1970; Paul Baum, *El sistema vocálico del papiamento*, Universidad de Puerto Rico, 1974; Carmen Valeriano Salazar, *A comparison of the Papiamento and Jamaican creole verbal systems*, Mc. Gill University, Montreal, 1974; Roger W. Andersen, *Nativization and Hispanization in the Papiamentu of Curaçao, N.A.: A Sociolinguistic Study of Variation*, University of Texas at Austin, 1974; Charles E. DeBose, *Papiamentu: a Spanish based creole*, Stanford University, 1975.

Unos años más tarde leen sus tesis doctorales sobre el papiamento varios investigadores europeos que habían dedicado diferentes estudios a esta lengua, como Dan Munteanu, *Organizarea structurii în idiomul papiamentu. Baza spaniolă,* Universitatea din Bucureşti, 1978; T. F. Smeulders, *Papiamentu en Onderwijs*, Amsterdam, 1987; y Philippe Maurer, *Les modifications temporelles et modales du verbe dans le papiamento de Curaçao (Antilles Néerlandaises)*, Université de Zurich, 1988[15].

Un importante hito en el desarrollo de la investigación en este campo fue el *I Simposio Internacional del Papiamento*, celebrado del 11 al 15 de agosto de 1970 en Willemstad, con la participación de numerosos lingüistas extranjeros, así como especialistas, profesores y hombres de letras de las islas. Entre los participantes mencionamos a M. Álvarez Nazario, J. P. Rona, E. H. Bendix, R. M. R. Hall, B. L. Hall y Nelly Prins-Winkel[16]. El acto fue organizado a iniciativa y por los esfuerzos entusiastas de J. P. Rona, E. H. Bendix y Raúl G. Römer, con la colaboración del Departamento de Cultura y Educación de las Antillas Neerlandesas. El simposio gozó también de la plena atención del gran público. La emisora Telecuraçao transmitió un debate con el tema «Papel Kultural di papyamentu i instrumen-

[15] Para más detalles sobre las investigaciones de algunos de estos especialistas véase «Bibliografía».

[16] El sumario de los trabajos del Simposio se encuentra en Álvarez Nazario (1972: 17-19).

talisashon di papyamentu», con la intervención de varios de los participantes en el Simposio, que resaltaron la importancia «de este tierno retoño lingüístico del milenario tronco castellano, nacido, nutrido y desarrollado en tres ínsulas-cunas de la hispanidad americana» (Álvarez Nazario 1972: 20). Con el mismo motivo se celebró una mesa redonda en torno al «Papel di papyamentu den edukashon formal» y se constituyó la Asosyashon pa Estudyo di Papyamentu. Desgraciadamente, dicha Asociación quedó solamente como una muestra de buenas intenciones, ya que después de su constitución nunca jamás volvió a reunirse. Con todo el interés por la investigación y el cultivo del papiamento siguió vivo entre los estudiosos de las islas y de fuera.

En junio de 1981 la University of the Netherlands Antilles y el Instituto pa Promoshon i Estudio di Papiamentu organizaron un Coloquio internacional sobre el tema «Papiamentu: Problema i Posibilidat», con la participación de Nelly Prins-Winkel, M. C. Valeriano Salazar, Enrique Muller, Luis H. Daal, Roger W. Andersen y Raúl G. Römer. Las actas del coloquio se publicaron en 1983 *(Papiamentu)*.

> El futuro dirá si la *Sede di Papiamentu*, el departamento gubernamental de la Isla de Curazao que se dedica a tiempo completo a la propagación, el estudio y la información acerca del papiamento, y el Instituto Lingwístico Antiano, órgano del Gobierno Federal (de las Antillas Neerlandesas), lograrán darle a esta lengua una posición firme en la comunidad de las Islas ABC. Es de esperar que el gobierno sepa decidir con juicio acerca del campo de actividad que le corresponderá a esta lengua criolla y el que les será asignado a las lenguas universales que se hablan y se escriben en las islas (Joubert b).

III

TEORÍAS CON RESPECTO AL ORIGEN DEL PAPIAMENTO

Una de las cuestiones teóricas fundamentales de la criollística es definir el concepto de lengua criolla y, sobre esta base, ofrecer una teoría válida sobre su origen. Pero la definición no es nada sencilla, por las dificultades inherentes a toda definición, por un lado, y por las dificultades peculiares que presentan los criollos, como estructuras lingüísticas distintas, por otro. Muchas de las definiciones fueron propuestas a priori y, precisamente por eso, son discutibles. A pesar de su número relativamente grande y de su diversidad, éstas pueden clasificarse básicamente, según López Morales (1989: 147), en tres grupos:

a) lenguas mixtas, surgidas a raíz de mezclas culturales y étnicas;

b) lenguas pidgins convertidas en lengua materna;

c) reflejos de la génesis de la lengua humana o del bioprograma natural del niño en el proceso de adquisición de la lengua materna, activado cuando la transmisión de la lengua es imperfecta (Bickerton 1981).

López Morales (1989: 147) rechaza la idea de que los criollos serían producto de la mezcla de culturas y razas, porque las investigaciones sociolingüísticas recientes ponen de manifiesto que las diferencias entre «pidgin o criollo y las lenguas de las que se deriva, sobre todo la más prestigiosa [...] surgen de las barreras y del distanciamiento entre hablantes y variedades».

La hipótesis de la nativización de un pidgin (Andersen 1980) es perfectamente plausible, si éste es la única lengua común de los padres. Esta lengua, relativamente imperfecta y pobre, una vez adquirida como lengua materna, se convierte, mediante la creación de nuevos recursos gramaticales, en un instrumento de comunicación enriquecido, «cualitativa y cuantitativamente diferente del que manejan sus propios padres». El único problema discutible reside en la imposibilidad de comprobar esta hipótesis, por la dificultad de llevar a cabo investigaciones comparativas entre el pidgin y el criollo de la primera generación «como fenómenos diferentes, basados esencialmente en la diferencia de lengua aprendida / lengua adquirida» (López Morales 1989: 148-150). La dificultad de realizar tales estudios es mayor todavía cuando se producen procesos de repidginización.

Bickerton cree que el criollo «ideal», motivado básicamente por el bioprograma natural activado en caso de transmisión imperfecta de una lengua, puede desarrollarse sólo si se cumplen determinadas condiciones: el pidgin del que se deriva no debe tener una existencia más larga de una generación; este pidgin debería nacer en una comunidad multilingüe, donde el 80% o más de la población hablara diferentes variedades lingüísticas y el resto de hasta un 20% fuese constituido por hablantes nativos de la lengua dominante. La teoría de Bickerton (1981) fue rechazada por Sankoff (1980), porque el escenario propuesto está construido sobre bases ahistóricas; y por Perl (1989: 372), quien la considera «una especulación sin base». Según Sankoff (*loc. cit.*), las condiciones necesarias para que se produzca la criollización de un pidgin son las siguientes:

a) estabilidad del pidgin o del continuo pre-pidgin;

b) accesibilidad a la lengua fuente;

c) importancia de las lenguas de substrato;

d) relativa integración social de la comunidad.

La criollización es un proceso complejo, que se lleva a cabo en una o varias fases, desde jerga a criollo, sin etapas intermedias, como sería, en la opinión de Alleyne (1971), el caso de los criollos caribeños; o pasando por etapas intermedias —pidgin estabilizado, pidgin elaborado—, como sería, según López Morales (1989: 149), el caso de varios criollos ingleses: el tok pisin o el criollo de Torres Straits. Independientemente de la situación que se dé, en todos los casos, la característica fundamental de este proceso es la conversión de una segunda lengua (el pidgin) en lengua materna (lengua de una comunidad).

La definición del pidgin también plantea dificultades, aunque, generalmente, se acepta que los rasgos definitorios del mismo son:

a) lengua suplementaria, para posibilitar la comunicación;

b) estructura simplificada;

c) lengua mixta;

d) léxico procedente de la lengua dominante.

No todos estos rasgos son incuestionables, pero no es nuestro propósito analizarlos aquí detenidamente. Nos limitamos a insistir brevemente sólo en los dos últimos, porque consideramos que desempeñan un papel importante en la elaboración de las teorías con respecto al origen de los criollos.

Generalmente, se considera que una lengua mixta es un producto especial, nacido como resultado de una mezcla de culturas y razas, por el contacto entre lenguas con estructuras muy distintas, en el proceso de comunicación (Martinet 1969: 60; 397). Por tanto, la lengua mixta sería el producto de la interferencia de dos (o varios) sistemas lingüísticos, que se funden en uno solo (Coteanu 1957: 129 y sigs.). La interferencia de los sistemas supone la reordenación de las estructuras como consecuencia de la introducción de elementos extranjeros en los compartimentos más fuertemente estructurados de la lengua: fonética, morfosintaxis y algunas zonas del vocabulario (Weinreich 1953: 1). La mayoría de los lingüistas aceptan la existencia de lenguas mixtas, definidas como idiomas cuya estructura gramatical tiene un origen distinto del origen del vocabulario (Graur 1960: 436), o que tienen la mitad de los elementos de la estructura gramatical de origen distinto que la otra mitad (Rosetti 1965: 67; Petrovici 1969: 51-52). En cuanto a la lengua criolla, ésta sería una lengua mixta que, por efecto de factores socio-históricos, se convirtió en el único instrumento de expresión de una comunidad lingüística (Perego 1968: 608; Martinet: 1969: 398).

Debido a este punto de vista, muchos de los estudios consagrados a las lenguas criollas centraron su atención, de modo peculiar, en el carácter mixto de las mismas y en la identificación de los sistemas lingüísticos que participan en la aparición del nuevo idioma, analizando los elementos componentes del nuevo sistema en cada compartimento de la lengua. Repetidas veces se ha afirmado, simplificándose mucho la cuestión, que el criollo de Haití, por ejemplo, tiene léxico francés y gramática africana (cf. Vintilă-Rădulescu 1967: 234) o que el papiamento tiene léxico español y gramática africana (Rona 1971). Este método de investigación y descripción de las lenguas criollas mediante la identificación de sus elementos componentes originó también la polémica cuestión sobre su génesis. Las dos teorías, monogenética y poligenética, dividieron a la gran mayoría de los especialistas en campos opuestos que, con argumentos en pro y en contra, ganaron terreno turno por turno.

El caso del papiamento es aún más complicado y complejo que el de otros criollos, porque, junto con el palenquero de San Basilio, se usa en un área hispanohablante y presenta rasgos que determinaron a algunos lingüistas a considerarlo un criollo de base española. No obstante, muchos especialistas creen que su base europea es el portugués, o que se deriva de un protocriollo afroportugués. Hemos mencionado de paso que los criollos hispánicos presentan una situación especial cuando se trata de aceptar o rechazar uno u otro origen, debido a las semejanzas entre el español y el portugués, sobre todo en cuanto al léxico (Rohlfs 1979: 251, nota 564; Iordan 1957; Sala 1992).

Ante esta situación, proponemos, a continuación, un breve análisis crítico de las más importantes opiniones acerca del origen y la evolución del papiamento, en el contexto de las teorías generales sobre los criollos, para intentar destacar los aspectos que nos parecen positivos o negativos desde nuestro propio punto de vista.

En 1926-1927, Rodolfo Lenz llega a la conclusión de que el papiamento se formó sobre la base de un criollo negroportugués hablado por los esclavos llegados de la costa occidental de África. A la cristalización de la lengua habrían contribuido, en primer término, el español hablado en las Antillas y Venezuela y, posteriormente, el holandés. Según Lenz (1928: 80):

> La semilla portuguesa (el vocablo) cae en terreno africano (el modo de pensar i de hablar de las lenguas negras) i nace un árbol (la jerga negro-portuguesa a la cual tienen que acomodarse todos los negros transportados en buques portugueses). Según la lengua europea que prevalece en el lugar del destino, en este tronco negro-portugués se hacen injertos españoles, franceses, ingleses u holandeses. Sólo estas ramas injertadas se cultivan, pero la savia que los alimenta guarda los caracteres del suelo africano en la articulación y en el modo de pensar (la gramática).

Lenz (1928: 41) cree que este afroportugués había llegado a ser una lengua bastante bien cristalizada, «fija», ya desde comienzos del siglo XVI. Los rasgos de esta lengua se pueden notar hasta hoy en día, desde Centroamérica hasta Asia, subraya el autor citado, que esboza de esta manera, *avant la lettre,* la teoría monogenética de los criollos, sugerida ya por Schuchardt.

Un punto de vista muy parecido expresan Wagner (1949: 151) y Zamora Vicente (1967: 441), con la única diferencia de que los dos aprecian que el afroportugués llegado a las islas ABC sufre, especialmente a principios del siglo XIX, un fuerte proceso de descriollización y rehispanización.

La teoría de la monogénesis de las lenguas criollas, sugerida, prefigurada, esbozada, como hemos visto, a lo largo de muchos años, fue formulada con claridad y desarrollada en las décadas de los sesenta-setenta por Taylor (1960), Thompson (1961), Stewart (1962), Valdman (1964; 1970; 1971), Pottier (1966), Valkhoff (1966), Whinnom (1956; 1965) y otros. Fue adoptada, aproximadamente en el mismo período, para explicar el origen del papiamento, por Granda (1978: 386-423; 1988: 11-20; 21-30), Navarro Tomás (1953), Van Wijk (1958a: 181), Wood (1972; 1972a) y Birmingham Jr. (1971; 1971a). Entre los papiamentohablantes cabe mencionar como defensores de la teoría monogenética a Henry Habiba y Frank Martinus. Este último está elaborando, en la actualidad, una tesis sobre la cuestión.

Todos estos autores consideran que la base del papiamento (y del resto de los criollos), es un protocriollo afroportugués formado en la costa occidental de África, utilizado como *lingua franca* (Naro 1978) y difundido durante todo el siglo XVI por navegadores y mercaderes portugueses desde Senegal a América, o a lo largo de las costas de la India, hasta Hong Kong e Indonesia, en el Extremo Oriente:

> Parece, pues, que para explicar (como parte de un planteamiento general respecto a la formación del tipo 'criollo' de las lenguas) las semejanzas encontradas entre el habla palenquera, el habla 'bozal' de Puerto Rico y los 'criollos' de Curaçao, Filipinas, macaísta, etc., sólo podemos acudir a la hipótesis, ya avanzada por W. A. Stewart, de que todas ellas son variedades, 'relexificadas' y 'reestructuradas' según las diferentes 'lenguas base' europeas, de un *Ur-Kreole* anterior, del cual derivan, manteniéndose en mayor o menor grado una similitud basada en su unidad de origen (Granda 1988: 28).

Granda aprecia incluso que la diversificación de los idiomas criollos pudo haberse producido ya en territorio africano, porque, en realidad, no podemos hablar de un protocriollo único, sino de varios subdialectos del mismo. De esta situación se derivaría la posibilidad de que una lengua criolla conservara rasgos estructurales transmitidos directamente de un subdialecto del protocriollo afroportugués hablado en una determinada región geográfica (Granda 1978: 311-334;

441-452). Como hemos visto («Introducción»), el autor ha matizado en varias ocasiones su teoría, pero sigue defendiendo la hipótesis de la monogénesis. Navarro Tomás (1953), Van Wijk (1958a: 181) y, más tarde, Megenney (1983; 1984; 1985; 1986) comparten el mismo punto de vista. Los autores citados defienden la teoría de la reestructuración y relexificación de Stewart (1962) y consideran que el papiamento se originó sobre la base de un pidgin o protocriollo afroportugués, nacido a raíz del contacto entre portugueses y africanos en el siglo XVI, sin la intervención o participación del español en la primera etapa de su formación. En una fase ulterior, la mayor parte de los elementos léxicos del papiamento habría sido reemplazada por unidades léxicas españolas, dentro de un proceso de descriollización y rehispanización que se inició en el siglo XVII y se intensificó en el siglo XIX (Van Wijk 1958a: 176). La tesis de la (re)hispanización del papiamento fue defendida, entre otros, también por Wood (1972a) y Andersen (1974). Megenney (*loc. cit.*) matiza esta afirmación, opinando que el pidgin afroportugués fue relexificado y reestructurado por varias lenguas de prestigio: español, portugués y holandés.

Llegados a este punto, consideramos necesaria una breve aclaración. Es sabido que los criollos manifiestan tendencias evolutivas muy rápidas y poderosas, que los diferencian cuantitativa y cualitativamente de otros sistemas lingüísticos. Estas transformaciones pueden afectar no sólo al estatus sociolingüístico de la lengua criolla, sino a su propia estructura interna. Este último aspecto fue interpretado como un proceso de relexificación y reestructuración, que explicaría la aparición de los criollos atlánticos como derivados de un protocriollo de base portuguesa, nacido en las costas occidentales de África en los siglos XV-XVI. Los sistemas morfosintácticos y léxicos lusitanos de este protocriollo habrían sido sustituidos progresivamente por sus correspondientes de la lengua de prestigio o de superestrato político: inglés, francés, español, etc. (Granda 1978: 404).

Es cierto que, en muchas ocasiones, los criollos sufren la influencia de la lengua de prestigio o dominante, particularmente cuando conviven en la misma comunidad. De Camp (1971) propuso el término de *continuo post-criollo*, para la etapa en que se produce esta influencia, posterior a la cristalización del idioma criollo. En esta etapa

> según el influjo ejercido por el estándar sobre éste se pueden apreciar diferentes momentos de dicho continuo, llamado también reestructurador, que se caracteriza porque todas las variedades insertas en él presentan parecido nivel de complejidad, en oposición al continuo desarrollador, que parte de las variedades primitivas y termina en las más elaboradas (López Morales 1989: 151-152).

En este proceso, el criollo es el basilecto, el continuo post-criollo, el mesolecto y la lengua estándar lexificadora, el acrolecto. Los criollos suelen desarrollar permanentes procesos de cambio, cuya dirección es el acrolecto, si se trata de descriollización (López Morales 1989: 152). No obstante, hay que destacar que la convivencia de un criollo con una lengua prestigiosa no genera siempre un continuo post-criollo. Y no siempre los procesos de cambio que se producen en la lengua criolla conducen a la descriollización. Por otro lado, como subraya Sankoff (1980), es muy posible que estos procesos se produzcan no sólo en los criollos, sino en todas las lenguas. No debemos olvidar que la lengua es una estructura y, al mismo tiempo, un fenómeno social; por tanto, presenta tendencias evolutivas generadas por su propia estructura interna y experimenta continuas modificaciones.

En numerosas ocasiones, defensores de la teoría monogenética (Wood 1972; Baum 1974; Perl 1984; 1985; 1988; Megenney 1986) han afirmado que las semejanzas entre los criollos hispánicos y el español representan un proceso de descriollización y (re)hispanización. Lipski (1993a), al estudiar el origen y evolución de la partícula *ta* en los criollos afrohispánicos, considera, no obstante, que «la historia social y lingüística de las regiones implicadas» permite formular la hipótesis de que, en ciertas circunstancias, el sistema verbal de la lengua europea pudo haber pasado a la lengua criolla de forma menos discontinua.

En cuanto al eventual proceso actual de descriollización e hispanización del papiamento, Clemesha (1981) opina que esta lengua no sufre un proceso de descriollización en el verdadero sentido de la palabra. La autora distingue entre *sustitución* (reemplazo de palabras del papiamento por otras) y *ampliación* (adopción de palabras para conceptos nuevos) y considera que la llamada hispanización actual consiste sobre todo en la ampliación del vocabulario criollo del papiamento mediante préstamos léxicos hispánicos.

Maurer (1987a: 31-33) rechaza la teoría monogenética y las categorías de relexificación y reestructuración sobre las que se asienta. Al estudiar los morfemas temporales del palenquero y papiamento, el autor llega a la conclusión de que las diferencias de orden morfológico, sintáctico y semántico entre los criollos antillanos no se pueden explicar solamente como resultado del proceso de relexificación y reestructuración operado por las lenguas europeas.

Bickerton propone la reconstrucción de un protopidgin antillano de base léxica española, del que se derivarían el papiamento y otros criollos americanos hispánicos, como el palenquero (Bickerton, Escalante 1970: 263). Maurer (1987a: 32, nota 8) rechaza la propuesta de Bickerton, subrayando pertinentemente que los argumentos en contra del protocriollo afroportugués son válidos también en el caso de un protopidgin afroespañol. Lipski (1992a; 1993) manifiesta serias reservas con respecto a la existencia de un protocriollo estable, tanto afroportugués, como afrohispánico, que hubiera podido ser origen del papiamento y de otros criollos caribeños.

La teoría de la poligénesis fue también aplicada al papiamento, aunque tuvo menos eco que la monogénesis, que monopolizó el interés de los especialistas durante casi 30 años.

Maduro (1967) analiza la monografía de Lenz y pone de relieve una serie de contradicciones y errores con respecto a la formación y las características del papiamento. Maduro opina que el papiamento es de origen español, con contribuciones léxicas del catalán, gallego y variedades diatópicas españolas, y argumenta esta afirmación con numerosas explicaciones dialectales para muchos fenómenos del papiamento. Un punto de vista parecido adopta Uitenbogaard (1953). Rona (1971) destaca, citando a Van Wijk, que los argumentos de Maduro no son convincentes, porque, interpretado de este modo, el papiamento se presentaría como un mosaico de palabras pertenecientes a todas las variedades diatópicas y diacrónicas del español.

Fokker opinaba ya en 1914[1] que el papiamento se había formado a raíz del contacto directo entre los conquistadores españoles y los amerindios arawak-caribe de las islas ABC, sin la participación de otras modalidades lingüísticas. De Haseth (1990) llama la atención de nuevo sobre el papel del elemento indígena y considera que se debería hablar de un substrato indígena-europeo del papiamento.

El holandés W. J. van Balen consideraba, en cambio, en su estudio «Papiamentoe en Portugees» (ap. Van Wijk 1958a: 170), que la base lingüística del papiamento es exclusivamente el portugués traído a Curazao por los sefardíes refugiados de Brasil y Holanda.

Rona (1971; 1976) cree que el papiamento es el resultado de un proceso de criollización del español utilizado en una región hispanohablante, probablemente, Curazao y Aruba. El papiamento, opina él, no es una lengua importada, sino autóctona, producto de la aplicación de una gramática africana (la costa de Guinea) a un léxico español (zona caribeña). Posteriormente, esta lengua habría sufrido la influencia del portugués, del holandés y, en menor medida, del inglés; más tarde, el papiamento experimentaría también un proceso de rehispanización.

Birmingham Jr. (1971; 1971a; 1975) considera que lo más plausible es derivar el papiamento de una *lingua franca* de base portuguesa, una especie de pidgin o protocriollo que los esclavos utilizaban ya en la costa occidental de África, e insiste, igual que Rona, en el carácter africano de la gramática papiamenta, basándose en la comparación entre el papiamento y modalidades lingüísticas de Guinea, Annobón y Cabo Verde. Con el paso del tiempo, debido al entorno

[1] Art. cit. en «Datos generales sobre el papiamento - Estado actual de los estudios sobre el papiamento».

hispánico, el papiamento sufriría un natural proceso de hispanización, en opinión del autor citado.

Maurer (1987a: 68) se pronuncia también con respecto al tema y considera que, en vez de atribuir el papel de lengua madre a un pidgin afroportugués cuyo estatus no ha sido definido todavía —pidgin(s) estable(s) o continuum(s) prepidgin(s)— es preferible considerar como lenguas de input tanto las modalidades afroportuguesas como las lenguas de superestrato o substrato. Su opinión es que

> en el caso del papiamento no se puede hablar de criollización de un solo idioma, sino que fueron varias lenguas que desempeñaron un papel (social) importante en el proceso de criollización: el español, el portugués, una variante del *reconnaissance language* portugués y el holandés (Maurer 1986b: 144).

Resumiendo y simplificando lo expuesto hasta ahora, podemos decir, junto con Maurer (1986b: 129), que los escenarios propuestos para el origen del papiamento son los siguientes:

a) pidgin (o protocriollo) afroportugués estabilizado antes de ser relexificado por el castellano;

b) pidgin (o protocriollo) afroportugués relexificado por el castellano antes de llegar a estabilizarse;

c) pidgin amerindio-castellano, que se desarrolló durante la dominación española en las islas ABC;

d) castellano criollizado directa e inmediatamente.

A estas cuatro propuestas, deberíamos añadir otras dos:

e) portugués hablado por los sefardíes, criollizado directa e inmediatamente;

f) protopidgin antillano de base léxica española.

1. Análisis de las teorías que defienden el origen portugués

La opinión de Van Balen, por muy original que sea, parece difícil de aceptar. La hipótesis de que el papiamento se derivó sólo del portugués hablado por los sefardíes, sin la participación de otras modalidades lingüísticas, es poco convincente y carece de argumentos sólidos. Es sabido que la primera ola de judíos sefardíes llega a Curazao en la segunda mitad del siglo XVII, cuando, según la mayoría de los especialistas, se estaba gestando el papiamento[2]. Sabemos que, a comienzos del siglo XVIII, este idioma era reconocido como una modalidad lingüística distinta de las lenguas europeas que se hablaban o se conocían en la zona caribeña. Por otro lado, los sefardíes no fueron los primeros pobladores de las islas, no habían llegado a unas tierras yermas o despobladas, de manera que el judeoportugués tuvo que entrar en contacto con otra(s) lengua(s) que se hablaban ya en Curazao. Por fin, como hemos visto ya, no está comprobado todavía si estos sefardíes hablaban sólo portugués, o también el castellano (Maurer 1986b: 145; 148, nota 26).

Excepto Van Balen, los demás defensores del origen portugués, en realidad, afroportugués, pre- o post-monogenéticos, aportan casi los mismos argumentos lingüísticos y extralingüísticos a favor de su punto de vista. Los analizaremos a continuación.

Entre los argumentos extralingüísticos se considera como fundamental el hecho de que, después de la conquista de las islas ABC por los holandeses, la guarnición española y la mayor parte de la población indígena se refugiaron a Venezuela. Según los datos conocidos, en 1634, el año de la conquista holandesa, en Curazao quedaban 70 ó 75 amerindios (Van Wijk 1958a: 170; Maurer 1986b: 130). Hartog

[2] Granda (1988: 124, nota 13) opina que, si aceptamos la tesis monogenética, la formación del papiamento coincidió, tal vez, con la llegada de los primeros esclavos africanos a la isla de Curazao, lo que significa adelantar su nacimiento en medio siglo.

(1968: 89) indica un número de 73, basándose en los datos del censo de 1635. Si tenemos en cuenta que en el año 1634 el número de holandeses que vivían en la isla era de 400, los indígenas no representaban una cantidad tan reducida proporcionalmente. En 1695, la población aborigen, supuestamente hispanohablante, después de más de un siglo de dominación española, había desaparecido casi completamente, según Van Wijk (*loc. cit.*), lo que significaría que el español dejó de hablarse, prácticamente.

Es normal que la guarnición española se retirara después de la conquista holandesa. Pero con todas las evidencias de los documentos de la época, no nos parece convincente la hipótesis de una migración en masa de la población aborigen ante los conquistadores holandeses, cuando muchas generaciones de esta población habían ya vivido bajo otra dominación extranjera, la española. El hecho de que ya no se menciona a los nativos en los documentos de finales del siglo XVII no significa obligatoriamente que éstos dejaron de existir. Está comprobado que el llamado «silencio de las fuentes» con respecto a la continuidad de una población en un territorio no significa siempre que dicha población dejó de existir (Munteanu 1994: 313). Además, en lo que se refiere a los indígenas de las islas ABC, este silencio es sólo parcial, ya que, según distintas fuentes, algunos años después de la conquista de Curazao por los holandeses, había diez pueblos indígenas en la isla (Nooyen 1979). En el mismo período, aproximadamente, según las mismas fuentes, existían cinco pueblos indígenas en Bonaire y cuatro en Aruba. En estas dos islas los nativos se quedaron casi en su totalidad después de la conquista holandesa. Por otro lado, se sabe que existía una comunicación interinsular bastante regular.

En 1677 dos clérigos de la iglesia de Coro (Venezuela) visitaron Curazao. Durante su estancia bautizaron a trescientas veinte personas entre «pardos, libres, mulatos libres, negros libres» e indígenas y casaron a seis parejas. En el pueblo de Ascención fueron bautizadas 47 personas, casi todos indios (González Batista 1990: 33-34). Los mismos clérigos casaron en Curazao a un indio de Aruba con una india de Curazao y a una pareja de indios arubanos (id. *ibid.*). Todos estos datos ponen en tela de juicio las afirmaciones de Van Wijk (véase *supra*) y hacen que uno se plantee, lógicamente, la cuestión de por qué sólo los aborígenes de Curazao habrían abandonado sus tierras, sus hogares y sus muertos. Por fin, la presencia de unos indigenismos léxicos (Rona 1971) y semánticos (Maurer 1987) en el papiamento aboga en favor de la continuidad del elemento autóctono en la isla (Rona 1971).

Existen también otros hechos que demuestran la presencia del elemento español en Curazao en el período de formación del papiamento: los matrimonios mixtos entre protestantes y libertos o sudamericanos católicos; importantes relaciones comerciales e intercambios culturales, desde la época del tráfico negrero, entre Curazao y los países hispanohablantes de la región; y, no en último lugar, la actividad evangelizadora de los misioneros católicos españoles.

Es sabido que, a pesar de la dominación holandesa en las islas, los misioneros españoles comenzaron la acción de cristianización de los esclavos africanos casi en el mismo momento de su llegada (Maurer 1986b: 145; Van Wijk 1958a: 176) y no clandestinamente, como se creía hasta hace poco:

> Como recuerdo de la antigua situación política y, a la vez, como reflejo de la tolerancia religiosa holandesa, los obispos de Venezuela mantuvieron su potestad sobre las islas. A partir de 1677, el vínculo religioso vuelve a estrecharse y fue al párroco de Coro a quien quedaron encomendadas las islas en primera instancia (González Batista 1990: 33).

La afirmación de González Batista se basa en la investigación de documentos localizados en el Archivo Arquidiocesano de Caracas, entre los cuales se incluye el libro parroquial más antiguo de la iglesia curazoleña, que ofrece datos muy interesantes sobre la composición demográfica de la isla en la época. Con respecto a las relaciones entre la iglesia venezolana y las islas ABC, creemos interesante para nuestro análisis mencionar la observación del Padre Alonso Sandoval (1956: 94), quien apuntaba en 1627:

> [...] con la comunicación que con tan bárbaras naciones han tenido el tiempo que han residido en San Thomé, las entienden casi todas con un género de lenguaje muy corrupto y revesado de la portuguesa que llaman lengua de San Thomé, al modo que ahora nosotros entendemos y hablamos con todo género de negros y naciones con nuestra lengua española corrupta, como comúnmente la hablan todos los negros.

Granda (1978: 356; 1988: 124, nota 13) interpreta este fragmento como un argumento a favor de la existencia de un protocriollo afroportugués relexificado en varias áreas lingüísticas por la lengua del superestrato político. Lipski (1993: 4), en cambio, subraya que, si la referencia a un pidgin o criollo de base portuguesa es clara, eso no implica con la misma nitidez que los esclavos africanos de otras regiones hubiesen adoptado el mismo pidgin afroportugués, como lo demuestra la segunda parte de la cita. En todo caso, la observación de Sandoval sobre la existencia de ese español corrupto, como instrumento de comunicación entre esclavos africanos y españoles en la costa venezolana, permite, a nuestro juicio, contemplar la posibilidad de que modalidades parecidas hayan nacido también en otros territorios de la zona caribeña de características similares, inclusive en las islas ABC. De todos modos, incluso descartando esta hipótesis, el hecho de que el papiamento conserve rasgos lingüísticos españoles que no pueden ser explicados por una ulterior rehispanización, entendida como influencia del español americano, particularmente venezolano y colombiano (Rona 1971; 1976: 1019-1021) es, según nuestro parecer, una prueba irrefutable de la continuidad del elemento español en las islas durante el período de formación del papiamento.

Otro de los argumentos extralingüísticos a favor del origen portugués del papiamento se basa en el hecho de que, en el período de la colonización, el monopolio del tráfico negrero pertenecía a los portugueses y que el portugués desempeñó un importante papel como medio de comunicación en los siglos XVI-XVII. Por tanto, los mercaderes y navegadores se comunicaban con los africanos mediante un portugués africanizado, especie de pidgin o protocriollo afroportugués. Esta hipótesis parece muy plausible, aparentemente. Sin embargo, debemos tener en cuenta que el nacimiento y la pervivencia de tal instrumento de comunicación supone un contacto lingüístico considerable —sostenido y prolongado— lo que es difícil de creer, dada la naturaleza y el período de las relaciones entre los dos grupos.

Es sabido que los esclavos capturados no eran mantenidos mucho tiempo en los barracones de la costa africana antes de ser transportados y que la convivencia en los barcos en que viajaban hacia América tampoco duraba mucho; generalmente, no más de un mes.

Por otro lado, el español 'bozal' caribeño, invocado como argumento a favor del protocriollo común, se documenta a finales del siglo XVIII y, sobre todo, a comienzos del XIX, cuando el monopolio portugués de la trata negrera había sido ya superado por los ingleses y los daneses. Y no hay evidencia alguna de la existencia de un pidgin portugués en los «imperios esclavistas» de estas dos potencias (Lipski 1993: 31). En todo caso, el contacto lingüístico que se producía durante el período anterior al embarco y el de la travesía podía originar como máximo un pidgin, no un criollo, opinión que comparten, en la actualidad, varios lingüistas.

Finalmente, si bien es verdad que existen numerosos testimonios escritos que atestiguan que en la costa occidental de África se hablaba portugués, no podemos hacer caso omiso de los documentos que destacan que los esclavos africanos llegados a América no tenían un instrumento de comunicación común y, en muchos casos, no se entendían ni siquiera entre ellos en ninguna lengua (Lewis 1970).

Entre los argumentos lingüísticos que más frecuentemente presentan los defensores de la monogénesis, Maurer (1987a) menciona los siguientes:

1) los múltiples paralelismos estructurales entre varios idiomas criollos, a pesar de que el origen del léxico de estas lenguas es (en parte) muy diverso. Estos paralelismos se notan de manera peculiar

en los siguientes aspectos: estructura del sistema temporal; presencia de morfemas de origen portugués, como la preposición local *na*; presencia de lexemas de origen portugués. Granda (1988: 21-30) examina, por ejemplo, solamente nueve rasgos morfosintácticos comunes al palenquero, papiamento, el criollo filipino y el habla 'bozal' puertorriqueña: carácter invariable de los sustantivos; carácter invariable de los adjetivos; identificación de las formas pronominales personales y posesivas; eliminación de elementos sintácticos de enlace; uso de la forma pronominal de 2.ª persona *vos*; empleo de *ta* + infinitivo como expresión del presente; expresión impersonal con *tener*; existencia de la forma pronominal *ele*; invariabilidad del artículo indeterminado;

2) las diferencias entre los idiomas criollos, tal como se hablan hoy en día, se explican por un proceso de relexificación y reestructuración del pidgin o protocriollo afroportugués, bajo la influencia de las lenguas europeas con las que éste entró en contacto.

Valeriano Salazar (1974: 6-7) llega a conclusiones totalmente contrarias en su análisis comparativo entre el papiamento y el criollo jamaicano:

a) en los sistemas verbales del papiamento y el criollo jamaicano hay una cantidad de funciones comunes, que son africanas, no portuguesas;

b) estas funciones son las cualidades más características del sistema verbal de varios criollos caribeños;

c) el hecho de que las funciones son lo único común de todas las lenguas criollas de origen africano hace improbable la hipótesis de una fuente común, que sería un protocriollo portugués;

d) por otro lado, la supervivencia de una serie compleja de funciones gramaticales africanas hace improbable la hipótesis de una simplificación «a la criolla» en el origen de los criollos caribeños.

Lipski (1993: 12-17; 1993a) analiza los principales rasgos invocados como argumentos a favor de un pidgin o criollo común de base portuguesa o de un protocriollo afrohispánico. Exponemos y comentamos brevemente a continuación los aspectos más importantes del análisis de Lipski:

a) Inversión del orden de los elementos en las preguntas, según el modelo *¿qué tú quieres?* (Othegui 1973).

Este tipo de construcción es común en toda la zona caribeña y pudo verse reforzado por la inmigración canaria, ya que se da en el español de las Islas Canarias[3] y en Galicia.

Se han invocado varios posibles factores causantes de este rasgo caribeño, que analiza Granda (1994: 154-171): influencia de lenguas africanas, influencia de esquemas sintácticos del inglés popular de los EE.UU., acción del acento rítmico, hipótesis funcional, influencia del habla de colonizadores canarios, tendencia a la anteposición o posposición de formas monosilábicas o polisilábicas respecto al verbo, interferencia de conglomerados léxicos en el orden de las palabras, aproximación a la sintaxis natural, transferencia de rasgos sintácticos propios de las hablas criollas antillanas, adquisición de modalidades sintácticas propias del noroeste peninsular, generalización del orden de palabras S V O en el español antillano. El autor citado cree que la existencia de este rasgo en muchas «lenguas de diferente léxico básico y en varias familias lingüísticas del África Negra» debe ser interpretada como fuerza impulsora de la generalización de dicho rasgo en la zona caribeña, perfectamente compatible con la existencia de

> específicas circunstancias fonéticas areales como otros condicionamientos, históricos o sintácticos, internos actuantes en el sistema lingüístico castellano [que] han podido facilitar los

[3] Hemos intentado confirmar la afirmación de Lipski, que nos llamó la atención, y, por lo menos en Gran Canaria, no pudimos comprobar este tipo de inversión.

contextos gramaticales adecuados para la difusión [...] del fenómeno lingüístico en consideración (Granda 1994: 170-171).

b) Empleo redundante del pronombre sujeto (Granda 1978: 481-491; 1988: 21-30).

Todos los criollos afrorrománicos usan obligatoriamente el pronombre sujeto, debido a la falta de flexión verbal, a la ausencia de morfemas verbales de persona; por tanto, los pronombres personales sujeto indican las diferencias de persona en todo el enunciado pronombre + verbo. Sin embargo, el uso redundante del pronombre sujeto se documenta también en otras variedades del español vestigial, que no tienen una base criolla, y en numerosos casos de utilización del español como segunda lengua[4]. Por otra parte, como los pronombres sujeto son obligatorios en casi todas las lenguas afro-occidentales, la preferencia del español 'bozal' por los mismos no se explica necesariamente por la existencia de una fase intermedia representada por un criollo.

c) Los infinitivos personales de tipo *para tú hacer eso* (Megenney 1984).

Estas construcciones se encuentran no sólo en los criollos afroibéricos, sino en variedades diatópicas del español (andaluz, español canario, español de América) y portugués. Es posible que el proceso se haya desarrollado espontáneamente en distintas áreas produciéndose también en el lenguaje infantil.

d) Pérdida de preposiciones, especialmente, *a* y *de* (Granda 1978: 481-491; Otheguy 1973; Perl 1982).

---

[4] Hemos comprobado personalmente que muchos rumanos que utilizan el español como segunda lengua emplean el pronombre personal sujeto en español sin percibir la carga enfática de éste, a pesar de que el uso del pronombre personal sujeto es enfático también en rumano.

El fenómeno es común en casi todas las variedades vestigiales del español, así como en las modalidades influidas por lenguas extranjeras. Granda (1991: 159), por ejemplo, señala la eliminación de *a* con objeto directo de persona en el español dominicano bajo la influencia del francés. Lipski considera que estas preposiciones deben ser interpretadas como marcadores de caso sujetos a una supresión variable durante el aprendizaje imperfecto o como resultado de la erosión lingüística.

e) Eliminación ocasional de la cópula (Álvarez Nazario 1961; Granda 1978: 481-491; Perl 1982).

Es también un fenómeno frecuente en el habla vestigial.

f) Eliminación del artículo (Álvarez Nazario 1961; Granda 1978: 481-491; Perl 1982).

El fenómeno es común en el español vestigial y en las modalidades influidas por lenguas extranjeras.

g) Demostrativos pospuestos en construcciones de tipo *piedra ese* 'la piedra esa ~ esa piedra' (Otheguy 1973).

Es un fenómeno existente en muchas variedades dialectales del español no criollizadas, así como en muchos criollos.

h) Eliminación del elemento sintáctico de enlace *que* (Granda 1978: 481-491).

La simplificación sintáctica mediante la reducción de las estructuras subordinadas es un rasgo característico de las modalidades reducidas del español y es frecuente en el *foreigner talk* afrohispánico, amerindiohispánico y anglohispánico.

i) Uso de la forma pronominal *vos*.

En el habla 'bozal' de Puerto Rico esta forma parece no haber existido en el siglo XIX, como reconoce Granda (1988: 25), «seguramente por la intensa acción ejercida [...] por el español normativo». En el 'bozal' de Cuba aparece en un solo texto.

j) Uso de la preposición ~ conectivo *na*, en textos afrocaribeños y criollos de base portuguesa.

Esta forma, que procede de *en* + *a* (Álvarez Nazario 1961), aparece en muy pocos textos afrocaribeños y no está atestiguada en el español 'bozal' de otras áreas.

k) Expresión impersonal con *tener* en lugar de *haber* (Granda 1988: 21-30; Megenney 1984; 1985).

El uso de *tener* con valor impersonal en el habla 'bozal' puede proceder de un protocriollo, pero no necesariamente, por un lado, porque no aparece con mucha frecuencia en los textos, y por otro, porque aunque este rasgo se encuentra en la mayoría de los criollos afroibéricos y en el portugués brasileño vernacular con influencias africanas, existe también en el español vestigial de muchas zonas, así como en variedades diatópicas españolas cuyo contacto con un eventual criollo no es demostrable.

l) Anteposición del adverbio *más* en construcciones negativas de tipo *más nada* (Megenney 1985).

Es bastante probable el origen portugués de esta construcción, aunque su difusión en el español caribeño se deba, con mucha probabilidad, a la influencia del español canario, donde es común.

m) Ausencia de formas distintas de género en la 3.ª persona del pronombre personal.

Es sabido que los criollos afroibéricos no tienen formas diferenciadas de género para la 3.ª persona. Generalmente, la forma para el singular es *e(le)*, mientras para el plural hay una mayor variación de formas, inclusive de origen no románico, como el pap. *nan* o el pal. *ané*. Whinnom (1965), Batalha Nogueira (1961-1962) y Granda (1988: 21-30) consideran que la forma *ele*, de origen portugués, en el palenquero es una prueba irrefutable de la relación genética entre esta lengua y el protocriollo afroportugués del que se derivaría. La forma que se encuentra en los textos 'bozales' caribeños (Cuba y, esporádicamente, Puerto Rico) del siglo XIX es *elle* o *nelle*, *neye*, pero, a veces, también una variante para el femenino, *nella*. Asimismo, *nelle* aparece con valor de 3.ª persona plural (Lipski 1993: 15). Las formas *nelle*, *neye*, *nella* podrían ser el resultado del reemplazamiento semántico de una preposición + artículo, como en el caso de *na*, según Álvarez Nazario (1961), y en este caso, la [y] representada por *ll*, procede, muy probablemente, de las formas esp. *ella*, *ellas*, *ellos* y no del pg. *êle*, o formas similares del papiamento, palenquero, o criollos de base portuguesa. Por tanto, la forma *elle* / *nelle* pudo haber surgido espontáneamente en el español caribeño del siglo XIX. En todo caso, es extraño que formas similares no aparecieran atestiguadas en el vasto corpus de textos 'bozales' de los siglos XVI-XVIII de España y otras regiones como México, Perú, Argentina o Uruguay.

n) Construcciones verbales con *ta*.

La presencia de esta construcción en los criollos de base ibérica de todo el mundo (África, América y Asia), inclusive en el español 'bozal' es interpretada como uno de los rasgos criollos más indiscutibles del español 'bozal' y un elemento clave entre los argumentos invocados a favor de un protocriollo tanto afrohispánico como afroportugués. Naro (1978: 342) afirma que *ta* se utilizaba ya en el *reconnaissance language* de base portuguesa, de donde pasó a las lenguas criollas. Para Otheguy (1973), Megenney (1984; 1985), Granda (1988: 21-30) y Perl (1982) es una prueba decisiva de la existencia de un criollo afrohispánico, parecido al papiamento y al palenquero, que se habló en todo el Caribe y, posiblemente, en la América Meridional. Sin embargo, los sistemas verbales de los criollos de base ibérica no comparten tantas similitudes como podría parecer a primera vista. *Ta* se usa de distintos modos en estas lenguas para expresar los aspectos presente / imperfectivo y durativo. La variante más común para el pasado / perfectivo es *ya* / *ja*, pero existen también otras formas, como *a*, en papiamento y ternateño. El palenquero usa *ba* como marca del imperfectivo, a pesar de que sus propiedades sintácticas son diferentes del pap. *ta*. Existen también variaciones en cuanto a la expresión del aspecto futuro / irreal: pap. *lo*; pal. *tan*; chab. *di*, *ay*. Los textos 'bozales' utilizan el presente o la construcción perifrástica española con *va*. Por otro lado, en el corpus 'bozal' caribeño del siglo XIX, las construcciones con *ta* alternan con el modelo 'bozal' arquetípico o con formas verbales incorrectamente conjugadas.

Se debe tener en cuenta también otro hecho: en todos los textos afrohispánicos peninsulares y americanos, en un período de unos 400 años, las construcciones con *ta* aparecen sólo en un número reducido de textos, sólo en el siglo XIX y sólo en Cuba y Puerto Rico. Los especialistas están de acuerdo sobre el origen de la partícula *ta* en las lenguas criollas: esp., pg. *estar*, verbo auxiliar utilizado en construcciones progresivas y verbo independiente. Ahora bien, en español y portugués las construcciones progresivas con *estar* son relativamente poco frecuentes y aparecen semánticamente marcadas con respecto a las formas verbales simples (Lipski 1993a: 217); por eso, no es probable que hayan sido adoptadas durante el proceso de pidginización como representantes de todos los verbos en presente.

No compartimos la opinión de Lipski sobre la frecuencia reducida de las construcciones con *estar*. Como veremos más adelante, en el apartado dedicado a este aspecto, nosotros consideramos que precisamente el frecuente uso de este tipo de construcciones en variedades diacrónicas y diatópicas americanas del español podría ser un argumento a favor del origen hispánico de esta partícula (Munteanu 1991: 161).

Por otra parte, Lipski (1993a: 218) destaca que en el pidgin portugués de los siglos XV-XVI mencionado por Naro (1978), no están documentados ejemplos de construcciones con *ta*. Se usan, en cambio, el verbo genérico *sar* (aparentemente, una fusión entre *ser* y *estar*) o el verbo *santar* (posible fusión entre *sentar* y *estar*).

Todo eso pone en duda la existencia de un posible criollo afrohispánico uniforme, del que se habrían derivado los criollos caribeños.

Los últimos dos fenómenos —ausencia de formas distintas de género en la 3.ª persona del pronombre personal y las construcciones verbales con *ta*—, comunes a varios criollos y al español 'bozal', únicos argumentos a favor de un criollo afrohispánico que podrían considerarse válidos, no caracterizan todos y ni siquiera la mayoría de los textos 'bozales'. Su distribución está limitada en el tiempo y el espacio. No aparecen en textos 'bozales' de Cuba y Puerto Rico anteriores al siglo XIX, en los textos de los siglos XVIII de la República Dominicana, Panamá, México, Venezuela, Perú, Ecuador, Argentina y Uruguay y tampoco en el español 'bozal' peninsular de los siglos XVI-XVIII. Esta distribución limitada de los dos fenómenos invalida la teoría de un posible protocriollo afrohispánico estable, hablado en todo el Caribe y en otras regiones (Lipski 1993: 23-24).

Rona (1971) analiza también algunos de los principales argumentos lingüísticos aducidos a favor del origen portugués del papiamento, considerados, por él, «errores metodológicos». Comentaremos, a continuación, sucintamente las opiniones de este autor, que compartimos sin objeciones de principio:

a) Etimología portuguesa de unos vocablos del papiamento.

No es pertinente, ya que el origen de una lengua en su totalidad no puede ser explicado por la presencia en su léxico de unas palabras procedentes de otra lengua. Además, debido a la semejanza entre el español y el portugués, aspecto destacado por varios lingüistas (Rohlfs 1979: 251, nota 564; Iordan 1957), en la mayoría de los casos es muy difícil establecer el étimo exacto de las palabras papiamentas (Van Wijk 1958; 1958a). En las conclusiones de su estudio etimológico, Maduro (1953: 134) pone de relieve que el 42% de las unidades registradas en su inventario son de origen portugués o español, sin poder establecer con seguridad su procedencia.

b) Comparación del papiamento con el español estándar y el portugués estándar.

Debemos tener en cuenta que una serie de fenómenos considerados exclusivos del portugués existieron en el español de los siglos XVI-XVII, especialmente en la variedad popular, subestándar, es decir, también en el español de los conquistadores, y siguen existiendo en diversas variedades (diatópicas, diastráticas) del español actual. Por tanto, pap. *bai* puede proceder del esp. *vai*, existente en varios dialectos españoles (Zamora Vicente 1967: 196), igual que pap. *pusha* puede proceder del esp. ant. *puxar* y no del portugués. Asimismo, pap. *zjar* < esp. *jarra*, o pap. *zjozjolí* < esp. *ajonjolí*.

Es sabido que los sonidos [š], [ž] existieron en español hasta comienzos del siglo XVII, cuando en algunos dialectos, como el castellano, se manifiesta la tendencia a consolidar las oposiciones de localización, como reacción a la tendencia de las hablas andaluzas de confundir las fricativas apicoalveolares con las dentales (Iordan, Manoliu 1989: I, 200). De este modo, [š], [ž] se retiraron hacia el velo del paladar y se transformaron en [*x*]. La articulación palatal y la laringal coexistieron desde la mitad del siglo XVI hasta los primeros decenios del siglo XVII (Lapesa 1959: 247-248; Iordan, Manoliu 1989: I, 199-200). Esto significa que, posiblemente, los conquistadores españoles pronunciaban el sonido como palatal. Solamente si aceptamos esta hipótesis, podemos explicar algunos préstamos del español en el araucano, como *ovicha* (< esp. *oveja*), *halma* (< esp. *jalma*), *achur* (< esp. *ajos*); o en el náhuatl, como *xalo* (< esp. *jarro*) (Wagner 1949: 28; Rona 1971). Podemos apreciar que, durante la Conquista, la realización de [š] no era un proceso concluido. También podemos suponer que en el mismo período, la oposición de sonoridad en la serie de las fricativas palatoalveolares [š] : [ž] no se había neutralizado a favor de la sorda. Estos fenómenos se llevaron a cabo en España y América desde la segunda mitad del siglo XVI (Fontanella de Weinberg 1993: 57) hasta los primeros decenios del siglo XVII, pero, probablemente, no llegaron a generalizarse en Curazao antes de la llegada de los holandeses. Y, una vez conquistadas las islas por éstos, la norma de la metrópoli dejó de ejercer su influencia directamente en aquellas tierras.

c) Suposición de que los verbos papiamentos proceden de una determinada forma verbal portuguesa o española.

El pap. *bai* fue derivado del pg. *vai* o del esp. *va*; en todo caso, de una forma de tercera persona del presente indicativo, o del imperativo (Lenz 1928: 119). La deducción es plausible, pero no segura. Como en papiamento no existen desinencias de modo, tiempo y persona, cualquier forma del paradigma verbal español o portugués podría ser la base del respectivo verbo en papiamento. De manera que pap. *bai* puede proceder de una forma de imperativo (portugués o español dialectal) o de una forma de subjuntivo, como el esp. *vaya*, con la reducción del diptongo o la caída de la vocal final (véase «El sistema vocálico»).

d) Comparación entre el papiamento, el español y el portugués sobre la base de la ortografía española, que no es fonética.

Así, se considera que pap. *papiamentu* < pg. *papiar*, no del esp. *papear* (Van Wijk 1958a: 175). Pero se pierde de vista que la tendencia a evitar el hiato es un fenómeno muy antiguo en el español, «propia de cualquier idioma hablado» (Iordan, Manoliu 1989: I, 125). El fenómeno está muy difundido en numerosas variedades regionales americanas y en el español popular peninsular (Lapesa 1959: 299; 362). Por consiguiente, pap. *papiamentu* puede proceder tanto del español (con o sin la influencia ulterior de las variedades americanas en la reducción del hiato) como del portugués.

La observación de Rona es justa, pero el ejemplo con que la ilustra no es convincente, porque la palabra portuguesa es también *papear* (Ortega Cavero 1977 s.v.). En cambio, encontramos en el papiamento otros ejemplos: pap. *maria* < esp. *marear(se)*, pg. *marear(-se)*; pap. *gatia* < esp. *gatear*; pap. *golia* < esp. *golear*; pap. *tantia* < esp. *tantear*, no del pg. *tentear*.

e) Análisis no diferenciado de las vías o los canales por los cuales habrían podido penetrar en papiamento diversos elementos.

En lo que se refiere a los elementos supuestamente españoles, estos canales son: el español hablado en las islas por españoles y aborígenes hispanizados antes de la ocupación holandesa y, más tarde, el español venezolano o antillano. Los canales de penetración de los elementos portugueses son: el portugués hablado en las costas occidentales de África, el protocriollo afroportugués y el judeoportugués de los sefardíes llegados a mediados del siglo XVII a las islas. Ahora bien, si el pap. *pusha* procede de un protocriollo afroportugués, no habría podido conservar la [š], dado que, virtualmente, en todas las lenguas de África Occidental, en los préstamos del inglés, francés, portugués, etc. se produjo el paso de [š] > [s] por efecto de las lenguas de substrato (Rona

1971). Si la misma palabra procediera del portugués brasileño, es normal que conserve la [š]. Pero, en este caso, la etimología portuguesa no podría ser un argumento en apoyo del protocriollo afroportugués.

f) Omisión o falsa interpretación del elemento indígena.

Palabras comunes a todo el español caribeño o voces indígenas, generalmente arawak-caribe, fueron atribuidas al portugués, a lenguas europeas que ejercieron una influencia ulterior sobre el papiamento, o se consideraron de origen incierto. Así, por ejemplo, Lenz (1928: 223) cree que pap. *batata* < pg. *batata*, aunque se sabe que la palabra es de origen arawak-caribe (Sala, Munteanu, Neagu, Şandru-Olteanu 1977: 25).

Igualmente, voces como *awakati*, *dibididibi*, *wayaká* (Joubert 1991 s.v.; Dijkhoff 1991 s.v.), consideradas de origen incierto, son indudablemente indigenismos (Sala, Munteanu, Neagu, Şandru-Olteanu 1977: 19; 77; 1982: II, 397; *DRAE* s.v.; *VOX* s.v.).

g) Estudio del papiamento como una lengua estática, que no experimentó ninguna evolución interna a lo largo del tiempo.

Es difícil suponer y creer que durante sus casi tres siglos de existencia, en el papiamento no se operaron transformaciones, cambios o evoluciones internas. Porque no existen lenguas estáticas[5]. Por consiguiente, la forma actual de las palabras papiamentas no constituye necesariamente una prueba de que en el momento de su adopción tuvieran el mismo aspecto formal. Una comparación rigurosamente científica entre el papiamento, el español y el portugués, subraya Rona (1971), se puede hacer sólo después de haber-

[5] Este error lo cometió ya G. Gröber a finales del siglo pasado, al suponer que determinadas peculiaridades del latín no experimentaron cambios en las diversas provincias del Imperio Romano desde el momento de su colonización (Iordan, Manoliu 1989: I, 43).

se identificado y explicado todas las leyes fonéticas y las reglas de evolución interna del papiamento, tarea que se llevó a cabo sólo en parte (Rona 1976: 1020-1022).

h) Interpretación de los elementos comunes a varias lenguas o modalidades criollas como prueba del origen común de éstas, a saber, el protocriollo afroportugués.

Este argumento se puede defender sólo si se probara que los elementos comunes no son africanos, sino portugueses, y si no hubiera otra hipótesis que explicara los hechos conocidos, lo que se podría hacer únicamente después de un estudio profundizado y sistemático de las lenguas africanas.

Si tal investigación no se había llevado a cabo cuando Rona escribió su estudio, actualmente existen varios trabajos sobre las lenguas africanas occidentales y los criollos, que permiten identificar el origen africano de determinados rasgos criollos. Como veremos en el capítulo «Contacto lingüístico y criollización», debemos aceptar la transferencia a la lengua europea de sistemas, subsistemas o elementos africanos que tienen una fuerte realidad psicológica en la(s) lengua(s) africana(s) y, por tanto, no pueden ser sustituidos por la lengua dominante.

Maurer (1987a) analiza, a su vez, los argumentos lingüísticos y extralingüísticos invocados más a menudo a favor de la teoría monogenética. Presentamos, en lo que sigue, las objeciones de principio del autor a esta teoría:

a) La criollización no es un fenómeno puramente lingüístico, sino más general, social. No se pueden comparar lenguas como el palenquero y el papiamento y sacar conclusiones sobre su posible origen común, porque estas lenguas se formaron en condiciones sociohistóricas muy distintas e, implícitamente, los fenómenos de contacto lingüístico fueron muy diferentes en el período de formación y cristalización de cada una.

b) La criollización es un fenómeno lingüístico muy complejo y no puede ser reducido sólo a los procesos de relexificación y reestructuración operados por las lenguas de superestrato sobre un pidgin o protocriollo de base portuguesa.

c) El proceso de relexificación y aún más el proceso de reestructuración suponen la existencia de un pidgin estabilizado, con una estructura estable, porque si no fuera así, es decir, si se tratara de un continuo prepidgin, no podríamos hablar de estructuras. Por tanto, un proceso de reestructuración no tendría sentido, porque no se pueden reestructurar estructuras inexistentes. Para aceptar las categorías de relexificación y reestructuración sobre las que se asienta la teoría de la monogénesis, sería necesario probar la existencia de un pidgin afroportugués relativamente estable, hablado por un número relativamente grande de personas que hubiesen vivido en las comunidades criollas en vías de constitución. Sólo así, este pidgin habría podido ser transmitido a los otros miembros de la comunidad, que no lo conocían, para cambiar luego su estatus de segunda lengua a lengua materna.

d) El esquema propuesto por Megenney (1985) no tiene en cuenta que las lenguas africanas influyeron no solamente en el pidgin (o el continuo prepidgin) afroportugués de África, sino también en los idiomas criollos en vías de aparición en la zona antillana. Y no debemos olvidar que el pidgin es una segunda lengua y, por tanto, no pudo haber eliminado las lenguas maternas de los esclavos africanos antes de su llegada a la zona antillana.

Al presentar y comentar las objeciones de varios lingüistas a la teoría monogenética, en general, y al origen (afro)portugués del papiamento, en particular, objeciones que compartimos, como hemos subrayado, no queremos de ninguna manera negar evidencias.

No ponemos en tela de juicio la importancia del portugués como instrumento de comunicación a escala internacional en la época de la formación de los idiomas criollos; no rechazamos la participación de esta lengua en la aparición de varios criollos; no negamos la posible influencia de una o más variedades afroportuguesas en el nacimiento de un idioma criollo; ni tampoco la posibilidad de que algunas lenguas europeas de superestrato hayan originado procesos de relexificación y reestructuración en algunas lenguas criollas. Lo que sí pretendemos destacar es que, muchas veces, los defensores del origen (afro)portugués del papiamento no eligieron con bastante rigor científico sus argumentos y que los principios metodológicos utilizados para estudiar esta lengua fueron equivocados en algún que otro caso, lo que condujo a falsas conclusiones en varias ocasiones.

2. Análisis de las teorías que defienden el origen español

La teoría de Fokker y la posición mucho más reciente y más científica de De Haseth (1990) tienen el mérito de haber llamado la atención sobre la indudable participación del elemento indígena en la aparición del papiamento. Este aspecto nos parece muy importante si tenemos en cuenta que la mayoría de los criollistas, por curioso e inexplicable que resulte, subestimó, o dejó de lado completamente, a las lenguas indígenas como elementos de input en la formación de los idiomas criollos antillanos (Vintilă-Rădulescu 1970: 813). Una posible explicación es el hecho de que, en el transcurso del tiempo, el elemento indígena ha desaparecido casi por completo de las lenguas criollas.

En nuestra opinión, sería inadmisible negar que, después de conquistadas las islas ABC por Hojeda y sus hombres, durante casi un siglo y medio de dominación española, los indígenas no hubiesen aprendido, en una primera etapa, un español «corrompido», dado que

> toda la colonización de la América Central y Meridional está construida sobre fundamentos militares y teocráticos. De España procedían los soldados, los oficiales, los funcionarios, los eclesiásticos, los obispos, las instituciones, las leyes, los libros y las ideas (Vidos 1968: 174).

Después de más de un siglo de convivencia, este español se convirtió, muy probablemente, en la lengua vernácula de la población, con ciertas influencias indígenas, como en todas las Antillas. En la segunda mitad del siglo XVI,

> [...] poco después de mediar el siglo la lengua general indígena de las grandes Antillas, el arahuaco, estaba prácticamente desaparecida, arrumbada y circunscrita a lo doméstico por un bilingüismo general que terminó imponiendo el español como única lengua de convivencia (López Morales 1991: 17).

Por otro lado, es de suponer que en las islas ABC se hablaba un español bastante correcto a la llegada de los holandeses, gracias a la presión de la norma metropolitana[6] y al continuo «puente de madera» entre España y sus colonias americanas (Catalán 1989: 125). Esta modalidad española hablada por la población de las islas ABC (indígenas y españoles) podría ser el substrato indígena-europeo del papiamento, como sugiere De Haseth (1990).

A pesar de su clarividencia en cuanto al elemento indígena, Fokker, en cambio, propone un escenario muy simplista y, evidentemente, equivocado para el nacimiento del papiamento, ya que hace caso omiso de la contribución de las lenguas africanas y de las otras modalidades lingüísticas presentes en las islas, principalmente en Curazao, durante el período de formación del criollo.

---

[6] Es sabido que en cuanto al concepto de norma metropolitana, las opiniones de los especialistas están bastante divididas. Intentaremos presentar brevemente los más importantes puntos de vista sobre esta cuestión en el capítulo «El español llevado a América». Creemos que el español que participó como lengua de input en la formación del papiamento no se diferenciaba en absoluto de la lengua llevada a todas las Antillas y al continente en la primera etapa de la colonización.

Maduro (1966; 1967) tiene el gran mérito de haber intentado explicar el origen del papiamento a raíz de un análisis comparativo entre el criollo y el español, teniendo en cuenta todas las variedades de este último: diatópicas, diacrónicas, diastráticas, método que hemos compartido (Munteanu 1974a). Sin embargo, para Rona (1971) los argumentos sobre los que se fundamenta la teoría de Maduro dan la impresión de heterogeneidad, si se los considera en su conjunto. A primera vista, la afirmación no carece de razón, aunque el mismo Rona (1971) llamaba la atención sobre el «error metodológico» de comparar el papiamento con el español y el portugués estándar, sin tener en cuenta las variedades mencionadas (véase «1. Análisis de las teorías que defienden el origen portugués»).

Andersen (1974) defiende la posición de Maduro, haciendo hincapié en los contactos permanentes de los habitantes de Curazao con navegantes, negreros y mercaderes de todas las regiones de la Península con grandes puertos:

> [...] Maduro implies that Galician, Catalan or various peninsular Spanish dialect forms were borrowed intact into Papiamento. It is not difficult to accept Maduro's suggestion that it would be logical for Papiamentu to have borrowed these from the sailors, traders and merchants speaking these languages and dialects rather than standard Castilian, since all of the languages and dialects he refers to are spoken in areas with major sea ports [...].
>
> If many of the Dutch lexical contributions to Papiamentu came from 17th century non-standard Dutch dialects spoken by soldiers, sailors, traders, artisans, etc., some of the lexicon of hispanic origin was likely introduced into Papiamentu by similar people from Northern Spain and Portugal —people who spoke Galician, Catalan, Asturian, etc. (Andersen 1974: 15; 75).

A nuestro juicio, el punto de vista de Maduro y Andersen no carece de razón. Además, esta situación era común para todas las Antillas, como subraya Álvarez Nazario (1987: 33-34) al analizar los orígenes y rasgos del español en Puerto Rico,

> [...] eco [...] con creciente medida en el tiempo, de unos caracteres de habla común en cuyas estructuras y elementos integrantes la diversidad dialectal de los pobladores españoles —castellanos y leoneses, gallegos y asturianos, extremeños, andaluces, murcianos, canarios, etc.— se iba reduciendo a unidad, disolviéndose las diferencias regionales dentro de los cauces de un hablar nivelado y armónico al cual todos se irían asimilando.

Desgraciadamente, Maduro no pudo aplicar este criterio más que parcialmente, debido a la falta de textos antiguos en papiamento, pero esto no resta validez a su planteamiento teórico.

En la lingüística románica, cuando se estudia el proceso de romanización y la aparición de las lenguas y los dialectos neolatinos (la fragmentación lingüística de la Romania), se tiene siempre en cuenta la heterogeneidad horizontal y vertical del latín dentro de su relativa homogeneidad (Vidos 1968; Iordan, Manoliu 1989). Ahora bien, según Vidos (1968: 173-174), la colonización de América por los españoles puede ser considerada una nueva «romanización», aunque con resultados diversos lingüísticamente, porque el español llevado al Nuevo Mundo conservó su unidad y no se fragmentó como el latín. Es evidente que Vidos, al hacer esta afirmación, pasó por alto la existencia de los idiomas criollos hispánicos. Pero si aceptamos como axiomático que en la Romania Nueva surgen y se desarrollan lenguas neo-románicas, para aclarar su origen se deben estudiar las lenguas románicas que las originaron. Lo que significa que, para decidir si el origen del papiamento es o no es el español, sobre la base de un análisis comparativo entre las dos lenguas, dicha comparación, si es objetiva, debe basarse en el estado del español en la época de formación del papiamento, con rasgos bien definidos o en vías de cristalización, así como en todos los fenómenos de índole diatópica y diastrática que podía presentar (Munteanu 1975. Véase también «Principios metodológicos»). Con lo dicho creemos que resulta claro que compartimos la posición de Maduro.

Rona (1976) propone, a su vez, una teoría original e interesante sobre el origen del papiamento. En su opinión, para poder pronunciarse con respecto al origen (afro)portugués o (afro)español del papiamento y de los demás criollos antillanos, es necesario determinar si los rasgos fonológicos, gramaticales y léxicos del respectivo criollo se derivan del español o del portugués. Ahora bien, las dos lenguas ibéricas tienen posiciones distintas, dado que las Antillas no fueron nunca colonizadas por los portugueses y, por tanto, no podemos suponer la existencia de un proceso de reportuguesización de unas lenguas criollas; en cambio, el proceso de rehispanización fue reconocido y está documentado. Ante esta situación, debemos aceptar que los elementos portugueses identificados en los criollos datan del período de formación de estos idiomas, mientras que los elementos españoles pueden haber aparecido posteriormente.

La presencia de portuguesismos en una lengua criolla de origen español, subraya Rona *(loc. cit.)*, puede ser explicada por la existencia de un pidgin afroportugués utilizado por los esclavos africanos; o, también, en el caso del papiamento, por la llegada de los numerosos contingentes de sefardíes de origen portugués, en los siglos XVII-XIX (véase «Datos generales sobre el papiamento - 1. Breve historia de las Antillas Neerlandesas»). Sin embargo, si aceptamos estas dos posibles vías de penetración de portuguesismos, no podemos explicar el número relativamente reducido de los mismos en el papiamento y, de ningún modo, la aparición de este idioma según el escenario propuesto por Van Balen.

Rona (1976: 1019) presenta dos esquemas que, en su opinión, ilustrarían las hipótesis concernientes a la formación del papiamento:

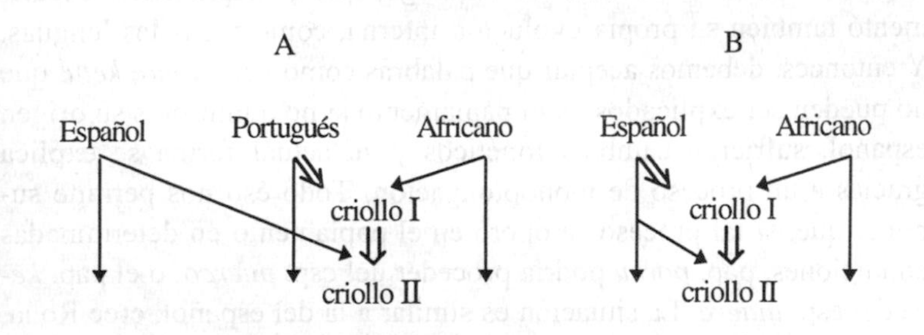

En los esquemas, «criollo I» designa a una lengua criolla en el período de su formación y «criollo II», al mismo idioma en la actualidad. Las líneas verticales representan la evolución interna de cada lengua; las líneas dobles, el elemento ibérico original. Remarcamos que en el esquema A, que representa la hipótesis de un protocriollo afroportugués rehispanizado, el elemento español puede tener sólo posición de neologismo. En el esquema B, que representa la hipótesis de un criollo afrohispánico, el elemento español puede participar directamente, como elemento primario, en una primera fase de constitución del criollo, y como elemento neológico, en una fase ulterior, es decir, en el llamado proceso de rehispanización. Resulta que, para establecer si el papiamento tiene origen español o portugués, sería necesario conocer las leyes fonéticas de su evolución interna. Y eso es bastante difícil, por un lado, porque no se han conservado textos del período de su formación, y, por otro lado, porque en sus más de dos siglos de existencia y desarrollo, el papiamento tomó prestados elementos del español.

Es conocido el hecho de que a varias palabras papiamentas se les atribuye un origen portugués porque presentan la vocal tónica no diptongada; al mismo tiempo, muchas voces fueron consideradas de origen español, porque presentan diptongación de la vocal tónica. Ahora bien, si aceptamos que no se puede hablar de un proceso de reportuguesización en el caso de los criollos antillanos, las palabras de la primera categoría deberían proceder del portugués en su forma original. Debemos admitir, sin embargo, que el papiamento experimentó también su propia evolución interna, como todas las lenguas. Y entonces, debemos aceptar que palabras como pap. *doño*, *ketu*, que no pueden ser explicados en el papiamento si no admitimos su origen español, sufrieron cambios fonéticos y su actual forma se explica gracias a un proceso de monoptongación. Todo eso nos permite suponer que, si tal proceso se operó en el papiamento en determinadas condiciones, pap. *porku* podría proceder del esp. *puerco*, o el pap. *kere* del esp. *quiere*. La situación es similar a la del español, cree Rona, donde se conservan palabras heredadas del latín con los cambios fonéticos habituales debidos a la evolución interna del español y sus respectivos dobletes tomados como préstamos tardíos del latín en su forma original, como es el caso de *lindo / límpido* o *cadera / cátedra*. La conclusión del autor es que la suposición de la existencia de un protocriollo afroportugués que haya constituido la base del papiamento es superflua (Rona 1976: 1021). El papiamento, según él, es el descendiente directo del español hablado en Curazao durante el período en que las islas ABC pertenecieron a la Corona española. La gramática africana fue aplicada al léxico español y, de esta manera, indios y africanos han conservado hasta hoy, ininterrumpidamente, la tradición lingüística española. El proceso es idéntico al de la aparición de las lenguas románicas derivadas del latín (Rona 1971).

Esta brillante demostración presenta, en nuestra opinión, unos cuantos fallos, algunos fundamentales. En primer lugar, muchos de los ejemplos en que Rona fundamenta su argumentación son incorrectos. Así, pap. *porko*, no **porku*; pap. *pueblo*, no **poblo*; pap. *bin* (< *bini*) < esp. *venir*, no < esp. *bien* (existe también el adverbio *bien*, por ejemplo, *bien bèrdè* 'bien es verdad'); pap. *kere* < esp. *creer*, no < esp. *quiere* (cf. Joubert 1991 s.v.; Dijkhoff 1991 s.v.)[7]. Por otro lado, parece más probable que el papiamento haya adoptado palabras de distintas variedades diatópicas del español, así como del catalán y portugués (Maduro 1966; Andersen 1974). En segundo lugar, creemos que Rona sobrestima el papel de las lenguas africanas en la aparición del papiamento, cuando considera que una gramática africana fue aplicada al léxico español.

Es conocida la heterogeneidad étnica y lingüística de los esclavos africanos transportados a América, la falta de unidad lingüística de esta población en su continente originario (Fontanella de Weinberg 1993: 241). Según testimonios de la época, en muchos casos estos esclavos continuaban hablando sus lenguas originales en tierras americanas, sin manejar ninguna modalidad lingüística de contacto, lo

[7] Hace algunos años, Maurer (comunicación personal) me llamó la atención sobre este error de Rona.

que les impedía comunicarse incluso entre ellos (Lewis 1970). Por tanto, sólo los elementos comunes a un grupo o a una familia de lenguas africanas podían tener cierto protagonismo en la constitución de las lenguas criollas (Vintilă-Rădulescu 1970). Este carácter lingüísticamente heterogéneo del aporte africano a los criollos hizo que rechazáramos también la teoría de Granda sobre la posibilidad de que un criollo conservase rasgos «de estructura directamente derivados de una sección geográfica concreta del preexistente *continuum* criollo africano del cual procede» (Granda 1978: 442; 311-334). Valeriano Salazar (1974) analiza los fenómenos de procedencia africana en el papiamento y, a nuestro parecer, aunque es evidente que existen elementos y (sub)sistemas africanos en la estructura del papiamento, éstos no justifican la afirmación de que la gramática papiamenta sea africana.

En cuanto a lo que Rona considera identidad entre la aparición de los criollos y el nacimiento de las lenguas románicas, consideramos necesarias unas matizaciones. Es sabido que para explicar la fragmentación de la unidad latina en distintas lenguas románicas y sus dialectos se invocan varios factores: espacio, tiempo, cronología, substrato y superestrato, división administrativo-territorial y eclesiástica, comunicaciones, el cristianismo y el carácter del latín (Vidos 1968: 171-261; Iordan, Manoliu 1989: I, 36-74), que, conjuntamente, contribuyeron a la romanización del latín. Al comparar la romanización con la hispanización de América, Vidos establece la siguiente diferencia: en el Imperio Romano, junto al colapso material (político), se produce también uno cultural y espiritual, mientras en la América hispánica, «la unidad espiritual y cultural entre España y América española se mantuvo hasta hoy, con el resultado de que allí han surgido diversas naciones, pero no diversas lenguas románicas» (Vidos 1968: 260). Precisamente esta situación confiere una posición distinta al papiamento con respecto a las lenguas románicas. El criollo de Curazao nace, igual que otros criollos, como resultado de la interacción de varios factores; sin embargo, no todos son los mismos en el caso de cada criollo en concreto, ni idénticos a los que conllevaron a la aparición de las lenguas románicas. Evidentemente, el factor fundamental para el nacimiento del papiamento fue la interrupción de los vínculos directos con España, después de la conquista holandesa, ya que, de haber permanecido las islas ABC bajo la dominación española, es de suponer que en estos territorios se habría hablado el mismo español, caracterizado por su «variedad en la unidad y unidad en la diferenciación» (Wagner 1949: 147), como en el resto de la América española. Sin embargo, a pesar de la ruptura oficial con la metrópoli española (el colapso político), no se produce, a nuestro juicio, un total colapso cultural y espiritual entre España y las Antillas neerlandesas, debido a una serie de circunstancias, básicamente, a los contactos permanentes con la América hispánica, que hemos mencionado de paso. Comentaremos más adelante estos aspectos. En eso reside, según nuestro parecer, la principal diferencia entre el nacimiento del papiamento y la aparición de las lenguas románicas. Mientras las provincias romanas interrumpieron totalmente sus lazos con la metrópoli una vez caído el Imperio Romano de la Europa occidental (476) y en cada una surgieron nuevos centros políticos y culturales, el papiamento y, casi seguro, los demás criollos hispánicos, a pesar de cierto aislamiento, continuaron, de una u otra forma estos contactos. Creemos, por tanto, que los papiamentohablantes tuvieron siempre la conciencia de que su lengua es un vástago del gran tronco común hispánico, desde el mismo momento en que empezaron a comunicarse en el nuevo idioma. Nuestra afirmación se basa en un hecho unánimemente conocido y aceptado: es sabido que en las etapas post-pidgin, en el proceso de criollización, se produce una reestructuración de los niveles sintácticos y morfológicos. La tendencia de este proceso es recurrir a la lengua base del léxico (López Morales 1989: 145) y todos los especialistas, inclusive los defensores del origen portugués, están de acuerdo en que, el caso del papiamento, el proceso de estabilización y reestructuración sigue el modelo español, como hemos visto en la parte introductiva de este capítulo[8].

---

[8] En muchos casos es difícil determinar cuál es la lengua base y, en la actualidad, se discute mucho si «hay tal cosa como lengua base» (López Morales 1989: 145).

Andersen (1974) no se pronuncia explícitamente acerca del origen (afro)portugués o (afro)español del papiamento. En cambio, al estudiar la variabilidad en el uso de este criollo, utiliza los conceptos de *nativización* e *hispanización*, como procesos históricos y actuales experimentados por el papiamento. No es nuestra intención analizar aquí la hipótesis del autor, cuyo mérito incuestionable es el haber demostrado que los cambios operados en el paso del léxico de las lenguas de input al nuevo criollo son procesos sistemáticos, que obedecen a determinadas reglas. No obstante, queremos llamar la atención sobre la definición propuesta por Andersen para la hispanización histórica, que consistiría en la adaptación de unidades léxicas extranjeras a la fonología española —«The general process is one of changing a Germanic lexicon into one whith Romance characteristics»— y en el préstamo de palabras ibéricas y su consecuente nativización. Lo interesante es que «the accomodation of foreign lexical items (especially Dutch and English) to a hispanic (essentially Spanish and Portuguese) [...] phonology», eso es, uno de los dos aspectos de la hispanización, equivale, según Andersen, a *papiamentización* (Andersen 1974: 93). De hecho, se trata de una especie de etapa hacia la adaptación definitiva, total, proceso mediante el cual el léxico de las lenguas de input se convierte en léxico nativo papiamento, proceso de acriollización, denominado por el autor *nativización*[9]. El hecho de que la nativización significa, en realidad, papiamentización, y que uno de los componentes de la hispanización es también papiamentización nos permite llegar a la conclusión de que el español tuvo una posición privilegiada, más fuerte, entre las lenguas participantes en la gestación del criollo de las islas ABC. La adaptación en papiamento de voces de distintos orígenes a una fonología española confirmaría, en nuestra opinión, que el proceso de estabilización y reestructuración del papiamento sigue el modelo español.

---

[9] Según Bayley (1974), *nativización* es la fase de desarrollo de un pidgin en que éste adquiere hablantes nativos, por tanto, se convierte en una lengua criolla con función de lengua materna.

La teoría de Bickerton es también muy interesante y seductora. Para este autor, las semejanzas entre el palenquero y el papiamento, en todos los niveles, permiten formular la hipótesis de que los dos podrían derivarse de un único protopidgin afroespañol:

> Even if no allied languages exist, Palenquero might still shed some light on the vexed issue of 'polygenetic' versus 'monogenetic' origins of Creoles. Since Colombia and Curaçao were colonised simultaneously, and since slaves for both were drawn from similar sources, it is highly likely that Palenquero and Papiamento, though by now probably mutually unintelligible, are descendants of the same Proto-Creole; the similarities between them, on all levels, are too numerous to be coincidental. It ought, then, to be possible, by detailed comparison between them, to reconstruct, not perhaps 'the' Proto-Pidgin (if indeed this ever existed), but at any rate a Southern Caribbean Proto-Creole which might, in its turn, provide valuable evidence for one theory or the other (Bickerton, Escalante 1970: 263).

Desgraciadamente, por muy atractiva que pueda parecer, esta teoría no tiene en cuenta todas las realidades lingüísticas y extralingüísticas. Por un lado, como hemos visto que pone de manifiesto Maurer (1987a) con mucho sentido común, todos los argumentos en contra de un posible protocriollo afroportugués son válidos para rechazar un posible protopidgin o protocriollo afroespañol. Por otro lado, después de efectuar un análisis comparativo detallado entre los sistemas temporales del papiamento y del protocriollo afroespañol propuesto por Bickerton, Maurer (1985) llega a la conclusión de que el metalenguaje postulado por Bickerton no es bastante riguroso, porque mezcla distintos niveles de funciones. Además, aquel autor parte de una sola lengua criolla (el palenquero de San Basilio), considerada como prototipo, y calcula sobre esta base las *desviaciones* de los demás criollos (Maurer 1985: 65).

Otro autor que ha matizado y profundizado sucesivamente su teoría acerca del origen del papiamento es Maurer. La conclusión por la que se ha decantado es que el papiamento nació en Curaçao (poligénesis) del contacto entre holandeses, judíos sefardíes (hablando portugués y/o castellano) y africanos (policausal, frente al monocausalismo de la teoría monogenética y de Bickerton). La creación de un nuevo idioma se hizo necesaria por la llegada de los esclavos, y no en una situación de contacto entre dos lenguas nada más (amerindios-holandeses) (Carta personal de 1988).

Este punto de vista lo defiende, de forma más o menos parecida, en varios estudios suyos (Maurer 1986a; 1986b; 1987a):

En effet, si l'hypothèse selon laquelle le papiamento est une langue dont la mixité découle de l'époque de sa formation est correcte, il est difficile de considérer la genèse de ce type de langues comme un développement vers une langue cible déterminée, c'est-à-dire en termes d'apprentissage d'une langue seconde, car il faudrait alors admettre, dans le cas du papiamento, au moins trois langues cibles: le hollandais, le portugais et le castillan. On peut donc se demander s'il ne serait pas plus correct d'envisager la créolisation comme la création ou l'émergence d'un instrument de communication à l'aide d'éléments sélectionnés à partir d'une ou de plusieurs langues, selon le cas. En d'autres termes, la créolisation serait non pas une évolution vers une langue cible, mais à partir d'une ou de plusieurs langues sources (Maurer 1986a: 109).

En estas condiciones, las diferencias entre las lenguas criollas podrían explicarse, según el autor citado, por las diferencias existentes en cuanto a las lenguas fuentes presentes en un territorio en el período de formación del criollo, la correlación de fuerzas entre estas diversas lenguas fuentes y las situaciones de contacto lingüístico posteriores a la época de formación del criollo (Maurer 1987a: 68). Al comparar el papiamento con los idiomas criollos de base francesa, Maurer plantea dos cuestiones teóricas de excepcional importancia: la necesidad de admitir una categoría de «lenguas criollas mixtas», a la que pertenecería el papiamento, y la reconsideración de la definición del proceso de criollización como una evolución hacia una lengua meta.

Nuestro propio punto de vista con respecto al origen y la evolución del papiamento es muy parecido a las opiniones de Maurer. Hace poco más de veinte años, un sumario análisis de algunos fenómenos fonéticos del papiamento nos llamó la atención por sus similitudes con fenómenos que se dan en variedades diatópicas del español, especialmente americanas; sugerimos en aquella ocasión la posible evolución paralela del español americano y de la modalidad que supuestamente se hablaba en Curazao cuando la isla fue conquistada por los holandeses (Munteanu 1974a). Y llegamos a la siguiente conclusión: en la medida en que una serie de fenómenos del papiamento se da también en variedades diatópicas del español, particularmente americanas, podemos deducir que el español desempeñó un papel fundamental entre las lenguas que participaron en la formación del papiamento, siguiendo, desde un determinado momento, un camino distinto del resto de las variedades americanas, debido a su propia evolución interna, pero también al contacto con las demás lenguas o modalidades lingüísticas de Curazao. En sucesivos estudios ulteriores (Munteanu 1975a; 1975b; 1978; 1979; 1980; 1989) hemos ido matizando y completando aquella primera hipótesis, defendiendo constantemente, sobre la base de un posible escenario propio (Munteanu 1991), el origen hispánico del papiamento. Consideramos necesario, por lo tanto, aclarar algunos aspectos, que creemos transcendentales en la comprensión de este escenario propuesto para la formación del papiamento, en particular, y, hasta cierto punto, de las lenguas criollas, en general.

En nuestra opinión, el contacto lingüístico entre varias lenguas, contemplado como el germen de los idiomas criollos europeo-africanos, no se produce de modo caótico, sino siguiendo una dirección principal determinada, que es lengua(s) privilegiada(s) o dominante(s) (de prestigio político, pero sobre todo sociocultural) → lenguas africanas. Al mismo tiempo, debemos tener en cuenta que en ese crisol lingüístico no todos los componentes ocupan el mismo escalón, como destaca también Maurer, al hablar de la correlación de fuerzas entre las lenguas de input. Y en el caso del papiamento, opinamos, basándonos en argumentos que trataremos de demostrar en los capítulos siguientes, que la escala jerárquica de las lenguas participantes en su gestación y ulterior desarrollo está encabezada, indudablemente, por el español (Munteanu 1991: 53-64). Este contacto debe ser contemplado también desde la perspectiva de la comprensión y producción de textos, con sus dos aspectos: intención verbal (estructura latente) y realización de la intención verbal (estructura patente) y las implicaciones acarreadas por una situación de plurilingüismo en la realización de la actividad verbal comunicativa.

IV
PRINCIPIOS METODOLÓGICOS

El análisis de las distintas teorías sobre el origen de los criollos, concretamente del papiamento, pone de manifiesto, a nuestro juicio, lo que podríamos llamar errores metodológicos (el término carece de originalidad, pero creemos que es el más idóneo) en el estudio de esta lengua. Y nos permite, a la vez, proponer unos cuantos principios metodológicos que, en nuestra opinión, deben contemplarse como fundamentales a la hora de llevar a cabo investigaciones dedicadas al papiamento.

Los errores metodológicos pueden resumirse de la siguiente manera:

a) se consideró que el español hablado en las islas ABC, principalmente en Curazao, desapareció por completo con la dominación holandesa;

b) se admitió sin reservas, hasta hace poco tiempo, la hipótesis de un protocriollo afroportugués;

c) se insistió en los fenómenos de interferencia como resultado del contacto lingüístico, descuidándose (casi) por completo la evolución interna propia de las lenguas participantes en la gestación del nuevo idioma, evolución que adquiere rasgos particulares en las condiciones generadas por el contacto lingüístico (Munteanu 1975a; 1991: 59-62; 1992);

d) se descuidaron las tendencias internas de evolución general románicas;

e) se comparó el estado actual del papiamento con el español y el portugués estándar actuales;

f) no se tuvieron en cuenta las condiciones especiales en que se desarrolla la actividad verbal comunicativa —comprensión y producción de textos—, tal como la contempla la lingüística textual, en una situación de bi- o multilingüismo.

Los datos existentes hasta la fecha expuestos en los capítulos anteriores demuestran con claridad que el español no desapareció por completo de las islas ABC después de la ocupación holandesa, sino todo lo contrario, estuvo presente en la época de formación del papiamento y sigue ejerciendo su influencia hasta nuestros días. Sólo así se explican ciertos rasgos lingüísticos, que no pudieron haber aparecido como resultado de una influencia posterior del español americano (Rona 1976: 1019-1021). El español que participa en la formación del papiamento es, por un lado, la lengua del siglo XVI llevada al Nuevo Mundo por los conquistadores, con sus inherentes rasgos dialectales variados, y difundida en toda la América hispánica. No debemos olvidar que el período de la dominación española en las islas ABC coincide aproximadamente con la primera centuria de la conquista, lapso en que coexistieron distintos dialectos peninsulares y se estaba gestando la koineización del español llevado a América (Fontanella de Weinberg 1993: 42-48). Este español, en vías de fundir diversos subsistemas lingüísticos y transformarse en una koiné, no desapareció de las islas ABC con la llegada de los holandeses, pero es imposible comprobar que haya llegado a una completa koineización y a la etapa siguiente de estandarización, que se verificó en los demás territorios americanos más temprano (México) o más tarde (Paraguay). Por otro lado, este español se verá pronto mezclado con otra variedad, el judeoespañol hablado por parte de los sefardíes llegados a las islas, que incorporaba también diferentes elementos dialectales peninsulares. El español empleado por los sefardíes conservaba rasgos del idioma hablado en la Península a finales del siglo XV y el siglo XVI, parecidos o incluso idénticos a muchos de los rasgos del español de los conquistadores; a la vez, era, indudablemente, un español portuguesado, como lo demuestran rasgos lingüísticos del papiamento hablado en la actualidad por los descendientes de los sefardíes (cf. Henríquez 1988; 1991)[1]. A lo largo del tiempo, estas variedades del español pasan, probablemente, por un inevitable proceso de koineización y, una vez interrumpidas las relaciones oficiales con la metrópoli española, esta koiné hispánica sigue su propio proceso de transformaciones, parcialmente paralelas (idénticas o semejantes) con las del español americano, determinadas, en primer término, por su propia evolución interna en las condiciones específicas del contacto lingüístico y, en segundo término, precisamente por este contacto con otras lenguas —idiomas indígenas, holandés, portugués, lenguas africanas y, últimamente, inglés— es decir, por las influencias externas.

La gran mayoría de los estudios dedicados a las lenguas criollas prestaron poca atención o desconsideraron completamente el papel de los factores internos en las transformaciones operadas en las lenguas de input del criollo y en éste mismo. Por un inexplicable descuido, se perdieron de vista dos ideas fundamentales de la lingüística moderna, a saber:

a) la lengua es una *estructura* (Haudricourt, Juilland 1949: 2-6);

b) la lengua es un *fenómeno social* (Saussure 1959).

Si contemplamos la lengua como una estructura, observamos que muchas de las transformaciones que se operan en la misma se deben a la manera en que está organizada: la causa de dichas transformaciones se halla posiblemente en la misma estructura de la lengua (Sala

[1] La influencia del portugués es explicable: gran parte de los sefardíes hablaba portugués y, además, la lengua oficial de la Congregación hasta el siglo pasado fue el (judeo)portugués.

1988: 24). Por tanto, no debemos considerar la lengua como una estructura estática, sino todo lo contrario, un «sistema en movimiento» continuo, que experimenta procesos de renovación y reconstrucción, no de alteración o deterioro, hacia «una perfecta sistematización» que garantiza su funcionamiento:

> La lengua *se rehace* porque el hablar se funda en modelos anteriores y es hablar-entender; *se supera* por la actividad lingüística porque el hablar es siempre nuevo; y *se renueva* porque el entender es entender más allá de lo ya sabido por la lengua anterior al acto. La lengua real e histórica es dinámica porque la actividad lingüística no es *hablar y entender una lengua*, sino *hablar y entender algo nuevo por medio de una lengua*. Por ello la lengua se adapta a las necesidades expresivas de los hablantes, y sigue funcionando como lengua en la medida en que se adapta (Coseriu 1988: 109).

Por eso, siempre que sea posible, preferimos explicar un fenómeno del papiamento a partir de una tendencia interna de la lengua, atestiguada, eventualmente, en español, en otros idiomas románicos, incluso en latín, o en los descendientes de los romances, los criollos neorrománicos, antes de recurrir a una influencia externa (Sala 1974: 583-584; 1988: 25); especialmente porque las tendencias evolutivas propias de una lengua pueden manifestarse con más fuerza en las regiones periféricas, como es el caso del papiamento. Consideramos necesario tener en cuenta estas tendencias propias e independientes, en sus diversas etapas, dada la situación particular del papiamento, ya que las mismas pueden ser condicionadas también por factores internos específicos, no hispánicos (Granda 1977: 114), sin descartar otras posibles explicaciones de naturaleza externa, como la incidencia de tendencias substratísticas o adstratísticas (Granda, *loc. cit.*). Sin embargo, en estos últimos casos, siempre que sea posible, preferimos apoyar nuestras explicaciones en hechos conocidos, en tendencias generales de evolución fonética o morfológica presentes en el dominio románico, inclusive el latín (Malmberg 1964) o que pueden manifestarse en varias estructuras lingüísticas (Halliday 1956: 126; Lewy

1956: 127-129), en vez de arriesgarnos en un terreno menos o poco conocido y dar explicaciones particulares para cada caso concreto tomado por separado. Contemplamos también la posibilidad de que ciertas influencias externas hayan reforzado o favorecido tendencias internas de evolución (Jakobson 1938; Weinreich 1953; Silva-Corvalán 1992; 1993), apreciando, junto con Sala (1988: 26), que «los factores internos son reguladores y los factores externos determinadores».

Al considerar la lengua como un fenómeno social, pretendemos enmarcar nuestra investigación en el ámbito socioeconómico e histórico-cultural de la población papiamentohablante, esto es, estudiar el origen, la estructura y la evolución del papiamento en relación con el desarrollo sociolingüístico de la población de las islas ABC. Contemplada desde esta perspectiva, la investigación puede proporcionar datos fundamentales sobre la correlación de fuerzas entre las lenguas de input (Maurer 1987a) o la escala jerárquica de los participantes lingüísticos en la génesis del papiamento (Munteanu 1991: 46). Porque en una situación de contacto lingüístico, las relaciones entre las distintas lenguas, hablas, variedades están condicionadas por factores políticos, sociales, históricos, culturales. En el crisol lingüístico del que surge una nueva lengua, uno de los componentes ocupa una situación privilegiada, precisamente por esta razón, no por la superioridad del sistema lingüístico en sí.

Resumiendo las ideas expuestas hasta ahora, consideramos que todo estudio sobre el origen, la evolución y la estructura del papiamento debería analizar la estructura de esta lengua en su relación con la estructura del español (que, en nuestra opinión, ocupa el lugar principal, privilegiado entre las lenguas de input en las islas ABC) y de las lenguas iberorrománicas y románicas en general. Dicho de otro modo, creemos que la causación de los más importantes rasgos caracterizadores del papiamento se puede encontrar en la dinámica de las estructuras lingüísticas hispánicas, a todos los niveles, sin minimizar posibles influencias de factores externos, no hispánicos. En definitiva, opinamos que no se puede estudiar un idioma criollo de forma aislada, separado de la familia de lenguas a la que pertenece, sino todo lo contrario, en estrecha relación con ésta. Sólo así podemos destacar los rasgos característicos, definidores del criollo respecto de las otras lenguas y, a la vez, poner de manifiesto los aspectos comunes, las relaciones tipológicas entre el nuevo idioma y las lenguas que lo originaron, especialmente aquella o aquellas que tuvieron un peso específico en su formación.

Por otra parte, al estudiar la evolución de una lengua, no podemos pasar por alto el carácter dinámico de la misma, el hecho de que se presenta como un sistema en continuo movimiento renovador, que evoluciona a lo largo del tiempo junto con la comunidad que la utiliza; la lengua es un fenómeno social, se modifica ininterrumpidamente y en cada etapa de desarrollo de la sociedad se presenta de forma distinta. Por lo tanto, no podemos aceptar que el papiamento, el español y el portugués hablados en la actualidad sean idénticos a las variedades diacrónicas del siglo XVI (español y portugués) y del siglo XVII (el naciente papiamento). Sin embargo, la mayoría de los especialistas se ha apresurado, erróneamente, a sacar conclusiones sobre el origen y la evolución del papiamento, basadas en comparaciones entre el estado actual de este idioma y de los idiomas ibéricos, español y portugués estándar.

En nuestra opinión, el estudio del origen y la evolución de una lengua, en este caso concreto el papiamento, debe enfocarse, por la naturaleza misma del tema, desde una perspectiva diacrónica y sin pasar por alto las tendencias generales de evolución que se pueden verificar en varias estructuras lingüísticas. Argumentamos estas afirmaciones con unos ejemplos del dominio fonético. Al compararse hechos papiamentos con fenómenos idénticos o similares del portugués en el plano sincrónico, se llega a conclusiones, por lo menos, discutibles. Un gran número de investigadores invoca tales fenómenos como argumentos irrefutables a favor del origen portugués del papiamento. Al mismo tiempo, interpretan varios fenómenos fonéticos, que no pueden explicar a través de la comparación con el portugués, como resultados de los procesos de descriollización y rehispanización. Estos procesos se habrían iniciado ya en el siglo XVII, para intensificarse en lo sucesivo, particularmente en el siglo pasado. Pero la inexistencia de textos papiamentos anteriores a 1775 (véase «Datos generales sobre el papiamento - 2. El papiamento, la lengua criolla de Curazao») no nos permite fechar ni siquiera con mucha aproximación el momento en el que se habrían producido estos fenómenos. Resulta muy extraño, en cambio, que pocos investigadores hayan llamado la atención sobre un hecho más que evidente, en nuestra opinión: casi todos los fenómenos fonéticos aducidos a favor del origen portugués del papiamento están atestiguados en el español peninsular del siglo XVI, el español de los conquistadores y los sefardíes a su llegada a América. Así:

a) el paso de *f-* > *h-* y la ulterior tendencia a la desaparición de la aspiración se manifiesta ya en el español preclásico. En Castilla la Vieja, la aspiración desaparece en el siglo XV (Lapesa 1959: 189) y la tendencia sigue manifestándose hasta hoy día incluso en los dialectos que conservan la aspirada (Iordan, Manoliu 1989: I, 197, nota 74).

Maurer (comunicación personal) pone en duda el origen hispánico del fenómeno:

> Todavía no estoy muy convencido de que la *h-* del papiamento represente un resto de aspiración de la *f-* latina, porque ocurre también donde no hay *f* latina: *haltu* < alto, *hisa* < izar (pero quizás < hol. *hijsen*), *hera* < errar, *hiba* < llevar, *huña* < uña y muchos más. Yo pienso más bien que se trata de un fenómeno de evitar el comienzo vocálico, que aparece también en otros idiomas criollos que no tuvieron al castellano como lengua base. Pero tampoco estoy muy seguro. Me parece [...] que hay muy pocas palabras «antiguas» del papiamento que comienzan con una vocal [...]. El papiamento de Aruba conserva mucho más la *h-* inicial que el de Curazao. Donde en Curazao se puede decir tanto *altu* como *haltu*, en Aruba sólo dicen *haltu*. La desaparición parcial del *h-* (y de *-h-*: *traha* vs. *traa*) pudiera ser un fenómeno de evolución interna del papiamento de Curazao.

La hipótesis de Maurer es muy interesante y merece todo el respeto, porque plantea la cuestión de la evolución interna propia, independiente del papiamento. Podemos sugerir, sin embargo, además de las tres hipótesis ya mencionadas (origen portugués, origen español, evolución interna propia), una cuarta. En palabras que presentan una *h-* no etimológica, como pap. *hera*, *hiba*, *huña*, ésta puede ser expletiva, por contaminación con formas holandesas, como sucedió en el período de formación del francés con las palabras latinas contaminadas por vocablos germánicos (Iordan, Manoliu 1989: I, 197). Por lo tanto, el origen portugués del fenómeno ya no resulta tan evidente, ni tan incuestionable;

b) la realización fricativa de las consonantes *b*, *d*, *g*, se produjo, según parece, ya en el período de transición del consonantismo latino al románico y era un fenómeno corriente en el español alfonsí y medieval (Alarcos Llorach 1961: 223 y sigs.). Sabemos que la *-b-* tuvo una articulación fricativa muy pronto, al parecer ya en el siglo I d. C., mientras la *-d-* se pronunciaba como fricativa mucho antes del siglo XV, ya que, a partir de este siglo, la *d* (< *-t-* latina) se confunde con la *d* primaria y las dos se realizan como fricativas (Iordan, Manoliu 1989: I, 188)[2];

c) el fenómeno *-it-* > *-ch-* es un proceso de palatalización que se produjo ya en el paso del latín al español (Menéndez Pidal 1950: 284-285; 1958; Iordan, Manoliu 1989: I, 47-48; 168), probablemente debido al substrato celta. Sabemos que el fonema /ĉ/ está atestiguado en el sistema consonán-

[2] Maurer (comunicación personal) afirma que la realización fricativa de las consonantes *b, d, g* le es completamente desconocida y no la ha oído nunca entre los papiamentohablantes. Sin embargo, los papiamentistas nativos aprecian que no hay ninguna diferencia entre la pronunciación de las intervocálicas en las palabras pap. *laba, kada, paga* y sus correspondientes esp. *lava, cada, paga*.

tico del español alfonsí (Alarcos Llorach, *loc. cit.*; Lapesa 1959: 132-133). Eso significa que su origen no es necesariamente portugués en el papiamento.

Como se puede ver, a la hora de interpretar un fenómeno papiamento no debemos recurrir a la solución más sencilla. Es evidente que no podemos prescindir del planteamiento diacrónico en el conjunto general románico y, particularmente, iberorrománico, de la propia evolución interna del papiamento y tampoco de las tendencias generales de evolución de las diversas estructuras lingüísticas.

Por fin, creemos oportuno llamar la atención sobre el último de los llamados errores metodológicos señalados y aclarar, a la vez, nuestro punto de vista. Hace ya más de tres décadas, aproximadamente, Iordan, Manoliu (1989: I, 113-114) matizaban acertadamente el concepto de lengua criolla (románica), afirmando que los criollos

> no son, como se creyó, el producto de una mezcla entre los idiomas romances y los autóctonos, sino lenguas romances transformadas en la mente y en la boca de una población indígena, que no llegó a aprenderlas sino de una manera imperfecta como le permitió su constitución psíquica, su inteligencia no desarrollada, su base articulatoria y otros factores determinantes.

Hasta ahora, los estudios de criollística no han contemplado la posibilidad de estudiar el proceso de formación de las lenguas criollas desde la perspectiva de la lingüística textual. Bien es verdad que esta nueva rama de la lingüística nació hace muy poco y todavía sigue su evolución, no muy lineal, con distintas corrientes y escuelas. Más concretamente, no se ha enfocado el proceso de formación de los criollos como resultado de una actividad verbal comunicativa —comprensión y producción de textos— realizada en una situación de multilingüismo prolongado, esto es, por usuarios que poseen no sólo códigos lingüísticos distintos, sino también competencias comunicativas, textuales e intertextuales y condicionamientos sociopsicológicos diversos, determinados por los diferentes dominios epistémicos de los grupos socioculturales que utilizan las lenguas de input. Dicho de otra forma, cuando los hablantes no tienen el mismo conocimiento del mundo, el texto, entendido como

> unidad lingüística comunicativa fundamental, producto de la actividad verbal humana, que posee siempre carácter social [...]; cierre semántico y comunicativo, así como [...] coherencia profunda y superficial, debida a la intención (comunicativa) del hablante de crear un texto íntegro, y a su estructuración mediante dos conjuntos de reglas: las propias del nivel textual y las del sistema de la lengua (Bernárdez 1982: 85),

puede resultar incoherente, incomprensible, por reflejar realidades que no son coherentes para todos los usuarios del texto.

Por otra parte, los hablantes de lenguas que ocupan un escalón inferior entre los participantes en la gestación del criollo se ven obligados a emplear en la comunicación un código lingüístico ajeno, distinto del suyo. Por lo tanto, tendrán que textualizar un plan global, realizar su intención verbal, en el sistema lingüístico de otra lengua (dominante, de prestigio político, sociocultural, etc.). Esta situación puede generar, en nuestra opinión, estructuras nuevas, completamente distintas de las corrientes en las lenguas de input, que caracterizan precisamente al naciente criollo.

La conclusión que se desprende de lo expuesto en este capítulo es que las investigaciones sobre el origen y la evolución del papiamento, en particular, y de los criollos románicos, en general, no han tenido siempre en cuenta unos principios metodológicos fundamentales. Estos principios, que, a nuestro juicio, pueden y tienen que respetarse rigurosamente, son:

a) el principio de la explicación interna;

b) el principio de la prioridad de la explicación general frente a la explicación particular (Malmberg 1962: 258; 1965: 118; Granda 1977: 115; Lope Blanch 1967; 1972: 158, nota 6);

c) el principio de la comparación del criollo (y sus variedades, cuando sea posible) con las variedades diacrónicas, diatópicas y diastráticas de la lengua con más peso específico entre las lenguas de input, es decir, lengua base o madre;

d) el principio de la comparación con las demás lenguas criollas románicas;

e) el principio de la especificidad de la actividad verbal comunicativa en situaciones de contacto lingüístico prolongado.

V
CONTACTO LINGÜÍSTICO Y CRIOLLIZACIÓN

Todo lo afirmado en los capítulos anteriores nos sitúa claramente en el campo de los defensores del origen español del papiamento y de los partidarios de la teoría poligenética. Sin embargo, consideramos necesarias unas matizaciones.

Nuestro punto de vista es parcialmente distinto de la teoría general sobre el origen hispano de este criollo, porque pone el acento en el proceso evolutivo de las estructuras lingüísticas del español en las condiciones específicas generadas por un contacto lingüístico múltiple y prolongado. Durante este proceso, la variante del español llevada a las islas ABC por los conquistadores a comienzos del siglo XVI, entra en contacto con las lenguas amerindias, a las que elimina en un período de poco más de un siglo; cuando los holandeses conquistan las islas (1634), el español hablado por los indígenas y, poco tiempo después, reforzado parcialmente por la llegada de los sefardíes, entra en contacto con el holandés, el portugués, tal vez, una variante del *reconnaissance language* o *foreigner talk* portugués y, básicamente, con las lenguas africanas. En las condiciones específicas generadas por este contacto lingüístico múltiple, las tendencias internas de evolución del español llegan a consecuencias últimas, favorecidas por la interrupción de los vínculos con la norma metropolitana y, a veces, por tendencias existentes en las otras lenguas habladas en las islas. Las diferencias entre códigos lingüísticos y dominios epistémicos distintos favorecen también este proceso, que, paulatinamente, produce un nuevo instrumento de comunicación, común para todos los grupos étnico-sociales, que, luego, se convertirá en lengua materna y lengua de la comunidad. Esta nueva lengua seguirá después su propia evolución interna (Weinreich 1968: 673), con pluralidad de funciones que se irán extendiendo mediante los esfuerzos conscientes de la comunidad lingüística.

A continuación, trataremos de analizar con más detenimiento las líneas fundamentales de este proceso, que, en nuestra opinión, es el mecanismo generador del papiamento.

Hemos visto que, en el período de formación del papiamento, en las islas se hablaban las siguientes lenguas de input: el español, el holandés, el portugués, eventualmente otras modalidades ibéricas (Maduro 1966), lenguas africanas y, probablemente, una variante del *reconnaissance language (foreigner talk)* portugués (Maurer 1986a: 100 y sigs.; 1987a: 67-68).

Presentamos seguidamente la posición de estas lenguas y modalidades en las islas ABC, principalmente en Curazao —cuna del papiamento—, desde el período de formación del criollo hasta nuestros días.

El español estuvo presente en las islas ininterrumpidamente desde su descubrimiento y sigue ejerciendo una influencia considerable aún hoy en día (véase «Datos generales sobre el papiamento - 1. Breve historia de las Antillas Neerlandesas»). Después de la ocupación holandesa y la retirada de la guarnición española, en la isla quedó, por lo menos, una parte de la población indígena, que, según todas las probabilidades, siguió hablando, bien o menos bien, el español. Es verdad que no hay testimonios escritos que confirmen esta afirmación; pero parece imposible que, después de más de un siglo de dominación española, los indígenas de estas islas no hablaran español (Van Wijk 1958a: 170; Rona 1971; 1976: 1019-1020), cuando en todos los territorios conquistados los amerindios adoptaron el español; más todavía en las Antillas, donde la población arawak-caribe no opuso demasiada resistencia a la hispanización.

Por otro lado, el español entró en contacto con las lenguas africanas ya antes de 1650, fecha de la llegada del primer contingente de esclavos a Curazao, porque existen noticias sobre la existencia de esclavos africanos en la costa occidental venezolana y en las islas del Caribe anteriores a esa fecha. Eso explicaría la observación del Padre Sandoval, en 1627, sobre aquel español corrupto utilizado como medio de comunicación por españoles y africanos (Sandoval 1956: 94). Después de 1650, los contingentes de esclavos que llegaron a las islas ABC, principalmente a Curazao —etapa obligada en su calvario— y sobre todo los que se quedaban en las islas, entraron en contacto con la población aborigen hispanohablante, y también con los misioneros católicos españoles llegados de Venezuela, que intentaban llevar a cabo su acción evangelizadora de los esclavos recién importados, con el beneplácito de las autoridades holandesas, no clandestinamente, como suponían hasta hace poco muchos investigadores, entre ellos Maurer (1986a: 101; 1986b: 145).

La llegada de la primera ola de sefardíes coincide, aproximadamente, con la de los primeros contingentes de esclavos. Es sabido que la lengua «oficial» de la Congregación sefardita hasta 1865 fue el portugués y que sólo después de esta fecha fue reemplazada por otras lenguas. Sin embargo, por lo menos parte de ellos hablaba el español o las dos lenguas, como lo demuestran los documentos y libros publicados en castellano en el siglo XVIII. También se sabe que los sefardíes servían como intermediarios y traductores de los holandeses en las relaciones comerciales con los países hispanohablantes o se dedicaban ellos mismos al comercio con esos países (Maurer 1986a: 98; 1986b: 148, nota 26. Véase también «Datos generales sobre el papiamento - 1. Breve historia de las Antillas Neerlandesas»).

Otro dato interesante referente a la presencia del español lo ofrece el mayor cementerio judío de Curazao, llamado Beth Haim. En las 2.500 tumbas existentes allí, la proporción de las distintas lenguas utilizadas en las inscripciones de las lápidas es la siguiente: 1 en yiddish, 3 en francés, 32 en holandés, 89 en inglés, 112 en hebreo, 433 en español y 1668 en portugués (Gomes Casseres 1990: 15).

Por fin, no debemos perder de vista que, desde el siglo XVIII, son frecuentes los matrimonios mixtos entre holandeses de capas inferiores o libertos africanos con sudamericanos hispanohablantes, lo que hace suponer que la posición del español pudo verse reforzada con respecto a las otras lenguas de la isla.

En el siglo XIX y principios del nuestro, la lengua de instrucción en varios colegios fue el español. Por otro lado, los intercambios económicos y culturales entre las Antillas holandesas y los países hispanoamericanos, iniciados ya antes del «descubrimiento» e intensos en la época del tráfico negrero, siguieron desarrollándose e intensificándose hasta nuestros días.

Todos estos factores confieren al español una posición privilegiada en el conjunto de las lenguas que participaron en la formación del papiamento.

El holandés llegó a Curazao en 1634 y no dejó de hablarse hasta hoy día, con la ventaja de ser la lengua de los nuevos conquistadores y gozar del estatus de lengua oficial. En la época de formación del papiamento tuvo un papel relativamente importante, por efecto de las relaciones establecidas entre las capas inferiores de la población holandesa y los africanos, esclavos o libertos. Wood (1972) comprobó que muchos vocablos papiamentos de origen holandés son arcaísmos de los siglos XVII-XVIII (Véase «Léxico»).

A lo largo de los siglos XVIII y XIX, la influencia del holandés deja de ser tan importante. Este fenómeno fue explicado, en distintas ocasiones, como resultado de la actitud peculiarmente negativa de los holandeses hacia los descendientes de los africanos. Según Maurer (1985: 43), los holandeses no manifestaron el menor interés y no se esforzaron en cristianizar a los esclavos o en enseñarles el holandés. Sin embargo, esta afirmación precisa matizaciones y habría que hacer una distinción entre la actitud de las autoridades públicas y las religiosas. Según los datos aportados por Smeulders (1987), la Iglesia católica desempeñó un papel importante en el desarrollo del papiamento. Y como hemos visto, ya en 1776 los franciscanos predicaban en esta lengua.

La influencia del holandés aumenta a finales del siglo pasado y sobre todo en el nuestro, cuando la mayoría de la población de las islas ABC se beneficia de la instrucción pública en holandés y un gran número de habitantes se gradúa o se especializa en Holanda (Maurer 1986a: 101; Joubert b). Actualmente, el holandés ejerce una fuerte presión sobre el papiamento, debido a su posición y al permanente e intenso contacto entre las dos lenguas (véase «Datos generales sobre el papiamento - 3. Desarrollo y florecimiento de la lengua y literatura papiamentas»).

El portugués pudo desempeñar también cierto papel en la formación del papiamento, dado que un número importante de sefardíes hablaba esta lengua, por lo menos como lengua oficial. Porque no debemos descartar la situación de bilingüismo en la comunidad (portugués y español o dialectos como el leonés, el gallego, etc.). Con el paso del tiempo, la influencia del portugués va disminuyendo, en parte, porque el número de los judíos comienza a reducirse después de 1800 y porque muchos abandonan el portugués o lo relegan a la condición de lengua familiar, a favor del papiamento y español. Por otro lado, como hemos visto, en el siglo XIX el portugués deja de utilizarse incluso como lengua oficial de la Congregación.

Maurer (1986a; 1987a) opina que, en el período de formación del papiamento, en las islas se utilizaba también el *foreigner talk* portugués, empleado por navegantes y negreros en África, América y Asia. Por tanto, parece probable que parte de los holandeses, al menos los que se dedicaban al tráfico de esclavos, conocieran esta modalidad o un portugués rudimentario. Maurer cree que la población africana empleaba también el *foreigner talk* portugués, lo que explicaría, según él, la existencia de una lengua criolla, el *gueni*, utilizada como código secreto por los esclavos de las plantaciones hasta, probablemente, finales del siglo pasado (Maurer 1985: 45; 1986a: 109).

Según Palm, De Walburg (1985, s.v.) el

> gueni o guene es una lengua que los esclavos trajeron de África y que ha sabido mantenerse durante algún tiempo al lado del papiamento, entre otras cosas, como lengua secreta. El padre Brenneker ha recopi-

> lado unas 100 canciones en gueni. Varias canciones de trabajo y de cosecha se cantaban en gueni.

La cita es interpretable y puede confirmar o no la hipótesis de Maurer, en el sentido de que el gueni podría ser un código puramente africano, transmitido de padres a hijos como lengua secreta; o podría ser, como cree Maurer, un producto de tipo pidgin entre el *reconnaissance language* portugués y lenguas africanas. Lo cierto es que, en Curazao, se podían escuchar hasta hace poco, ocasionalmente, canciones en gueni cantadas por los obreros cuando cavaban un pozo, por ejemplo, y todavía se oyen hoy día cantadas por los pescadores que arrastran las redes hacia la costa.

Hasta ahora no existen referencias directas o testimonios concernientes a la variedad del *reconnaissance language* portugués en Curazao (Maurer 1986a: 100), pero, según el mismo Maurer (1986b), es de suponer que tal código funcionó en el período de formación del papiamento, visto que, al analizar los morfemas temporales de la lengua actual, se podrían identificar huellas de ese código. Se trata especialmente del morfema de futuro *lo*, derivado del pg. *logo* (Maurer 1986a: 111; 1986b).

La utilización de esta modalidad lingüística en las islas y su importancia se justificaría si aceptamos, por un lado, que blancos y africanos no poseían un instrumento común de comunicación entre ellos y, por otro lado, que las mismas comunidades, blanca y negra, no tenían un idioma común que facilitara la comunicación dentro de cada comunidad. Como es sabido, la clase dominante de Curazao (holandeses y sefardíes) no era homogénea lingüísticamente, igual que la comunidad africana. A su vez, la población de origen indígena, menos numerosa, empleaba también un código distinto. Esta situación explicaría la existencia del *foreigner talk* portugués como posible instrumento de comunicación entre los grupos étnico-sociales principales que integraban la sociedad curazoleña en el período de formación del papiamento. Una vez cristalizado el papiamento, el *recon-*

naissance language desaparecería, reemplazado por el nuevo instrumento de comunicación.

Las lenguas africanas jugaron, ciertamente, un papel en la gestación del criollo de Curazao. Es de suponer que, en una primera fase, tras la llegada de los africanos, naciese un pre-pidgin a raíz del contacto entre el español, el holandés y las lenguas africanas. Durante la evolución de éste hacia etapas ulteriores (pidgin estable, pidgin expandido) que conducirían a la aparición del criollo (Mühlhäusler 1986), las lenguas africanas siguieron hablándose, porque, como es sabido, «las lenguas pidgin, por definición, no tienen hablantes nativos, son soluciones sociales más que individuales» (Mühlhäusler 1986: 5) y como lenguas secundarias no pueden eliminar a las lenguas maternas de los pidginohablantes (Maurer 1987a: 67).

Después de 1700, la influencia africana fue desapareciendo poco a poco y dejó de manifestarse. Por un lado, porque el naciente papiamento se convierte en lengua materna de los africanos residentes en las islas ABC. Por otro lado, porque ya desde 1715, el número de esclavos de Curazao (y probablemente de las otras Antillas holandesas) disminuyó mucho; su aumento se produjo sólo mediante el crecimiento demográfico natural, porque, prácticamente, todos los esclavos que llegaban a las islas eran destinados a la venta en el continente americano (Maurer 1986a: 100-102; véase también «Datos generales sobre el papiamento - 1. Breve historia de las Antillas Neerlandesas»).

Otro factor que restó importancia a las lenguas africanas en el proceso de formación del papiamento fue su gran heterogeneidad, aspecto señalado en varias ocasiones, y su posición en la jerarquía de los participantes en dicho proceso. Estas lenguas ocuparon el escalón más bajo, especialmente frente a las lenguas europeas de las clases dominantes, debido a la posición social de los hablantes. Esta situación no podía favorecer una influencia mayor en el nacimiento del futuro criollo.

Todas las lenguas y modalidades lingüísticas cuya posición acabamos de exponer estuvieron presentes y entraron en contacto en las islas ABC, fundamentalmente en Curazao, en el período de formación del papiamento. Tras un complejo proceso de evolución, interacción y transformación en que participaron todas, con mayor o menor fuerza, de acuerdo con su posición socio-político-cultural, «en la mente y en la boca» de sus hablantes surge el nuevo idioma criollo, el papiamento.

1. Simplificación de los sistemas en la periferia

Es sabido que dos o más lenguas que entran en contacto se influyen mutuamente y aparecen fenómenos de interferencia (Weinreich 1953: 1). La influencia de una lengua sobre otra u otras se ejerce de manera variable, en proporción directa con el grado de cultura y civilización representado por dicha lengua. El factor decisivo que determina que una lengua se deje influenciar por otra o tome prestados elementos de otra u otras lenguas no es la superioridad del sistema lingüístico de la lengua en sí, sino el grado elevado de cultura de que la lengua prestadora es portadora (Coteanu 1957: 130). Más exactamente, su estatus alto, porque sus hablantes ocupan en el momento dado una posición superior en la escala jerárquica de las culturas del mundo (cf. Alleyne 1971: 183). Por esa razón, sin negar las influencias africanas en las estructuras del papiamento, rechazamos la opinión de Rona (1971) que defiende el origen africano de la gramática papiamenta. Es difícil aceptar que las lenguas africanas habladas por los esclavos o el eventual *reconnaissance language* portugués del mundo negrero pudiesen ocupar posiciones altas en la escala jerárquica de las culturas, superiores a la del español; o del francés, en el caso del criollo de Haití; o del portugués, en el caso del criollo de Cabo Verde y São Tomé.

En cuanto al español, en los siglos XVI-XVII era una lengua en pleno florecimiento y expansión. Gozaba de un incuestionable prestigio en toda Europa, siendo considerado la lengua de cultura por definición. Todas esas razones, junto a la posición privilegiada del español en el crisol lingüístico de las Antillas holandesas, como acabamos de ver, justifican, a nuestro juicio, la opinión expresada anteriormente («Teorías con respecto al origen del papiamento - 2. Análisis de las teorías que defienden el origen español») de que el proceso de aparición del naciente criollo no se produjo caóticamente, sino siguiendo una dirección lógica, que es lengua española → lenguas africanas; sin negar, evidentemente, el carácter recíproco de las influencias, como hemos destacado, sino sólo la igualdad de fuerzas de las mismas. Por eso consideramos que no es tan importante como pretenden muchos especialistas conocer a fondo e identificar todas las lenguas habladas por los contingentes de esclavos africanos llegados a América. Porque, según nuestro punto de vista, sólo la lengua con un estatus superior (lengua madre o lengua base) podía ser el foco principal de propagación de las influencias que generaron fenómenos de interferencia; en sentido inverso, desde la «periferia» hacia el núcleo principal, la propagación se produjo en menor medida.

La coexistencia de dos o más sistemas lingüísticos conlleva, necesariamente, el debilitamiento de las normas y las tradiciones lingüísticas, proceso cuya consecuencia es la falta de estabilidad de los sistemas, que, a su vez, puede generar una evolución. Este tipo de situación aparece siempre a raíz del contacto lingüístico y ha sido definida como *periférica* desde el punto de vista de los sistemas lingüísticos (Malmberg 1962: 250). Debido al debilitamiento de las normas, en la periferia se produce una simplificación de los sistemas y de las distinciones. Las distinciones sutiles suelen desaparecer, mientras las oposiciones fundamentales se consolidan y el sistema, simplificado, conserva sólo sus componentes más vigorosos. Sin embargo, cuando el contacto es prolongado, puede producirse la desaparición gradual incluso de las oposiciones fundamentales, como ocurre, por ejemplo, con la oposición entre *ser* y *estar* o la oposición entre el indicativo y el subjuntivo en el español hablado por los hispanos de los EE.UU. (Dumitrescu 1993: 142).

En las condiciones de la simplificación de los sistemas en la periferia, las tendencias internas de evolución de las lenguas, liberadas de las normas y las tradiciones lingüísticas, se manifiestan con más fuerza, experimentan una evolución radical, llegando, a veces, a consecuencias extremas (Malmberg 1962: 252). Ésta es la situación del español en las islas ABC a mediados del siglo XVII, cuando se produce el contacto entre todas las lenguas de input del papiamento.

El español llevado a las islas por los conquistadores había experimentado ya una primera situación de contacto lingüístico con las lenguas amerindias y había salido airoso gracias a la continua influencia ejercida por la norma; los indígenas lo habían asimilado a lo largo de varias generaciones, con ciertas peculiaridades o sutiles desviaciones debidas a la influencia de su propia lengua. Pero, después de la interrupción de los lazos directos con la metrópoli española, cuando la norma literaria deja de ejercer su influencia, el debilitamiento de las normas y las tradiciones lingüísticas debido al plurilingüismo es total. En este contexto lingüístico, el español, que gozaba de una posición privilegiada entre las lenguas de input de las islas, en pleno proceso de evolución y transformación, impone sus tendencias evolutivas a los demás sistemas lingüísticos, a la vez que se modifica endogenéticamente, favorecido por influencias exógenas. Sólo de esta manera, teniendo en cuenta las tendencias de evolución interna del español, que, de acuerdo con las condiciones específicas, se manifiestan con más fuerza (debilitamiento de las normas y tradiciones lingüísticas) o con menos fuerza (influencia continua de la norma literaria), podemos explicar la identidad entre una serie de fenómenos del papiamento y de distintas variedades diatópicas españolas, particularmente americanas.

Al mismo tiempo, no debemos descartar la posible influencia de varios dialectos o modalidades ibéricos, distintos del español, que hayan contribuido a la estructuración del naciente criollo, como opina Maduro (1966) y otros. No hay datos referentes a la composición dialectal del núcleo español inicial de poblamiento de Curazao y las otras islas, pero es poco probable que fuese homogéneo. Sabemos que en la conquista y la colonización participaron personas procedentes de distintas regiones peninsulares y que, en determinadas regiones, como el Caribe, el número de andaluces fue mayor que en otras (Boyd-Bowman 1964). No sabemos en qué medida los datos ofrecidos por Boyd-Bowman son válidos para las islas ABC, que fueron declaradas territorio español apenas en 1527. Podemos suponer, en cambio, que, igual que en otras regiones americanas, en la primera etapa de la conquista, en las islas ABC se produjo un contacto dialectal entre los hablantes de distintos dialectos peninsulares, como destaca también Álvarez Nazario (1987) para Puerto Rico, contacto «especialmente observable en la primera centuria» (Fontanella de Weinberg 1993: 44). Pero, si en el resto de las regiones hispanizadas este contacto se prolongó unos siglos por la continua llegada de peninsulares, para terminar en un proceso de koineización, en las Antillas holandesas este proceso no pudo concluir, a nuestro juicio, por la interrupción de los contactos con la metrópoli. Lo que explicaría, eventualmente, varios fenómenos papiamentos no como evoluciones internas paralelas en distintas variedades del español, sino como fenómenos dialectales ibéricos, transmitidos directamente al papiamento, como opina Maduro (1966). Además, el caso de las islas ABC no sería tan peculiar en lo que a este aspecto se refiere, porque las mismas variedades del español americano presentan elementos y rasgos dialectales procedentes de regiones diferentes. La heterogeneidad dialectal es particularmente llamativa en el dominio léxico y fonético-fonológico. Esta pluralidad dialectal, con todo el proceso de koineización, es explicable si tenemos en cuenta que la koineización no fue un fenómeno general a nivel continental, sino un conjunto de procesos regionales, más o menos simultáneos, en que intervinieron distintos factores (Fontanella de Weinberg 1993: 44).

La simplificación de los sistemas en la periferia va acompañada por otro tipo de simplificación en las condiciones del contacto lingüístico, debida a la situación distinta de los diferentes grupos de hablantes respecto de la lengua dominante.

Los africanos llegados a Curazao entran en contacto con el español, lengua de mayor prestigio sociocultural que la(s) de los esclavos. Los africanos toman del español, en primer lugar, palabras. «Se trata de un proceso de aculturación, de un esfuerzo adaptativo normal en una situación de lenguas en contacto [...]» (Azevedo 1992: 385). Pero como no conocen, o conocen muy poco, el sistema prestador, toman las palabras sin su flexión original. Esto sucede porque la estructura gramatical del español es distinta de la de las lenguas africanas.

Es sabido que en la flexión, las palabras cambian mucho de aspecto, lo que puede hacerlas difícilmente reconocibles; y esto disminuye la función de la comunicación. Por esta razón, se toma prestada una forma del paradigma, generalmente la que más se utiliza en la comunicación, y el resto del paradigma se asimila a esta forma [1]. Con el paso del tiempo, estos préstamos se convierten en un léxico estable. Y cuando el número de palabras adoptadas de esta manera (inadaptadas o difícilmente adaptables al sistema lingüístico que las toma prestadas) llega a ser más grande, los hablantes empiezan a uti-

[1] Así, por ejemplo, la opinión casi general de los estudiosos es que los verbos papiamentos de origen español proceden, en su gran mayoría si no en su totalidad, de una forma de indicativo presente o, mucho más probablemente, de imperativo, formas que, supuestamente, los esclavos oían con mayor frecuencia; a estas formas fue asimilado el resto del paradigma verbal, redundante desde el punto de vista del mensaje elemental (Rona 1971; Munteanu 1974: 99-100; 1991: 156-157). Maurer (comunicación personal) se inclina más bien hacia la forma del infinitivo, teniendo en cuenta las oposiciones tonales en papiamento. La hipótesis de Maurer se vería reforzada por la posibilidad de que los hispanohablantes hubiesen usado frecuentemente el infinitivo en el trato con los africanos, simplificando su propio sistema con el deseo de facilitar la comunicación. En nuestra opinión, los verbos del papiamento podrían derivarse perfectamente de las tres formas verbales, presente de indicativo, imperativo afirmativo o infinitivo, porque en todos los casos se produce un cambio del patrón tonal. Así, esp. *come*, presente del indicativo, con patrón tonal -´ _ > pap. *kome* _´ - ; esp. *¡come!*, imperativo afirmativo, -´ _ se ha conservado en papiamento en la forma de imperativo afirmativo *kome* -´ _ , con el mismo patrón tonal si sigue una pausa, o con el patrón tonal _´ - , cuando no sigue una pausa: *Kome* (_´ -) *bo batata(nan)!* '¡Come (-´ _) tus patatas!'; del mismo modo, esp. *comer*, infinitivo, _ -´ pudo haber evolucionado a pap. kome _´ - . No se trata de un cambio raro en papiamento, ya que en todos los verbos bisílabos españoles que se han conservado en papiamento, el patrón tonal _ -´ cambia en _´ - . Este patrón tonal es muy frecuente en las lenguas criollas caribeñas y refleja indudablemente una influencia africana. Para más detalles sobre el tema véase «El sistema tonal».

lizarlas incluso con determinantes. Como resultado de este proceso de aprendizaje rudimentario de la nueva lengua se refuerza la tendencia a tomar y conservar una forma invariable de la palabra (Coteanu 1957: 144), lo que significa, de hecho, otra simplificación de uno de los sistemas lingüísticos en contacto, esta vez el prestador, en boca de los nuevos hablantes. Silva-Corvalán (1993a) subraya

> que en situaciones de bilingüismo intenso y extenso los bilingües desarrollan estrategias cuya finalidad es simplificar o alivianar la tarea cognitiva que implica recordar y usar continuamente dos sistemas lingüísticos diferentes. En el uso de la lengua minoritaria [...], en niveles no fonológicos, estas estrategias incluyen a) la simplificación de categorías gramaticales y oposiciones léxicas; b) la hipergeneralización de formas lingüísticas, siguiendo con frecuencia un patrón de regularización; c) el desarrollo de construcciones perifrásticas con el propósito de regularizar paradigmas o de reemplazar elementos semánticamente menos transparentes; d) la transferencia directa o indirecta de formas pertenecientes a la lengua mayoritaria; y e) el intercambio de códigos.

Nuestra opinión es que en situaciones de contacto lingüístico prolongado, particularmente cuando los hablantes de la lengua de estatus inferior, minoritaria, se ven obligados a adquirir la lengua de mayor prestigio, éstos aplican, en líneas generales, las estrategias mencionadas a la lengua dominante. El ejemplo más conocido lo ofrece el latín en su paso hacia las lenguas románicas, que experimentó como lengua de prestigio, con estatus alto, las estrategias señaladas por Silva-Corvalán.

En el caso concreto del papiamento, durante el proceso de adquisición forzosa y relativamente rápida del español, los africanos simplifican categorías gramaticales, sobregeneralizan una opción entre las varias permitidas por la variabilidad inherente al respectivo sistema (Dumitrescu 1993: 143), tienden a regularizar los paradigmas, transfieren a la lengua que van adquiriendo formas de su propio sistema lingüístico, intercambian los códigos, pero siempre censurados por la conciencia de que su código no cumple, o cumple en un grado mínimo, la función de comunicación, y terminan por adoptar el nuevo código, esto es, la lengua dominante o con estatus superior. Todas estas «estrategias» corresponden, en su mayoría, a las propias tendencias internas de evolución de la lengua que se va adquiriendo, reforzadas en las condiciones específicas que se dan cuando toda una comunidad (africana) tiene que cambiar de lenguaje.

2. Comprensión y producción de textos en condiciones de contacto lingüístico

Hemos afirmado, en varias ocasiones, que en el crisol lingüístico que originó el papiamento, la dirección principal de las interferencias entre las lenguas de input se manifestó desde las lenguas de mayor prestigio, concretamente desde el español, debido a su posición privilegiada, hacia las lenguas africanas. Al mismo tiempo, hemos puesto de manifiesto que, en ocasiones, las influencias pudieron ser mutuas.

Es sabido que en una situación de contacto con otros idiomas, una lengua, aun cuando tenga estatus de lengua dominante, puede aceptar y adoptar elementos de otra(s) lengua(s). Tales transferencias de una lengua a otra han sido explicadas como resultado de la permeabilidad de los sistemas lingüísticos diferentes.

Nos parece fundamental, en este contexto, recordar la valiosa observación al respecto hecha por Jakobson (1938) hace más de medio siglo: una lengua adopta elementos de una estructura extranjera sólo en la medida en que estos elementos corresponden a sus tendencias internas de desarrollo. Los estudios ulteriores de Weinreich (1953), Coteanu (1957) y, más recientemente, Silva-Corvalán (1986; 1991; 1992; 1993) y Gutiérrez (Gutiérrez, Silva-Corvalán 1993) han confirmado y ampliado la tesis de Jakobson, demostrando que la estructura de una lengua, fonológica, morfosintáctica, léxica, es permeable a influencias extranjeras solamente cuando éstas no son completamente ajenas a su organización interna o cuando refuerzan sus propias tendencias de evolución interna:

> [...] ciertos rasgos gramaticales son transferidos de una lengua a otra [...], *pero sólo parecen ser transferidos a nuevas generaciones, en un estadio dado, aquellos elementos que son compatibles con la estructura de la lengua que los recibe* (Silva-Corvalán 1993).

Al extender la hipótesis de Weinreich sobre la interferencia en el campo fonológico al léxico y la sintaxis, Silva-Corvalán llega a la conclusión de que «la permeabilidad de una gramática a influencias foráneas no depende de sus *debilidades estructurales*, sino de *la existencia de estructuras de superficie paralelas en las lenguas en contacto*» y que «la modificación es compatible con la estructura de la lengua receptora (F) y corresponde ya a una tendencia interna de desarrollo del sistema» (Silva-Corvalán 1993).

El análisis descriptivo del papiamento permite explicar ciertos rasgos de este criollo como resultado de la consolidación de estructuras o tendencias del español en contacto con otras lenguas.

Aclarado este aspecto, quedaría por explicar la presencia en una lengua criolla, en nuestro caso concreto el papiamento, de influencias extranjeras, principalmente africanas, que son evidentemente ajenas a la organización interna del español y no refuerzan las tendencias propias de evolución de éste. Creemos que, para encontrar una explicación satisfactoria a esta cuestión, debemos tener en cuenta otro proceso específico de las situaciones de contacto lingüístico prolongado que conlleva el cambio de lenguaje de un grupo poblacional: se trata de la comprensión y producción de textos en estas condiciones peculiares. Esta actividad está influida por factores extralingüísticos, por el entorno socio-psicológico y, en el caso concreto que nos ocupa, por la posición sociopolítica de los distintos grupos de hablantes y las diferencias de competencias comunicativas, textuales e intertextuales[2].

---

[2] La competencia intertextual puede ser definida como un concepto amplio, polifacético, integrado por diferentes componentes: dominio epistémico (que incluiría también la *enciclopedia* de Umberto Eco y la *interdiscursividad* de Segre (1982), el

En el caso de los africanos, nos encontramos con una relación defectuosa, imperfecta, entre la estructura de superficie y la profunda, cuando éstos, en calidad de receptores del texto, no son capaces de reconstruir en sentido inverso el proceso de producción del texto. Es decir, al no dominar el código utilizado por el productor, no logran recorrer las distintas etapas, desde la estructura patente hasta la intención comunicativa del hablante (europeo). Por otra parte, es también defectuosa o imperfecta la relación entre la estructura latente, o la intención comunicativa del hablante (africano), y la estructura patente, o la realización (textualización) de esta intención en un código que no es suyo, no domina o conoce sólo imperfectamente.

2.1. *Posición del usuario africano*

El proceso de comprensión supone un receptor dotado con un determinado grado de competencia textual e intertextual y está integrado por dos tipos de operaciones, que representan niveles distintos, aunque se realizan simultáneamente:

a) captar los significados, «recuperar» la información semántica, es decir, descodificar el sistema de signos mediante un análisis léxico-gramatical, y

b) comprender e interpretar el texto, identificando y desmontando los mecanismos de coherencia de la estructura latente que el usuario asigna al texto (Van Dijk 1988), esto es, el plan global, la intención comunicativa del hablante.

La dificultad de las operaciones que forman el primer nivel es evidente cuando el receptor (en nuestro caso, africano) no domina el sistema lingüístico usado por el productor, hecho puesto de manifiesto por Leontiev (1974), quien menciona, entre los factores que afectan a la realización de la intención verbal, el grado de dominio de la

---

marco *(frame)* en la acepción de Van Dijk (1988), la *implicatura* en la acepción de Reyes (1990) y la competencia sociolingüística (cf. Munteanu a).

lengua, la elección de los medios lingüísticos más adecuados y las diferencias individuales en experiencia verbal entre productor y receptor.

Las operaciones del segundo nivel presentan más dificultades todavía, porque el receptor tiene que recurrir a medios contextuales, pragmáticos, para asignar coherencia al texto. Generalmente, suponemos «que toda expresión o texto lingüístico sustituye una realidad o experiencia inconfundible y perfectamente determinada, externa, naturalmente, al lenguaje mismo» (Trujillo 1987: 2).

El usuario del texto conoce y se limita, en general, a «su» mundo, «su» realidad, y menos o en absoluto a «otros» mundos posibles. (Re)conoce y utiliza en la interpretación del texto todo lo aprendido anteriormente, todos los datos almacenados en su memoria y en la memoria colectiva de la comunidad a la que pertenece. Pero, cuando el texto refleja situaciones o hechos que el usuario no es capaz de identificar perfectamente en su mundo, en la realidad conocida, el texto puede resultarle incomprensible, por incoherente, porque la realidad que refleja no es coherente desde su punto de vista. Y es evidente, en nuestra opinión, que los distintos grupos de hablantes que convivieron en el período de formación del papiamento tenían competencias comunicativas, textuales e intertextuales distintas. De aquí la posibilidad de que realidades del mundo del productor del texto (europeo) fuesen asimiladas a las del mundo del receptor (africano) o interpretadas desde aquella perspectiva, en un proceso natural de sincretismos. Y es muy probable que estos sincretismos se reflejen en estructuras lingüísticas mixtas en una ulterior textualización, cuando el receptor se convierte en productor.

El proceso de producción del texto presenta otro tipo de dificultades para los africanos. En calidad de productor, el hablante elabora un plan global o general del texto, «que determina la organización interna del mismo, antes de pasar a su realización mediante unidades lingüísticas de nivel inferior (fundamentalmente frases)» (Bernárdez 1982: 72). Pero, en vez de textualizar este plan en su propia lengua, el hablante africano está obligado a hacerlo en otro código, que no domina, o conoce imperfectamente. El proceso es inverso al proceso de la traducción. El traductor textualiza en su propia lengua un plan global ajeno, que no ha elaborado él mismo, y, a veces, se deja influir por las estructuras del texto fuente. El hablante africano textualiza un plan global propio, pero en una lengua que no es suya, y transfiere a la lengua meta estructuras o (sub)sistemas de su propio código o estructuras mixtas, resultadas de sincretismos producidos en la estructura profunda. Esto se produce sea porque el hablante (africano) no domina la lengua meta, sea porque, al textualizar la intención comunicativa, en la estructura superficial se imponen las estructuras de su propio código, por estar cargadas de una fuerte realidad psicológica. Esta situación particular podría explicar, a nuestro juicio, los rasgos identificados por los especialistas como africanos en el papiamento y otros criollos.

Es sabido que un sistema que tiene una realidad psicológica fuerte en una lengua no es permeable a influencias o transferencias de otra(s) lengua(s) (Gutiérrez, Silva-Corvalán 1993: 219). Debemos suponer que, en el caso de los criollos, los sistemas que se caracterizan por una realidad psicológica tan poderosa en las hablas africanas se mantuvieron impermeables a cualquier influencia de las lenguas dominantes (base o madre) y se transfirieron como tales al naciente sistema lingüístico criollo, reorganizando desde el exterior el sistema básico europeo que, simultáneamente, estaba sufriendo una fuerte estructuración debido a sus propias tendencias de evolución, en las condiciones particulares generadas por el contacto lingüístico.

Presentamos a continuación los rasgos del papiamento considerados por varios autores de procedencia africana. A nuestro parecer, muchos de éstos son casos de transferencias africanas al papiamento como resultado de la especificidad de la comprensión y producción de textos en una situación de contacto entre lenguas. No obstante, debido a la complejidad de la situación lingüística en la época de formación del criollo, analizaremos, en la segunda parte del libro, cada uno de estos rasgos. Intentaremos ver en qué medida se trata de (sub)sistemas o elementos africanos puros o de creaciones mixtas, resultadas de la interacción de ciertas tendencias hispánicas de desarrollo y elementos foráneos africanos que pudieron haberlas reforzado:

a) el uso de las partículas y la posibilidad de combinarlas para expresar el aspecto verbal (Rona 1971; Valeriano Salazar 1974; Granda 1988: 21-30). Según Rona (1971), se trata de un modelo africano basado en tres categorías aspectuales binarias: continuativo / no-continuativo, perfectivo / imperfectivo, real / hipotético (no-real). El sistema funcional de partículas no existe en las lenguas europeas, pero sí en muchas lenguas africanas occidentales, con funciones análogas a las del sistema papiamento (Valeriano Salazar 1974). Según Valeriano Salazar (1974: 17) y las matizaciones de Joubert (b), el paradigma del sistema funcional de partículas aspectuales en papiamento es:

mi ta papia	'yo hablo': realidad, continuidad, imperfectividad;
mi a papia	'yo hablé; yo he hablado': realidad, no-continuidad, perfectividad;
lo mi papia	'yo hablaré': hipótesis, no-continuidad, imperfectividad;
mi ta'a (tabata) papia	'yo hablaba': realidad, continuidad, imperfectividad;
lo mi ta papia (papiando)	'estaré hablando': hipótesis, continuidad, imperfectividad;
lo mi tabata papia (papiando)	'estaría hablando': hipótesis, continuidad, imperfectividad;
lo mi a papia	'hablaría; habría hablado; habré hablado': hipótesis, no-continuidad, perfectividad;
(si) mi papia	'si hablo': hipótesis, continuidad, imperfectividad;

b) la ausencia del morfema de plural, cuando el contexto indica que se trata del plural:

dos mucha	'dos niños';
mas posibilidat	'más posibilidades',

frente a

e muchanan 'los niños' (Joubert b; véase también «El sustantivo - 2. La categoría del número»);

c) el pronombre personal de tercera persona plural, *nan*, que es, a la vez, marca del plural (Mugler 1983: 148 y sigs.);

d) las reduplicaciones (Joubert b) y las reiteraciones (Maurer 1989):

fuma fuma 'muy ebrio';
loko loko 'muy loco';
pretu pretu 'muy negro' (Joubert b);

e) el uso de los verbos seriales:

el a keda para mira *'se quedó a parar a mirar' = 'se quedó mirando';
mi ta bai bini 'voy y vuelvo' = ya vengo' (Joubert b);

f) el uso de la partícula enfática *ta* (Joubert b; Römer 1974);

g) sintagmas o construcciones fraseológicas con estructuras distintas de las españolas:

awa (áwaseru) ta kai (ta yobe) 'llueve; está lloviendo';
awa a pasa 'escampa';
di dia ta abri 'amanece'.

2.2. *Posición del usuario europeo*

La situación de los hablantes de la(s) lengua(s) dominante(s) es completamente distinta, debido a su posición sociopolítica, económica y cultural diferente.

En el proceso de comprensión, el europeo, como receptor, hace sólo el mínimo esfuerzo necesario para comprender el mensaje del esclavo africano y eso solamente en la medida en que le interese dicho mensaje. Además, a los esclavos no se les permitía dirigirse a los amos más de lo estrictamente necesario; por tanto, sus mensajes eran sencillos y breves. De todas formas, tenía que ser el africano el que intentara, con más o menos posibilidades de éxito, textualizar en el código dominante. Y aunque las diferencias individuales en cuanto a la competencia comunicativa, textual, intertextual y la experiencia verbal entre el hablante y el oyente eran grandes, este último lograría captar el significado básico de la comunicación, porque ésta se producía en su lengua. Por otro lado, al receptor (europeo) no le interesaba una comprensión total del texto y se limitaba al mensaje elemental.

Es evidente, en cambio, que el europeo está mucho más interesado en el proceso de producción del texto, porque quiere dar órdenes, manifestar sus deseos y hacerse comprender. Y, naturalmente, le interesa que el receptor comprenda el mensaje. Con este fin, consciente de las diferencias individuales en la experiencia verbal, del grado reducido del dominio de la lengua por parte del receptor y de las posibles incompatibilidades o diferencias entre las competencias comunicativas, textuales e intertextuales de los usuarios, trata de simplificar deliberadamente su propio sistema lingüístico, con vistas a facilitar la utilización del mismo, como había sugerido Hall Jr. (1953; 1958; 1966). Sin embargo, el europeo no tiene la dificultad de textualizar un plan global propio en un código ajeno, que no domina. Tanto en el proceso de comprensión como en el de producción, su esfuerzo es mucho más reducido que el del hablante africano y, por esta misma razón, este esfuerzo no influye en su sistema lingüístico.

Naturalmente, durante el proceso de asimilación de la(s) lengua(s) europea(s) por los africanos, se suceden, necesariamente, varias etapas, fases provisionales de la fusión de los sistemas en uno solo (Mühlhäusler 1986). En este sentido, nos parece relevante destacar que en el período de formación del papiamento se puede identificar fácilmente la etapa de vacilación diptongo ↔ vocal simple, cuando, a nuestro juicio, numerosas voces españolas se fijaron en el naciente criollo sin obedecer a ninguna ley, algunas con diptongo, otras con vocal simple (véase «El sistema vocálico - 1.1. Oscilación vocal simple ↔ diptongo»). Sólo después de estas fases de transición, se llega a un sistema lingüístico nuevo, medio de comunicación de un grupo social o toda una comunidad.

Las condiciones necesarias para la cristalización y desarrollo de un nuevo idioma, surgido como resultado del contacto lingüístico y la interferencia de varios sistemas, fueron establecidas por Weinreich (1953: 104 y sigs.):

a) las lenguas en contacto deben presentar diferencias suficientemente grandes para que el nuevo idioma sea substancialmente distinto de las lenguas de input. Estudios sociolingüísticos recientes han confirmado plenamente esta idea de Weinreich, demostrando que sólo cuando existen grandes diferencias y barreras entre las variedades lingüísticas y entre los distintos grupos de hablantes puede cristalizarse una nueva lengua (López Morales 1989: 147);

b) en la medida en que se establecen las interferencias, se tiene que superar la estricta causalidad lingüística, en el sentido de que la relativa estabilidad de las formas afectadas por las interferencias refleja la relativa ineficacia de las formas que tienden a eliminar las interferencias. En otras palabras, después de un período de fluctuaciones, es necesario que se llegue a cierta estabilidad de forma;

c) el ambiente sociocultural donde se habla la respectiva lengua tiene que ser relativamente amplio, superar una esfera restringida de comunicación. Esta condición es bastante discutible, en nuestra opinión, si tenemos en cuenta que varios criollos, entre ellos el palenquero de San Basilio, han cristalizado y se han desarrollado en ambientes socioculturales muy reducidos;

d) el hablante debe tener una clara conciencia sociolingüística. Hemos visto que Sankoff (1980) contempla también, entre otras condiciones de la criollización, la relativa integración social de la comunidad hablante, lo que supone, naturalmente, cierta conciencia sociolingüística.

Es evidente que, en mayor o menor medida, todos los criollos cumplen estas condiciones, igual que las señaladas por Sankoff (1980). Al recordarlas aquí, queremos sólo poner de manifiesto, una vez más, que resulta imposible formular una definición estrictamente lingüística del concepto de lengua criolla y del proceso de aparición y desarrollo de estas lenguas. Algunas de las condiciones señaladas por Weinreich y Sankoff son muy importantes. Independientemente de las bases de la criollización, con o sin fases intermedias de pidgins (estabilizados, elaborados), la condición fundamental para que la nueva variedad adquiera estatus de lengua es que se convierta de segunda lengua en lengua materna, con las múltiples funciones que eso implica. Una vez nacido el criollo como lengua materna de una comunidad, experimentará dos tipos de procesos de expansión:

a) una expansión interna, determinada por la necesidad de desarrollar «áreas léxicas y complejidades sintácticas» (López Morales 1989: 149). En otras palabras, las lenguas criollas siguen las direcciones de evolución comunes a todas las lenguas: enriquecen su léxico recurriendo a los medios habituales —creaciones internas o préstamos—, adquieren nuevos rasgos, a veces redundantes, e incluso originan irregularidades en su sistema, que vienen a contradecir la tendencia a la llamada simplificación que se atribuye a los criollos (Vintilă-Rădulescu 1967: 239). Mugler (1983: 168) considera que en este caso deberíamos hablar de un proceso cuya dirección es endogénesis *vs.* exogénesis y lo interpreta como uno de los factores que explicarían las diferencias entre las estructuras y la evolución distinta de los diferentes criollos que tienen una base lingüística común;

b) una expansión externa, de las funciones de la lengua, mediante esfuerzos conscientes. Éste es el caso del papiamento o del criollo haitiano, cuyos hablantes hicieron esfuerzos para fomentar una literatura nacional en sus propias lenguas (Vintilă-Rădulescu 1967: 238. Véase también «Datos generales sobre el papiamento - 3. Desarrollo y florecimiento de la lengua y literatura papiamentas»). De esta manera, a las funciones de lengua materna se suman las de lengua literaria, de cultura, y, eventualmente, las de lengua de instrucción y lengua oficial. Y es sabido que la amplitud de las funciones de una lengua significa que la misma es portadora de un elevado grado de cultura. Concomitantemente, el grado de cultura y civilización de una comunidad determina la conciencia sociolingüística de los hablantes, el sentimiento y la convicción de que hablan una lengua bien definida y prestigiosa, su propia lengua.

A modo de conclusión, resumimos nuestro punto de vista sobre la formación de las lenguas criollas euro-africanas, en general, y del papiamento, en particular.

En el contacto lingüístico múltiple, que conlleva la aparición de una nueva lengua, el papiamento en nuestro caso, se producen fenómenos de interferencia y transferencia, cuya dirección principal es lengua dominante, con un estatus alto en la escala jerárquica de las culturas, lengua base o madre, principalmente el español → lenguas africanas. En las condiciones generadas por el contacto entre lenguas, en una situación de periferia, se produce la simplificación de los sistemas lingüísticos, en el sentido de que desaparecen las oposiciones sutiles y se consolidan los componentes fuertes del sistema, a veces, reforzados por elementos de otros sistemas lingüísticos; estos fenómenos estimulan la manifestación de las tendencias internas de evolución de las lenguas, que pueden llegar hasta sus últimas consecuencias. Simultáneamente, se produce otra simplificación de la lengua dominante, debida al imperfecto conocimiento de la misma por los hablantes africanos. Paralelamente, como resultado de la especificidad de la actividad verbal comunicativa en las condiciones del contacto lingüístico (la relación defectuosa entre la estructura patente y la estructura latente de las distintas categorías de usuarios), se producen también, aunque en menor medida, interferencias y transferencias cuya dirección es lenguas africanas → español. Elementos y/o (sub)sistemas que tienen una fuerte realidad psicológica en las lenguas africanas se transfieren al naciente criollo, porque no pueden ser sustituidos por la lengua con estatus alto o dominante. En determinadas condiciones sociolingüísticas bien definidas, la lengua dominante, que evoluciona según sus propias tendencias internas estimuladas por la situación periférica y acepta influencias y transferencias externas de otras lenguas, debido a la permeabilidad de los sistemas lingüísticos, se puede transformar en una nueva lengua, el criollo.

Una vez obtenido el estatus de lengua —forma propia, estabilidad, autonomía de norma, funciones múltiples— el criollo presenta características parecidas a las otras lenguas —cierta homogeneidad en las normas de evaluación social y en las interpretaciones semánticas (Labov 1980)— y sigue las líneas comunes de evolución de todas las lenguas.

VI

EL ESPAÑOL LLEVADO A AMÉRICA

La cuestión de la formación y evolución del español de América ha llamado la atención de los especialistas desde comienzos de nuestro siglo[1]. Varias y, no pocas veces, contradictorias han sido las teorías sobre este tema, que, en nuestra opinión, está directamente relacionado con el nacimiento de los criollos hispánicos y, en el caso concreto que nos ocupa, con el papiamento. Porque fue el español llevado a América y, posteriormente, el español americano que se iba configurando con el paso del tiempo, al enfrentarse con otros mundos y nuevos pueblos, la lengua que evolucionó hasta convertirse en otra, nueva, en el crisol étnico, social y lingüístico constituido por las islas ABC.

A comienzos del siglo, Menéndez Pidal afirmaba que el español hablado en América era una prolongación de los dialectos peninsulares meridionales, basándose en el gran número de andaluces, extremeños y canarios de las primeras expediciones (Menéndez Pidal 1968). Esta opinión fue compartida y defendida sucesivamente por varios lingüistas como Wagner (1920; 1927), Alonso (1953; 1959), Lapesa (1957; 1959; 1964) o Boyd-Bowman (1964). Sin embargo, poco tiempo después, los mismos defensores de la teoría empiezan a

[1] Para detalles sobre el estado de la cuestión, cf. Abad Nebot (1991) y Fontanella de Weinberg (1993: 21-54).

matizar y reconsiderar su punto de vista. Wagner considera que la influencia meridional se ejerce sólo en las zonas costeras (pobladas mayoritariamente por peninsulares del sur en los primeros dos siglos de la Conquista), y que las regiones pobladas más tarde, o con menor intensidad, sufrieron la influencia niveladora de la emigración posterior, originaria de varias regiones de España. Alonso limita el andalucismo del español americano a las zonas costeras y las islas, mientras Lapesa habla de rasgos castellanos en las regiones de altiplanicie, bajo la influencia de distintos centros culturales. Galmés (1962: 89-91) desarrolla la observación de Lapesa y propone la tesis de las dos grandes zonas lingüísticas, andalucista, en las costas, y castellanizante, en el interior.

En este contexto, Henríquez Ureña (1921; 1925) postula una teoría que rechaza la tesis del predominio de los dialectos meridionales en la colonización y del poblamiento de las tierras bajas antes que las altas, tomando como ejemplo la situación de la meseta mexicana. Alonso matiza también su posición en la línea planteada por Henríquez Ureña y aprecia que la base del español americano «fue la nivelación realizada por todos los expedicionarios en sus oleadas sucesivas durante todo el siglo XVI». Para Alonso, los rasgos que caracterizan el español americano, como el seseo, el yeísmo o el lambacismo y el rotacismo, son fenómenos con múltiples focos autónomos en el español peninsular y americano; por tanto, no tienen carácter monogenético, sino poligenético.

Aproximadamente en el mismo período, Catalán acuña el término de «español atlántico», en oposición al «español castellano», definido el primero como la modalidad lingüística de la comunidad hispánica integrada por los españoles de las Indias, los de Canarias y los del área peninsular atlántica española, no sólo andaluza. Para Catalán (1989: 125) existe claramente una oposición entre las regiones costeras, porteñas, en permanente contacto con las ciudades atlánticas españolas, Sevilla y Cádiz, y las altiplanicies del interior, con una sociedad más conservadora y un modo de vida más tradicional, entre las llamadas tierras altas y tierras bajas de América, como había indicado también Menéndez Pidal (1962). Esta oposición refleja, de hecho, la situación del español del siglo XVI, la rivalidad entre las dos normas lingüísticas principales, la innovadora y popular de Sevilla y la conservadora de Toledo (Alvar 1979: 116; Frago 1993: 76). Varios especialistas, entre ellos Zamora Vicente (1967), Lapesa (1964) y, con ciertas reservas y matizaciones, Alvar (1968) han adoptado el concepto propuesto por Catalán, considerándolo el más acertado entre los que se habían empleado para explicar la génesis del español americano.

Alvar (1977) considera que las peculiaridades del español americano empezaron a gestarse durante las largas travesías, pero no rechaza el término de español atlántico. Él mismo aprecia que el español canario forma parte del grupo de hablas «que puede llamarse atlántico» y que éste está integrado en las hablas meridionales (Alvar 1968: 23). El autor pone de relieve la importancia de la norma sevillana, por el prestigio económico, social y cultural de la ciudad metrópoli, en la formación del español americano (Alvar 1990); y de los contactos permanentes entre los puertos atlánticos de Andalucía y las tierras americanas, destacando el papel de «eslabón intermedio» del archipiélago canario. Revalida así la tesis del «puente de madera de las flotas de Indias» de Catalán (1989: 125), matizando que «el sevillano insular fue puente hacia las Indias» (Alvar 1979). No obstante, rechaza rotundamente la llamada teoría climatológica de Lapesa, según la cual «andaluces y castellanos preferían instalarse definitivamente donde la altura y el clima correspondieran mejor a las dos respectivas regiones españolas» (Lapesa 1985: 52).

Álvarez Nazario (1987), Fontanella de Weinberg (1993), Granda (1994) y otros consideran que en la primera etapa de la Conquista, principalmente en la primera centuria, la coexistencia de distintos dialectos peninsulares en América conlleva un proceso de koineización cuyo resultado es el español americano, modalidad caracterizada por rasgos resultantes de la nivelación y simplificación. Ésta es la modalidad que se extendió a todas «las áreas territoriales de la América hispánica, después de culminar en cada una de ellas el proceso koineizador» (Granda 1994: 44). Fontanella de Weinberg (1993: 42-45) aprecia que en la constitución de esta koiné predomina la variedad andaluza: «los andaluces constituyeron un fermento —y decisivo fermento— de varios de los principales rasgos fonológicos que caracterizan a gran parte del español americano»; y que las diferencias que se observan entre las variedades del español americano en cuanto a la presencia total o parcial de los rasgos andaluces se debe a los distintos factores que intervinieron en la koineización. Porque no se trata de un proceso general panamericano, sino de procesos regionales simultáneos, como destaca también Granda (1994: 43).

Es imposible rechazar la impronta andaluza en el contacto entre la Península y el Nuevo Mundo con el obligado eslabón canario, donde gran parte de la población era de origen andaluz y, según Pérez Vidal (1955), la mayoría de los canarios que salieron para América en la primera mitad del siglo XVI eran andaluces. Pero no debemos olvidar que el período de la conquista y la colonización de muchas regiones americanas coincide con el complejo proceso de cambios que se operan en el español peninsular, particularmente cambios fonológicos, que conducen, como hemos visto, a un enfrentamiento entre dos sistemas, dos normas distintas entre sí y respecto del español medieval. Por tanto, en la primera centuria de la aventura americana llegan al Nuevo Mundo los dos sistemas, representados por diferentes variedades dialectales.

Granda (1991: 13-30; 31-40; 1994: 13-48; 49-92) y Fontanella de Weinberg (1993: 42-54) comparten la tesis de la estandarización como proceso casi simultáneo de la koineización y su importancia en la configuración de las distintas variedades del español americano. Granda (1994: 13-92) matiza esta tesis, destacando que, en realidad, debemos considerar dos etapas en la estandarización: una estandarización temprana (entre el siglo XVI y mediados del XVII) y una estandarización tardía (entre mediados del XVII y 1810), que constituyen un «proceso koineizador monocéntrico», cuyo «modelo configurador de referencia fue el castellano septentrional en su modalidad toledana y / o cortesana» (Granda 1994: 46-47). A medida que la comunidad americana hispanohablante adquiere características socioeconómicas y culturales propias, personalidad propia, distinta de la española peninsular, el español americano dejará de seguir incondicionalmente el modelo metropolitano, evolucionando con la misma comunidad. Ahora bien, con pocas excepciones, los lazos entre las comunidades hispanoamericanas y la metrópoli se han mantenido hasta nuestros días y la norma peninsular ha seguido ejerciendo cierta influencia, coincidiendo con la norma culta de cada uno de los países americanos. Así se han ido atemperando, en mayor o menor medida, las tendencias internas de evolución de las distintas variedades hispanoamericanas. En cambio, en las pocas comunidades que, por efecto de factores extralingüísticos, han quedado total o parcialmente aisladas de la metrópoli peninsular y donde las modalidades americanas pudieron influir de manera indirecta, las tendencias internas, liberadas de la norma y la tradición, se manifestaron con más vigor, llegando, a veces, hasta las últimas consecuencias, como resultado de una evolución radical.

Según Granda *(loc. cit.)*, el proceso de koineización culminó en toda la América hispánica, en líneas generales, durante los primeros decenios del siglo XVII. No tenemos datos sobre la situación particular de las islas ABC. Podemos suponer, no obstante, basándonos en argumentos extralingüísticos, que la koineización no logró finalizar en estos territorios y que, si se inició un proceso de estandarización, éste fue interrumpido.

Es sabido que las islas ABC fueron descubiertas en 1499 e incorporadas al Imperio español en 1527, pero no se las consideró importantes ni siquiera estratégicamente. No conocemos la composición demográfica del núcleo poblacional español establecido en Curazao, ni su amplitud. Probablemente había gente de varias regiones peninsulares; por lo menos la guarnición española debía reunir gente de procedencia varia, como en el caso de Puerto Rico, analizado por Álvarez Nazario (1987). Un argumento a favor de esta hipótesis es la tesis de Maduro (1966) sobre la procedencia de las palabras papiamentas, aunque, como hemos visto, la pluralidad dialectal en el nivel léxico no es incompatible con el proceso de koineización (Fontanella de Weinberg 1993: 44). Por fin, una vez conquistadas las islas por los holandeses, se interrumpe el flujo continuo de colonizadores españoles y los vínculos directos con el modelo peninsular.

Desde nuestro punto de vista, es menos importante determinar con exactitud si este proceso se llevó a cabo o no hasta sus últimas consecuencias, porque lo que nos interesa es estudiar en qué medida fenómenos del papiamento pueden ser explicados como resultados de tendencias que se manifestaban en el español de los conquistadores del siglo XVI y comienzos del XVII, español popular con rasgos dialectales variados, que representa, de hecho, la base lingüística del español americano.

Es sabido que el grueso de la primera oleada de la población española que se estableció en las Antillas y en el resto del continente pertenecía a las clases populares: soldados, labradores, artesanos, marineros, etc. Por esta razón nos interesa analizar los posibles paralelismos entre fenómenos papiamentos y fenómenos similares registrados en variedades diatópicas y diastráticas españolas (peninsulares y americanas), porque, a pesar de la predominancia del andalucismo en la cristalización del español americano, hemos visto que no podemos descuidar la presencia de otras variedades dialectales peninsulares[2]. Por tanto, a continuación, presentaremos sucintamente los rasgos más importantes del español del siglo XVI y comienzos del XVII, lengua en proceso de transformación y sedimentación, con características regionales y populares, que fue el español de los conquistadores y los primeros colonizadores.

---

[2] No consideramos necesario presentar aquí los más importantes rasgos dialectales peninsulares o los que caracterizan a las variedades americanas. Sin embargo, siempre que encontremos fenómenos papiamentos que presentan analogías o similitudes con fenómenos que se dan en variedades diatópicas o incluso diastráticas españolas (peninsulares y americanas), los señalaremos en nuestro estudio.

1. El español del siglo XVI y comienzos del siglo XVII

Desde el punto de vista fonético, a lo largo de todo el siglo XVI se nota cierta tendencia hacia la estabilidad, la fijación de determinadas formas, consideradas más correctas o más elegantes.

Es sabido que en el dominio del vocalismo, las oscilaciones de timbre en las vocales átonas, tendencia que se manifestó ya en el latín tardío y se intensificó en las lenguas románicas (Iordan, Manoliu 1989: I, 151), caracterizaron el español medieval. En el siglo XVI, su frecuencia va disminuyendo (Lapesa 1959), pero persisten todavía, con preferencia para las formas modernas, con vocales cerradas: *vanidad*, *invernar*, *aliviar*. Esta preferencia conduce a fenómenos de ultracorrección como *sigún*, *siguro*, *cerimonia*, que continúan manifestándose también en el siglo siguiente; algunos, como *afición* logran imponerse en la lengua. No obstante, en el siglo XVII se registran sólo casos aislados de oscilaciones de timbre. En el español canario, el fenómeno perduró más y se registran casos incluso en el siglo XVIII: *yntierro*, *sebiles*, *ligitima*, *difinitiva* o *moger*, *complimiento* (Samper Padilla, Cáceres Lorenzo, González Monllor, Munteanu 1994).

En el dominio del consonantismo, los fenómenos son más numerosos.

En la primera mitad del siglo XVI, se conserva todavía la distinción entre [b] y [v], por lo menos en algunas regiones (Alonso 1962), principalmente meridionales. En los primeros decenios del siglo XVII, autores como Gonzalo Correas y Mateo Alemán describían el sonido [v] como labiodental (Lapesa 1959: 245). En Castilla la Vieja, Aragón y otras regiones septentrionales, los dos sonidos se habían confundido en el siglo XVI.

También hasta la mitad del siglo XVI sigue persistiendo la alternancia [f] : [h]. Es sabido que desde la centuria anterior, en Castilla la Vieja la *f-* había desaparecido, mientras en Castilla la Nueva y Andalucía había pasado a *h-*, que todavía se mantenía. Sin embargo, se manifiesta cada vez más poderosamente la tendencia a sustituir la *f-* por la *h-*. En la lengua de la Corte la *h-* se aspira, según el modelo de Toledo y de las regiones meridionales. Pero a finales del siglo, bajo la influencia de las hablas norteñas, la aspiración va desapareciendo. En las zonas donde se conservó la aspiración (Andalucía, Extremadura, costa caribeña y las Antillas), la [x] velar, que procedía de [š], [ž], con las grafías *x*, y *g, j,* respectivamente, se convierte también en una [h] aspirada (Lapesa 1964: 181).

En lo que se refiere a los grupos consonánticos, se manifiesta una evidente tendencia hacia su reducción, como había sucedido ya en el habla popular. Sin embargo, hasta la segunda mitad del siglo XVI se conservan algunos grupos como en *cobdiciar*, *cobdo*, *dubda*. En cuanto a los grupos consonánticos de las palabras cultas de origen latino, a lo largo de todo el siglo XVI se enfrentaron ininterrumpidamente la pronunciación culta y la tendencia popular a la simplificación de los mismos. Ni siquiera a finales del siglo siguiente se había impuesto un criterio claro al respecto. El gusto del hablante y la mayor o menor frecuencia de una u otra pronunciación imponían una de las dos formas.

Se confunden las fricativas prepalatales medievales [š], [ž] con la dentoalveolar [s] sorda y sonora: *quijo*, *vigitar*, *relisión*, *colesio* y se impone una u otra forma. Nebrija llamaba la atención sobre este fenómeno ya en 1517, destacando que se empleaban fórmulas como *io gelo dixe* por *io se lo dixe* (Lapesa 1959: 224, nota 2). Paralelamente se extiende la neutralización de la oposición de sonoridad a favor de las sordas en la serie de las sibilantes dentoalveolares y ápicoalveolares y de las fricativas prepalatales (cuya grafía medieval era *ç, z, ss, s, x, g, j*): *tuviese*, *matasen*, *açer*, *reçar*, *deçir*, *dijera*, *ejerçiçio*, *teoloxía*. En documentos canarios del siglo XVIII, se encuentran todavía confusiones entre *x, g, j*: *dejo*, *dexo*, *bajo*, *baxo*, *auajo* (Samper Padilla, Cáceres Lorenzo, González Monllor, Munteanu 1994). Lo que indica que en el español canario el proceso de ensordecimiento de las fricativas prepalatales no había culminado hasta esa fecha.

Es sabido que el subsistema de las sibilantes españolas medievales es uno de los más afectados por las transformaciones que se operaron en los siglos XVI-XVII. En la región sevillana, la confusión *ç*, *z*, *s*, *ss* se había iniciado a partir del siglo XV y estaba en pleno desarrollo ya en la época del primer viaje de Colón y las primeras expediciones (Lapesa 1964: 176; Alonso 1951). En la segunda mitad del siglo XVI las fricaticas apicoalveolares habían desaparecido ya. Ante esta situación, algunos dialectos desarrollan la tendencia de reforzar las oposiciones de localización y las distinciones existentes en la substancia fónica (Iordan, Manoliu 1989: I, 200). Así se podría explicar el adelantamiento de la dental sorda [ts] y su interdentalización en los dialectos de la mitad septentrional. De modo que, de los cuatro fonemas medievales, en la norma andaluza se llega a uno, y en la castellana a dos, base de los conocidos fenómenos del seseo y ceceo.

Probablemente por las mismas razones, una vez neutralizada la oposición de sonoridad, la fricativa prepalatal [š] cambió su articulación, retirándose hacia el velo del paladar, llegando a pronunciarse, en el siglo XVI, como fricativa velar sorda [x]. Este nuevo fonema alternó con la fricativa prepalatal sorda [š] hasta la mitad del siglo XVII (Lapesa 1959: 247). Según Lapesa (1959: 301), este cambio de articulación puede ser explicado por una tendencia a cambiar la base de articulación manifestada ya en la Edad Media bajo diversas formas, como lo demuestran ejemplos de tipo: *guérfano*, *guerto*, *guesped*, encontrados en textos españoles medievales.

En los dialectos meridionales se observan frecuentes confusiones entre [λ] e [j]. Está atestiguada una pronunciación yeísta mozárabe para la [λ] inicial ya en el siglo X. En todo caso, en el siglo XVI el yeísmo en posición inicial estaba bastante difundido, si no generalizado, en la mitad sur de la Península. Y hasta mediados del siglo XVII iba a extenderse también a la [λ] en posición medial (Lapesa 1964: 179).

También en la mitad meridional, más exactamente en Andalucía, a lo largo del siglo XVI se produce la aspiración de la *-s* en posición final de sílaba, tratamiento que sufre igualmente la *-z* en la misma posición, cuando no se había producido su ensordecimiento. Es probable que durante ese siglo el fenómeno se haya extendido al resto de España, ya que en un manuscrito toledano de 1575 aparecen vacilaciones de tipo: *muétrale : muéstrale*, *muetra : muestra* (Lapesa 1964: 180).

Otro fenómeno muy difundido en el siglo XVI es la confusión [r] : [l] en posición final, a causa de una débil articulación. El fenómeno está atestiguado ya en textos mozárabes toledanos de los siglos XII-XIII. En textos andaluces de los siglos XIV-XVI aparecen: *abril* por *abrir*, *solviendo* por *sorbiendo*, *comel* por *comer*, *leartad* por *lealtad*, *particural* por *particular* (Lapesa 1959: 323; 1964: 180).

En el dominio de la fonética sintáctica, los rasgos más característicos del período que examinamos son los siguientes:

a) lenta sustitución del artículo definido *el* por la forma femenina *la* en casos como *el espada* ~ *la espada*, *el otra* ~ *la otra*; *el* sigue utilizándose sólo cuando precede a femeninos que empiezan con *a*, especialmente cuando ésa es tónica: *el arena*, *el altura* y, sobre todo, *el agua*, *el águila*, como en el español actual;

b) tendencia a separar las unidades componentes de ciertas conglomeraciones de tipo verbo + pronombre, como *poneldo*, *embialdo*;

c) alternancia de dobletes en el futuro del indicativo y el condicional: *debería : debría*, *valerá : valdrá*, *saliré : saldré*, *porné : pondré*, *terné : tendré*;

d) tendencia a imponerse las nuevas formas de futuro del indicativo: *besaréte*, *te besaré*, *engañaráme*, *me engañará* que sustituyen a las antiguas formas *besar te hé*, *engañar me há*;

e) las fórmulas de cortesía *vuestra merced*, *vuestra señoría* llegan, a fuerza del uso y de la repetición, a variantes simplificadas como *vuesa merced*, *vuesançed*, *voace*, *vuced*, *vu-*

sed, *usted*, *usiría*, *usía*. Las formas *vused*, *usted* están atestiguadas en el habla popular y jergal del siglo XVII.

En el dominio de la morfología, la principal característica del español del siglo XVI es una relativa inseguridad en la elección y adopción de las formas paradigmáticas de diferentes categorías gramaticales.

Los gentilicios no admiten morfema de femenino: *provincia cartaginés*, *la leonés potencia* (Lapesa 1959: 253).

En la segunda mitad del siglo XVI se generaliza el superlativo en *-ísimo* para los adjetivos; casos aislados habían aparecido ya en el siglo XIV, pero no habían arraigado en la lengua. Esta forma se impuso primero en la literatura, bajo la influencia del latín e italiano, y luego se difundió también en la lengua hablada.

La categoría del pronombre sufre numerosos cambios y, en la mayoría de los casos, se imponen en el paradigma las formas actuales. Se generalizan las formas *nosotros*, *vosotros* del pronombre personal. Desaparece la forma *ge* de las construcciones *ge lo*, *ge la*, debido, por un lado, a las transformaciones que se habían operado en la serie de las fricativas y, por otro, a la confusión entre *ge* y el dativo reflexivo *se*. Después de 1530 la forma *ge* aparece solamente en el habla rural (Lapesa 1959: 254). En cuanto a las demás categorías pronominales, siguen utilizándose las parejas de demostrativos *aqueste* ~ *este*, *aquese* ~ *ese*, junto con *estotro* y *esotro*. El pronombre relativo *quien*, invariable, empieza a ser empleado también en plural, pero, en las primeras décadas del siglo XVII la forma *quienes* todavía se consideraba menos elegante.

En la primera mitad del siglo XVI, el paradigma verbal presenta numerosas vacilaciones, de las cuales muchas siguen manifestándose hasta mediados de la siguiente centuria.

En el presente del indicativo coexisten las formas *amáis* : *amás*, *tenéis* : *tenés*, *sois* : *sos*, pero empiezan a imponerse las primeras. Se registran también oscilaciones de tipo: *só* : *soy*, *vo* : *voy*, *estó* : *estoy*, *do : doy*, *trayo : traigo*, *cayo : caigo*, *quies : quieres*. La forma *quies* fue admitida incluso por la lengua literaria.

Una situación parecida presenta el presente del subjuntivo. Formas como *haiga*, *huiga* alternan con la forma *huya* y logran penetrar incluso en la lengua literaria, como *quies*.

Se registran también oscilaciones gráficas, tanto en las formas de presente del indicativo como en las de presente del subjuntivo: *conozgo : conozco, conosco*; *luzga : luzca*.

A comienzos del siglo XVII este período de oscilación termina, en su mayor parte, y la lengua elige las formas actuales.

En el paradigma del pretérito imperfecto del indicativo, durante todo el siglo XVI y bien entrado el siguiente, hasta la época de Calderón, se está librando una verdadera lucha entre las formas arcaicas *amábades*, *sentíades* y las modernas *amabais*, *sentíais*.

La misma situación presenta el imperfecto del subjuntivo. Ya desde la segunda mitad del siglo XVI, las formas *dixereis*, *quisierais* aparecen junto a las arcaicas *dixéredes*, *quisiérades* e, incluso, *fuerdes* (< *fuéredes*), *vierdes* (< *viéredes*), como indica Lapesa (1959: 252).

En el pretérito indefinido del indicativo, las formas para la segunda persona plural *fuistes, matastes* se mantienen hasta el siglo XVII. E incluso más tarde, después de haber sido sustituidas por las formas modernas *fuisteis*, *matasteis*, sigue apareciendo alguna que otra forma arcaica, como *dístedes*. Se registran también vacilaciones de tipo *traxo : truxo* (Lapesa 1959: 252).

En el paradigma del imperativo también se observan oscilaciones: *cantá : cantad, tené : tened, salí : salid*. A veces se conservan formas arcaicas como *erguide, amade*. A comienzos del siglo XVII este período de oscilaciones termina.

El español del siglo XVI utilizaba numerosos adverbios y preposiciones, que actualmente se consideran arcaicos, eruditos o, incluso, rebuscados, como *cabe*, *so*, *luego* 'inmediatamente, pronto', *puesto que* 'aunque, a pesar de que'. El régimen preposicional era bastante diferente del español moderno. Basta recordar construcciones de tipo *viaje del Parnaso*, *vivir a tal calle*, *hablar en tal asunto* (Lapesa 1959: 254-255).

Están atestiguados adverbios con dobletes en distribución libre: *estonces : entonces*, *ansí : assí*.

En el dominio de la sintaxis, en los siglos XVI-XVII se operan algunas transformaciones fundamentales en el paso del español medieval hacia el español moderno.

Los verbos *haber* y *tener*, que hasta esas fechas se empleaban ambos como transitivos, expresando posesión o propiedad, delimitan sus funciones. De modo que, aunque a comienzos del Siglo de Oro eran casi sinónimos todavía, *tener* empieza a ser utilizado para expresar la posesión, mientras el uso transitivo de *haber* va perdiendo vigencia y su función se limita a la de auxiliar. El valor transitivo de *haber* se conserva sólo en algunos sintagmas arcaicos, en cambio se consolidan y amplían sus funciones de auxiliar. Hasta mediados del siglo XVII estas funciones se van expandiendo y *haber* se generaliza también como auxiliar de los verbos intransitivos y reflexivos, ya que en estos casos competía, hasta esas fechas, con el verbo *ser*.

El empleo de los verbos *ser* y *estar* se va delimitando y precisando, en gran medida, en el siglo XVI. Sin embargo, las normas de su utilización eran menos rigurosas que en el español moderno. Así, *ser* podía utilizarse para expresar el lugar: *Darazután es en Sierra Morena* (Lapesa 1959: 256). Y en la voz pasiva se registran alternancias de tipo *es escrito : está escrito* para expresar el resultado de una acción anterior. La construcción con *estar* existía en la lengua desde el siglo XIV.

Sigue manifestándose la tendencia a evitar la voz pasiva y empleándose la construcción pasiva con *se*, atestiguada en los siglos XII-XIII. Esta construcción se extiende ahora también a los sujetos expresados por un infinitivo o una oración subordinada substantiva, así como a los verbos intransitivos. De este modo, la construcción va adquiriendo un carácter cada vez más marcadamente impersonal. Precisamente por ese carácter impersonal, los hablantes perciben el sujeto como complemento directo en ese tipo de construcción y lo utilizan con la preposición *a*, cuando es nombre de persona.

La extensión de la construcción con *se* impersonal y del pronombre indefinido *uno* va eliminando el uso de *hombre* como pronombre indefinido. Esta función del término desaparece por completo en el siglo XVII (Lapesa 1959: 258).

La forma verbal de tipo *cantara* pierde casi por completo su valor original de pluscuamperfecto del indicativo. Después de haberse creado los tiempos compuestos en el indicativo y el subjuntivo, en los siglos XIII-XVI, la forma de tipo *cantara* pasa a usarse en oraciones condicionales con valor de pluscuamperfecto del subjuntivo durante casi todo el siglo XVI. A finales de esa centuria y comienzos de la siguiente *cantara* adquiere el valor de imperfecto del subjuntivo. Como resultado de estos cambios, a comienzos del siglo XVII las construcciones condicionales que expresan una hipótesis irreal están ya cristalizadas. Aproximadamente en el mismo período se define también el tipo de construcciones condicionales que expresan una hipótesis real: con el presente o el futuro del indicativo en la oración principal y el presente del indicativo en la oración subordinada.

Se extiende la utilización de la preposición *a* en acusativo con nombres de personas o seres y cosas personificados.

Cambios interesantes se operan también en el subsistema de las formas átonas del pronombre personal de tercera persona. Es sabido que en el español medieval se utilizaban las formas: *le*, *les* (< lat. *illī*, *illīs*) para el dativo; *lo* (< lat. *illŭm*, *illŭd*) para el acusativo (masculino y neutro singular); *la* (< lat. *illam*) para el acusativo (femenino singular) y *los* (< lat. *illōs*), *las* (< lat. *illas*) para el acusativo plural (masculino y femenino, respectivamente). En la primera mitad del siglo XVI en la lengua escrita predomina la forma *le* para el acusativo masculino singular, especialmente cuando se trata de personas. Está atestiguado, no obstante, también el uso de *le*, *les* para personas y *lo*, *los* para cosas, tanto en acusativo como en dativo.

En cuanto a la tópica, en el siglo XVI, los autores latinizantes siguen colocando el verbo al final de la frase, pero esta norma ya no se observa con rigurosidad.

Con respecto a los pronombres átonos, continuaba aplicándose la regla según la cual éstos debían seguir al verbo al principio de la frase y después de pausa, mientras en los demás casos debían preceder el verbo. Sin embargo, aparecen numerosos ejemplos de proclisis del pronombre, especialmente después de una oración subordinada. En el caso de los verbos en infinitivo, imperativo y gerundio, se admite colocar, en algunas situaciones, los pronombres átonos ante el verbo, aunque la regla general, válida en los siglos XVI-XVII igual que en la actualidad, exigía la posición enclítica. Finalmente, en los tiempos compuestos, los pronombres átonos se colocaban tras el participio cuando entre éste y el auxiliar se interponía(n) otra(s) palabra(s) o cuando el auxiliar era sobreentendido: *no han querido, antes atádome mucho; yo os he sustentado a vos y sacádoos de las cárceles* (Lapesa 1959: 262).

El vocabulario es, quizás, el compartimento que ofrece los más interesantes aspectos en el Siglo de Oro. Gracias a los titanes de la literatura, creadores de escuelas y corrientes en la época, la lengua se enriquece con numerosos neologismos griegos y latinos. A pesar de las exageraciones del culteranismo, la introducción masiva de palabras nuevas no perjudica la claridad de la lengua y la comprensión del mensaje, porque las abstracciones culteranistas eran compensadas por el empleo de términos populares con significados concretos. Por otro lado, debido a las relaciones culturales y políticas del Imperio español con el resto de Europa, en la lengua penetran también numerosos préstamos de otras lenguas de cultura del viejo continente: italiano, francés, portugués y, en menor medida, alemán.

Con el descubrimiento de América y las primeras expediciones al Nuevo Mundo, ya desde las primeras décadas del siglo XVI, en el español penetran una serie de indigenismos, principalmente de origen arawak-caribe, que designan realidades americanas: plantas, animales, objetos, tradiciones, costumbres, creencias, etc.

Al mismo tiempo, la lengua se enriquece por medios propios: derivación, composición o extensión de significados (términos técnicos o jergales penetran y se instalan definitivamente en el habla corriente).

Con respecto a la derivación, debemos destacar que el sufijo diminutivo *-illo* es el más utilizado en este período. El sufijo diminutivo *-uelo* era más vital que en la lengua moderna, particularmente en la poesía, pero se hallaba en competencia con *-ico* e *-ito*.

Consideramos que esta sucinta presentación justifica la afirmación de que el español de los siglos XVI-XVII es una lengua en plena ebullición, marcada por la manifestación de numerosas tendencias internas de evolución y, por tanto, representa una etapa de peculiar importancia en la evolución de la lengua hacia el español moderno.

2. ALGUNOS RASGOS DIALECTALES DEL ESPAÑOL AMERICANO

Es un hecho conocido y comprobado que el español implantado en el Nuevo Mundo conoció, gracias al continuo flujo de peninsulares y a los estrechos lazos con la metrópoli, todas las transformaciones del español hablado en la Península, en pleno proceso de ebullición y sedimentación, como acabamos de ver. Una vez llevada a América, esta lengua pasa por procesos de koineización y estandarización. Pero, como subraya Fontanella de Weinberg (1993: 44), «el hecho de que una koiné sea el resultado del contacto dialectal no excluye que en su constitución predomine una de las variedades en contacto». Y, como hemos visto poco antes, es evidente que entre el español americano y el andaluz existe una relación especial, «que le lleva a compartir rasgos en el plano morfosintáctico y especialmente el fonológico, algunos con generalidad y otros en modo parcial» (id., *ibid.*). Porque aunque la estandarización monocéntrica pudo haber impuesto una nueva modalidad lingüística que haya desplazado a la koiné, este desplazamiento no pudo ser más .que parcial (Granda 1994: 47).

Por tanto, para esclarecer la cuestión del origen, filiación y evolución del papiamento, consideramos necesario también conocer los principales rasgos dialectales del español americano, particularmente de la región caribeño-antillana, dado que, después de 1634, el contacto de los hispanohablantes de las islas ABC con la metrópoli se interrumpe oficialmente y los vínculos con la lengua madre se mantienen a través de las regiones vecinas, Antillas, Venezuela y Colombia.

Presentamos sucintamente estos rasgos:

a) fusión de las cuatro sibilantes notadas gráficamente *s*, *ss*, *ç*, *z* en un solo sonido [s], con articulación muy variada, pero, en todo caso, más cercana, generalmente, a la [s] predorsal andaluza (Lapesa 1959: 349; Zamora Vicente 1967: 418);

b) aspiración de la *-s* final de sílaba y su asimilación a la consonante siguiente, ensordecida a veces por la misma *-s*: *mismo* > *mihmo* > *mimmo*, *resbalar* > *rehbalar* > *refalar*. En ocasiones, debido a la desaparición de la aspiración, las distinciones singular / plural o segunda / tercera persona en el paradigma verbal se realizan mediante una oposición de cantidad o de timbre (Lapesa 1959: 349; Alarcos Llorach 1961: 271; Wagner 1949: 29-30; Navarro Tomás 1948: 44-48);

c) el yeísmo. El fenómeno [λ] > [j] es evidentemente de origen peninsular, pero no exclusivamente andaluz;

d) fenómenos de lambdacismo y rotacismo o caída de *-r*, *-l*. En ocasiones, no se produce la alternancia [r] : [l], sino la desaparición de estos sonidos en posición final de palabra (Lapesa 1959: 349; Zamora Vicente 1967: 418);

e) aspiración de la *h-* (< *f-*): *harto* : *jarto*, *hablar* : *jablar* (Lapesa 1959: 349; Wagner 1949: 29);

f) caída de sonoras intervocálicas;

g) debilitamiento (y pérdida) de la *-d-* intervocálica;

h) pérdida generalizada de la forma pronominal *vosotros* y el consecuente voseo con algunas diferencias entre regiones.

3. El español popular

Cuentan los cronistas que, en los primeros años de la colonización, por cada hombre noble y de clara sangre llegaban diez descomedidos y de otros linajes oscuros y bajos. Investigaciones modernas sobre la composición social de los primeros colonizadores españoles ponen de manifiesto que

> la empresa americana de la conquista y población tuvo un carácter eminentemente popular, con la participación de un enorme porcentaje que correspondía al pueblo común y un insignificante número de la nobleza e incluso de la clase media acomodada (Friede 1966: 29).

Y fue en gran parte el español que hablaba esa gente, habla popular, incorrecta, difundida sobre todo entre los campesinos y las grandes masas del medio urbano, el que se extendió a todo el territorio hispanoamericano. Numerosas incorrecciones que caracterizan esta modalidad lingüística continúan fenómenos señalados en la historia de la lengua, de los cuales, algunos gozaron de prestigio y lograron penetrar en la lengua literaria e imponerse, con el tiempo, como norma. Otras incorrecciones representan tendencias internas de la lengua, en continuo proceso de evolución, que, aunque sancionadas por la norma estándar, han venido imponiéndose cada vez más poderosamente en la lengua.

Presentamos, brevemente, las características mas importantes de esta modalidad del español.

En el dominio de la fonética se observan oscilaciones de timbre en las vocales átonas, asimilaciones y disimilaciones. Se registran ejemplos como: *sigún, tiniente, ceviles, sepoltura, josticia, menumento*. Se conserva la antigua alternancia [aj] : [ej]: *baile : beile, aire : eire, seis : sais, peine : paine.*

La tendencia a evitar el hiato, rasgo característico de la modalidad popular, se manifiesta con frecuencia también en el habla cuidada: *acordeón* > *acordión*, *real* > *rial*, *cae* > *cai*, *toalla* > *tualla*; y la tendencia a desplazar el acento tónico: *máestro, ráiz, bául*, considerada, en cierto momento, norma culta (Lapesa 1959: 299).

El español popular continúa la antigua tendencia a reducir los grupos consonánticos, que se realiza mediante la caída de una consonante: *istancia, asfisia, dotor*, o la vocalización del primer sonido del grupo: *seición, conceuto*. Aparecen también fenómenos de ultracorrección como *discrección, acsurdo*. Por otra parte, se produce el fenómeno [d] > [l] ~ [r]: *alvertir, arministrador* (Lapesa 1959: 299).

Siguen la tendencia a debilitarse las sonoras intervocálicas [d], [g] y la vibrante [r], incluso hasta su desaparición total. La caída de la *-d-* intervocálica está casi generalizada, admitida incluso por las capas cultas. En el habla popular, el fenómeno se extiende de los participios en *-ado* a casi todas las palabras: *colorada* > *colorá*, *nada* > *ná*, *todo* > *tó*, *puede* > *pué*, *pedazo* > *peazo* > *piazo*, *todavía* > *toavía* > *tuavía*, acompañado por la fusión de las vocales iguales y la aparición de diptongos. Fenómenos parecidos se producen con [g] y [r]: *aguja* > *aúja*, *para* > *pa*, *quiere* > *quié*, *parece* > *paece* > *paice* (Lapesa 1959: 300).

Desaparece la *d-* inicial en el prefijo *des-*, continuando así la antigua confusión con el prefijo *ex-*: *desperdiciar* > *esperdiciar*; como también desaparece la *-d* final de palabra. Finalmente, debemos mencionar la tendencia a reforzar el diptongo [we] con una [g] velar, fenómeno existente en la lengua ya desde el siglo XIV, o con una [b] (reforzamiento del carácter labial): *güevo, güeso, güerto, bueso, buevo*. Como resultado de esta situación, aparece una nueva alternancia: [g] : [b]: *güelta, güey, abuja* (Lapesa, 1959: 301).

En la fonética de la frase se observan numerosas aglutinaciones, como resultado de una incorrecta segmentación.

En posición intervocálica, la *d-* de la preposición *de* desaparece. A veces desaparece toda la preposición *de*, fenómeno al que contribuyen varios factores como el deseo de diferenciar con más exactitud las relaciones de posesión o pertenencia de las demás relaciones, de tipo aposición; el deseo de evitar la repetición de la misma preposición; el carácter elíptico de ciertos enunciados y, no en último lugar, los calcos lingüísticos de modelos extranjeros (Casares 1950: 173; Fernández 1951: 119).

Se contraen las preposiciones con los artículos definidos que preceden: *pal* < *para el*, *pol* < *por el*, *contral* < *contra el*.

Se produce la apócope de *-e* en las palabras *me, te, se, le, de, que* ante una vocal, fenómeno que existía en el español antiguo y se mantuvo hasta el siglo XVII en la Península.

En el dominio de la morfología, el español popular presenta también rasgos característicos. Presentamos aquí sólo los más importantes.

El paradigma verbal conserva arcaísmos de tipo *truje, vide*; formas analógicas empleadas en el español medieval, como *haiga, vaiga*; o pretéritos indefinidos de tipo *merendemos, caminemos*. Se conserva la acentuación *háyamos, háyais, téngamos, téngais*, casi general en el siglo anterior y utilizada por la norma literaria y numerosos autores prestigiosos. Por otro lado, se manifiesta con mucha fuerza la tendencia a regularizar el paradigma verbal. Se extienden la desinencia *-s* a la segunda persona del pretérito indefinido: *marchastes, salistes*; y la desinencia *-ba* del imperfecto de los verbos de primera conjugación a los de segunda y tercera: *traíba, veniba*. Se reducen o se extienden los diptongos de una forma verbal a otra: *juegar, juegamos, apreto*. Se reconstruyen formas verbales según el modelo del paradigma de los verbos regulares para los verbos irregulares: *andé* por *anduve* (Lapesa 1959: 303).

En el paradigma pronominal los fenómenos de leísmo, laísmo y loísmo coexisten en varias zonas, continuando el uso vacilante del Siglo de Oro (Lapesa 1959: 304). Los pronombres *me, te* se anteponen a *se* y aparecen pronombres antepuestos en el imperativo: *me dé* por *déme*.

Las preposiciones y las locuciones preposicionales conservan formas y usos arcaicos: *dempués, dende, enantes*; se producen acumulaciones de preposiciones: *endenantes, ir a por agua*.

En cuanto a los adverbios, el habla popular presenta varios fenómenos, de los cuales mencionamos el uso de *donde* con el significado de 'a casa de': *voy donde mi primo*; y el empleo de *aquí* para la tercera persona cuando ésta está presente mientras se habla de ella (Lapesa 1959: 305).

En el dominio del léxico se notan dos tendencias principales. En el habla rural se conservan numerosos arcaísmos y un repertorio muy rico de construcciones fraseológicas con mucha carga afectiva, muy pintorescas. En el habla popular del medio urbano se desarrolla un ininterrumpido proceso de renovación e innovaciones, que utiliza como principal procedimiento la metáfora. Otro procedimiento es la reducción del cuerpo fónico, suprimiendo la(s) última(s) sílaba(s), como en: *cole* < *colegio*, *propi* < *propina*, *poli* < *policia*. Ambas soluciones siguen siendo muy productivas en el español popular de hoy. Además, con el tiempo, muchas de estas creaciones se han generalizado e incluso han eliminado las formas iniciales, como ha sucedido en la lengua moderna con *cine, foto, moto, metro*. El léxico urbano se ha ido enriqueciendo también con términos jergales y préstamos del caló gitano[3].

---

[3] Para detalles sobre el léxico del español popular véase Lapesa (1959: 306).

SEGUNDA PARTE

DESCRIPCIÓN DEL PAPIAMENTO

I

CONSIDERACIONES GENERALES

El papiamento tiene variedades diatópicas y diastráticas que presentan diferencias bastante grandes, pero exclusivamente en el dominio del léxico. La lengua posee numerosos vocablos de diferentes procedencias —español, portugués, holandés, inglés— para designar la misma noción. Podemos afirmar, por tanto, que nos encontramos con una auténtica distribución diatópica y diastrática de los sinónimos. Algunos ejemplos ilustrarán nuestra afirmación. Así, para el término 'cerilla' se utiliza *lusafè* (< hol. *lucifer*) en Curazao, y *fofo* (< esp. *fósforo*) en Bonaire (Álvarez Nazario 1972: 16); para 'conejo', *konènchi* (< hol. *konijn*), Curazao, *koneo* (< esp. *conejo*), Aruba; para 'tijeras' *skèr* (< hol. *schaar*), Curazao, *tiera* (< esp. *tijeras*), Aruba (Van Wijk 1958a: 179); para 'colchón', *kolchon* (< esp.) y *matras* (< hol.), en Aruba, Bonaire, Curazao; o para 'perdón', *sòri* (< ingl.), *dispensa, pordon* (< esp.), *èsküs* (< hol.).

Estas diferencias se explican, a nuestro juicio, por la influencia de los distintos factores extralingüísticos. Es sabido, como hemos visto en capítulos anteriores, que, si bien la presencia de amerindios hispanohablantes está atestiguada en las tres islas mayores, ABC, en Aruba, su número era mayor a comienzos del siglo XVII. También es sabido que los holandeses no fomentaron una política de colonización intensa y fueron bastante permisivos con la labor de los misioneros católicos hispanohablantes, lo que favoreció el uso del español. Y, no en último lugar, sabemos que el interés de los nuevos dueños se centraba, en primer lugar en Curazao, la más importante de las islas. De modo que, en las otras dos, Aruba y Bonaire, el número de holandeses fue muy reducido y, consecuentemente, la influencia del holandés sobre el papiamento mucho menor que en Curazao (véase «Datos generales sobre el papiamento - 1. Breve historia de las Antillas Neerlandesas; Contacto lingüístico y criollización»).

En Aruba, se nota que también el inglés ha ejercido una fuerte influencia sobre el léxico local. Debido especialmente al desarrollo de la industria petrolera, en general en mano de los ingleses, el porcentaje de préstamos léxicos ingleses en la variedad arubana del papiamento es mucho más elevado que en la variedad curazoleña (cf. también Van Wijk 1958a: 176).

Desgraciadamente, hasta el momento, no se han llevado a cabo de manera sistemática investigaciones dialectales en todas las islas papiamentohablantes, lo que impide tener una visión de conjunto sobre este aspecto. Van Wijk (1958a: 179) distingue tres modalidades lingüísticas en el papiamento de Curazao, que, en nuestra opinión, podrían ser asimiladas, de hecho, a unas variedades diastráticas. Se trata de:

a) una modalidad hispanizada, hablada, según el autor citado, por los descendientes de los sefardíes llegados a Curazao a mediados del siglo XVII. Los judíos hablaban portugués, español o los dos idiomas. Pero lo importante, según nuestro parecer, es que desde los tiempos de Colón, e incluso antes, ha habido contactos entre la población de estas islas y la de la Tierra Firme, lo que reforzó la posición del español entre las otras lenguas participantes en la gestación del papiamento y explica su ulterior influencia sobre el criollo en su etapa de cristalización y expansión;

b) una modalidad hablada por el núcleo poblacional de origen holandés, con evidente influencia holandesa, y

c) una modalidad intermedia entre las dos anteriores, en realidad, una forma popularizada de éstas, una especie de papiamento curazoleño común, que es el habla corriente de la población de color, numéricamente superior.

Maurer (1986b: 132-133) sugiere la posibilidad de que hubieran surgido, ya desde el período de su formación, dos o más modalidades del papiamento curazoleño: una urbana, con más influencias europeas, y otra rural, menos influida por las lenguas europeas. La escasez de documentos antiguos hace que esta suposición quede como hipótesis. Sin embargo, la carta de 1775, el primer documento en papiamento conocido hasta ahora, aboga a favor de la existencia de sociolectos o modalidades lingüísticas diastráticas. Un argumento convincente lo representan también las series sinonímicas con términos procedentes del holandés y español, distribuidos por grupos etnosociales. Presentamos unos ejemplos: esp. *kuèrdè* / hol. *fer*, esp. *ekonomisá* / hol. *spar*, esp. *imprimí* / hol. *drùk*, esp. *pusha* / hol. *stot*, esp. *troka kas, muda* / (desus.) hol. *ferheis* (Van Wijk 1958a: 179).

La existencia de tales variedades no significa que el papiamento sea una lengua fragmentaria y falta de unidad, sino todo lo contrario. Es un idioma unitario, en pleno florecimiento, portador de un elevado nivel de cultura y de una rica tradición. El actual estatus del papiamento se debe a la existencia de una conciencia nacional cada vez más fuerte, lo que le permitió coexistir y resistir a lo largo de los siglos a la presión de lenguas de tan alto prestigio como el español, el holandés o el inglés (véase «Datos generales sobre el papiamento - 3. Desarrollo y florecimiento de la lengua y literatura papiamentas»).

En esta segunda parte nos proponemos analizar los aspectos más importantes de cada compartimento de la lengua, particularmente los que fueron objeto de controversias y polémicas entre los estudiosos que se dedicaron a investigar el papiamento. Por tanto, no presentamos una descripción pormenorizada, ni una gramática exhaustiva de esta lengua. Nuestro análisis se limitará sólo a la variedad hablada por la gran masa de la población curazoleña, la más difundida y estudiada hasta ahora.

II

EL SISTEMA TONAL[1]

Uno de los aspectos más característicos y complicados del papiamento es su sistema tonal, rasgo que presentan muchas lenguas africanas. Debido a esta peculiaridad, el papiamento es mucho más difícil de aprender de lo que se imaginaba Lenz (1928: 5), cuando afirmaba que «su apredizaje para los que hablan el castellano es tan fácil que con media hora de esposición jeneral se comprende de corrido el testo de la narración». Según varios lingüistas, un extranjero sería incapaz de aprender y hablar lenguas de este tipo (Siertsema 1971). A pesar de la complejidad del aspecto, o precisamente debido a la misma, el sistema tonal del papiamento es un campo todavía poco investigado, con la salvedad de los meticulosos estudios de Römer (1974; 1991) y sus discípulos, Ramón Todd Dandaré, de Aruba, y Joubert (1976; 1987).

Es sabido que en cualquier idioma la acentuación de un grupo de sonidos se puede realizar de dos formas: mediante el acento dinámico o de intensidad y mediante el acento musical o melódico. Habitualmente, los dos coexisten en muchas lenguas, pero uno de ellos suele ser dominante (Iordan, Manoliu 1989: I, 121). Según Quilis (1982: 21), los elementos que constituyen el acento son la cantidad, la in-

[1] Este capítulo se basa fundamentalmente en los estudios de Joubert (1976; 1987), de los que reproducimos varios fragmentos con ligeras modificaciones, y, prácticamente, todos los ejemplos.

tensidad, el tono y la estructura acústica. Resulta, según esta teoría, que el tono es uno de los elementos que determina el lugar del acento. En el caso del acento español, Quilis (1982: 28) opina que el tono es el elemento principal, ya que la intensidad juega un papel menos importante que la duración. Resulta que la sílaba aguda, que tiene tono alto, lleva el acento y éste desempeña una función distintiva: *hábito / habito / habitó; límite / limite / limité; célebre / celebre / celebré; cántara / cantara / cantará*.

En papiamento existe también un acento con papel fonológico, que permite establecer oposiciones entre parejas de palabras. Pero el papiamento es una lengua tonal, es decir, una lengua en la que el tono desempeña una función contrastiva. Y en tales lenguas no se puede establecer un vínculo entre el tono y el acento, porque el tono no es un elemento del acento, sino que funciona totalmente independiente de éste.

En el caso particular del papiamento, el sistema tonal está constituido por dos fonemas, uno alto o agudo y otro bajo o grave. Maduro (1973) indica 23 combinaciones diferentes de tonos en las palabras papiamentas. Según Römer (1991: 29-96), las combinaciones posibles son 29. Por tanto, en papiamento podemos distinguir entre oposiciones debidas al acento y oposiciones debidas al tono.

Por el acento podemos distinguir entre:

piska _´ - ‘pescar’	*piská* _ -´ ‘pez, pescado’
pasa _´ - ‘pasar’	*pasá* _ -´ ‘retrasado’
bari _´ - ‘barrer’	*barí* _ -´ ‘barril’
kura _´ - ‘curar’	*kurá* _ -´ ‘corral; jardín’
kaña _´ - ‘emborrachar(se)’	*kañá* _ -´ ‘borracho’
tribi _´ - ‘atreverse’	*tribí* _ -´ ‘atrevido, fresco’
sinta _´ - ‘sentarse’	*sintá* _ -´ ‘sentado’
hari _´ - ‘reír(se)’	*harí* _ -´ ‘risa’.

De igual modo existen parejas de palabras cuyo significado cambia de acuerdo con el cambio tonal:

tapa _´ -	'tapar(se)'	*tapa* - ´ _	'tapa'
benta _´ -	'arrojar; instrumento musical'	*benta* - ´ _	'venta'
para _´ -	'parar(se),	*para* -´ _	'pájaro'
papa _´ -	'papá'	*papa* -´ _	'el papa; papilla; poleadas'
reda _´ -	'delatar; chismear'	*reda* -´ _	'red de pescar'[2].

Hay, evidentemente, una serie de pautas con respecto a la asignación del tono, a las que normalmente se atiene el hablante nativo. Presentamos las más importantes.

1) Hay sílabas con tono(s) alto(s) y/o tono(s) bajo(s) fijos. No se puede cambiar su tono sin que cambie su significado o si se quiere pronunciarlas correctamente. Presentamos, a continuación, algunos ejemplos.

Hay monosílabos de tono fijo, como: los artículos *e* 'el; la' y *un* 'un; una'; la partícula *a*, la partícula verbal *ta*, en realidad verbos auxiliares; la preposición *den* 'en'; los posesivos *mi* 'mi(s)', *bo* 'tu(s), su, de Ud., sus, de Uds.', *su* 'su(s), de él, de ella', *nos* 'nuestro, -a, -os, -as', *nan* 'su(s), de ellos, de ellas'. Todas estas palabras tienen tono alto fijo. La partícula *ta* tiene tono bajo fijo cuando se utiliza enfáticamente: *Ta Pedro a yama* 'Fue Pedro quien llamó'. La partícula no-verbal *ta* no tiene tono fijo[3]:

mi ta kansá	_ - _ -	'Estoy cansado';
mi ta riku	- _ - _	'Soy rico'.

Entre los bisílabos de tono fijo, Römer (1991: 29-96) indica *renbak* - - 'cisterna' y *blufein* - - 'forúnculo'. Maduro (1973) cree, sin embargo, que el patrón tonal de estos vocablos es - _ e intenta incluso indicar el descenso tonal y la consecuente diferencia mínima de altura entre dos o más sílabas con tono alto o bajo.

[2] Joubert (1991: 323-330) ofrece una relación de 251 parejas mínimas de palabras cuyo significado cambia cuando cambia el tono.

[3] Para la distinción *ta* verbal, *ta* no-verbal, véase el texto de Raúl G. Römer, incluido en la tercera parte del libro, «Textos papiamentos».

2) Hay sílabas sin tono fijo. En estos casos, una de las posibilidades a las que recurre la lengua es asignarles el tono según la ley de la polarización o la regla de la disimilación tonal, que es la ley fundamental del sistema tonal del papiamento.

Según la ley de polarización tonal, a las sílabas sin tono fijo se les asigna un tono que polariza con el tono (fijo o no) de la sílaba inmediatamente siguiente. Presentamos a continuación unos ejemplos de sílabas que no tienen tono fijo y, por tanto, sufren la polarización tonal:

a) las preposiciones *pa, na, di, ku*. Si comparamos el enunciado *e ta na plasa* _ - _ - _ 'está en la plaza' y *e ta na marshe* _ - - _ - 'está en el mercado', observamos que la preposición *na* tiene tono distinto en las dos frases, por la disimilación con el tono de la sílaba inmediatamente siguiente;

b) la partícula no-verbal *ta* y los pronombres personales *mi, bo, e*. En las frases *mi ta kontentu* _ - _ - _ 'estoy contento' y *mi ta tristu* - _ - _ 'estoy triste', se produce la polarización del tono de *ta* con el de la sílaba siguiente: *kontentu* _ - _ y *tristu* - _, respectivamente, y después se produce la polarización del tono de *mi* con el tono adoptado por *ta*;

c) la sílaba final de las voces graves, con tono alto en la penúltima sílaba, no tiene tono fijo. Comparemos las siguientes frases:

e kaminda largu - _ - _ - _ 'el camino largo'

con

e kaminda kòrtiku - _ - - _ - _ 'el camino corto'

y

e ta muchu largu - _ - _ - _ 'es muy (demasiado) largo (-a)'

con

e ta muchu kòrtiku - _ - - _ - _ 'es muy (demasiado) corto (-a)'.

Notamos que el tono de la última sílaba de *kaminda* y *muchu* ha cambiado, por la disimilación o polarización del mismo con el tono de la sílaba inmediatamente siguiente de *largu* y *kòrtiku*, respectivamente.

Cuando las voces graves con tono alto en la penúltima sílaba van seguidas por una palabra monosílaba que empieza con vocal, no se produce la disimilación o polarización de la sílaba final, que no tiene tono fijo, sino todo lo contrario: un fenómeno de asimilación tonal, como en los siguientes ejemplos:

e kaminda a keda bon trahá - _ - - - _ - - _ - 'El camino quedó bien construido';

e kaminda e hòmber ta buska - _ - - - - _ - _ - 'El hombre busca el camino'.

En casos como *álfabèt* 'alfabeto', *kuchú* 'cuchillo', que no son graves y no tienen tono alto en la penúltima sílaba, el tono de la sílaba final no varía:

álfabèt chines - _ - _ - 'alfabeto chino'

y

álfabèt sueko - _ - - _ 'alfabeto sueco'

o

kuchú skerpi _ - - _ 'cuchillo afilado'

y

kuchú hulandes _ - _ _ - 'cuchillo holandés';

d) los verbos bisílabos tampoco tienen tono fijo. Generalmente, el infinitivo tiene el patrón tonal _ -. De manera que *tapa* _ - significa 'tapar, cubrir' y *tapa* - _ significa 'tapa', pero también puede ser la forma imperativa del verbo: 'tapa, cubre; tape(n), cubra(n)'. Igualmente, *benta* _ - significa 'vender' y *benta* - _ 'venta', pero es también la forma imperativa del verbo: 'echa, arroja; eche(n), arroje(n)'.

Otro aspecto estrechamente vinculado al sistema tonal es la entonación. Se habla de entonación «cuando el rasgo tonal, como manifestación de la frecuencia fundamental, desempeña una función lingüística al nivel de la oración» (Quilis 1982: 9). Todas las lenguas tienen entonación afirmativa, negativa, interrogativa, exclamativa, etc., que implica un cambio de significado a nivel de la oración. Esto ocurre también en las lenguas tonales, en las cuales el tono tiene papel fonológico a nivel de la unidad léxica. En papiamento, el patrón tonal de la frase varía según el tipo de frase: enunciativo, interrogativo, afirmativo o negativo. Así, en la frase

outo grandi riba kaya 'automóvil grande en la calle'

el patrón tonal es - _ - _ - _ - _. En la interrogativa

outo grandi riba kaya? '¿automóvil grande en la calle?',

el patrón tonal es - - - - - _ - -, mientras en la frase negativa

no outo grandi riba kaya 'no (hay un) automóvil grande en la calle',

el patrón tonal es - - - - - - - - _. Nos ocuparemos aquí sólo de la entonación neutral de la frase afirmativa, que, de por sí, es bastante compleja, porque las entonaciones negativas, interrogativas, etc. requieren otros patrones tonales. Para ilustrar mejor la complejidad del aspecto presentamos unos ejemplos más:

papa su papa - _ - - _ 'la papilla del papa'
papa su papa - _ - _ - 'el padre del papa'
papa su papa _ - - - _ 'la papilla de papá'
papa su papa _ - - _ - 'el padre (el papá) del papá'
tur ta mata - _ - _ 'todas son plantas'
tur ta mata - - _ - 'todos matan'
nos ta rei - _ - 'somos reyes'
nos ta rei - - - 'adivinamos'.

En el caso del último ejemplo, la realidad es más complicada todavía, debido al tono descendiente del diptongo de *rei*, que debería indicarse por una línea que desciende. Por otra parte, como la partícula *ta* verbal tiene tono alto fijo (Römer 1974), los patrones tonales para la frase *nos ta rei* deberían ser - _ --, cuando significa 'somos reyes', y - - --, cuando significa 'adivinamos'.

Las lenguas tonales tienen dos o más niveles tonales y se caracterizan por un descenso gradual, *downdrift*, de todos los tonos. En papiamento este descenso no es automático, sino inherente a la entonación neutral de la frase afirmativa. El patrón tonal de la misma debería representarse por una serie escalonada de rayas, como unas terrazas que descienden en la ladera de una montaña. Por eso, algunos lingüistas han denominado estos idiomas «lenguas tonales de terraza», con descenso gradual. He aquí un ejemplo con que intentamos representar el patrón tonal con el descenso gradual en terrazas: *nos a kome te harta* ¯ ¯ _ - - _ - 'comimos hasta hartarnos'. Pero es obvia la dificultad de determinar a ciencia cierta la línea exacta del descenso gradual de la altura de los tonos subsiguientes y más difícil aún anotar gráficamente esos tonos.

Debido a esta situación tan compleja, los papiamentistas, incluidos los papiamentohablantes nativos, no han llegado todavía a un consenso total en lo que se refiere a la indicación gráfica de los tonos en el papiamento.

FONÉTICA Y FONOLOGÍA

III

EL SISTEMA VOCÁLICO

Römer (1991: 42) presenta un sistema triangular de diez fonemas vocálicos, con cinco grados de abertura:

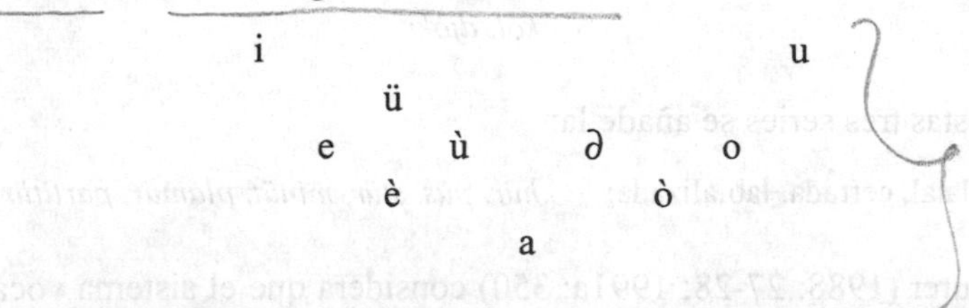

Todos los fonemas vocálicos están representados en la ortografía oficial por los mismos símbolos, excepto /∂/, representado por el grafema *e*. Para Maurer (1988; 1991a) esta *e* representa una *e* muda o *schwa* y no tiene estatus de fonema. Römer precisa que esta /∂/ puede aparecer sólo en sílabas átonas. En nuestra descripción nos atenemos al sistema propuesto por Römer, que es, a la vez, el de la *Ortografia* (: 3).

La serie anterior (palatal) está constituida por:

/i/,	palatal, cerrada:	*iglesia, inventivo, iritá, chikí, riba, tin, kis, nir, wil, firkant*
/e/,	palatal, medio-cerrada:	*efisiensia, evidente, evento, sker, pechu, tres, smer, lele, ter, nechi*

/è/, palatal, medio-abierta: *èmber, èrko, èrmèn, nèchi, bèl, kèns, etikèt, skèr*

La serie central la representan los fonemas:

/a/, central, abierta: *akabado, aliniá, altar, aislamentu, tapa, para*
/ə/, central, medio-cerrada: *tiger, laker, pober, nòmber, liber*
/ù/, central, medio-cerrada, labializada: *bùs, brùg, kùr, mùf, trùk, kontrolùr, Uranùs*

La serie posterior (velar) está constituida por:

/u/, velar, cerrada: *umedat, urgensha, usual, uzu, uzamentu, mundu, tuma, hunga, pus*
/o/, velar, medio-cerrada: *oásis, ofisina, orégano, pos, boka, kome, loko*
/ò/, velar, medio-abierta: *òktaf, òmelèt, òpstèl, bònchi, kòlòkòlò, kòl, djòki*

A estas tres series se añade la:

/ü/, palatal, cerrada, labializada: *hür, püs, stür, minüt, plamür, partitür.*

Maurer (1988: 27-28; 1991a: 350) considera que el sistema vocálico está constituido por nueve fonemas (hemos visto antes que el estatus de /ə/ es discutible) y tres semiconsonantes:

/w/, bilabial: *warda, watapana, wea, werp, wesu, wikènt, wiski, wowo, kuater, kuenta, kuota*
/j/, alveolopalatal: *biaha, fiesta, fius*
/j̃/, alveolopalatal nasal: *kaña, haña, huña, isleño, gaña, baña, ñaña.*

Para el autor citado, el fonema /j̃/ presenta dos alófonos: [ɲ] en posición inicial absoluta de palabra e [j̃] en posición intervocálica, cuando el fonema nasaliza la vocal precedente y, posteriormente, a veces, puede desaparecer, como en el caso de *haña/haya* 'encontrar'; *mañan/mayan*; *kañon/kayon*. Birmingham Jr. (1971: 25) cree, en cambio, que, en casos como éste se trata de una oposición nasal : no nasal que realizan los fonemas vocálicos papiamentos, como en *kaña* [kãj̃a] 'caña' : *kaya* [kaja] 'calle'[1]. El origen de la semiconsonante /j/ es muy probablemente africano, opina Maurer, citando a Granda (1994: 424-439), porque se encuentra en el criollo francés haitiano, seychellés y el criollo portugués de Annobón; por otra parte, la realización nasalizada en posición intervocálica es un fenómeno característico de las lenguas africanas kwa (Maurer 1988: 29, nota 1 y comunicación personal). Granda afirma que varias lenguas africanas como el yoruba, el edo «y, quizá, otras lenguas de la región centro-meridional de Nigeria [...] consideran las realizaciones [j̃] y [ñ] como alófonos de un único fonema» (Granda 1994: 424-439).

No compartimos la opinión de Maurer, por varias razones. Maurer considera que /j̃/ es una semiconsonante con dos alófonos, cuando, en realidad, habría que distinguir entre un fonema consonántico nasal /ɲ/ y una vocal nasalizada bajo la influencia de una nasal, /ĩ/. Además, como subraya él mismo, cuando a una vocal le sigue una nasal, la vocal siempre se nasaliza: *mainta* 'mañana' se pronuncia [ma'ĩnta] o [ma'ĩta]. Por otro lado, hemos visto que, en varios casos, la oposición /j̃/ : /j/ se neutraliza a favor de la realización vocálica no nasalizada (véase «El sistema consonántico»). Finalmente, tanto Römer (1991: 43) como la *Ortografia* (: 9) incluyen en el sistema consonántico papiamento el fonema /ɲ/, que para Maurer existe sólo como alófono de /j̃/.

Un análisis somero del sistema vocálico papiamento pone de manifiesto la participación del holandés en la formación y desarrollo del nuevo criollo. Con los préstamos léxicos, fundamentalmente holandeses, pero también de otras lenguas europeas con las que estuvo

[1] Birmingham Jr. apoya su afirmación en la descripción que da Ismael Silva-Fuenzalida en su tesis doctoral *Papiamentu Morphology*, Northwestern University, 1953.

en contacto, en el naciente criollo penetran elementos de otros sistemas vocálicos no románicos, que, si bien pueden existir en el español o portugués como realizaciones fonéticas individuales, no tienen estatus fonológico en estas lenguas. Al principio, como es lógico, estos elementos tuvieron una distribución limitada a los préstamos, pero, con el paso del tiempo, a medida que se forjaba y cristalizaba la nueva lengua, se han ido integrando en el sistema vocálico de la variedad española hablada en las islas. Debido a las evoluciones fonéticas operadas durante la génesis del criollo, palabras de distintos orígenes y con diferentes significados llegan a formar parejas mínimas, en las que la función distintiva la desempeñan nuevas correlaciones con papel fonológico como las de abertura, localización y labialidad.

Ilustramos el proceso con el caso de /è/, /ò/, que llegan a ocupar, en papiamento, la misma posición que /e/, /o/, creando parejas mínimas de tipo *sker* 'romper, rasgar, desgarrar', / *skèr* 'tijeras'; *nechi* 'nuez' / *nèchi* 'bonito, guapo; elegante'; *bonchi* 'judías' / *bònchi* 'paquete'; *kolokolo* 'raspadura de comida pegada a la olla' / *kòlòkòlò* 'papada, sotabarba' (Maurer 1988: 27).

De esta manera, el sistema vocálico del papiamento se enriquece con los fonemas /è/, /ò/, /ù/, /ü/, /ə/ del holandés (y/o del inglés, francés). Algunos de éstos existen también como alófonos de fonemas vocálicos españoles, generalmente realizaciones individuales o dialectales, mientras otros proceden de las lenguas que participaron en la formación del criollo. Se advierte, en muchos casos, una cierta tendencia de la lengua hacia las realizaciones abiertas de /e/, /o/ en voces de origen español, notadas también en la escritura, como en *fiernu* (< esp. *infierno*), *berdè* (< esp. *verde*), *perdè* (< esp. *perder*), *modèrno, modèrnu* (< esp. *moderno*), *dòrna* (< esp. *adornar*), *bòltu* (< esp. *voltear*), *ròm* (< esp. *ron*), etc[2].

---

[2] La [è] no aparece marcada en algunos ejemplos como vocal medio-abierta, porque según la *Ortografía* (: 6), en la combinación *e + r* en sílaba inicial, la *è* no debe llevar acento grave: *kuerdè, perdè, spiertu.* En todos estos ejemplos, la sílaba inicial presenta una /è/.

Como resultado de estas transformaciones, el sistema vocálico del papiamento presenta las siguientes características que le distinguen del sistema español:

La correlación de cierre tiene, según la descripción de Römer (1991: 42), cinco grados de abertura: abierto, medio-abierto, medio-cerrado, cerrado y muy cerrado. No obstante, creemos que el fonema /ü/ tiene aproximadamente el mismo grado de abertura que /i/, /u/, lo que nos conduce a un sistema con cuatro grados de abertura[3].

La correlación de localización se fortalece mediante el enriquecimiento de la serie media con los fonemas /ù/ y /ə/ (este último con estatus discutible).

La correlación de labialidad se consolida también mediante la aparición de /ü/ y /ù/. Finalmente, en la serie anterior aparece el fonema anterior labializado /ü/.

Maurer (1988: 28) cree haber identificado también oposiciones de cantidad vocálica a nivel fonético. Así, por ejemplo, según él, existe una diferencia de cantidad entre la [a:] de *wak* 'mirar' y la [a] de *kap* 'cortar leña'. El estatus fonológico de esta oposición «reste toutefois à définir», concluye el autor. Existe, eso sí, una diferencia de cantidad entre [a] + consonante, excepto [r], y [a] + [r]: *spak : spar, pak : par*. La oposición queda limitada con valor fonológico sólo en parejas de palabras de origen holandés que han pasado al papiamento sin sufrir, prácticamente, algún proceso de adaptación.

La conclusión que se impone de forma clara es que el sistema vocálico papiamento refleja la situación lingüística del período de su formación, cuando en el tronco hispánico han venido injertándose las otras lenguas de input habladas en las islas ABC.

Si estudiamos los glosarios de voces papiamentas ofrecidos por Hoyer (1950), Maduro (1953), Lenz (1928), o los más modernos diccionarios y trabajos lexicográficos de Joubert (1991; 1994) y Dijkhoff (1991), observamos que muchas palabras representan evolu-

---

[3] No hemos tenido la posibilidad de confirmar esta afirmación mediante experimentos de laboratorio.

ciones fonéticas en terreno papiamento de voces españolas. Además, gran parte de estos cambios fonéticos se verifica en diversas variedades del español, especialmente americanas. Maduro (1953: 26) llamó la atención sobre este aspecto, destacando que las leyes fonéticas que actúan en papiamento son, en su mayor parte, las mismas que en español. Existen también, sin embargo, fenómenos que pueden explicarse sólo por evoluciones internas propias del papiamento, independientes del español (Rona 1971; 1976), o por la influencia de las lenguas en contacto en el período de formación y evolución de este criollo.

Analizamos, a continuación, algunos de estos fenómenos en el dominio vocálico.

1. Vocales tónicas

Es sabido que las vocales tónicas presentan, habitualmente, mayor estabilidad. En la mayoría de los casos estudiados, en papiamento las vocales tónicas no sufren modificaciones importantes en el proceso de nacimiento del criollo y, generalmente, se transmiten inalteradas de las lenguas de input al papiamento. Presentamos algunos ejemplos:

[a]: *aña* (< esp. *año*), *paña* (< esp. *paño*), *kaya* (< esp. *calle*), *gaba* (< pg. *gabar*), *brasa* (< esp. *brazo*), *plaka* (< pg. *placa*), *bas* (< hol. *baas* 'amo; jefe'), *lat* (< hol. *laat* 'tarde') (cf. Lenz 1928: 195).

[e]: *hende* (< esp. *gente*), *bebe* (< esp. *beber*), *berdè* (< esp. *verde*), *drechi* (< esp. *derecho*), *yen* (< esp. *lleno*), *kareda* (< esp. *carrera*), *sterki* (< hol. *sterk* 'poderoso, fuerte') (cf. Lenz, *loc. cit.*).

[i]: *bida* (< esp. *vida*), *riku* (< esp. *rico*), *skirbi* (< esp. *escribir*), *shinishi* (< esp. *ceniza*), *galiña* (< pg. *galinha*), *bisiña* (< pg. *visinho*, esp. *vecino*), *hik* (< hol. *hik* 'hipo'), *nister* (< hol. *nies* 'estornudo', *niezen* 'estornudar') (cf. Lenz: 1928: 196).

Lenz (*loc. cit.*) menciona un solo caso en el que [i] > [e]: hol. *ringetje* > pap. *renchi*. En realidad, no se trata del paso [i] > [e], ni tampoco de un fenómeno propio del papiamento, sino de una interpretación errónea: la *-i-* del hol. *ringetje* se pronuncia como una [e] medio cerrada y pasa como tal al papiamento, como en *bleki* (< hol. *blik* 'hojalata'). En cambio, hay otros casos de [i] > [e], como esp. *simple* > pap. *simpel; sempel* en el habla popular, bajo la influencia del holandés.

[o]: *anochi* (< esp. *anoche), kos* (< esp. *cosa), gordo* (< esp. *gordo), oro* (< esp. *oro*) (cf. Lenz 1928: 196).

Otro fenómeno, más interesante, es [o] > [u] en las palabras de origen español: *tur* (< esp. *todo*), *surdu* (< esp. *sordo*). Lenz (*loc. cit.*) considera que esta transformación se produjo por la influencia del portugués, donde las palabras correspondientes presentan una [u] en vez de [o]*: tudo, surdo*. La explicación es posible y no puede ser rechazada de plano. Sin embargo, no nos parece de más señalar que este fenómeno se produce en muchas regiones hispanohablantes de América. Presentamos algunos ejemplos: *divorcio : divursio*, en Méx., C. Rica, Arg. (Cárdenas 1967: 18; Boyd-Bowman 1960: 31; Agüero 1962: 126; Vidal de Battini 1949: 34), *garrocho : garrucha, vidorria : vidurria*, en Ec. (Toscano Mateus 1953: 53) o *cómplice : cúmplise : cumplis, floripondio : florifundio*, en Méx. (Hills *et al.* 1938: 289). Estos ejemplos nos permiten opinar que el cambio [o] > [u] en sílaba tónica en las voces papiamentas de origen español representa más bien una tendencia interna de evolución propia del español americano y no el resultado de la influencia ejercida por otra lengua. Tales tendencias se manifiestan siempre con mayor intensidad en situaciones de contacto e interferencia entre diferentes sistemas lingüísticos, cuando se produce un debilitamiento de la norma (véase «Contacto lingüístico y criollización»).

Finalmente, se registra también la transformación [o] > [a], en voces papiamentas de origen inglés: *shap* (< ingl. *shop* 'taberna'), *waf* (< ingl. *warf* 'muelle en los puertos'), *djap* (< ingl. *job* 'empleo')[4]. Los ejemplos son relativamente pocos y la única explicación posible es la pronunciación muy abierta de la [o] en inglés, asimilada por los hipano- y papiamentohablantes a una vocal central abierta.

[u]: *gustu* (< esp. *gusto*), *yuna* (< esp. *ayuno, ayunar*), *uña* (< esp. *uña*), *duda* (< esp. *duda, dudar*), *lus* (< esp. *luz*), *buki* (< hol. *boekje* 'libro') (cf. Lenz 1928: 197).

Llaman la atención algunos casos registrados por Lenz (*loc. cit.*), en los que la [u] tónica de las palabras españolas se abre a una [o] u [ò], como en *hòrta* (< esp. *hurtar*), *soda* (< esp. *sudar*).

Ahora bien, si aceptamos la hipótesis de que los verbos papiamentos de origen español tienen como étimo la forma de infinitivo, dado que los hispanohablantes simplificaban, en un esfuerzo consciente, su propio sistema lingüístico para hacerse comprender (Hall Jr. 1966), resulta que la voz española presentaba una [u] átona, no tónica. Y es sabido que la oscilación [u] : [o], igual que la oscilación [i] : [e] en la serie anterior son muy frecuentes en el español peninsular de los siglos XVI-XVII y en el español dialectal y popular contemporáneo peninsular y americano (Wagner 1949: 85; Rosario 1970: 30. Véase también «El español llevado a América - 1. El español del siglo XVI y comienzos del siglo XVII»). Si bien, según Lapesa (1959), estas fluctuaciones van desapareciendo a lo largo del siglo XVI en el español peninsular, conservándose sólo algunos casos de cierre de *e, o*, en *i, u*, en las variedades canarias y americanas el fenómeno perduró más, incluso hasta finales del siglo XVIII en algunas regiones, y se mantiene hasta hoy día en variedades rurales o populares (Fontanella de Weinberg 1993: 62).

---

[4] La palabra *warf* penetró en varias modalidades del español americano con una forma casi idéntica y con el mismo significado: *uafe, guafe*, en Ant., Col., Hond., Pan. (Sala, Munteanu, Neagu, Şandru-Olteanu 1982: I, 334).

Por otra parte, es conocido el hecho de que ya en el latín tardío se manifiesta la tendencia a la neutralización de las oposiciones de abertura en posición átona, especialmente cuando las vocales entraban en la misma correlación de labialidad (Iordan, Manoliu 1989: I, 151), y se atestiguan confusiones entre *e, i* y *o, u*.

Si consideramos que los verbos papiamentos se derivan de las formas paradigmáticas más usadas, generalmente, del imperativo o presente del indicativo, podríamos explicar el proceso de abertura de la [u] etimológica española en el caso de *hòrta* y *soda* por influencia de la [a]. Ésta puede ser átona o tónica, según las distintas formas paradigmáticas: átona, en el presente del indicativo de las personas 2, 3, 6 o imperativo singular, y tónica, en el presente del indicativo de las personas 4, 5 o imperativo plural.

Lenz (1928: 196) dedica un párrafo especial a los casos en los que las vocales *e, o* de las palabras españolas se cierran en papiamento en *i, u*, respectivamente. Y precisa que este fenómeno se produce cuando [e], [o] tienen «acento dudoso». Presentamos unos ejemplos como botón de muestra: esp. *quemar* > pap. *kima*, esp. *vengar* > pap. *venga, vinga*, esp. *venir* > pap. *bini*, esp. *llevar* > pap. *hiba*, esp. *sentar(se)* > pap. *sinta*, esp. *comprar* > pap. *kumpra*, esp. *volar* > pap. *bula*, esp. *correr* > pap. *kore, kuri*, esp. *dormir* > pap. *drumi*. En el caso de *kima, vinga, bini*, Lenz (*loc. cit.*) invoca la influencia del portugués para explicar el fenómeno, mientras en el caso de voces como *hiba*, el autor citado cree que el cierre de la [e] se debe a la palatal [λ].

Otra posible explicación sería, a nuestro juicio, la vacilación de abertura antes mencionada. Si los verbos papiamentos de origen español se derivan de la forma de infinitivo, las oscilaciones [o] : [u] y [e] : [i] son fácilmente explicables, porque las respectivas vocales se encontrarían en sílabas átonas. Si aceptamos la hipótesis de formas paradigmáticas de imperativo o indicativo como étimos de los respectivos verbos papiamentos, podríamos encontrarnos con dos fenómenos diferentes: uno, cuando [o] > [u] en sílaba tónica como resultado de una tendencia del español americano y del papiamento:

kumpra, kuri, drumi, igual que *tur, surdu;* otro, cuando [i], [u] de verbos como *bula, sinta* podrían ser las soluciones finales de un largo e interesante proceso de diptongación : monoptongación, que estudiaremos a continuación.

1.1. *Oscilación vocal simple ↔ diptongo*

En numerosas modalidades regionales y en variedades diastráticas (habla popular descuidada, habla rural) del español se registra con frecuencia el fenómeno de oscilación vocal simple : diptongo en sílaba tónica o átona, de tipo [o] : [we], [we] : [o] y [e] : [je], [je] : [e] (Lapesa 1959: 303; Wagner 1949: 13; Zamora Vicente 1967: 385). He aquí unos ejemplos: *esconde : escuende, dobla : duebla, rompa : ruempa, responda : respuenda*, en Arg. (Malmberg 1950: 48; Toro 1930: 126); *nuevecientos : novecientos*, en Arg. (Donni de Mirande 1968: 27); *pues : pos*, en C. Rica, Col. (Agüero 1962: 128; Flórez 1951: 90-91); *nuestro : nostro*, en Col. (Flórez 1951: 90-91); *desde luego : desde logo, Fuencarral : Foncarral*, en Pan. (Alvarado de Ricord 1971: 44); *diferencia : diferiencia*, en Méx., C. Rica, Col. (Hills *et al*. 1938: 221; Agüero 1962: 130; Flórez 1965: 20); *desavenencia : desaveniencia*, en C. Rica, Arg. (Agüero 1962: 130; Donni de Mirande 1968: 27); *brega : briega, aprende : apriende*, en Col. (Flórez 1951: 98); *enredo : enriedo, ferrocarril : fierrocarril*, en Arg. (Toro 1930: 125); *apariencia : aparencia*, en Méx., C. Rica, Guat., Cuba, Col., Ec., Arg., Chile (Toscano Mateus 1953: 71; Donni de Mirande 1968: 27; Vidal de Battini 1949: 38); *paciencia : pacencia, conciencia : concencia, ciencia : cencia*, en C. Rica, R. Dom., Chile (Agüero 1962: 130; Henríquez Ureña 1939: 83; Lenz 1940: 183); *quien : quen, cualquiera : cualquera*, en Méx., Arg., Chile (Boyd-Bowman 1960: 43-44; Vidal de Battini 1949: 37; Oroz 1966: 63).

Esta situación nos permite suponer que el español antiguo conoció también este fenómeno, sobre todo si tenemos en cuenta la situación general de la lengua hasta el siglo XVI. Es sabido que el español atravesó un período de vacilaciones fonéticas que finalizó con la fijación de ciertas formas en detrimento de otras, sin que la preferencia por una u otra forma obedeciera a unas determinadas leyes. Así se explica la forma *saldrá*, no **salirá*, al lado de la forma *dolerá*, no **doldrá*, que se conserva, no obstante, en algunas modalidades diatópicas (véase «El español llevado a América - 1. El español del siglo XVI y comienzos del siglo XVII»), así como la conservación en la lengua actual de dobletes con vocal simple y diptongo. A veces estos dobletes son sinónimos, como *ascendente : ascendiente, descendiente : descendente*; otras veces, tienen una esfera semántica restringida y delimitada para cada una de las formas, como *cemento : cimiento*.

Otro argumento a favor de nuestra afirmación lo ofrecen las modalidades judeoespañolas de Salónica, Constantinopla y Bucarest, que presentan formas con diptongo para las voces que en el español común tienen vocal simple y viceversa, así como dobletes con diptongo y vocal simple, que coexisten. Damos unos ejemplos: *adentro : adientru, bondad : buendad, aprieto : apretu, tuétano : tútano, queso : kiezu : kezu, codo : kuédu : kódu, quien : ken : kien* (Sala 1971: 36).

Finalmente, no debemos olvidar que la aparición y extensión de los diptongos se produce con frecuencia en el paradigma verbal del habla popular (véase «El español llevado a América - 3. El español popular»).

Todos estos hechos nos autorizan a suponer que en el período de formación y cristalización del papiamento, aproximadamente la segunda mitad del siglo XVII, el español que se hablaba en las Antillas holandesas conocía, igual que en otras regiones americanas, dobletes con diptongo y vocal simple. En la nueva modalidad que se va gestando en este período, se ha ido imponiendo una u otra forma (Rona 1971), sin que podamos identificar determinadas leyes que explicaran la preferencia de la lengua por una de ellas. Esta hipótesis se basa fundamentalmente en aspectos concretos del papiamento actual: existen palabras de origen español o portugués que presentan diptongo cuando sus correspondientes en las respectivas lenguas presentan vocal simple y viceversa, como, por ejemplo: *di ripiente* (< esp., pg. *de repente*), *ketu* (< esp., pg. *quieto*), *awe* (< esp. *hoy*), *wea* (< esp.

olla), *wowo* (< esp. *ojo*, pg. *olho*), o, en el papiamento rústico, *wotro* (< esp. *otro*) y *wocho* (< esp. *ocho*). No nos parece de más destacar, como argumento a favor de nuestra hipótesis, que una forma como el pap. *awe* no es un caso aislado, ya que encontramos en asturiano *agüey*, igual que en el palenquero, en leonés *gwéi* y en español antiguo *hue* (Maduro 1992: 16; 83). Más difícil parece ser el caso del pap. *wea*, pero es de suponer que el proceso conoció varias etapas: esp. *olla* > pap. _*oya_ o _*woya_ (Maduro 1992: 15) > pap. _*weya_ (Lenz 1928: 205) > pap. *wea*. Respecto de esto, Lenz (1928: 205) observa que

> la consonante prepalatal escrita *ll* en español, *lh* en portugués pasa en papiamento, lo mismo que en gran parte del Sur de España i de la América española a *y* y se confunde a veces con *ñ*. La *y* entre vocales a veces se pierde i la terminación *yo* pierde la *o: gai*, c. gallo; *kabai*, c. caballo; *kabei*, c. cabello [...].

Rona (1971) propone una interesante explicación para el fenómeno de oscilación vocal simple ↔ diptongo en el papiamento. Según su teoría, la población indígena de Curazao comenzó a hablar español inmediatamente después del descubrimiento de la isla (1499), pero sobre todo después de ser ésta incorporada al Imperio español, junto con Aruba y Bonaire (1527). Evidentemente, como no se trataba de un aprendizaje sistemático, los indígenas empleaban una(s) forma(s) del paradigma verbal, generalmente, la(s) que oían con más frecuencia, concentrando su atención en el significado y no en la categoría gramatical. Por esta razón, las alternancias [o] : [we], [e] : [je], que se producen en la flexión verbal española no revestían demasiada importancia para este componente de la futura población papiamentohablante (véase «Contacto lingüístico y criollización - 2. Comprensión y producción de textos en condiciones de contacto lingüístico»). Ahora bien, de acuerdo con el principio saussureano según el cual en una lengua existen sólo identidades y oposiciones (Saussure 1959: 185 y sigs.), en el papiamento se produjo la obligada equivalencia vocal simple = diptongo también en las palabras no verbales.

Hemos visto («Contacto lingüístico y criollización - 1. Simplificación de los sistemas en la periferia») que en las condiciones del contacto lingüístico, los hablantes que no dominan o que conocen imperfectamente el sistema prestador toman de él las palabras sin su flexión original, porque las modificaciones morfológicas que implica la flexión cambian bastante, a veces, el aspecto de la palabra. Estos cambios pueden influir en la capacidad del hablante de reconocer la palabra, fundamentalmente su significado, y, de este modo, dificultar la comprensión del mensaje o disminuir la capacidad de comunicación. Por eso, podemos suponer, junto con Rona, que, en una primera fase de aprendizaje, los amerindios que iban adquiriendo el español como segunda lengua, igual que, más tarde, los esclavos africanos, asociaban a lo máximo dos formas verbales con el mismo sentido, estableciendo una equivalencia entre los significantes. Sin embargo, a esta explicación del fenómeno de oscilación vocal simple ↔ diptongo, habría que añadir otras, de carácter más general.

Es conocido el hecho de que, en su fase primitiva, las lenguas románicas conocieron el fenómeno de diptongación de las medias *e, o* abiertas en posición tónica (Iordan, Manoliu 1989: I, 137). En español, la diptongación se produce tanto en sílaba libre, como en sílaba trabada y, según Lapesa (1959: 92), se manifiesta desde la época visigótica. Por otra parte, en el español antiguo se atestigua la tendencia a reducir los diptongos, tendencia que sigue manifestándose todavía con frecuencia en variedades regionales y en el habla popular del español actual (García de Diego 1959: 357; Boyd-Bowman 1960: 43; Fontanella de Weinberg 1993: 63). En Curazao, una vez instaurada la dominación holandesa en la isla, el español (hablado por indígenas, esclavos, hispanoamericanos establecidos temporal o definitivamente allí y sefardíes), queda aislado de la norma metropolitana. Liberado de la presión normalizadora de la lengua culta, la modalidad curazoleña empieza a manifestar sus tendencias internas de evolución más intensamente. El fenómeno no es aislado y se nota en distintas regiones de la América hispanohablante donde se dieron circunstancias sociopolíticas similares (Malmberg 1950: 9). Por tanto, en el papiamento se han ido imponiendo formas con vocal simple o diptongo, según las tendencias internas propias del español del siglo XVII, en plena ebullición y evolución en las condiciones particulares generadas por la situación de contacto lingüístico, formas correctas o incorrectas desde el punto de vista de la norma culta. En defensa de nuestra afirmación abogan dos hechos básicos: primero, el proceso de oscilación se manifiesta en muchas palabras papiamentas no verbales, como hemos destacado ya; segundo, una serie de voces papiamentas presentan fenómenos de monoptongación que no siempre tienen equivalentes en un paradigma verbal; por lo cual es difícil aceptar que dicho fenómeno se hubiese extendido de determinadas formas verbales a otras palabras no verbales. Bien es verdad que en muchos de estos casos no podemos descartar el origen o la influencia del portugués, lengua románica donde las vocales medias abiertas *e, o* tónicas no suelen diptongar. Por otro lado, a pesar de esta posibilidad, no podemos olvidar que se registran fenómenos de monoptongación idénticos a los del papiamento en diferentes variedades regionales del español, como lo ilustran los siguientes ejemplos:

[we] > [o]: *porko* (esp. *puerco*), *porta* (esp. *puerta*), *morto* (esp. *muerte*), *torto* (esp. *tuerto*), igual que *pues : pos*, en C. Rica, Col. (Agüero 1962: 128; Flórez 1951: 9-191 *passim*); *desde luego : desde logo, Fuencarral : Foncarral*, en Pan. (Alvarado de Ricord 1971: 44); *nuestro : nostro, nuevecientos : novecientos*, en Arg. (Donni de Mirande 1968: 27); *tuesta : tosta, engruesa : engrosa*, en Arg. (Fontanella de Weinberg 1993: 143); *amuebla : amobla, avergüenza : avergonza, cuelga : colga, fuerza : forza, rueda : roda* y otros, en Chile, al lado de casos de oscilación diptongo : vocal simple de tipo *asola, degolla, desolla, torza, ola, morda*, junto a *duebla, cuesa, escuenda, espuelea, tuesa,* etc. (Oroz 1966: 312-316);

[we] > [u]: *kurpa* (esp. *cuerpo*), igual que *tuétano : tútano*, en el judeoespañol (Sala 1971: 37) y en Méx., C. Rica (Toscano Mateus 1953: 71; Vidal de Battini 1949: 37); *pues : pus*, en Col., Chile (Cuervo 1954: 732; Oroz 1966: 65);

[we] > [e]: *kestion* (< esp. *questión*), igual que *prueba : preba,* (dobletes existentes también en papiamento), *apruebo : aprebo, grueso : greso*, en asturiano y otras variedades dialectales peninsulares, así como en Méx., C. Rica, P. Rico, Col. (Boyd-Bowman 1960: 42; Hills *et al.* 1938: 111; 360; Agüero 1962: 128; Flórez 1951: 90); *compruebo : comprebo : compreo, mueca : meca*, en Chile (Oroz 1966: 65)[5];

[je] > [e]: *movementu* (< esp. *movimiento*), *sintimentu* (< esp. *sentimiento*), *ken* (< esp. *quien*), *oudiensia*, (pop.) *ordensia* (< esp. *audiencia*), *pasenshi* (< esp. *paciencia*), *konsenshi* (< esp. *conciencia*), *sensia* (< esp. *incienso*, gal. pg. *encenso*), igual que *apariencia : aparencia*, en Méx., C. Rica, Guat., Cuba, Col., Ec., Arg., Chile (Toscano Mateus 1953: 71; Donni de Mirande 1968: 27; Vidal de Battini 1949: 38); *paciencia : pacencia, conciencia : concencia, ciencia : cencia*, en C. Rica, R. Dom., Chile (Agüero 1962: 130; Henríquez Ureña 1939: 83; Lenz 1940: 183); y muchos otros ejemplos como *riega : rega, hiela : hela, aprieta : apreta, yerra : erra* que se encuentran no sólo en el habla rural y popular de América, sino también en hablantes de nivel socioeducacional medio y alto de varias regiones (Fontanella de Weinberg 1993: 143). Oroz (1966: 312-316) ofrece una larga lista de formas verbales que, en el habla rural de Chile, presentan oscilaciones diptongo : vocal simple, como *acrecenta, arrenda, cimenta, desmembra, desplega, frega, ingera, menta, quera, quebra, refrega, restrega*, etc., al lado de *aniega, aprienda, conviersa, ofienda*, etc.;

[je] > [i]: *bini* (< esp. *viene*), igual que *dieciséis : dizisés, dieciocho : dizioču*, en el judeoespañol (Hills *et al.* 1938: 110); *iéntico (< idéntico) : íntico*, en R. Dom. (Henríquez Ureña 1939: 142); *riel : ril, hierve : hirve, riesgo : risgo*, en Chile (Oroz 1966: 63).

---

[5] Entre otros ejemplos se podrían citar *rosea* (< esp. *resuello*), con una evolución fonética difícil de explicar; o *nechi* (< esp. nuez). Pero en este último caso no debemos olvidar que existe también la forma *neut(je)* en el holandés regional, lo que autoriza a suponer que el étimo de la voz papiamenta podría ser la palabra holandesa o un cruce entre ésta y la palabra española.

Cuando las voces papiamentas presentan diptongo, como en español, el origen español de las mismas no puede ser negado: *kuenta* (< esp. *cuenta*), *kueru* (< esp. *cuero*), *pleitu* (< esp. *pleito*), *pueblo*, (pop.) *puebel* (< esp. *pueblo*). En cambio, las palabras que presentan vocal simple y cuyo correspondiente español se ha fijado con diptongo en la variedad actual estándar fueron invocadas por varios especialistas como argumento a favor del origen portugués del papiamento, porque en esa lengua no suele producirse la diptongación (véase «Teorías con respecto al origen del papiamento»). Ahora bien, es evidente que no se puede negar el origen portugués de varias de estas palabras papiamentas, como *forsa* (esp. *fuerza*), *porta* (esp. *puerta*), *porko* (esp. *puerco*), *torto* (esp. *tuerto*), *bon* (esp. *bueno*) y otras, pero sin descartar por completo las explicaciones que podrían justificar el posible origen español de algunas de las mismas. Porque, a veces, el significado de la palabra portuguesa considerada como étimo de la correspondiente palabra papiamenta es distinto del significado de esta última. Y no se trata de cambios semánticos operados en terreno propio, sino simplemente de que la palabra papiamenta tiene el significado de la correspondiente española y no portuguesa. Así, pap. *soño* tiene el mismo significado que el esp. *sueño* (gal. pg. *sono*) y no el significado del pg. *sonho* (Rona 1971).

2. Vocales átonas

La característica general de las vocales átonas en todas las lenguas es su gran inestabilidad. Éstas sufren fenómenos de asimilación y disimilación, en la mayoría de los casos, bajo la influencia de la vocal tónica. En posición final e intertónica suele producirse la neutralización de la oposición de abertura o la reducción de la sílaba (Sala 1970: 30 y sigs.).

Las vocales átonas del papiamento presentan, generalmente, todas estas características del vocalismo átono. A continuación, trataremos de agrupar y ordenar los fenómenos registrados en el dominio de las vocales átonas del papiamento.

2.1. *Modificaciones del grado de abertura*

El más frecuente fenómeno de este tipo que se registra en papiamento es la alternancia [e] : [i], [o] : [u]. Nos parece interesante recordar que tales alternancias o confusiones se atestiguan ya en el latín tardío y se difundieron posteriormente en toda la Romania. El fenómeno era más frecuente todavía cuando la vocal media se encontraba en hiato; en esos casos, la tendencia a evitarlo determinaba el cierre y la consonantización de las vocales medias (Iordan, Manoliu 1989: I, 151).

En las lenguas románicas estas confusiones fueron aumentando, tanto en posición protónica, inclusive en sílaba inicial, como, especialmente, en posición postónica, particularmente, en sílaba final.

Las alternancias [e] : [i], [o] : [u] en sílaba átona tienen una difusión bastante grande en diversas variedades diatópicas y diastráticas del español, tanto peninsulares, como americanas (Rosario 1970: 30).

Posición protónica

[e] > [i]: *piká* (< esp. *pecado*), *siman* (< esp. *semana*), *dirti* (< esp. *derretir*), *pida* (< esp. *pedazo*), *milón* (< esp. *melón*).

En el habla popular, el fenómeno es mucho más frecuente y encontramos formas como *enteres, prensipal, envitá* para *interés* (< esp. *interés*), *prinsipal* (< esp. *principal*), *invitá* (< esp. *invitar*).

Como hemos visto («El español llevado a América - 1. El español del siglo XVI y comienzos del siglo XVII»), el cierre de [e] a [i] es una de las características del español medieval y el fenómeno perdura, esporádicamente, en el territorio peninsular hasta el siglo XVII (Lapesa 1959). En cambio, en las variedades canaria y americana el fenómeno está atestiguado hasta el siglo XVIII y se mantiene en la actualidad en modalidades diastráticas de diferentes regiones. De hecho, está muy difundido en la modalidad popular de todo el español americano, inclusive el de los EE.UU. (Wagner 1949: 12; Malmberg 1950: 40; Fontanella de Weinberg 1993: 62; López Morales 1992; Dumitrescu 1993) y canario (Alvar 1972: 64-75; Catalán 1989; Samper Padilla, Cáceres Lorenzo, González Monllor, Munteanu 1994). Según García de Diego (1959: 357) es frecuente también en diferentes modalidades del español peninsular. Presentamos algunos ejemplos, como botón de muestra: *señor : siñor, asegura : asigura, pescuezo : piscuezo, señal : siñal, según : sigún*, en Méx., C. Rica, Pan., R. Dom., Ec., Col., Arg., Chile (Hills *et al.* 1938: 9; 221; 322; 372-373; Boyd-Bowman 1960: 32-35; Agüero 1962: 127; Navarro Tomás 1948: 107; Robe 1960: 34; Alvarado de Ricord 1971: 47; Henríquez Ureña 1939: 79; 83; Toscano Mateus 1953: 56; Cuervo 1954: 738-739; Flórez 1951: 16; 38; Vidal de Battini 1949: 35-36; Malmberg 1950: 40-41; Toro 1930: 128; Donni de Mirande 1968: 22; Lenz 1940: 171; Oroz 1966: 59; 79). Nos parece interesante destacar que en papiamento hay casos en que coexisten dobletes con *e* y con *i*, como *segun : sigun* o *señal : siñal.* Es de suponer que la aparición de las formas con *e* se debe a la presión del español continental, que muchos especialistas han interpretado como un proceso de rehispanización[6].

[o] > [u]: *rudia* (< esp. *rodilla*), *puitu* (< esp. *pollito*), *burachi* (< esp. *borracho*), *kustia* (< esp. *costilla*), *muskita* (< esp. *mosquita*), *muchila* (< esp. *mochila*), *kushina* (< esp. *cocina*), *suta* (< esp. *azotar*), *drumi* (< esp. *dormir*), *muri* (< esp. *morir*), *purba, pruba* (< esp. *probar*).

El cierre de [o] a [u], igual que el fenómeno [e] > [i], es también una característica del español medieval; durante el siglo XVI el fenómeno va disminuyendo y se encuentran sólo casos aislados en el español peninsular del siglo XVII (Lapesa 1959). En las variedades ca-

[6] Clemesha (1981) distingue con acierto entre *hispanización* o *rehispanización* y *sustitución*, concluyendo que la actual *hispanización* consiste sobre todo en la ampliación del vocabulario papiamento mediante préstamos léxicos hispánicos. Este proceso no significa la sustitución del léxico papiamento por otro hispánico y, por tanto, no puede ser definido como descriollización.

naria y americanas el fenómeno perdura hasta el siglo XIX y, de hecho, sigue manifestándose con bastante profusión, en la actualidad, en variedades diastráticas subestándar peninsulares y americanas, principalmente en el habla rural (García de Diego 1959: 357; Fontanella de Weinberg 1993: 62; Samper Padilla, Cáceres Lorenzo, González Monllor, Munteanu 1994). Wagner (1949: 13) y Malmberg (1950: 48) aprecian que, en posición protónica, esta alternancia tiene la misma difusión en el español americano que la alternancia [e] : [i]. Presentamos unos cuantos ejemplos, que se pueden encontrar en cualquier estudio dedicado al español americano: *mochila : muchila*, en Méx., Pan., Col., Arg. (Hills *et al.* 1938: 288; Robe 1960: 35; Flórez 1951: 39; Toro 1930: 130); *morir : murir, abotagarse : abutagarse, escobilla : escubilla, cobija : cubija*, en Chile (Oroz 1966: 79); *fechoría : fechuría*, en Ec. (Toscano Mateus 1953: 56).

Posición postónica

[e] > [i]: *yabi* (< esp. *llave*), igual que *coche : cochi, noche : nochi*, en Méx., C. Rica, P. Rico, Arg., Chile (Hills *et al.* 1938: 9; 281; 357; Cárdenas 1967: 17; Agüero 1962: 127; Navarro Tomás 1948: 48; Vidal de Battini 1949: 35; Oroz 1966: 78).

[o] > [u]: *destinu, distinu* (< esp. *destino*), *testigu, tistigu* (< esp. *testigo*), *puitu* (< esp. *pollito*), *amigu* (< esp. *amigo*), *padrinu* (< esp. *padrino*), *primu* (< esp. *primo*), *chubatu* (< esp. *chivato*)[7], igual que *mío : míu, frío : fríu, martillo : martillu, ancho : anchu, gallo : gallu*, en Méx., C. Rica, P. Rico, Pan. (Boyd-Bowman 1960: 50; Cárdenas

[7] En algunos casos no podemos descartar un proceso más complejo de evolución fonética, difícil de enmarcar en un solo tipo de transformaciones. Así, por ejemplo, *puitu* podría ser resultado del cierre de una de las *o*-es y, después, de una asimilación, regresiva o progresiva, respectivamente. Del mismo modo, *chubatu* podría ser el resultado del cierre de la *-o* final, y, después, de una asimilación regresiva. No obstante, parece más probable que estos casos, igual que *sosodé* (< esp. *suceder*), sean el resultado de un fenómeno de armonización vocálica (véase «2.2. Asimilaciones y disimilaciones»).

1967: 18; Agüero 1962: 132; Navarro Tomás 1948: 49; Robe 1960: 33; Alvarado de Ricord 1971: 47).

Observamos que, igual que en las lenguas románicas, en papiamento es más frecuente la confusión de las vocales posteriores, más exactamente el cierre de [o] en [u], que la de la serie anterior. Llama la atención, en cambio, el cierre de las vocales medias finales en papiamento, porque tanto en español como en portugués, así como en otros idiomas románicos occidentales, *-o, -u* se confunden en *-o*, mientras *-e, -i* se confunden en *-e*, es decir, la confusión se soluciona a favor de las vocales medias, no de las cerradas. Bien es verdad que en el portugués moderno la *-o* se cierra en *-u* y la *-e* se cierra en *-i*, cuando no desaparece (Iordan, Manoliu 1989: I, 152). Pero no podemos explicar este cierre en el papiamento por la influencia del portugués, precisamente porque el fenómeno se produce en el portugués moderno y no existen datos que permitan suponer una fuerte presión de esta lengua sobre el papiamento en los últimos dos siglos.

2.2. *Asimilaciones y disimilaciones*

Las asimilaciones y disimilaciones son un fenómeno frecuente en el habla popular y rural de toda lengua hablada y el español no constituye una excepción. En la modalidad popular del español, tanto peninsular como americana, así como en el español de Guinea Ecuatorial, son muy frecuentes las asimilaciones y disimilaciones, progresivas y regresivas, como lo demuestran los casos que damos a continuación como mera ejemplificación.

Asimilaciones: *añadir : añidir, columpio : culumpio, averiguar : aviriguar, debilidad : dibilidad, catálogo : catálago* (Wagner 1949: 12; Rosario 1970 : 31); *Felisa : Filisa, pedir : pidir, castellano : castelleno, mecánico : macánico* (Quilis 1993: 15).

Disimilaciones: *esperar : asperar, escribir: escrebir, militar : melitar, frazada : fresada, machacar : machucar, murmullo : mormullo* (cf. también Wagner 1949: 12; Rosario 1970: 31).

Quilis (1993: 14-15) cree que en el español de Guinea Ecuatorial los casos de asimilación, que interpreta como «vacilación en el timbre de las vocales [...]» pueden «deberse tanto a la falta de consolidación de su sistema como a la armonía vocálica de las lenguas indígenas».

Una opinión similar manifiesta Birmingham Jr. (1971: 25) y, más recientemente, Lipski (1993: 29) acerca de ciertas asimilaciones en papiamento. A pesar de reconocer que «the data are not as extensive and clear», Lipski (*loc. cit.*) aprecia que las semejanzas en este campo entre el habla 'bozal' caribeño del siglo XIX y el papiamento, más que casuales, deben ser relacionadas con la armonización vocálica característica de las lenguas africanas. Para Lipski (*loc. cit.*), los casos en que las vocales finales procedentes del español o del portugués pueden ser reemplazadas por una «copia» de la vocal tónica trascienden el simple paso de una /e/ átona a una [i] o de una /o/ átona a una [u]. El autor citado señala, al mismo tiempo, que no existen datos sobre la cronología de este eventual proceso de metafonía, es decir, que no se sabe si se produjo solamente en el período de formación del criollo, cuando las vocales paragógicas y epentéticas se añadieron ocasionalmente a las palabras procedentes de las diferentes lenguas de input, o si la tendencia a la armonización vocálica se mantuvo como un proceso activo en etapas posteriores.

Es posible que los factores invocados por Quilis, Birmingham Jr. y Lipski hayan contribuido a la gran difusión del fenómeno. Pero el hecho de que los procesos de asimilación y disimilación son frecuentes en la modalidad popular de toda región hispanohablante, así como de todas las lenguas románicas y de cualquier lengua hablada y que no se caracterizan de ningún modo por la falta de consolidación del sistema o por la metafonía, nos hace inclinarnos más bien a favor de una explicación de carácter más general, de una tendencia propia de cualquier lengua, principalmente el español en nuestro caso, y no de influencias externas. Por otra parte, cuando Birmingham Jr. (1971: 25-26) habla de asimilaciones «(and more specifically metaphony, or vowel harmony), a notable feature of Papiamentu phonology», da, entre otros ejemplos, casos como *sosodé* (< esp. *suceder*), junto a otros, como *komprondé, rospondé* o *paña, aña, biaha, shinishi*. A nuestro juicio, no se trata del mismo fenómeno; *sosodé* puede ser un ejemplo de metafonía[8], mientras los otros, en nuestra opinión, son casos evidentes de asimilaciones.

Asimilaciones

En posición protónica hemos registrado casi exclusivamente asimilaciones regresivas, que se producen por influencia de la vocal tónica o de una vocal de una sílaba siguiente. A continuación, damos unos ejemplos: *trese* (< pg. *trazer*), *midi* (< esp. *medir*), *bisti* (< esp. *vestir*), *pidi* (< esp. *pedir*), *tistigu* (< esp. *testigo*), (pop.) *distinu* (< esp. *destino*), *burdugu* (< esp. *verdugo*), *pursuguí* (< esp. *perseguir*), *kustumber* (< esp. *costumbre*), *rospondé* (< esp. *responder*), *nogoshi* (< esp. *negocio*), *sonfonia* (< esp. *sinfonía*), *turtuka* (< esp. *tortuga*), *pipita* (< esp. *pepita*), *pordon* (< esp. *perdón*), *pordoná* (< esp. *perdonar*), *chubatu* (< esp. *chivato* > **chivatu* > **chuvatu*), *brongosá* (< esp. *avergonzar*) (cf. también Birmngham Jr. 1971: 25-26).

Asimilaciones progresivas en posición protónica: *komprondé* (< esp. *comprender*), *konformá* (< esp. *confirmar*), *konformashon* (< esp. *confirmación*); y el discutido *sosodé* (< esp. *suceder*).

Con respecto a los verbos españoles de tercera conjugación que modifican la vocal temática en la flexión, heredados en papiamento, se impone una matización: si aceptamos la hipótesis de que estos verbos se han transmitido al criollo directamente por una de las formas paradigmáticas más empleadas en el habla corriente, como el presente del indicativo o el imperativo, podemos considerar que se trata de asimilaciones progresivas, en posición tónica, como en el caso de *midi, bisti, pidi*.

[8] O simplemente el resultado de un proceso de oscilación [o] : [u] en posición átona, como *soda* (< esp. *sudar*), y de una ulterior asimilación progresiva. Bien es verdad que éste sería uno de los escasísimos casos de asimilación progresiva en posición protónica.

En posición postónica, se producen asimilaciones progresivas, bajo la influencia de la vocal acentuada, como en los siguientes ejemplos: *brasa* (< esp. *brazo*), *aña* (< esp. *año*), *staña* (< esp. *estaño*), *kaya* (< esp. *calle*), *biaha* (< esp. *viaje*), *siboyo* (< esp. *cebolla*), *boto* (< esp. *bote*), *dede* (< esp. *dedo*), *paña* (< esp. *paño*), *shinishi* (< esp. *ceniza*), *sorto* (< pg. *sorte*) (cf. también Birmingham Jr. 1971: 25-26).

A veces, las asimilaciones se pueden producir a consecuencia de un cruce entre la palabra española y una forma verbal perteneciente a la misma familia de palabras, como destaca Lenz (1928: 199-200): *yuna* (< esp. *ayuno* + *ayunar*), *huma* (< esp. *humo* + *fumar*), *frena* (< esp. *freno* + *frenar*), *peña* (< esp. *peine* + *peinar*). En todos estos casos, el papiamento restablece la distinción entre sustantivo y verbo mediante el sistema tonal: *yuna* _ˊ - ‘ayuno’ y *yuna* -ˊ _ ‘ayunar’.

Disimilaciones

Son menos numerosas que las asimilaciones y se registran tanto en posición protónica como postónica: *lechi* (< esp. *leche*), *robes* (< esp. *revés*), *oeta* (< esp. *ojete*).

2.3. *Metátesis*

Los casos de metátesis vocálica en voces papiamentas de origen español son relativamente escasos. Hemos registrado, entre otros, *balia* (< esp. *bailar*), *suidat* (< esp. *ciudad*), igual que en el español americano *ciudad : suidá*[9], *atrobe* (< esp. *otra vez*).

Rosario (1970: 31) considera que la metátesis vocálica es un fenómeno poco difundido en el español americano, lo que corroboraría nuestras propias conclusiones con respecto al papiamento. Pero la realidad lingüística invalida la opinión de Rosario y numerosos especialis-

[9] La variante *suidat* es más moderna en papiamento y, a pesar de ser una forma popular, es cada vez más usada. Sin embargo, los diccionarios registran también la forma *siudat* (Joubert 1991 s.v.) o sólo esta forma (Dijkhoff 1991 s.v.).

tas han destacado que la metátesis vocálica aparece frecuentemente en variedades dialectales peninsulares y modalidades regionales americanas, en México, Panamá, P. Rico, Chile (Hills *et al.* 1938: 321; 369; Robe 1960: 36; Navarro Tomás 1948: 107; Lenz 1940: 195).

2.4. *Desaparición de vocales*

La desaparición de las vocales átonas es uno de los rasgos más típicos del fonetismo hispanoamericano. Se puede decir que el fenómeno está difundido en todo el continente y que afecta a todas las vocales. No obstante se registra particularmente en el español hablado en México, Ecuador, Perú y Bolivia. En papiamento, son también numerosos los casos de síncopa, aféresis, apócope en voces españolas heredadas que, en su paso a la nueva lengua que se estaba forjando, han sufrido la desaparición de algunas vocales átonas en posición protónica y postónica. A veces, la caída de una vocal átona ha acarreado también la desaparición de toda la sílaba.

Posición protónica

Desaparecen, por lo general, las vocales [a], [e], [i], con la consiguiente desaparición de toda la sílaba. El fenómeno es muy frecuente, si nos fijamos en los ejemplos ofrecidos por Lenz (1928: 198): *kalbas* (< esp. *calabaza*), *riba* (< esp. *arriba*), *yuna* (< esp. *ayuno* + *ayunar*), *drama* (< esp. *derramar*), *plama* (< esp. *desparramar*), *dresa*, *drecha* (< esp. *enderezar*), *parse* (< esp. *parecer*) y Maduro (1953: 27-28): *ranka* (< esp. *arrancar*), *tormentá, tromentá* (< esp. *atormentar*), (Bonaire, Curazao) *zeta* (< esp. *aceite*), *gaña* (< esp. *engañar*), *siña* (< esp. *enseñar*), *tende* (< esp. *entender*), *kamna, kana* (< esp. *caminar*), *kaptan* (< esp. *capitán*).

Particularmente llamativa, en nuestra opinión, es la aféresis de la *e-* protética en las palabras de origen español: *stroba* (< esp. *estorbar*), *strea* (< esp. *estrella*), *skirbi* (< esp. *escribir*), *spanta* (< esp. *espantar*), *sklama* (< esp. *exclamar*) (Lenz 1928: 83), *spada* (< esp. *espada*), *stampia* (< esp. *estampilla*) (Navarro Tomás 1953: 183). Lenz (*loc. cit.*) y Birmingham Jr. (1971: 23) creen que el fenómeno se produce por la influencia de las lenguas africanas. Sin descartar una posible influencia africana, la explicación propuesta es algo simplista, a nuestro parecer, y no tiene en cuenta el conjunto más amplio de factores que hayan podido originar este cambio.

En primer lugar, creemos que la caída de la *e-* protética debe ser contemplada en el contexto más amplio de la desaparición de las vocales [a], [e], [i] átonas en las palabras de origen español. El fenómeno es una tendencia general del español americano y, por tanto, podemos considerar que se manifestó también (tal vez con más vigor en las condiciones del contacto lingüístico) en el español participante en la formación y cristalización del papiamento. Y en un marco más amplio todavía, no debemos olvidar que esta tendencia se manifiesta desde el latín tardío, con más intensidad en el latín vulgar (Lapesa 1959: 56), principalmente cuando se trata de vocales intertónicas; y sigue manifestándose en la actualidad en el conjunto románico. En latín, en posición postónica, las vocales desaparecen en su inmensa mayoría, como lo demuestran los ejemplos del *Appendix Probi*: *calida* non *calda*, *viridis* non *virdis*, *speculum* non *speclum*, etc. y sus continuadores románicos actuales, que proceden, evidentemente, de las formas latinas sincopadas (Iordan, Manoliu 1989: I, 124; 154). En posición protónica, en la Romania occidental, las vocales corren una suerte parecida a la de las finales. En el latín ibérico desaparecen con más frecuencia cuando les precede una *l* o les sucede una *r* (*delgado* < lat. *delicatus*; *labrar* < lat. *laborare*). Además, en el conjunto románico actual, «el sistema de las vocales inacentuadas tiende a reducirse visiblemente» (Iordan, Manoliu 1989: I, 154).

En segundo lugar, debemos tener en cuenta otro aspecto importante: la tendencia propia del papiamento de reducir el cuerpo fónico de las palabras a dos sílabas (Zamora Vicente 1967: 443).

Y, finalmente, pero no en último lugar, si la caída de la *e-* protética en las voces de origen español es el resultado de una influencia externa, opinamos que el holandés, y, más tarde, el inglés, por el gran número de préstamos léxicos con [s] inicial + consonante pudieron haber contribuido mucho más que las lenguas africanas a la realización del fenómeno: *stul* (< hol. *stoel* 'silla'), *skol* (< hol. *school* 'escuela'), *strak* (< hol. *strak* 'apretado'), *strès* (< ingl. *stress* 'estrés'), *stèdi* (< ingl. *steady* 'fijo'), *steker* (< ingl. *sticker* 'etiqueta adhesiva').

Posición postónica

La caída de las vocales, con la consiguiente desaparición de toda la sílaba, en posición postónica es también muy frecuente en las voces españolas en su paso hacia el nuevo criollo. La explicación de este fenómeno es, en líneas generales, la misma que hemos propuesto para la síncopa de las vocales protónicas. Por lo tanto, de momento, nos limitamos sólo a presentar unos ejemplos sacados de Lenz (1928: 201): *kos* (< esp. *cosa*), *kas* (< esp. *casa*), *kabes* (< esp. *cabeza*), *pos* (< esp. *pozo*), *serbes* (< esp. *cerveza*), *klas* (< esp. *clase,* hol. *klas*), *lagun* (< esp. *laguna*), *yen* (< esp. *lleno*), *para* (Aruba) *parha* (< esp. *pájaro*), *kaska* (< esp. *cáscara*), *karné* (< esp. *carnero*), *sapaté* (< esp. *zapatero*), *sombré* (< esp. *sombrero*), *mucha* (< esp. *muchacho*), *pida* (< esp. *pedazo*), *bisé* (< esp. *becerro*).

En casos como *siman* 'semana', *mañan* 'mañana', *man* 'mano', agrupados por Lenz (*loc. cit.*) en el mismo párrafo, cabría también la posibilidad de considerar el origen portugués de las respectivas palabras. En tal caso, la vocal final nasalizada del étimo portugués (resultada de la desaparición de la consonante nasal después de haberla nasalizado) fue interpretada, probablemente, por los futuros papiamentohablantes como vocal + nasal. A esto contribuyeron, seguramente, las lenguas africanas, que manifiestan una fuerte tendencia a la nasalización (Zamora Vicente 1967: 442; Lipski 1992a; véase también «El sistema consonántico - 3. Modificaciones de la cualidad consonántica»).

La desaparición de las finales *-a, -o* de las palabras españolas llama más la atención, porque, como es sabido, pueden desempeñar en español función de morfema de género. Y, generalmente, cuando las finales conservan su valor morfológico, resisten más a la tendencia de desaparición. Pero, en el papiamento, la categoría del género desapareció por la acción de varios factores, principalmente la influencia de las lenguas africanas, que conocen la distinción femenino / masculino sólo para los animados (véase «El sustantivo - 1. El género»). En la nueva lengua que se estaba gestando, como los hablantes no precisaban, en general, de morfemas de género, estas vocales finales pudieron desaparecer fácilmente, igual que las demás.

2.5. *Aparición de vocales*

En el período de formación del papiamento, en muchas palabras de las diferentes lenguas de input aparecen ocasionalmente vocales paragógicas y epentéticas (Lipski 1993: 29), como lo demuestra el estado actual de la lengua.

Lenz (1928: 80-81) considera que la aparición de una vocal entre dos consonantes en papiamento es el resultado de una influencia africana, especialmente de las lenguas de la familia bantú, que manifiestan una fuerte tendencia hacia la sílaba abierta. El argumento fundamental de esta afirmación es el hecho de que un número relativamente grande de monosílabos españoles terminados en consonante ha pasado al papiamento con una vocal añadida al final, como *solo* (< esp. *sol*), *kolo* (< esp. *col*, hol. *kool*), *salu* (< esp. *sal*).

Evidentemente, no podemos rechazar enteramente esta afirmación, sobre todo si tenemos en cuenta que el mismo fenómeno, aunque no se tratara siempre de monosílabos, se ha registrado en el habla 'bozal' de los siglos XVI-XVIII de España y la América hispánica: *siñoro, siolo* (< *señor*), *Dioso* (< *Dios*) (Lipski 1993: 29). Sin embargo, siguiendo los principios metodológicos expuestos en la primera parte (véase «Principios metodológicos»), opinamos que, antes de recurrir a una influencia externa y a una explicación especial para cada situación concreta, es preferible enfocar los fenómenos en el marco más amplio de las tendencias propias del español, de las lenguas románicas, en general, y de las tendencias de evolución interna del papiamento. Desde esta perspectiva, no podemos pasar por alto la tendencia hacia la sílaba abierta que se manifiesta en español y en otras lenguas románicas (Malmberg 1965: 28; Navarro Tomás 1946: 46 y sigs.). En el contacto lingüístico entre el español y las lenguas africanas, esta tendencia pudo verse reforzada por la tendencia similar de las lenguas de la familia bantú.

Presentamos, a continuación, unos ejemplos interpretados por nosotros como casos de aparición de vocales:

Posición protónica: *delegá* (< esp. *delgado*), *sunú* (< esp. *desnudo*), *sumpiña* (< pg. *espinha*), *konopá* (< hol. *knopen* 'anudar'), *kònòpi* (< hol. *knoop* 'nudo'), *kologá* (< esp. *colgar*), *awendia* (< esp. *hoy en día*), *ruman* (< pg. *irmão*, esp. *hermano*)[10] (Lenz 1928: 199; Navarro Tomás 1953: 183; Maduro 1953: 27).

Posición postónica: *salu* (< esp. *sal*), *sedu* (< esp. *sed*), *reda* (< esp. *red*), *solo* (< esp. *sol*), *kolo* (< esp. *col*, hol. *kool*), *ayera* (< esp. *ayer*).

Agrupamos en un párrafo aparte los monosílabos de origen holandés que, en su paso al papiamento, reciben una *-i* final paragógica, como: *fòrki* (< hol. *vork* 'tenedor'), *trapi* (< hol. *trap* 'escalera'), *balki* (< hol. *balk* 'viga'), *banki* (< hol. *bank* 'banco'), *kèrki* (< hol. *kerk* 'iglesia'), *hopi* (< hol. *hoop* 'montón').

Como se puede observar, en posición protónica se producen sólo epéntesis, mientras en posición postónica, sólo epítesis. De hecho, como destacaba Lenz (1928: 80-81), la gran mayoría de los ejemplos de palabras españolas que han pasado al papiamento con una vocal paragógica está constituida por monosílabos terminados en consonante. La aparición de la *-i* final paragógica en los monosílabos de origen holandés se explica, según la mayoría de los especialistas, por la influencia ejercida por los sufijos holandeses *-je, -tje* que, en distintas modalidades dialectales de Holanda, se pronuncian con una *i* muy fuerte.

[10] Birmingham Jr. (1971: 27) aprecia que *ruman* es un caso de metátesis. Otro ejemplo que suele citarse es una prótesis en *atardi* (< esp. *tarde*). Sin embargo, es posible que no se trate de una *a-* protética, y que la voz papiamenta proceda de la forma española con artículo definido, *la tarde*, debido a una falsa segmentación por parte de los futuros papiamentohablantes no españoles.

Hemos puesto de manifiesto poco antes (véase «2.4. Desaparición de vocales») que en papiamento desaparece la inmensa mayoría de las vocales en posición postónica. En el caso de las palabras que, después de perder la final (y, eventualmente, otra vocal postónica) llegan a terminar en un grupo consonántico formado por oclusiva + líquida, entre las dos consonantes aparece una [ə]. Éste es otro tipo de epéntesis que se produce en papiamento, siempre en posición postónica. Damos algunos ejemplos sacados de Lenz (1928: 200) y Maduro (1953: 38): *balander* (< esp. *balandra*), *liber* (< esp. *libre*), *nòmber* (< esp. *nombre*), *hòmber* (< esp. *hombre*), *hamber* (< esp. *hambre*), *semper* (Aruba, Bonaire) *sèmper* (< esp. *siempre*), *tiger* (< esp. *tigre*), *sanger* (< esp. *sangre*), *peliger* (< esp. *peligro*), *binager* (< esp. *vinagre*), *tratabel* (< esp. *tratable*), *pusibel* (< esp. *posible*), *pader* (< esp. *padre*), *pober* (< esp. *pobre*), *muebel* (< esp. *mueble*), (pop.) *sigel* (< esp. *siglo*), *ehèmpel* (< esp. *ejemplo*), *disipel* (< esp. *discípulo*), etc.

La aparición de una vocal entre una oclusiva y una líquida es un fenómeno que puede ser considerado como general en todas las variedades diatópicas del español peninsular y en algunas modalidades regionales del español americano (Malmberg 1965: 31 y sigs.). El fenómeno se explica por la tendencia hacia la sílaba abierta que manifiesta el español y algunas lenguas románicas. Según varios investigadores, la aparición de una *e* entre la oclusiva y la líquida se atestigua ya en el latín y se explicaría por la tendencia popular a evitar los grupos consonánticos. Esta tendencia se manifiesta también en las lenguas románicas. Así, en el francés popular, *ouverier* por *ouvrier*, en español, *coronista* por *cronista* y, en los préstamos latinos y celtas al vasco, *liburu* (< *libru*), *gurutz* (< *cruce*), *quereta* (< **cleta*), etc. (Iordan, Manoliu 1989: I, 124-125).

Otro posible factor que haya podido influir en la aparición de la [ə] epentética entre la oclusiva y la vocal es la frecuente metátesis en el español popular. No obstante, si interpretamos los ejemplos anteriores como casos de metátesis, el proceso evolutivo debería haber sido, en general, esp. *libre* > pap. *liber*, sin la caída de la final; y en los casos en que la final no era una *e*, habría debido producirse un fenómeno de asimilación progresiva o uno de armonización vocálica, que explicarían ejemplos como *balander* (< *balandra* > * *balandar* > *balander*); *peliger* (< *peligro* > **peligor* > *peliger*); *sigel* (< *siglo* > **sigol* > *sigel*); *disipel* (< *discípulo* > **disiplo* > **disipol* > *disipel*). En nuestra opinión, parece más probable que la [ə] epentética de estas palabras haya aparecido como resultado de la tendencia del español hacia la sílaba abierta y la tendencia del habla popular a evitar los grupos consonánticos. En las condiciones específicas del contacto lingüístico múltiple que se produjo en el período de gestación, cristalización y evolución del papiamento, estas tendencias se vieron reforzadas por tendencias similares de varias lenguas: por un lado, las lenguas africanas de la familia bantú y, por otro lado, el holandés y, en una etapa posterior, el inglés. No debemos olvidar que en estas dos lenguas abundan las palabras terminadas en consonante + [ə] + consonante, aunque no siempre se tratase de oclusiva + líquida, situación que ilustramos sólo con los siguientes ejemplos: ingl. *father, brother, woman, apple, keeper,* etc.; hol. *vader, broeder, appel, komen, aardig,* etc. Es muy probable que esta situación del holandés e inglés haya sido un factor importante en la aparición de la [ə] epentética en papiamento. De todas formas, si aceptamos la hipótesis de la metátesis y ulterior asimilación o armonización como causa de la aparición de la [ə] epentética, debemos tener en cuenta todavía más la influencia del holandés y el inglés en la articulación de este sonido, inexistente en el español. Es de suponer que el resultado natural de la metafonía hubiera sido una [e]; sin embargo, la vocal que aparece en las voces de origen español pasadas al papiamento es [ə], que se podría explicar por la analogía con los casos similares de voces holandesas e inglesas terminadas en consonante + vocal + consonante.

3. Diptongos

En un capítulo anterior («1.1. Oscilación vocal simple ↔ diptongo») hemos expuesto nuestro punto de vista con respecto a la situación vacilante del vocalismo en el período de formación del papiamento, cuando, en nuestra opinión, diptongos y vocales simples coexistieron en numerosos dobletes españoles. A medida que se iba cristalizando el nuevo criollo, se llegó a cierta estabilidad y se impusieron formas con vocal simple o con diptongo. Es más, a veces, en algunas palabras de origen español, la vocal temática diptongó y la lengua prefirió la forma diptongada. A veces, bajo la presión del español americano, algunos diptongos etimológicamente españoles sufren modificaciones en el papiamento actual, según el modelo americano, como en *siudat : suidat*.

El holandés participante en la formación del papiamento, reforzado probablemente por otras lenguas europeas, coparticipantes en menor medida en la evolución del nuevo criollo, ha dejado también su impronta en el sistema de los diptongos, igual que en el caso del vocalismo y, como veremos más adelante, del consonantismo.

La serie de los diptongos papiamentos está constituida por 21 diptongos heredados del español y holandés y es la siguiente, según *Ortografia* (: 5):

Diptongos descendentes:

[aj] : *bai, gai, tai, wairu, baiskel, paila, bailadó*
[aw] : *aunke, fauna, risau, Paula*
[ej] : *(h)ei!, Hesusei!, e mucha ei, djasabra ei* (con la pronunciación del ingl. *day*)
[èj] : *rei, kabei, feila, preis, eiskrim, lei, seis, beis, keiru*
[ew] : *leu, breu, sneu, pareu, kangreu*
[oj] : *roi, hoi, noi, Toi, (ni) oiza!, morkoi, konvoi*
[òj] : *Bòi, djòin, plòis, bòikòt, bòlpòint* (con la misma pronunciación del inglés *to join*)
[ow] : *rou, tou, dou, blou, Kòrsou*
[iw] : *friu, riu, hudiu, skiu, niuskir,* (con la misma pronunciación del holandés *ieuw*)
[uj] : *fui, brui, sprui, kui, pui* (con la misma pronunciación del holandés *broei*)
[ùj] : *brùin, dùim, flùit, brùit, sùit*

Diptongos ascendentes:

[ja] : *papia, rabia, biaha, maria, gatia, diabel, grasia*
[je] : *fiel, riel, dies, tiesu, bientu, siegu, bienestar*
[jè] : *guièl, kièpi*
[jo] : *Dios, odio, avion, sosio, kontagioso, fastioso, serio*
[ju] : *fius, kiut* (con la misma pronunciación del inglés *cute*)
[wa] : *suabe, suak, sua, kuater, suafel, kuartu, kuadrá*
[we] : *suek, kueba, nuebe, prueba, fuerte*
[wè] : *suèltu, buèltu, suèter, suèldu*
[wo] : *kuota, kuorem, residuo, kontinuo, kuosiente, antiguo*
[wi] : *kuida, kuihi, ruina, kuik, suit* (con la misma pronunciación del inglés *sweet*).

Maurer (1988: 29-30) registra dos diptongos más en la serie ascendente: [jò], como en *yòrki*, y [wò], como en *wòri*. En cambio, en la descripción de Birmingham Jr. (1971: 3) aparecen sólo 14 diptongos: [ai], [ei], [èu], [iu], [oi], [ou] (descendentes); [ja], [je], [jo], [ju], [wa], [we], [wi], [wo] (ascendentes).

Además de los diptongos registrados por *Ortografia* (: 5), existe en papiamento el diptongo [ou], en una serie de préstamos del inglés fijados en el léxico, como *show, slow, slowspit,* etc., con la misma pronunciación que en inglés. Sin embargo, en el lenguaje corriente se manifiesta la tendencia a reducir el diptongo a la vocal: *sho, slo, slospit*. Además, la distribución de estos diptongos está limitada a los préstamos del inglés. El hecho no debe sorprender, porque los papiamentohablantes, al introducir en su lengua voces extranjeras, adoptan, por lo general, la pronunciación original y se esfuerzan en respetarla de la manera más correcta posible. De modo que, palabras francesas como *bureau,* o apellidos como *Beaujon* o *Joubert* conservan la pronunciación francesa.

En la actual ortografía del papiamento (*Ortografia*: 6) se ha suprimido el acento grave de los diptongos [èi] y [òu] para reducir al máximo los signos ortográficos. Al mismo tiempo, los diptongos [wi],

[we], [wè] se escriben *wi, we, wé* después de la velar [g]: *lingwista, bergwensa*; en posición inicial de palabra los diptongos ascendentes se escriben con yod y wau, respectivamente: *yabi, yesu, yèchi, yora, yòrki, yuda, wabi, webu, wèkchi, wiri, wowo, wòri.*

Un fenómeno característico del período de formación del papiamento es la reducción de los diptongos españoles en posición átona en el paso al criollo. Esta tendencia se manifiesta, por lo general, en el español popular y en diferentes modalidades regionales americanas (Rosario 1970: 32; Boyd-Bowman 1960: 43). Presentamos, a continuación, algunos de estos casos[11].

[wa] > [a]: *lenga* (< esp. *lengua*), como *perpetua : perpeta* (Boyd-Bowman 1960: 43).

Éste es un caso particular, analizado también por Birmingham Jr. (1971: 28), que merece especial atención en nuestra opinión, porque, a pesar de que a primera vista puede ser interpretado como reducción de un diptongo, el fenómeno es más complejo y requiere matizaciones. Es sabido que en papiamento el grupo [gw] en posición inicial (de palabra o de sílaba) tiende a reducirse a una [w], como en *awa* (< esp. *agua*), *warda* (< esp. *aguardar*), *wapu* (< esp. *guapo*), con la desaparición de la velar. El caso de *lenga* es completamente opuesto, porque desaparece el elemento labial del grupo. Para Birmingham Jr. (*loc. cit.*), es la nasal la que favorece la conservación de la velaridad y la deslabialización del grupo. A pesar de que la reducción de los grupos [kw], [gw] se registra ya en el latín vulgar de los primeros siglos de nuestra era, con resultados muy diferentes en las lenguas románicas (deslabialización o desvelarización), no consideramos que el caso particular de *lenga* sea un reflejo de esta tendencia, sino, simplemente, un ejemplo aislado de reducción diferente del grupo [gw], como afirma Birmingham Jr., o, más bien, uno de los ejemplos de reducción de los diptongos, fenómeno relativamente difundido en el español, solución por la cual nos decantamos.

[11] Como se puede observar, se trata de un fenómeno distinto del proceso de oscilación vocal simple ↔ diptongo en posición tónica, analizado anteriormente.

[ja] > [i]: *ganashi* (< esp. *ganancia*), *kudishi* (< esp. *codicia*), *pasenshi* (< esp. *paciencia*).

La reducción de este diptongo es, a nuestro parecer, una tendencia propia de evolución interna del papiamento, ya que el fenómeno no se encuentra en las lenguas participantes en la formación del criollo. No obstante, podría tratarse de otra evolución fonética, a saber, caída de la vocal final y conversión de la [j] en vocal.

Esta explicación puede servir también para el caso:

[jo] > [i]: *ofishi* (< esp. *oficio*), *sushi* (< esp. *sucio*), *limpi* (< esp. *limpio*), *remedi* (< esp. *remedio*).

Hemos registrado también un caso aislado de reducción de este diptongo en posición tónica: *sarampi* (< esp. *sarampión*). Es posible que la reducción se haya producido tras un eventual cambio del acento dinámico, atraído por la vocal con mayor grado de abertura (cf. Lausberg 1985: I, 206). A esto pudo haber contribuido también la tendencia del papiamento a reducir el cuerpo fónico de las palabras.

[ai] > [i]: *trinshon* (< esp. *traición, traicionero*), *ihá* (< esp. *ahijado*), igual que *aijada* (< *aguijada*) : *ijada*, con la reducción de grupo [gw], *ahijado : ijado*, con la previa desaparición del hiato mediante el desplazamiento acentual, fenómeno muy difundido en el español popular, rural y en variedades americanas (García de Diego 1959: 357; cf. también Fontanella de Weinberg 1993: 63) o *Garaicoa : Garicoa* (Toscano Mateus 1953: 69).

[ei] > [e]: *zeta* (< esp. *aceite*), igual que *veinte : vente*, en Méx., C. Rica, R. Dom. (Hills *et al.* 1938: 359; Agüero 1962: 130; Henríquez Ureña 1939: 81). Este fenómeno se considera un arcaísmo del español americano frente al español peninsular estándar.

[ei] > [i]: *zjitona* (< esp. *aceituna*, jud. esp. *zetona*, pg. *azeitona*), igual que *treinta : trinta*, en Ec. (Toscano Mateus 1953: 70), *peinilla : pinilla*, en Col. (Flórez 1951: 106), *Eyzaguirre : Isaíre*, en Chile (Oroz 1966: 65). El caso de *zjitona* nos parece sumamente interesante, porque esta palabra la usaban sólo los sefardíes, cuyos descendientes siguen empleándola en la actualidad (cf. Henriquez 1988 s.v.; Joubert 1991 s.v.; Dijkhoff 1991 s.v.), mientras la mayoría de los

demás papiamentohablantes prefieren el sinónimo *oleifi* (< hol. *olijf*). Esta distribución sinonímica confirma varias opiniones nuestras: en primer lugar, la existencia de sociolectos o variedades diastráticas en el papiamento; en segundo lugar, que una serie de fenómenos del papiamento, en este caso concreto la reducción del diptongo [ei] a [i], pueden ser explicados como resultados de tendencias de evolución del español, principalmente del español americano; en tercer lugar, que el español se hablaba en las islas ABC a la llegada de los holandeses y siguió hablándose después, porque sólo así puede explicarse la pareja de sinónimos de orígenes distintos. Por otro lado, si el étimo de la palabra papiamenta es español o portugués, nos encontramos con la reducción del diptongo, tendencia interna del papiamento, pero evidentemente generada y, luego, reforzada por la misma tendencia del español americano. Si el étimo es el sefardí *zetona*, la teoría de la continuidad del español en las islas, defendida por nosotros, podría verse privada de un argumento lingüístico, porque la llegada de los sefardíes (1659) es posterior a la conquista de las islas por los holandeses. En ese caso, la forma *zjitona* puede ser el resultado de otro fenómeno frecuente en papiamento y muy difundido en el habla popular de toda la América hispánica y de la Península, a saber, [e] > [i], tendencia común del criollo y del español (véase «2.1. Modificaciones del grado de abertura»).

Otro fenómeno interesante es la transformación del diptongo [ai]:

[ai] > [ei]: (Aruba) *weita* (< esp. aguaitar), *Buneiru* (< indig. *Buynari, Buinaire*), *pispein* (< ingl. pitchpine) igual que *paisaje : peisaje*, en Chile (Oroz 1966: 67), o *baile : beile, aguaitar : agüeitar*, en diferentes variedades regionales del español americano (Wagner 1949: 13). Wagner (*loc. cit.*) considera el fenómeno como uno de los rasgos fonéticos generales del español americano, pero, de hecho, es un rasgo característico del español popular (véase «El español llevado a América - 3. El español popular»).

A veces, el diptongo [ei] (< [ai]) se reduce a [e]: *weta* (< *weita* < esp. *aguaitar*).

Un caso particularmente interesante, a nuestro juicio, es el pap. *rei* (< hol. pop. *raaien*; cf. hol. *raden* 'adivinar'). Porque si el fenómeno [ai] > [ei] se produce no sólo en voces de origen español, sino también en voces procedentes de otras lenguas participantes en el proceso de formación del papiamento, en este caso concreto el holandés, podríamos suponer que el mencionado rasgo del español americano señalado por Wagner (1949: 13), característico del español popular, se convierte en papiamento en una tendencia interna de evolución propia de este criollo.

4. Triptongos

Según *Ortografia* (: 8), los triptongos del papiamento son:

[jau] : *miau*
[jeu] : *bieu, pieu*
[jou] : *bakiou, kabiou*
[wai] : *zuai* (con la pronunciación del holandés *zwaaien*)
[wèi] : *zuei, wei, weita* (con la pronunciación del holandés *zweihaak*)

Maurer (1988: 30) registra sólo los triptongos [jau], [jeu], [wai].

Como se puede ver, los triptongos son pocos, pero, igual que los diptongos, representan, fundamentalmente, una combinación entre las series de triptongos del castellano y del holandés.

IV

EL SISTEMA CONSONÁNTICO

El sistema consonántico papiamento está constituido por 21 fonemas consonánticos, que se pueden clasificar de la siguiente manera:

	bilabiales		labiodentales		dentales		palatales		velares		glotales	
	sd.	sn.	sd.	sn.	sd	sn.	sd.	sn.	sd.	sn.	sd.	sn.
oclusivas:	p	b			t	d			k	g		
fricativas:			f	v	s	z	š	ž	x		h	
africadas:							ĉ	ĝ				
liquidas:					l	r						
nasales:		m		n				ɲ				

Römer (1991: 43) presenta un sistema consonántico constituido por 24 consonantes, pero incluye en su descripción las semiconsonantes [w] e [j], y la realización velar de /n/, [ŋ] en palabras como *man, pan, bon, den, mango* (*Ortografia*: 9).

Birmingham Jr. (1971: 1) presenta un cuadro de 22 consonantes, en el que incluye las semiconsonantes [w], [j], pero no el fonema nasal palatal /ɲ/ existente en palabras como *ñapa, ñaña, ñetu, gaña, baña* (*Ortografia*: 9). Hemos visto antes («El sistema vocálico»), que Maurer (1988: 28-29; 1991a: 350) tampoco incluye en su descripción este fonema, considerando que se trata de alófonos de una semiconsonante alveolopalatal /ʃ/, a saber, una [ɲ] en posición inicial de sílaba y una [j̃] en posición intervocálica.

Por lo general, como la ortografía papiamenta es bastante fonética, hay pocas diferencias entre los fonemas consonánticos y las letras que los representan, como se puede ver en los siguientes ejemplos, presentados, en su mayoría en *Ortografia* (: 9-10):

/p/: *palu, pan, persibí, pèn, pèp, pida, pober, pòchi, purba, klap, apstené, opsekio, apel*

/b/: *bai, benta, bergwensa, binager, boto, bòns, bòkel, bugel, dòbel, obligá, abreviá*

/t/: *tabako, tempran, tèrein, tiger, ritmo, tokadó, tòm, tur, trapi, trit, berdat, lèter, atkirí*

/d/: *dal, dede, dediká, Dèmpel, dieseis, dokumento, dòl, duru, dramamentu, drecha, ladron, drumi*

/k/: *kastigu, kenta, kèrki, kinsena, kodisiá, kuki, dùikbrel, duke, elástiko, pak, pik*[1]

/g/: *garganta, ganap, gordo, guyaba, gustu, glorifiká, grupo, guera, sigui, sanger, mangel*[2]

/f/: *fama, felisidat, ferf, firmamentu, formashon, fòrki, fuente, flanèl, flor, frifri, frumu*

/v/: *valides, vense, vernisá, viskosidat, voto, vòlt, vulgar, vlam, vlòter, vra, vrismentu, vruminga*

/s/: *saka, sedusí, sèn, sikatris, soya, sòftbòl, subrina, skirbí, slaktu, snup, speshalidat, pas, lus, krus, pos, opsekio*

/z/: *zamba, zeila, zèpelin, zíkinza, zionismo, zonzo, zundramentu, anzue, abuzá*

/š/: *shap, shete, shèfkòk, shinishi, shon, shòp, shushedat, ansha, dashi, obligashon*

/ž/: *zjar, zjanta, zjeitu, zjitona, zjilea, zjilèt, zjonzjolí, zjuip, labizjan*[3]

---

[1] En tres expresiones, una española y dos latinas *(Q.e.p.d., q.q., quo vadis)* y un préstamo del inglés *(quaker oats)*, el fonema /k/ se representa en la grafía por el dígrafo *qu* (Joubert 1991; *Ortografia*: 9).

[2] El fonema /g/ se representa en la grafía por el grafema *g*, ante consonantes y las vocales *a, [ə], o, ò, u*, y por el dígrafo *gu*, ante *e, è, i* (*Ortografia*: 10).

[3] El fonema /š/ se representa en la grafía por el dígrafo *sh*, y el fonema /ž/ por el dígrafo *zj* (*Ortografia*: 1).

/x/: *gesto, giro, margen, ingenioso, jornada, joya, brùg, tòg, krag*[4]
/h/: *hari, hechu, hende, hèndi, hiba, hopi, hòmber, hòfi, hunga, huña, huisio*
/ĉ/: *chapi, charla, chèk, chèns, chikitu, chocho, chòk, chumbu, kachó, hilchi, kachu*
/ĝ/: *djaka, djamars, djente, djèt, djimbi, djogodó, djòin, djuku, indjan*[5]
/l/: *laba, lesa, lèlè, leu, libertat, lokura, lus, gòlpi, balchi, kèlki*
/r/: *rabu, referensha, reina, rèptil, risibí, ronda, rònchi, rumbo, tera, barba, kantor, abreviá*
/m/: *machu, mehoransa, mersla, minister, montoná, mònster, mucha, lampi, gremio, mumu*
/n/: *namorá, negoshi, nèshi, nister, nochi, nòmber, fèn, lèn, bòn*
/ɲ/: *ñapa, ñaña, ñetu, ñòñò, gaña, baña, huña, kaña.*

Una comparación entre el sistema consonántico papiamento y el sistema consonántico español ofrece, en nuestra opinión, datos interesantes sobre el proceso de formación del criollo de las islas ABC y una serie de argumentos a favor de su origen hispánico.

Navarro Tomás (1972: 77-82) establece para el español un inventario de 19 fonemas consonánticos, que clasifica de esta manera:

	bilab.		labiodent.		interdent.		dent.		alveol.		palat.		velar.	
	sd.	sn.	sd.	sn.	sd.	sn.	sd.	sn.	sd.	sn.	sd.	sn.	sd.	sn.
oclusivas:	p	b					t	d					k	g
fricativas:			f		θ		s					y	x	
africadas:											ĉ			
nasales:		m								n		ɲ		
laterales:										l		λ		
vibrantes:										r, r̄				

[4] El fonema /x/ se representa en la grafía por el grafema *g*, ante *e, è, i* y en posición final de palabra, y por el grafema *j*, ante *a, o, u*, en los préstamos del español adoptados como tales, sin cambios fonéticos, por el papiamento (*Ortografia*: 2).

[5] El fonema /ĉ/ se representa en la grafía por el dígrafo *ch*, como en español, y el fonema /ĝ/, por el dígrafo *dj* (*Ortografia*: 1; Maurer 1988: 28).

La comparación de los dos sistemas nos permite destacar algunos fenómenos interesantes ocurridos en el papiamento, que evidencian una tendencia hacia un mayor equilibrio del sistema criollo.

Notamos que en la serie de las fricativas aparece una nueva pareja, las palatales /š/ y /ž/. Las labiodentales y dentales de la misma serie rehacen la correlación de sonoridad: los fonemas /f/ y /s/ tienen parejas sonoras: /v/ y /z/, respectivamente. En cambio, en la misma serie no se conservan los fonemas españoles /θ/ y /y/.

En la serie de las africadas, el sistema también se equilibra, porque se rehace la correlación de sonoridad /ĉ/ : /ĝ/.

En la serie de las laterales, desaparece la oposición palatal : no palatal, y en la serie de las vibrantes desaparece la oposición débil : fuerte.

Con respecto a todos estos fenómenos se plantea la lógica pregunta concerniente a su génesis, o, dicho de otro modo, si se trata de fenómenos propios del papiamento o, simplemente, de hechos desaparecidos del español general actual, pero que se han conservado en el papiamento, y/o de tendencias internas del español, que, en papiamento, se han manifestado con más fuerza y han llegado a consecuencias últimas. En lo que sigue, analizaremos cada uno de estos hechos.

1. Fonemas consonánticos papiamentos que no existen en el español actual

/v/, fricativa labiodental sonora. Tiene varias realizaciones en papiamento: fricativa sonora bilabial [β], oclusiva sonora bilabial [b] y fricativa sonora labiodental [v].

Las primeras dos realizaciones coinciden con las del fonema /b/ del sistema español y están reflejadas en la grafía. Los grafemas *b, v* pueden representar en papiamento la realización oclusiva o fricativa bilabial de los dos fonemas, /b/ y /v/ (Goilo 1953: 130): *barku, bida, balor, balioso, bariante, bários, bobo, suave, Venezuela*. El hecho de que se trata de alófonos está reflejado en la existencia de numerosas parejas de dobletes gráficos como: *vakuna* ~ *bakuna, válido* ~ *bálido, variante* ~ *bariante, vários* ~ *bários, suave* ~ *suabe, venesolano* ~ *benesolano* y muchas otras; así como por la tendencia de los hablantes hacia la realización [b] en posición inicial absoluta, como en español.

La tercera realización, [v], fricativa sonora labiodental, es exclusiva del fonema /v/ y establece una correlación de plosión con la realización oclusiva del fonema /b/ (*visa* 'visado' ~ *bisa* 'decir', *ve* 'ver, percibir' ~ *be* 'vez'); de localización, con la realización fricativa del mismo; y de sonoridad, con su pareja, la fricativa sorda labiodental /f/ (*ve* 'la letra uve' ~ *fe* 'fe, confianza', *feila* 'fregar' ~ *veila* Aruba 'limar; pulir').

Son varios los factores que, en nuestra opinión, explican la presencia de este fonema fricativo sonoro labiodental en papiamento. En primer lugar, es sabido que la diferencia de articulación entre las consonantes [b] y [v] se conservó en español hasta el siglo XVII (véase «El español llevado a América - 1. El español del siglo XVI y comienzos del siglo XVII»). Esta distinción sigue conservándose en algunas variedades dialectales peninsulares (Alonso 1962; Zamora Vicente 1967: 144) y, como es sabido, se ha mantenido en el judeoespañol (Sala 1971 *passim*; Zamora Vicente 1967: 355). Hemos visto que en papiamento existen las realizaciones fricativa y oclusiva sonoras bilabiales, como en el español actual, y la realización fricativa sonora labiodental, como en el español antiguo, y que, en algunos casos, la distinción entre el sonido bilabial y el labiodental se ha conservado, mientras en otros casos se perdió (Goilo 1953: 130). Esta situación es, a nuestro juicio, una prueba irrefutable de que el español llevado a las islas ABC conservaba todavía la distinción. Una vez interrumpidos los vínculos directos con la norma culta, después de la conquista holandesa, se interrumpe también el probable proceso de koineización y, durante un período que coincide aproximadamente con el período de gestación del papiamento, se mantiene la articulación oscilante de los dos sonidos. En esta etapa se produce el contacto del español hablado en las islas con el holandés y, casi simultáneamente, con el español o portugués hablado por los sefardíes, modalidades lingüísticas en las que la fricativa sonora labiodental [v] tenía estatus de fonema.

Es sabido que en condiciones de contacto lingüístico, una lengua cuyos fonemas tienen variantes extrafonológicas, puede enriquecer su sistema fonológico mediante la fonologización de alófonos bajo la influencia de otra(s) lengua(s), como señalan Jakobson (1970: 321-324) y Weinreich (1968: 670). En tales casos, la fonologización de las variantes puede verse facilitada por la existencia de casillas vacías en el sistema fonológico primario, que pueden ser ocupadas por fonemas de otro sistema (Martinet 1952). Contemplado desde esta perspectiva, «la presencia de estos sonidos se explica íntegramente por criterios fonéticos internos; solamente su adscripción a dos fonemas distintos se explica como resultado del contacto entre las lenguas» (Sala 1988: 40).

Debido a los préstamos léxicos holandeses y sefardíes que penetran en el español de las islas ABC, la realización fricativa labiodental [v] llega a fonologizarse en la nueva lengua que se estaba gestando. Posteriormente, el contacto con el francés y el inglés y los numerosos préstamos de estas lenguas que enriquecieron el vocabulario papiamento, han reforzado la posición del fonema /v/ en el sistema papiamento.

Por otro lado, a pesar de la interrupción de los vínculos con la metrópoli española, no debemos olvidar que la población de las islas estuvo en permanente contacto con los vecinos continentales e insulares hispanohablantes. Esta influencia del español americano pudo haber reforzado, aproximadamente en la misma época, la realización bilabial. La fonologización de la variante oclusiva bilabial tuvo que producirse en el momento en que las realizaciones [b] y [v] pudieron aparecer en las mismas posiciones en una serie de palabras como *visa* ~ *bisa*.

Finalmente, es muy probable que a la aparición en papiamento de la nueva oposición /b/ : /v/ haya contribuido también la ortografía. Porque, como señala acertadamente Malmberg (1950: 60-61), es sabido que la tradición lingüística en el dominio de la pronunciación es, generalmente, más débil. Por esta razón, muchos hablantes se dejan guiar por la ortografía, en un esfuerzo consciente de pronunciar correctamente.

/z/, fricativa dental sonora, aparece en papiamento con estatus de fonema en las mismas condiciones y como resultado de la acción de los mismos factores que /v/. Es sabido que en diferentes variedades dialectales peninsulares existe la realización [z] y que en el judeoespañol se conserva la pareja [s] : [z] (Zamora Vicente 1967: 142; Sala 1971). Además, en el español general, en posición final de sílaba, cuando precede a una consonante sonora, la realización del fonema /s/ es una fricativa sonora dental o alveolar (Navarro Tomás 1972: 108). No obstante, queda claramente descartada la hipótesis del origen español de este fonema. Es conocida la situación especial de las sibilantes españolas en los siglos XVI y XVII, cuando, tras una serie de transformaciones, los cuatro fonemas medievales se reducen a dos en el norte y el centro de España y a uno en el sur (seseo). Esta solución simplificadora, más económica, fue la que se impuso en el español americano desde muy temprano (Fontanella de Weinberg 1993: 55-56; véase también «El español llevado a América 1. - El español del siglo XVI y comienzos del siglo XVII»). En cuanto a la correlación de sonoridad, durante el siglo XVI desaparece en la serie de las fricativas alveolares y dentales en varias regiones americanas (Fontanella de Weinberg 1993: 56).

Durante el prolongado contacto entre el español, el holandés y el habla de los sefardíes, con la consiguiente penetración masiva de préstamos léxicos en el español de las islas, se fonologiza también la realización sonora de la fricativa dental, [z], favorecida por la existencia del mismo fonema en el holandés: *zaag, zuur, zoom, ziek, zonnebaden*, etc. (Goilo 1953: 131; Lenz 1928: 79) y en el habla de los sefardíes: *goza*, *znoa*. En una etapa ulterior, el contacto con el francés y el inglés ha reforzado la posición del fonema /z/. De todos modos, el escaso rendimiento funcional de la pareja /s/ : /z/ indica claramente, en nuestra opinión, que durante un largo período, la distribución de este fonema quedó limitada a los préstamos léxicos[6].

/š/, fricativa palatal sorda. La presencia de este fonema en el sistema consonántico del papiamento es uno de los argumentos importantes a favor del origen portugués del criollo, porque existe en aquella lengua ibérica (véase «Teorías con respecto al origen del papiamento - 1. Análisis de las teorías que defienden el origen portugués»).

Como hemos subrayado en capítulos anteriores, es sabido que en el español medieval existían los fonemas /š/ y /ž/. [š] se conserva en modalidades dialectales septentrionales del español peninsular y en el judeoespañol (Zamora Vicente 1967: 138; 245-246; 355; Wagner 1949: 28; Sala 1971). Durante el siglo XVI comienza y se extiende la neutralización de la oposición de sonoridad en esta pareja y los dos se confunden en un sonido sordo que, con el paso del tiempo, deja de ser palatal (palatoalveolar), para convertirse en velar o aspirado, en una tendencia a consolidar las oposiciones de localización mediante la acentuación de las distinciones en la substancia fónica. Esta tendencia se manifiesta en la segunda mitad del siglo XVI y principios del siglo XVII.

Está comprobado que la realización palatal y la velar o aspirada coexistieron en el español desde mediados del siglo XVI hasta las primeras décadas del siglo siguiente (cf. francés medio *Quichotte*, Iordan, Manoliu 1989: I, 200 o el mismo topónimo *México*), como lo corroboran también varios documentos americanos de archivo (Fontanella de Weinberg 1993: 57). Por lo tanto, es de suponer que en el español llevado a América existía todavía la realización [š] ([ž]), al lado de las realizaciones [h], [x], como destaca Lapesa (1959: 247-248). Así se explicarían los préstamos españoles *ovicha* (esp.

---

[6] En la actualidad, en numerosas palabras papiamentas, la realización sonora [z] y la sorda [s] funcionan como meras variantes: *sak ~ zak, samba ~ zamba, sefta ~ zefta, seftu ~ zeftu*, etc. (Joubert 1991 s.v.). Y parece que la oposición de sonoridad de esta pareja va desapareciendo, ya que incluso los sefardíes papiamentohablantes de las generaciones más jóvenes pronuncian *snoa* en vez de *znoa*.

moderno *oveja*), *achur* (esp. moderno *ajos*) en el araucano; *xalo* (esp. moderno *jarro*) en el náhuatl (Wagner 1949: 28; Rona 1971), o las grafías *ovehas (oveja), hornal (jornal), Xigüey (Higüey)* (Fontanella de Weinberg 1993: 57). Se han conservado muchos ejemplos de este tipo especialmente en el español de Nuevo México, México y regiones de la América Central, como Guatemala y Salvador (Wagner 1949: 28-29).

Podemos considerar que la realización aspirada o velar de /š/ (/ž/) no había concluido todavía durante la Conquista, sino que se llevaría a cabo más tarde, en la segunda mitad del siglo XVI y entrado el siglo XVII, simultáneamente en España y América. En las islas ABC, el proceso pudo verse interrumpido en el momento de la conquista holandesa o haber sufrido un retroceso, debido a la presencia del fonema fricativo palatal sordo en el holandés y el habla de los sefardíes. Como hemos visto, en esas situaciones de contacto lingüístico, un alófono de una lengua se puede fonologizar bajo la influencia de fonemas pertenecientes a sistemas de otras lenguas.

A la conservación y fonologización de [š] contribuyó también una de las leyes fonéticas propias del papiamento: la palatalización de la [s] seguida por yod (Birmingham Jr. 1971: 11-13; Rona 1976: 1022) o por una [i] vocálica tónica o átona. Este fenómeno se produce especialmente en palabras de indudable origen español y se registra tanto en voces papiamentas del período de formación de la lengua como en voces recientes. Presentamos unos ejemplos de voces con [s] + yod: *shinishi* (< esp. *ceniza*)[7], *shelu* (< esp. *cielo*), *sushi* (< esp. *sucio*), *ansha* (< esp. *ansia*), *shete* (< esp. *siete*), *shen* (< esp. *cien*), *masha* (< esp. *demasiado*), *ofishi* (< esp. *oficio*), al lado de neologismos como *informashon, edukashon, telebishon*. Y algunos casos de

---

[7] La terminación *-shi* se explica, a veces, en papiamento, por influencia de los sufijos diminutivos holandeses *-(s)je*, *-stje*, como en *kashi* (< hol. *kastje* 'pequeño armario') o *nèshi* (< hol. *nestje* 'pequeño nido'), que se extienden a voces no holandesas: *fashi* (< esp. *faz*), *nanishi* (< esp. *nariz*). El caso de *shinishi* es, sin embargo, distinto. Es de suponer la siguiente evolución fonética: *ceniza* > **sinisia* > *shinishi*.

palatalización de la [s] + [i]: *kushina* (< esp. *cocina*), *kushiná* (< esp. *cocinar*), *bishita* (< esp. *visita*), *bishitá* (< esp. *visitar*), *shimaron* (< esp. *cimarrón*). El mismo fenómeno de palatalización se produce también en los sustantivos derivados de verbos terminados en *-ti, -di* (Goilo 1953: 132): *ripitishon (< ripití), diskushon (< diskutí), atmishon (< atmití), divishon (< dividí), agreshon (< agredí)*. Se registran también casos como *elekshon (< elegí), direkshon (< dirigí), atkisishon (< atquirí)*, que podrían ampliar esta categoría de derivados verbales con fenómeno de palatalización, pero habría que averiguar si se trata efectivamente de derivados en terreno propio o de préstamos adaptados al papiamento, que han sufrido la evolución fonética normal: esp. *elección* > pap. *elekshon*, esp. *adquisición* > pap. *atkisishon*, etc., posibilidad que nos parece más probable.

Con respecto a la palatalización de la [s], debemos subrayar que los papiamentistas de las islas ABC polemizan todavía en la actualidad sobre la conveniencia de utilizar las formas palatalizadas, papiamentas, o las españolas: *sierto* o *sherto*, *gerensia* o *gerensha*, *kansion* o *kanshon*. En la variedad arubana predominan las formas españolas, con la [s] sin palatalizar, mientras en las curazoleña y bonairense, lo hacen las formas papiamentizadas. Sin embargo, un autor curazoleño como Goilo (*loc. cit.*) emplea las formas *division, permision, atmision*. Pero eso es explicable, si tenemos en cuenta que, en distintas épocas, la pronunciación española fue considerada la característica de un registro más culto. Y, a pesar de la opinión de Birmingham Jr. (1971: 11) de que «the palatalization of [s] to [š] is so widespread that is occurs even in forms which historically do not contain [s] plus yod, and in which we therefore would not expect such a change», la lengua registra formas como *servisio, sentensia, siegu, sientífiko, siervo* (Joubert 1991 s.v.)

/ž/, fricativa palatal sonora. Hemos visto en el apartado anterior, que, durante el siglo XVI, en el español se extiende y generaliza la neutralización de la oposición de sonoridad en la pareja [š] : [ž], a favor de la realización sorda. Por tanto, es difícil suponer que el actual fonema papiamento fuese heredado del sistema español. En cambio, el fonema existe en holandés, portugués y francés. Y si bien estas lenguas no ocupan la misma posición en la jerarquía de los elementos participantes en el nacimiento del papiamento, creemos poder afirmar que los préstamos léxicos de las dos primeras (holandés, portugués) pudieron introducir este sonido, inexistente en el español hablado en las islas ABC, mientras la influencia de la tercera lengua (francés), en una etapa posterior, pudo haber reforzado su posición. En una primera fase de contacto, la [ž] tuvo, muy probablemente, una distribución limitada a los términos holandeses y portugueses. Pero cuando pudo aparecer en las mismas posiciones que otros fonemas, se fonologizó. De modo que el sistema consonántico del nuevo criollo se completó, en una tendencia natural de rehacer la oposición de sonoridad en la serie fricativa.

Otro factor que pudo haber contribuido a la consolidación de /ž/ en el sistema consonántico del papiamento es una tendencia interna de evolución del español, que continúa una tendencia románica. Se trata del fenómeno [λ] > [y] con su peculiar evolución hacia una realización rehilada en algunas regiones americanas. El yeísmo se registra en varias modalidades dialectales peninsulares (asturiano, leonés, extremeño, andaluz, canario), en el judeoespañol y en numerosas modalidades americanas habladas en Venezuela (zona caribeña), Colombia, Ecuador, Perú, Chile, Bolivia, Paraguay, Argentina, América Central, Antillas, México, Nuevo México (Zamora Vicente 1967: 76-79; Iordan, Manoliu 1989: I, 201-202, nota 83; Malmberg 1950: 105-106; 163 y sigs.).

En América, el yeísmo es antiguo y se documenta desde los primeros tiempos de la Conquista. Pero su difusión no fue muy rápida y no llegó a generalizarse (Fontanella de Weinberg 1993: 57). En cambio, en algunas modalidades como el español de Ecuador y Argentina (región bonaerense) la [y] (< [λ]) ha llegado a tener una pronunciación rehilada [ž]; en otras zonas, Nuevo México, algunas regiones de México, Salvador, Argentina (el litoral) y Uruguay, toda [y] (etimológica o procedente de [λ]) presenta una realización rehilada (Iordan, Manoliu, *ibid.*; Fontanella de Weinberg 1993: 58; 134-136).

/h/, fricativa glotal sorda. La presencia de este fonema puede ser explicada también por el contacto lingüístico. El fonema existe en holandés y los préstamos léxicos de esta lengua, que penetran masivamente en el español de las islas ABC, determinan la fonologización del alófono [h], realización aspirada de /x/. Es sabido que el fonema /x/ presenta muchas realizaciones en el español de América. [h] es uno de sus alófonos, frecuente en muchas regiones americanas como Nuevo México, México, América Central, Antillas, Colombia, Venezuela, Ecuador (región costera) o Perú (norte) (Fontanella de Weinberg 1993: 139). El proceso es similar a la fonologización de [v], una de las variantes extrafonológicas de /b/ en el sistema consonántico español.

A la fonologización de esta variante pudo haber contribuido también, igual que en el caso de la pareja /b/ : /v/, la ortografía. La presencia de una [h] etimológica que no se pronuncia en las voces españolas al lado de una [x] representada gráficamente de manera distinta pudo haber influido en la conciencia del hablante en el momento de asociar los dos alófonos de /x/ a dos fonemas diferentes. Lo que podría explicar también ciertas ultracorrecciones que se han fijado en la lengua.

Una vez integrado en el sistema consonántico del naciente criollo, el fonema pudo ser empleado, por exageración, ultracorrección o contaminación, en palabras donde no se justifica etimológicamente, como suele suceder en varias lenguas (Iordan, Manoliu 1989: I, 197; Sala 1988: 33)[8]. Presentamos unos ejemplos: *hisa* (< esp. *izar*), *huña* (< esp. *uña*), *habrí* (< esp. *abrir*), *haltu* (< esp. *alto*), *hanchu* (< esp. *ancho*) y otros.

/ĝ/, africada palatal sonora. Igual que en casos anteriores, consideramos que, para explicar la presencia de este fonema en el sistema consonántico papiamento, se deben tener en cuenta diferentes factores y su acción conjunta.

---

[8] En francés, por ejemplo, *haut* (< lat. *altum*), por imitación al franco _*hauh_, _*hoh_ (Iordan, Manoliu 1989: I, 197); o en rumano, *buhă* (< lat. *bufo*) (Sala 1988: 33).

Es sabido que, en determinados contextos fónicos, el fonema español /y/ se realiza como una africada palatal sonora. En algunas variedades diatópicas, particularmente americanas, y en las zonas yeístas, la /y/ (etimológica o resultante del fenómeno /λ/ > /y/) tiene numerosas variantes (Zamora Vicente 1967: 78-79). En varias modalidades se realiza exclusivamente como africada palatal sonora [ŷ], como en el español de Paraguay o la región guaranítica de Argentina (Fontanella de Weinberg 1993: 134-135). En otras zonas, como México o Cuba, coexisten varias realizaciones: palatal sonora normal, africada sonora, fricativa rehilada, realización abierta (Alarcos Llorach 1964: 156; Lope Blanch 1989; Agüero 1962: 54).

Cuando se produce el contacto entre el español y el holandés, la presencia del fonema /ĝ/ en los numerosos préstamos del holandés al español se vio consolidada por la posible realización similar del español, lo que contribuyó a su mantenimiento en el futuro criollo que se estaba forjando. En una fase posterior, el contacto con otras lenguas donde existe el mismo fonema, como el inglés, pudo haber reforzado la posición de /ĝ/ en papiamento, de la misma forma mediata, es decir, a través del vocabulario.

Al mismo tiempo, debemos tener en cuenta una de las leyes fonéticas propias del papiamento: la palatalización de la [d] seguida por yod, con muy pocas excepciones, particularmente en las palabras de origen español (Birmingham Jr. 1971: 10). El fenómeno es parecido a la palatalización de la [s] seguida por yod, analizada poco antes. Presentamos un botón de muestra del fenómeno: *djaluna* (< esp. *día lunes*), *djamars* (< esp. *día martes*), *djawe* (< *di awe* < esp. asturiano *de agüey*), *djente* (< esp. *diente*), *djes* (< esp. *diez*), *Djoso* (< esp. *Dios*), *indjan* (< esp. *indiano*, hol. *indiaan*).

Finalmente, no podemos perder de vista la tendencia a regularizar y equilibrar el sistema mediante la extensión de la correlación de sonoridad en la serie de las africadas.

2. Fonemas consonánticos españoles que desaparecen del sistema papiamento

Los fonemas españoles que no existen en el sistema consonántico papiamento (porque desaparecieron en el proceso de gestación del criollo o porque, quizás, ya no existían en el español llevado a las islas ABC) son: /θ/, /y/, /λ/, /r̄/.

/θ/, fricativa interdental sorda. Es sabido que las sibilantes españolas sufrieron un largo proceso de transformaciones desde el siglo XV, o quizás antes (Catalán 1989: 119-126; 127-144), hasta el siglo XVII, aproximadamente, cuyo resultado final fue la reducción de las cuatro sibilantes medievales. En el centro-norte de la Península se llega a dos: interdental y alveolar; en Andalucía, después de la neutralización de la oposición de localización entre la interdental y la alveolar, a una sola, fenómeno conocido como seseo. El seseo es un rasgo general del español americano en su totalidad, así como de otras variedades del español, como el dialecto andaluz, la modalidad canaria y el judeoespañol (Zamora Vicente 1967: 301-303; 420; Alarcos Llorach 1961: 258; Malmberg 1950: 172-173; Fontanella de Weinberg 1993:133).

Es conocido y ha sido comprobado el hecho de que al Nuevo Mundo llegaron hablantes de todas las regiones de la Península, con o sin seseo, sobre todo después de 1519, cuando el porcentaje de los andaluces que llegan a América empieza a disminuir sensiblemente (Boyd-Bowman 1964). Sin embargo, el seseo, solución simplificadora, más económica, se fue imponiendo rápidamente en todo el continente y era ya un rasgo característico de la incipiente koiné americana. En la primera mitad del siglo XVI el seseo se había generalizado prácticamente en todas las regiones colonizadas (Fontanella de Weinberg 1993: 55-56). Por lo tanto, a pesar de no tener informaciones detalladas sobre el origen de los primeros colonizadores de las islas ABC, es de suponer que éstos hablaban también un español se-

seante, lo que explica la ausencia de la interdental /θ/ en papiamento. Por otro lado, en las otras lenguas de input de las islas tampoco existe un fonema idéntico o similar que hubiera podido integrarse en el sistema consonántico español mediante el vocabulario. Presentamos unos ejemplos de voces papiamentas en las que /θ/ está sustituido por /s/: *behes*, pop. *beyesa, biyesa* (< esp. *vejez*), *kabes* (< esp. *cabeza*), *bos* (< esp. *voz*), *pos* (< esp. *pozo*), *resa* (< esp. *rezar*), *ofisina* (< esp. *oficina*), *medisina* (< esp. *medicina*).

/y/, fricativa palatal sonora. Hemos visto en el subcapítulo anterior («1. Fonemas consonánticos papiamentos que no existen en el español actual») que este fonema (etimológico o primario y secundario o resultante de la evolución /λ/ > /y/) tiene diferentes realizaciones fonéticas en distintas variedades diatópicas del español, particularmente americanas, entre las que se cuentan la fricativa palatal sonora, la fricativa rehilada o la africada palatal sonora (Zamora Vicente 1967: 78-79; Alarcos Llorach 1964: 156; Agüero 1962: 54; Fontanella de Weinberg 1993: 134-135).

En papiamento se producen varias transformaciones de este fonema español, que analizaremos a continuación.

La /y/ primaria o secundaria (< /ll/) se convierte en /j/. Presentamos algunos ejemplos: *yerba* (< esp. *hierba, yerba*), *yen* (< esp. *lleno*), *yuda* (< esp. *ayudar*), *yabi* (< esp. *llave*), *yamamentu* (< esp. *llamamiento*), *yega* (< esp. *llegar*), *ensayá* (< esp. *ensayar*), *kaya* (< esp. *calle*), *muraya* (< esp. *muralla*), *koyar* (< esp. *collar*), *sambuyá* (< esp. *zambullirse*).

La [y] resultante de la transformación de [λ] precedida o seguida por una [i], se convierte en [i], en el paso del español al papiamento: esp. *pollito* > pap. *puitu*, esp. *costilla* > pap. *kustia*, esp. *rodilla* > pap. *rudia*, esp. *silla* > pap. *sia*, esp. *estampilla* > pap. *stampia*, esp. *cuchillo* > pap. (Aruba) *kuchiu*. El fenómeno no es exclusivo del papiamento y, a nuestro juicio, es la manifestación de una tendencia del español, porque se produce en diferentes variedades diatópicas del español peninsular (dialecto astur-leonés), el español americano, el español hablado en el norte de África y en el judeoespañol (Zamora

Vicente 1967: 80), como se refleja en los siguientes ejemplos: *cuchío, anío, gaína*, en el judeoespañol; *castío, frenío, bolsío, anío, maravía*, en Marruecos (Zamora Vicente 1967: 80); *gaína, medaíta, estreíta, apeído, poíto, chiquío*, en Arg., Col., Ec., Méx., Nuevo Méx., Nic., Perú (Toscano Mateus 1953: 102; Zamora Vicente, *ibid.*).

Otras veces, la [y] procedente de [λ] se convierte en una [i] semivocálica, probablemente como resultado de la caída de la vocal final: esp. *gallo* > pap. *gai*, esp. *caballo* > pap. *kabai*, esp. *talle* > pap. *tai*, esp. *cabello* > pap. *kabei*.

En los grupos *eyo, eya* de las voces españolas donde la [y] procede de [λ], esta [y] desaparece en los continuadores papiamentos de esas voces, independientemente de la posición del grupo: esp. *estrella* > pap. *strea*, esp. *olla* > pap. *wea*, esp. *bellaco* > pap. *beaku*. El fenómeno, igual que el anterior, debe ser interpretado, en nuestra opinión, como una tendencia del español que sigue manifestándose en papiamento, porque la misma transformación se registra en algunas variedades dialectales del español peninsular, en el español de Nuevo México y en el judeoespañol: *estrea, sentea, cabeo* (Zamora Vicente 1967: 80).

En algunos casos, la [y] (resultante de [λ]) se convierte en [ɲ], como en esp. *hallar* > pap. (Curazao, Bonaire) *haña*, (Aruba) *haya*. Se trata de un fenómeno de nasalización, que se produce también en algunas modalidades regionales del español: *llamar* > *ñamar*, *llapa* > *ñapa* (Lipski 1992a: 265).

Éste es el argumento principal en que se basa Maurer (1988: 28-29) cuando, al describir el sistema fonológico del papiamento no incluye en el mismo al fonema consonántico /ɲ/, al que interpreta como una realización del fonema semiconsonántico alveolo-palatal /j̃/ en posición inicial de palabra; mientras en posición intervocálica, el alófono sería [j̃], que nasaliza la vocal precedente. Según el autor citado, si bien existen parejas minimales que presentan la oposición /j̃/ : /j/, como *kaña* 'caña de azúcar' : *kaya* 'calle', esta oposición puede neutralizarse en casos como *haña* ~ *haya*. Pero, como hemos visto, en el caso *haña* ~ *haya* no se trata de una neutralización de la oposición, porque las dos formas pertenecen a variedades dialectales diferentes.

El fenómeno [y] > [ɲ] forma parte de una serie más amplia de transformaciones fonéticas debidas a la nasalización (véase «3. Modificaciones de la cualidad consonántica - Modificaciones producidas por las nasales»), frecuentes en papiamento y en diferentes modalidades afro-hispánicas. Numerosos especialistas, desde Schuchardt (1882-1891) hasta Lenz (1928), Wagner (1949) o Álvarez Nazario (1961) coinciden en destacar que el incremento de la nasalidad en las variedades afro-hispánicas y los criollos caribeños se debe indudablemente a las lenguas africanas. Lipski (1992a) considera que la nasalización en las modalidades afro-hispánicas puede ser originada por la *underspecification* 'infraespecificación' por parte de los hablantes africanos de las vocales y consonantes españolas, debida a las condiciones precarias en las que éstos aprendían el español (véase «Contacto lingüístico y criollización - 2. Comprensión y producción de textos en condiciones de contacto lingüístico»).

/λ/, lateral palatal sonora. Para explicar la desaparición de este fonema español del sistema consonántico papiamento debemos remitirnos, de nuevo, al yeísmo (/λ/ > /y/), que hemos analizado en el apartado dedicado a la aparición del fonema papiamento /ž/.

/r̄/, vibrante múltiple alveolar. La oposición /r/ : /r̄/, única correlación de cantidad consonántica que conserva el español del latín, es, en realidad, una oposición de tipo *lenis / fortis*, aislada en el sistema, que los hablantes sienten como oposición cualitativa, no cuantitativa (Malmberg 1950: 197)[9]. La neutralización de esta oposición y la realización de las dos vibrantes en una sola vibrante simple es un fenómeno bastante difundido en diferentes variedades diatópicas del español, sobre todo el español americano, y es general en los criollos de base hispánica de América y Filipinas (Granda 1978: 69-79), en el

[9] Según Kortlandt (1973), ni siquiera se trataría de una correlación /r/ : /r̄/, porque, de hecho, el sistema consonántico español posee un solo fonema /r/ con dos realizaciones fonéticas [r] y [r̄] o, en posición intervocálica, una combinación de fonemas /r + r/.

español de Guinea (Quilis 1993: 15), de Filipinas (Whinnom 1956: 71) y el judeoespañol (Sala 1971: 194-195).

Para Navarro Tomás (1948: 95) y Álvarez Nazario (1961: 198), la neutralización de la oposición en el español de Puerto Rico se produjo por la influencia de lenguas indígenas y africanas, que no conocían esta correlación. También como resultado del contacto lingüístico (influencia del tagalo) explica el fenómeno Whinnom (1956: 71) en el español de Filipinas.

Granda (1978: 69-79) se decanta por una explicación unitaria y general —la reducción del sistema—, y rechaza las explicaciones particulares basadas en las influencias extranjeras. El autor citado explica la desfonologización de la oposición /r/ : /r̄/ de la siguiente manera: en las condiciones creadas por el contacto entre lenguas, en un sistema lingüístico periférico se produce la simplificación de las distinciones sutiles (cf. también Malmberg 1964). La oposición /r/ : /r̄/ está aislada en el sistema consonántico español y no se integra en las correlaciones actuales (plosión, sonoridad, localización, nasalidad). Dentro de la estructura jerárquica del lenguaje, pertenece a los sistemas máximos, cuyo destino es ser destruidos en circunstancias lingüísticas desfavorables. Al mismo tiempo, es una oposición con un rendimiento funcional que ha ido disminuyendo. Debido a todos estos factores, la oposición termina por desaparecer. Además, este proceso, generado por causas estructurales internas, se ve favorecido por factores extralingüísticos: el carácter periférico de las regiones donde se produce la desfonologización (generalmente, áreas limitadas desde el punto de vista sociogeográfico y socioeconómico, sin vínculos con la norma metropolitana) y la interferencia de varios sistemas lingüísticos en estas áreas. Si admitimos que el español hablado en las islas ABC conocía la oposición /r/ : /r̄/ en el momento de la conquista holandesa, entonces, a nuestro juicio, podemos considerar la explicación de Granda válida también para el papiamento.

Por otra parte, estimamos que la desaparición de este fonema puede ser contemplada también en el marco de un proceso más general de manifestación de una tendencia latente del español, que puede observarse, en distintas fases, en algunas de sus modalidades diatópicas. Nos referimos al habla de Madrid, La Rioja, Navarra, País Vasco, Nuevo México, México, Costa Rica, Guatemala, Colombia (tierras altas), Bolivia (este), Ecuador, Perú (sur), Chile, Argentina (centro, oeste, norte) y Paraguay, donde se producen fenómenos de transfonologización —asibilación o velarización (Fontanella de Weinberg 1993: 141; Granda 1978: 69-79)— que, en algunas modalidades, como la madrileña, mexicana y ecuatoriana pueden llegar hasta la desfonologización de la oposición /r/ : /r̄/ (Granda, *ibid*. Cf. también Malmberg 1962; 1964; Sala 1963; 1965)[10].

3. Modificaciones de la cualidad consonántica

En el proceso de formación y cristalización del papiamento se produce no solamente la reestructuración del sistema consonántico español en contacto con las otras lenguas de input, sino también una serie de modificaciones de la cualidad consonántica en las palabras de origen español que hereda el criollo. Generalmente, se trata de la sonorización de las sordas, ensordecimiento de las sonoras, nasalizaciones, rotacismo y lambdacismo, deslabialización y otros. Analizamos, a continuación, todos estos fenómenos, que hemos agrupado de la siguiente manera.

Sonorización de las sordas

El fenómeno de la sonorización de las sordas es bastante difundido en las lenguas románicas occidentales. Por tanto, fieles a nuestros

[10] Granda (1985: 79-95) hace un interesante análisis del consonantismo del español hablado en Guinea Ecuatorial y encuentra una serie de fenómenos similares o parecidos a los que se dan en papiamento, como la realización labiodental de /f/, /v/, la realización apicoalveolar de /s/, /z/, la desaparición de /θ/, /r̄/ o el trueque de las realizaciones vocálicas de /d/ y /r/. Para el autor citado, todos estos casos se explican por la interferencia fonética del fang, lengua de la familia bantú, sobre el español.

principios metodológicos, no debemos descartar la hipótesis de que, en papiamento, este fenómeno podría ser la continuación de una tendencia románica. Sin embargo, la poca difusión del fenómeno, más bien casos aislados, pero no por eso menos interesantes, nos obliga a tener en cuenta todos los posibles factores causantes, principalmente, las influencias externas.

Es sabido que, en posición intervocálica, la oposición de sonoridad en la serie de las oclusivas empieza a neutralizarse a favor de las realizaciones sonoras ya en el latín tardío (siglo III d. C.), en amplias regiones de la Romania occidental: norte de Italia, Galia e Iberia (Iordan, Manoliu 1989: I, 183-185; Lapesa 1959: 63).

En papiamento, en las palabras de origen español se sonorizan en posición intervocálica sólo las oclusivas /t/ y /k/: esp. *latrocinio* > pap. *ladronisia*, esp. *sacudir* > pap. *sagudí*, esp. *colocar* > pap. *kologá*, esp. *lagartija* > pap. *lagadishi* (con la caída previa de la *-r-*). En el caso de *ladronisia* puede tratarse también de una analogía o interferencia con el esp. *ladrón*.

Otro caso interesante es *kadushi*, derivado, por unos autores, del hol. *cactus*. El origen de esta palabra parece ser más bien el arawak *caduchi*. *Kadushi* era, probablemente, la pronunciación correcta en la lengua de los arawakos, conservada en papiamento.

La sonorización de las oclusivas /t/, /k/ se produce, a veces, en el interior de la palabra también después de la nasal [n]: esp. *gente* > pap. *hende*, esp. *monte* > pap. *mondi*, esp. *enterrar* > pap. *dera*, esp. *punta* > pap. *punda*, esp. *zancudo* > pap. *sangura*. En cambio, esp. *diente* > pap. *djente* o esp. *entender* > pap. *tende* y otros. Rona (1971) opina que se trata de una ley interna de evolución del papiamento, mientras Maurer (comunicación personal) no descarta una posible influencia de las lenguas bantú. A estos factores deberíamos añadir, a nuestro juicio, el hecho de que el fenómeno se produce también en algunas variedades diatópicas del español peninsular (Zamora Vicente 1967: 235 y sigs.) y, en un contexto más amplio, en distintas regiones de la Romania occidental (Menéndez Pidal 1950: 306).

Esporádicamente, aparece la sonorización de /s/ en posición intervocálica en la variedad arubana: esp. *aceite* > pap. (Aruba) *azeta*.

Los casos de sonorización en posición inicial son también pocos y limitados sólo a /s/. Presentamos unos ejemplos: esp. *samba* > pap. *zamba*, esp. *aceite* > pap. *zeta*, esp. *sonar* > pap. *zona*, esp. *sonido* > pap. *zonidu*.

Ensordecimiento de las sonoras

Es un fenómeno algo más extendido que el anterior, pero tampoco generalizado en papiamento. Se produce sólo en el interior de la palabra y siempre en posición final, en la serie de las oclusivas. A continuación, damos unos ejemplos:

en el interior de la palabra

/b/: esp. *absoluto* > pap. *apsoluto*, esp. *absolver* > pap. *apsolvé*, esp. *abstención* > pap. *apstenshon*, esp. *observar* > pap. *opservá*, esp. *obsequio* > pap. *opsekio*, esp. *obstáculo* > pap. *opstákulo*, esp. *obvio* > pap. *opvio*;

/d/: esp. *admirar* > pap. *atmirá*, esp. *administración* > pap. *atministrashon*, esp. *adhesión* > pap. *atheshon*, esp. *adquirir* > pap. *atkirí*, esp. *adverbio* > pap. *atverbio*, esp. *advertir* > pap. *atvertí*;

/g/: esp. *cantiga* > pap. *kantika*, esp. *bariga* > pap. *barika*, esp. *tortuga* > pap. *turtuka*.

Como se puede observar, las condiciones en que se produce el ensordecimiento de las oclusivas no son las mismas para cada sonido. Así, el ensordecimiento de /b/ y /d/ se produce por efecto de la consonante siguiente, mientras el ensordecimiento de /g/, sólo en posición intervocálica. Cuando la consonante siguiente es sorda, la explicación del fenómeno no plantea problemas. Pero cuando la /b/ > /p/ por influencia de la [v], y la /d/ > /t/ por influencia de la [v] o [m], consonantes sonoras, quizás podría tratarse de una tendencia a fortalecer las diferencias entre sonidos de cualidades parecidas, mediante la correlación de sonoridad, esto es, entre una oclusiva y una fricativa bilabiales, sonoras, [b], [β], que se diferenciaban sólo por la correlación de plosión. Esto confirmaría la hipótesis de que el español que se hablaba en las islas ABC conocía los sonidos [b], [β] y [v], oclusivo bilabial, fricativo bilabial y fricativo labiodental. El segundo caso es más complicado todavía, porque se trataría de reforzar las diferencias, mediante la correlación de sonoridad, entre una oclusiva dental y una fricativa labiodental, sonoras, o una oclusiva dental y una nasal labiodental, sonoras, respectivamente, que se diferenciaban de todas formas por la correlación de plosión, localización y nasalidad;

en posición final

/d/: esp. *verdad* > pap. *berdat*, esp. *ciudad* > pap. *siudat*, esp. *virginidad* > pap. *virginidat*, esp. *dignidad* > pap. *dignidat*, esp. *virtud* > pap. *virtut* y muchos otros.

Modificaciones por influencia de las nasales

Debido a la oclusión nasal, se producen varias modificaciones en el cuerpo fónico de las palabras que el papiamento heredó del español y holandés (Lenz 1928: 203). Las presentamos, a continuación:

a) /m/ > [mb]: esp. *paloma* (pg. *pomba*) > pap. *palomba*, esp. *número* > pap. *number*, hol. *kamer* (esp. *cámara*) > pap. *kamber*, hol. *komkommer* > pap. *kònkòmber*; el fenómeno es frecuente en el paso del latín al español: *hombre, sembrar, nombrar, lumbre* (Maduro 1953: 30), con la simplificación de la geminada secundaria resultada del grupo *-mn-* y la ulterior oclusión nasal. Además, este tipo de modificación nasal es corriente en varias lenguas. En papiamento puede llegar hasta transformaciones totales:

b) /m/ > [b]: esp. *camarón* > pap. *kabaron*;

c) /n/ > [nd]: esp. *camino* > pap. *kaminda*;

d) epéntesis de /n/, /m/: esp. *jugar* > pap. *hunga*, esp. *comida* > pap. *kuminda*, esp. *aguja* > pap. *angua*, esp. *bregar* > pap. *bringa*, esp. *Miguel* > pap. *Minguel*, esp. *negar* > pap. *nenga*, esp. *hormiga,* pg. *formiga* > pap. *vruminga*, esp. *papel* > pap. (pop.) *pampel*, esp. *para sobra* > pap. (pop.) *pasombra*;

e) asimilaciones por influencia de la nasal: esp. *nariz* > pap. *nanishi*, esp. *la mar* > pap. *laman*.

La «introducción de un elemento consonántico de resonancia nasal, a veces en sustitución de otro sonido» (Álvarez Nazario 1961), es decir, la epéntesis y la asimilación bajo la influencia de una nasal, es un fenómeno muy difundido en todas la modalidades afro-hispánicas: *Puerto Rico* > *Punto Rico, libre* > *limbre, pescuezo* > *pincueso, nengre, ningre, nengue, nenglo* y muchos otros (Lipski 1992a *passim*) y todos los estudiosos coinciden en que se trata de una influencia africana. Con todo, no debemos pasar por alto las matizaciones de Lipski (1992a) sobre la nasalización espontánea en las modalidades afro-hispánicas debida, en general, a las condiciones precarias en que los africanos aprendían el español;

f) disimilaciones: esp. *naranja* (pg. *laranja*) > pap. *laraha*, esp. *nadar* > pap. *landa* (con una probable asimilación progresiva y ulterior disimilación). El fenómeno se registra también en algunas variedades diatópicas americanas, pero tiene una difusión escasa. Podemos encontrar *carcamán* > *carcamal*, en Arg., Méx., o *naranja* > *laranja*, en Chile (Lenz 1928: 225). Es posible que se trate de una tendencia interna latente de esencia románica, dado que este tipo de disimilación está atestiguado también en el latín (Malmberg 1950: 150).

Diferentes evoluciones de /d/

En posición intervocálica, el fonema /d/ sufre algunas transformaciones interesantes:

/d/ > /r/, /l/: esp. *hígado* > pap. *higra*, esp. *sábado* > pap. *djasabra*, esp. *poder* > pap. *por*, esp., pg. *todo* > pap. *tur*, esp. *candado* > pap. *kandal*.

En posición intervocálica, /d/ sufre un proceso de debilitamiento más fuerte que los otros sonidos fricativos sonoros del sistema consonántico español (Samper Padilla 1990: 257). Por esta razón, las realizaciones de la /d/ intervocálica son muchas y muy diferentes en el español, especialmente en la América hispánica, desde la dental espirante sonora hasta su omisión total, de acuerdo con las distintas modalidades diatópicas, diacrónicas o diafásicas.

Rona (1976: 1022) considera que esta transformación obedece a una ley fonética propia del papiamento, que actuó en una época muy remota, probablemente, en el período de la cristalización del criollo. La explicación puede ser satisfactoria, pero precisa matizaciones, en nuestra opinión. En varias modalidades del español americano, así como en variedades diacrónicas del español peninsular es frecuente un fenómeno parecido, a saber, /d/ > /r/, /l/, como en *fastidio* > *fastirio, nadie* > *naire, auditorio* > *aulitorio, advertir* > *alvertir, admirar* > *almirar, adquirir* > *alquirir* (Malmberg 1950: 148-149; Lenz 1940: 157). Menéndez Pidal (1958: 201) opina que las transformaciones /d/ > /r/, /l/ son un fenómeno muy común en el español antiguo. De hecho, es muy posible que el español continúe una tendencia más antigua todavía, ya que el paso /d/ > /l/ está atestiguado en el latín *medica* > *melica* > esp. *mielga*, lat. *cadaverina* > esp. *calabrina*, lat. *lampada* > esp. *lámpara* (Menéndez Pidal, *loc. cit.*; Malmberg 1950: 148, nota 2). Ejemplos como *tur, por, kandal* podrían ilustrar casos en que, después de la transformación de /d/, fenómeno atestiguado en variedades diacrónicas del español, que, por lo tanto, pudo haber seguido manifestándose como tendencia latente en el español llevado a las islas ABC, se produjo la caída de la vocal final átona. A favor de esta hipótesis aboga el hecho de que el mismo fenómeno [d] > [r] se produce en palabras de origen holandés, penetradas tempranamente en el papiamento, como *sneiru* (< hol. *snijder*), cuando todavía el español seguía siendo el medio de comunicación más difundido en las islas[11].

[11] El pap. *sneiru* puede ser, sin embargo, el resultado de una evolución fonética distinta: hol. *snijder* > **snijer* (con la desaparición de la *-d-*) > **sneir* > pap. *sneiru* (manifestación de la tendencia hacia la sílaba abierta).

Otra posible explicación del fenómeno es la siguiente: es sabido que una de las transformaciones frecuentes producidas en el período de formación del papiamento fue la apócope de las vocales postónicas en las voces de origen español (véase «El sistema vocálico - 2.4. Desaparición de vocales»). Como hemos visto, se trata de una tendencia general del español americano y, remontándonos en el pasado, de una tendencia que se manifestaba ya en el latín, especialmente en el *sermo cotidianus* (Lapesa 1959: 56). Además, a la apócope de las finales átonas de las voces españolas parece haber contribuido también una tendencia propia del papiamento a reducir el cuerpo fónico de las palabras (Zamora Vicente 1967: 443). Por tanto, en palabras como *tur, por, kandal* pudo haberse producido, en una primera fase, el debilitamiento y la desaparición de la vocal final, llegándose a voces terminadas en *-d*. Ahora bien, es conocida la tendencia general del español, principalmente, y de otras lenguas románicas a realizar una sílaba abierta (Navarro Tomás 1946: 46 y sigs.; Malmberg 1965: 28). La estructura silábica ideal, que supone una sucesión de sílabas abiertas de tipo PA / PA, no se realiza siempre de una vez, mediante un solo fenómeno fonético, sino, en la gran mayoría de los casos, en distintas etapas. Por otro lado, es sabido que el elemento implosivo que cierra la sílaba puede debilitarse sin desaparecer, o puede sufrir otras transformaciones (Sala 1970: 15-16), lo que permite suponer que, una vez realizada la desaparición de las vocales finales, /d/ evoluciona a /r/, /l/, consonantes que por su naturaleza cierran menos la sílaba y, por consiguiente, permiten una estructura silábica más cercana a la ideal. El hecho de que en la lengua hablada se puede oír la pronunciación [tu] para *tur* podría confirmar la hipótesis de la tendencia a la sílaba abierta. Tampoco debemos descartar en este caso concreto una eventual influencia del francés en la pronunciación.

Maurer (comunicación personal) opina que la transformación /d/ > /r/ en posición intervocálica no es muy frecuente en el español americano y, por tanto, en papiamento, más bien se trata de una influencia bantú, donde el trueque *d/r* es frecuente, hasta pueden ser variantes posicionales. Hay más: en Colombia, formas como *ariós* y *nara* son típicas del habla de los afro-colombianos. Es frecuentísimo en el palenquero.

También en el español de la zona caribeña, opina Maurer, el fenómeno /d/ > /r/ «tiene que ver con los sociolectos afro-hispanos y, por ende, con el substrato africano, o mejor dicho, adstrato en el caso del castellano». Esta opinión se vería reforzada por el hecho de que en el español hablado en la costa pacífica de Colombia, con población de origen africano en su casi totalidad, se da frecuentemente la misma sustitución (cf. también Granda 1985: 79-95).

Teniendo en cuenta todas las explicaciones propuestas y las hipótesis presentadas, consideramos que las transformaciones de /d/ en posición intervocálica en el período de formación del papiamento se deben a la acción conjunta de varios factores, fundamentalmente a tendencias internas del español, de esencia románica, reforzadas por fenómenos similares a dichas tendencias existentes en las lenguas africanas (cf. Jakobson 1938; Gutiérrez, Silva-Corvalán 1993: 207).

/d/ > ∅ : esp. *cuñado* > pap. *kuñá*, esp. *pescado* > pap. *piská*, esp. *criado* > pap. *kriá*, esp. *venado* > pap. *biná*, esp. *colorado* > pap. *kòrá*, esp. *pesado* > pap. *pisá*, esp. *desnudo* > pap. *sunú*.

Es sabido que, en grandes zonas del español, el fonema /d/ desaparece por completo en posición intervocálica, como resultado del proceso de debilitamiento antes mencionado. En el español popular, menos esmerado, la caída de la [d] intervocálica es un «hecho frecuente y general» en la Península, sobre todo en los dialectos meridionales, y bastante difundido en América: *pedazo > piaso, toda la noche > tua la noche, cogido > cogío, mercado > mercau* (Zamora Vicente 1967: 316-317; 412; véase también «El español llevado a América - 3. El español popular»). La omisión es más frecuente en determinados contextos fónicos, como en los sufijos *-ado, -ido*. Por otra parte, ya en el siglo XVI existen testimonios del fenómeno en varias zonas americanas. Fontanella de Weinberg (1993: 140) resume la situación actual de las realizaciones de /d/ en el español americano de la siguiente manera:

> Así, en algunas regiones como la Argentina, Uruguay y México, en el habla estándar se mantiene con regularidad una [d] dental espirante sonora, mientras que en otras zonas, como la mayor parte del español del Caribe, Chile, la costa pacífica de Colombia y la costa ecuatoriana esta realización es muy relajada y llega a omitirse aún en el habla estándar [...]. En el habla popular y rural la lenización es siempre mayor. De tal modo, en Argentina, Uruguay y México suele alternar la espirante con cero, mientras que en las regiones en las que el habla estándar presenta caída y relajación, en el habla popular y campesina predomina notablemente la caída.

La situación del fonema /d/ en posición intervocálica en el español, especialmente en las variedades americanas, nos permite concluir que su desaparición en la misma posición en las voces españolas heredadas en papiamento se inscribe en el marco general hispánico del debilitamiento y desaparición de /d/ en español.

Metátesis de /r/, /l/, alternancia /r/ : /l/ y pérdida de /r/

Un fenómeno que se produce frecuentemente es la metátesis de /r/ en las palabras de origen español y holandés y de /l/ en las palabras españolas, en su paso al criollo, como lo ilustran los siguientes ejemplos:

metátesis de /r/: esp. *tiburón* > pap. *tribon*, esp. *temprano* > pap. *trempan*, esp. *probar* > pap. *purba*, esp. *madrugada* > pap. *mardugá*, esp. *estorbar* > pap. *stroba*, esp. *preguntar* > pap. *puntra*, esp. *dormir* > pap. *drumi*, esp. *apretar* > pap. *perta*, esp. *escribir* > pap. *skirbi*, esp. *relámpago* > pap. (Aruba) *lamper*, hol. *schuier* > pap. *skeiru*, hol. *schouder* > pap. *skouru*, hol. *februari* > pap. *frebüari*;

metátesis de /l/: esp. *bailar* > pap. *balia*, esp. *olvidar* > pap. *lubidá*, esp. *ombligo* > pap. *lombrishi*.

La alternancia /r/ : /l/ en las palabras españolas heredadas en papiamento no se produce con mucha frecuencia, pero existen ejemplos como esp. *pulga* > pap. *purga*, esp. *arrastrar* > pap. *lastra* y otros.

La metátesis de /r/, /l/ y la confusión de los dos fonemas en una sola realización, vibrante o lateral, pueden ser interpretadas como una prolongación de antiguas tendencias existentes en el español. Es sabido que la confusión, la neutralización o el intercambio de /r/, /l/ se producen frecuentemente en distintas modalidades diatópicas del español peninsular y americano, sobre todo en las hablas meridionales de la Península, en Canarias, Caribe y varias zonas costeras atlánticas y pacíficas de América, como las de Colombia, Ecuador, Perú, Chile: *leartad, barcón, mardita, árbor, artura,* etc. (Lapesa 1959: 248; Zamora Vicente 1967: 313; 415; Malmberg 1950: 86; Fontanella de Weinberg 1993: 138).

Por otra parte, la metátesis y la alternancia o confusión de las dos líquidas están atestiguadas en el español americano ya desde el siglo XVI: *Escobal ~ Escobar, foltra ~ folta ~ frota ~ flota, bulra ~ burla* (Fontanella de Weinberg 1993: 60). Los dos fenómenos se explican por el débil rendimiento de la oposición de las líquidas y la tendencia del español a debilitar los rasgos constitutivos de los fonemas consonánticos en sílaba átona (Alonso, Lida 1945).

La pérdida de /r/ en palabras españolas y holandesas que pasan al papiamento es mucho más frecuente. El fenómeno se produce en posición final e interior de palabra. Presentamos unos ejemplos.

En posición final de palabra:

esp. *pescador* > pap. *piskadó*, esp. *engañador* > pap. *gañadó*, esp. *envenenador* > pap. *benenadó*, esp. *volador* > pap. *buladó*, esp. *peor* > pap. *pió*, hol. *metselaar* > pap. *mèslá*, hol. (reg.) *taljoor* > pap. *tayó*, hol. *stijveleer* > pap. *stefle*, *stéfule*;

en posición interior de palabra:

esp. *carnero* > pap. *karné*, esp. *sombrero* > pap. *sombré*, esp. *vaquero* > pap. *baké*, esp. *becerro* > pap. *bisé*, esp. *carpintero* > pap. *karpinté*, esp. *za-*

patero > pap. *sapaté*, esp. *bigornia* > pap. *bigonia*, esp. *tortolica* > pap. *totolika*, hol. *horloge* > pap. *oloshi*, hol. *kakkerlak* > pap. *kakalaka*.

Maduro (1953: 33) considera que la caída de /r/ en posición final de palabra es una ley fonética propia del papiamento, opinión que no compartimos plenamente, por las razones que exponemos a continuación.

Es conocida la gran difusión de la pérdida de /r/ en posición final de palabra o de sílaba en muchas variedades diatópicas del español peninsular y americano y, generalmente, en el español popular: *señó, po, azuca, levantá* (Malmberg 1950: 135-136; Zamora Vicente 1967: 415. Véase también «El español llevado a América - 3. El español popular»). Existen asimismo documentos escritos que atestiguan que el proceso se producía con frecuencia en distintas regiones de América desde el siglo XVI y afectaba no sólo a la posición final de sílaba, sino también a otras (Fontanella de Weinberg 1993: 60). El fenómeno tiene la misma área de difusión que la alternancia /r/ : /l/ (véase *supra*). Todo eso nos hace suponer que la caída de /r/, igual que las otras evoluciones de este fonema en el proceso de formación del papiamento, continúa una tendencia más antigua del español, que llegó a afectar también a las voces holandesas penetradas tempranamente en el español que se hablaba en las islas ABC, y pudo haberse convertido luego en una ley propia del papiamento, como opina Maduro *(loc. cit.)*.

Pérdida de /x/ en posición intervocálica

Muchas palabras de origen español heredadas en papiamento pierden la /x/ en posición intervocálica:

esp. *viejo* > pap. *bieu*, esp. *parejo* > pap. *pareu*, esp. *lejos* > pap. *leu*, esp. *cangrejo* > pap. *kangreu*, esp. *abajo* > pap. *abou*, esp. *hijo* > pap. *yu, yiu*, esp. *ojete* > pap. *oeta*, esp. *aguja* > pap. *angua*, esp. *enojar(se)* > pap. *nua*, esp. *oreja* > pap. *orea*.

Un fenómeno similar se produce en algunas variedades diatópicas del español peninsular: *oreja* > *urea*, *oveja* > *uvea* (Zamora Vicente 1967: 80), lo que nos permite suponer que la pérdida de /x/ en papiamento podría ser el resultado de una tendencia interna latente del español. Por otro lado, existe la posibilidad de que en el período de formación del criollo se haya producido una confusión entre la [y] (< [λ]) de los grupos *eyo, eya* y /x/, que, hasta el siglo XVII, se realizaba como una fricativa sonora palatal [ž] (véase «El español llevado a América - 1. El español del siglo XVI y comienzos del siglo XVII»). Y es sabido que esa [y] desaparece con bastante regularidad en papiamento: *strea*, *beaku* (véase «2. Fonemas consonánticos españoles que desaparecen del sistema papiamento»). En tal caso, en los demás ejemplos el cambio se habría producido por analogía.

Reducción de los grupos consonante + /w/

En el paso al papiamento, el grupo [gw] de las voces españolas en posición inicial absoluta o inicial de sílaba se reduce a [w]:

esp. *aguardar* > pap. *warda*, esp. *aguantar* > pap. *wanta*, esp. *aguaitar, agüeitar* > pap. Aruba; Curazao, Bonaire (poco usual) *weita*, esp. *guapo* > pap. *wapu*, esp. *agua* > pap. *awa*, esp. *yegua* > pap. *yewa*.

La pérdida de la consonante velar sonora /g/ seguida por la semiconsonante posterior /w/ es frecuente en diferentes variedades diatópicas peninsulares y americanas del español y, generalmente, en el habla popular, como señalan varios autores: *guaso : waso, agua : awa, igual : iwal, lo guardo : lowardo* (Alarcos Llorach 1961: 158; Malmberg 1950: 86). Granda (1985: 93-94) registra el mismo fenómeno en el español de los bilingües de Guinea Ecuatorial y considera que se trata de una interferencia del fang. En otras ocasiones, se produce un fenómeno inverso, el reforzamiento del carácter consonántico del diptongo [we] con una [g] velar, como en *hueso : güeso, huevo : güevo*; o con una [b], lo que genera una nueva alternancia [b] : [g], como en *abuelo : agüelo, bueno : güeno* (véase «El español llevado a

América - 3. El español popular»). El fenómeno del español explicaría, en nuestra opinión, el tratamiento similar que sufren en papiamento las voces españolas con grupos difonemáticos formados por consonante + [w], como: esp. *abuela* > pap. *wela*, esp. *huevo* > pap. *webu*, esp. *hueso* > pap. *wesu*. A esta misma categoría pertenecen también las palabras españolas en las que el grupo [hw] es el resultado de la realización aspirada del fonema /x/ + /w/. Como hemos visto («1. Fonemas consonánticos papiamentos que no existen en el español actual»), el alófono [h] del fonema /x/ es frecuente en varias modalidades del español americano; en papiamento esta realización ha llegado incluso a fonologizarse. Presentamos unos ejemplos de voces de origen español en las que [hw] (procedente de [xw]) > [w]: esp. *juego* > pap. *wega*, esp. *sanguijuela* > pap. *sanguiwela*.

Tanto la pérdida de la consonante velar /g/ como el reforzamiento del carácter consonántico del diptongo /we/ son manifestaciones de unas tendencias internas del español. Apoyan esta afirmación la frecuencia del primer fenómeno en el habla popular y el tratamiento que sufren una serie de préstamos léxicos de las lenguas indígenas americanas y, más recientemente, del inglés al español, en los que la /w/ inicial de diferentes diptongos fue interpretada como [gw].

Presentamos unos ejemplos: *iguana* (< arawak-caribe *ihuana, yuana*)[12], *guatapaná* (< arawak *watapana*), *guacamole* (< náhuatl *ahuacamolli*), *guanaco* (< quechua *huanacu*), *guachimán*, *huachimán* (< ingl. *watchman*), *guachicar* (< ingl. *watching car*), *guinche, güinche, huinche* (< ingl. *winch*), etc. (Sala, Munteanu, Neagu, Şandru-Olteanu 1982: I, *passim*; *DRAE* s.v.).

El número relativamente grande de casos de desaparición de la consonante velar en papiamento podría explicarse, sin embargo, no solamente por las tendencias internas del español, sino también por las numerosas voces arawak-caribe que empiezan con la semiconso-

[12] Sobre esta voz en particular escribe Fernández de Oviedo (1959) en su *Historia*: «[...] Llámase yuana, i escríbese con estas cinco letras, i pronúnciase y con poquísimo intervalo u, e después las tres letras postreras ana, juntas o dichas presto; assí que en el nombre todo se hagan dos pausas de la forma que es dicho».

nante /w/ y que, posiblemente, se hayan conservado en el español de las islas ABC sin la sólita adaptación a la pronunciación española (con reforzamiento del carácter consonántico), como *warapa, watapana, yuana*, etc. (Joubert 1991 s.v.)

Birmingham Jr. (1971: 28-29) se ocupa de algunas excepciones al fenómeno que analizamos: la conservación de /g/ en la palabra *lenga* (< esp. *lengua*), por influencia de la nasal precedente; y la aparición de la semiconsonante /w/ en palabras donde no se justifica etimológicamente, como en *awó, awor* (< esp. *ahora*, pg. *agora*) o *wowo* (< pg. *olho*), por influencia de las lenguas africanas. El argumento, en este caso, es la presencia de las formas *aguora, ahuora, agüé*, en el habla 'bozal' de Cuba, y de la forma *woyo* en el criollo de Surinam. Es posible que las lenguas africanas hayan influido en la aparición de [w] en *awó, awor*, aunque no deja de llamar la atención la similitud de la evolución con *awe* < esp. *hoy* o más bien del esp. dialectal *agüey, gué(i)*, esp. ant. *hue* (véase «El sistema vocálico - 1.1. Oscilación vocal simple ↔ diptongo»)[13].

---

[13] Lipski (1993: 27) analiza detenidamente los casos *awe, awor* en papiamento y su posible relación con el habla 'bozal' de Cuba, decantándose por la procedencia ibérica de estas voces, igual que Schwegler (1989), y por el origen papiamento de las formas similares registradas en el habla 'bozal' de Cuba.

V

FENÓMENOS DE FONÉTICA SINTÁCTICA

La agrupación y aglutinación de palabras es un fenómeno característico del habla popular y rural en muchas lenguas, que se debe, generalmente, a la segmentación errónea de las partes del discurso. En papiamento se registran muchos casos de palabras de origen español, pero también portugués y holandés, que sufren este tipo de transformaciones en su paso a la nueva lengua que se estaba forjando.

Presentamos, a continuación, unos ejemplos:

esp. *la mar* > pap. *laman*, esp. *la reina* > pap. *lareina*, esp. *la muerte* > pap. *lamuertè*, esp. *la Virgen* > pap. *Labirgui*, esp. *otra vez* > pap. *atrobe*, esp. *ese, esa ahí* > pap. *esei*, esp. *ese, esa allá* > pap. *esaya*, esp. *qué cosa* > pap. *kiko*, esp. *misma, mesma cosa* > pap. *meskos*, esp. *mala hora* > pap. *malora*, esp. *Juan Lanas* > pap. *wanlana*, esp. *en el aire* > pap. *nalaria*, (pop.) *nalaira*, esp. *hoy en día* > pap. *awendia*, esp. *para arriba* > pap. *pariba*, esp. *para abajo* > pap. *pabou*, esp. *para adentro* > pap. *paden*, esp. *para adelante* > pap. *padilanti*, esp. *para atrás* > pap. *patras*, esp. *por qué cosa* > pap. *pakiko*, esp. *no más* > pap. *numa*, pg. *por fora*, esp. *para afuera* > pap. *pafó*, hol. *de laatste* > pap. *delaster*, (pop.) *delastu* y muchos más.

El fenómeno es frecuente en el español popular (Lapesa 1959: 301-302) y se registra en algunas variedades diatópicas del español americano (Wagner 1949: 101; Zamora Vicente 1967: 109; 276). Además, fenómenos de fonética sintáctica parecidos se encuentran en todos los criollos (Lenz 1928: 98; Vintilă-Rădulescu 1973a: 234-236; 301; 307).

Es evidente que, si bien este tipo de fenómenos se produce en toda habla popular por errores en la segmentación de las partes del discurso, en el caso de los criollos su frecuencia es mayor. Y eso es, a nuestro parecer, un argumento a favor de nuestro punto de vista con respecto al papel de los procesos de comprensión y producción de textos en condiciones de contacto lingüístico. Los hablantes que se ven obligados a descodificar el mensaje y llegar a la intención comunicativa del productor del texto se encuentran, en una primera fase, con una estructura patente elaborada en una lengua que no dominan o conocen imperfectamente; y, en una segunda fase, con una estructura latente que no siempre es coherente para el receptor, porque refleja realidades, a veces, desconocidas y, por tanto, incoherentes (véase «Contacto lingüístico y criollización. - 2. Comprensión y producción de textos en condiciones de contacto lingüístico»).

Finalmente, mencionamos también algunos casos interesantes de etimología popular, fenómeno relacionado con el proceso de comprensión, o de analogía formal, que explicarían varias evoluciones fonéticas. Así, pap. *baliña* < esp. *vaina*, probablemente por efecto del pap. *galiña* (< pg. *galinha*).

***

El análisis del sistema fonético-fonológico papiamento nos permite sacar las siguientes conclusiones:

En el proceso de formación del papiamento, las lenguas participantes en el crisol lingüístico de Curazao y, generalmente, de las islas ABC, sufren una serie de modificaciones en las condiciones específicas del contacto lingüístico.

Debido a la posición privilegiada del español entre las lenguas de input, la organización de los sistemas vocálico y consonántico del papiamento se realizó siguiendo, en líneas generales, las tendencias internas de evolución del español, que se manifiestan de forma latente y en diferentes fases de realización en distintas modalidades y variedades del español. Como resultado de las interferencias de varios sistemas lingüísticos, algunas de estas tendencias lograron consolidarse y, en las condiciones generadas por la situación periférica del sistema, liberadas de la presión de la norma, llegaron hasta consecuencias últimas. Por lo tanto, apreciamos que una parte importante de los fenómenos que caracterizan la estructura actual del sistema fonético-fonológico del papiamento se puede explicar partiendo de tendencias hispánicas y/o románicas.

Entre las otras lenguas de input, un papel importante en la estructuración del sistema fonético-fonológico del nuevo criollo fue desempeñado por el holandés. Debido a los préstamos léxicos a gran escala del holandés al español, en la naciente lengua se estabilizan nuevos fonemas (de origen holandés) o se fonologizan variantes de fonemas españoles. De este modo, aparecen nuevas correlaciones con papel fonológico y un nuevo sistema, resultado del contacto entre el español y el holandés.

Sin negar la contribución de los demás elementos participantes en la formación del papiamento, consideramos que debemos tenerlos en cuenta en la medida en que sus sistemas lingüísticos, concretamente fonético-fonológicos, refuerzan tendencias internas del español o consolidan procesos en vías de realización en el período de gestación del nuevo criollo.

Finalmente, no debemos perder de vista que, a medida que el papiamento se va constituyendo como nuevo instrumento de comunicación, en la lengua empiezan a actuar leyes internas propias de evolución, que se deben tener en cuenta a la hora de explicar ciertos fenómenos fonéticos y la estructura actual de su sistema fonético-fonológico.

La organización del actual sistema fonético-fonológico papiamento demuestra con claridad, en nuestra opinión, una de las tesis fundamentales que defendemos en la presente investigación: la influencia de una lengua sobre otra se ejerce de acuerdo con el estatus que ocupan sus hablantes «en el arreglo jerárquico de las culturas del mundo» (Alleyne 1971). Por ende, el factor decisivo no es una eventual superioridad del sistema lingüístico en sí. Esto explicaría que en el contacto lingüístico entre las lenguas indígenas y el español, en una primera etapa, y entre el español y el holandés, por un lado, y las lenguas africanas, por otro lado, en una segunda etapa, las influencias mutuas que ejercieron estas lenguas unas sobre otras no fueron cuantitativa y cualitativamente iguales.

Es sabido que los dominios donde la interferencia de los sistemas lingüísticos se manifiesta con más fuerza y de manera más llamativa son el léxico y la fonética. El análisis del sistema fonético-fonológico papiamento confirma plenamente esta afirmación. Sin embargo, cuando una lengua es dominante o tiene un estatus alto debido a la posición de sus hablantes en la cultura y la civilización del mundo en aquel momento, puede imponer a otra(s) lengua(s) con la(s) que establece un contacto prolongado también su sistema gramatical, dominio que, generalmente, se conserva inalterado o mejor que otros compartimentos de la lengua en situaciones de contacto lingüístico. En los siguientes capítulos, analizaremos los principales aspectos de la morfosintaxis papiamenta.

MORFOSINTAXIS

VI
EL SUSTANTIVO

Las categorías gramaticales del sustantivo papiamento son el género y el número. Igual que la mayoría de las lenguas románicas, entre ellas el español, en papiamento no existe una declinación *stricto sensu*, de tipo sintético, como en el latín clásico, sino un sistema de construcciones preposicionales. Es sabido que todas las lenguas románicas occidentales perdieron la flexión sintética latina muy temprano (excepto la Galia, donde se mantuvo una flexión bicasual hasta el siglo XIII). Ya desde el latín tardío empiezan a usarse construcciones preposicionales y a especializarse distintas preposiciones para precisar el valor de las relaciones contextuales expresadas por los morfemas de caso (Iordan, Manoliu 1989: I, 230-233), lo que condujo a la desaparición relativamente rápida de la flexión sintética en el paso del latín a las lenguas románicas.

1. La categoría del género

En papiamento desaparece la categoría del género en los sustantivos no animados. La explicación que se suele dar a este fenómeno es la influencia de las lenguas africanas, que conocen la distinción masculino / femenino sólo para los animados. Sin embargo, a nuestro juicio, a esta causa principal, habría que sumar otros factores, si no causantes, por lo menos favorecedores, que presentamos a continuación.

En primer término, como hemos visto («Contacto lingüístico y criollización - 1. Simplificación de los sistemas en la periferia»), en el momento en que empiezan a adoptar el español, los hablantes indígenas y, principalmente, en una etapa posterior, los africanos no dominan el sistema o lo conocen de modo imperfecto. Por eso toman las palabras del español sin su flexión original.

Ahora bien, es sabido que en español, la distinción masculino / femenino no está marcada siempre desde el punto de vista del cuerpo fónico (*Esbozo*: 172-179). Al lado de los sustantivos con desinencia, existe una serie de palabras cuyo género según la terminación no es percibido por la gran mayoría de los hablantes, lo que conduce a distintas variaciones y evoluciones. Son relevantes en este sentido las vacilaciones de género que se registran en algunas variedades diatópicas del español, principalmente americanas, así como la tendencia a regular el sistema para marcar la distinción. «En el español americano existen numerosos casos de variación morfológica, ya sea en la clasificación genérica de nombres, por presión de su forma, o en su forma, por presión de su clasificación genérica» (Fontanella de Weinberg 1993: 157). En algunas regiones americanas, se registran casos de vacilaciones no sólo en el habla popular o en los hablantes de nivel bajo, sino también en niveles socioculturales más elevados (Fontanella de Weinberg *ibid.*).

Presentamos unos ejemplos: *el herrumbre* ~ *la herrumbre, el calor* ~ *la calor, el costumbre* ~ *la costumbre, el mugre* ~ *la mugre, el porción* ~ *la porción, el sartén* ~ *la sartén, el clima* ~ *la clima, el caparazón* ~ *la caparazón* o los préstamos: *el echarpe* ~ *la echarpe, el omelette* ~ *la omelette, el casete* ~ *la casete*. En la misma línea se sitúa la creación de femeninos mediante la desinencia *-a*: *huéspeda, estudianta, parienta, jefa, jueza, clienta, ministra, abogada, fiscala, funcionaria, magistrada, médica, ingeniera*, para sustantivos que tienen aspecto de masculino según la terminación y que denominaban actividades específicamente masculinas hasta hace poco: *huésped, estudiante, pariente, jefe, juez, cliente, ministro, abogado, fiscal, funcionario, magistrado, médico, ingeniero*. O la creación analógica de masculinos: *bromisto, cuentisto, maquinisto, telegrafisto, modisto, criaturo*, para sustantivos genéricamente ambiguos terminados en *-a*, con aspecto formal de femeninos: *bromista, cuentista, maquinista, telegrafista, modista, criatura* (cf. Zamora Vicente 1967: 65-66; Fontanella de Weinberg 1993: 157-159). A veces, la tendencia a regular el sistema llega a crear sustantivos que diferencian el sexo en la clase de los epicenos, como *carnero / carnera* (por *oveja*), *culebra / culebro* (por *culebra macho*). Aparecen también casos de formación nominal analógica de tipo *pareja / parejo* 'compañero de baile' o *nuera / nuero* 'yerno' (Fontanella de Weinberg 1993: 159)[1].

Por tanto, apreciamos que la desaparición de la categoría del género en papiamento, causada, principalmente, por la existencia de la distinción masculino / femenino sólo en la clase de animados en las lenguas africanas, se vio favorecida por la no dominación del sistema español por parte de los hablantes que adoptan esta lengua y por la falta de la distinción masculino / femenino en el plano fónico en palabras pertenecientes al sistema fuente.

En la clase de los animados, el papiamento conserva la distinción masculino / femenino, y la marca por diferentes procedimientos. Éstos son:

a) empleo de palabras con raíces distintas, siguiendo el modelo español: *hòmber / muhé, tata / mama, padraso / madrasa, padrastro / madrastra, toro / baka;*

b) utilización de formas masculinas y formas femeninas distintas, según el mismo modelo español u holandés: *rei / reina,*

[1] Un interesante artículo de Fernando Lázaro Carreter («Cónyuges y oficios nuevos»), publicado en el periódico *ABC* (23 de mayo de 1992) llama la atención sobre la aparición en la lengua hablada del masculino *azafato*.

prens / prènses, prínsipe / prinsesa, konde / kondesa, aktor / aktris, gai / galiña;

c) empleo de la desinencia *-a: señor / señora, primu / prima, sobrino / sobrina, amigu / amiga, bailarin / bailarina, esposo / esposa, suegro / suegra;*

d) utilización de determinantes: *ruman hòmber* 'hermano' / *ruman muhé* 'hermana', *yu hòmber* 'hijo' / *yu muhé* 'hija', *mucha hòmber* 'muchacho' / *mucha muhé* 'muchacha', *buriku machu* 'burro' / *buriku muhé* 'burra', *palomba* 'paloma' / *palomba gai* 'palomo'.

Esta última modalidad de marcar el género en la clase de animados sigue también el modelo español, pero la serie de determinantes se enriquece en papiamento. Frente a la pareja *macho / hembra* que utiliza el español, el papiamento emplea para marcar el masculino: *hòmber* para seres humanos, *machu* y *chubatu*[2] para animales y *gai* para aves; para marcar el femenino, en cambio, utiliza sólo *muhé*, para seres humanos y animales (Goilo 1953: 54).

Es interesante el caso de los diminutivos de origen español en *-ito, -ita; -ico, -ica*, que se transmiten directamente al papiamento con la distinción de género existente en el español, indistintamente si se trata de sustantivos animados o inanimados:

esp. *animalito* > pap. *animalitu*, esp. *angelito* > pap. *anguelitu*, esp. *ratico* > pap. *ratiku*, esp. *casita* > pap. *kasita*, esp. *mesita* > pap. *mesita*, esp. *cajita* > pap. *kahita*.

2. La categoría del número

El plural se expresa en papiamento con la desinencia *-nan*, que es, en realidad, el pronombre personal de tercera persona plural, de

---

[2] *Chubatu* se usa sólo en los sintagmas *chubatu di kabritu* 'chivo' y *chubatu di karné* 'carnero'.

origen africano: *kas* 'casa' / *kasnan* 'casas', *stul* 'silla' / *stulnan* 'sillas', *buki* 'libro' / *bukinan* 'libros', *amigu* 'amigo' / *amigunan* 'amigos'.

La gran mayoría de los especialistas concuerdan en cuanto al origen africano del procedimiento para marcar el plural, aunque Lenz (1928: 95) afirma que se trata de un fenómeno común en varias lenguas amerindias.

Lipski (1993: 32) llama la atención sobre la ausencia de este procedimiento en el habla 'bozal', incluso en los textos más *criolloides*, y aprecia, con perfecta razón, que es uno de los rasgos del papiamento completamente distinto de la estrategia de pluralización del español[3].

El hecho de que el papiamento haya adoptado un procedimiento de pluralización totalmente distinto del español y del holandés puede parecer curioso a primera vista, pero es perfectamente explicable si tenemos en cuenta varios factores que, en nuestra opinión, han contribuido conjuntamente a la selección de esta modalidad para marcar la pluralidad nominal por parte del naciente criollo.

Es sabido que muchas variedades diatópicas del español, especialmente meridionales y americanas, manifiestan una fuerte tendencia a la aspiración y pérdida de la *-s* final y, según algunos investigadores, esta tendencia es casi general (Rosario 1970: 17-18; Lapesa 1959: 354). El fenómeno está atestiguado ya en el siglo XVI en varias regiones americanas y se extendió con bastante rapidez incluso a los niveles socioculturales altos, como lo demuestran obras de «autores criollos destacables por su elevada cultura [que] presentan omisiones de /-s/» (Fontanella de Weinberg 1993: 59-60). Actualmente, es un rasgo ampliamente extendido en el español de América y está muy avanzado en la región caribeña. Estudios recientes han puesto de manifiesto que en el español de Gran Canaria, incluso cuando la /-s/

[3] Para Lipski (1993) este aspecto es un contraargumento más a la teoría que considera el español 'bozal' como un idioma criollo de base hispánica, porque las «Putative Papiamento forms identified in bozal Caribbean texts are convergent with equivalent Spanish forms, in both syntax and general phonological shape».

final tiene estatus gramatical como marca del morfema de pluralidad nominal, su elisión registra un índice bastante elevado (Samper Padilla 1990: 87), invalidando, a primera vista, la llamada hipótesis funcional enunciada por Kiparsky (1983) y corroborada por varios estudiosos. Sin embargo, el mismo estudio de Samper Padilla (1990: 91-93) destaca que en las frases nominales con uno o varios modificadores, la /-s/ como marca de pluralidad se elide en un porcentaje superior al 50% cuando presenta valor redundante y en un porcentaje mucho más reducido cuando es la primera marca de pluralidad; lo que sí corrobora, aunque de una manera particular, la hipótesis funcional.

Por otro lado, en el habla popular, especialmente en América, se registran frecuentes confusiones singular : plural debido a la existencia de sustantivos terminados en *-s* en singular. Se encuentran plurales formados erróneamente de plurales, singulares recreados analógicamente de manera equivocada o plurales utilizados en lugar de singulares. Presentamos, a continuación, unos ejemplos, como mero botón de muestra: *cafeses* por *cafés, mamases, mamáes* por *mamás*, *rubises* por *rubís* o *paragua : paraguas, pararrayo : pararrayos, alforja : alforjas, tenaza : tenazas, enagua : enaguas, calzón : calzones*, etc. (Zamora Vicente 1967: 432; Agüero 1962: 66).

Hemos visto también que los hablantes que adoptaron el español, indígenas, en una primera etapa, y, en una etapa posterior, principalmente africanos, al no dominar el sistema, no lograban distinguir claramente la marca de plural del español. Además, si el fenómeno de la elisión de la /-s/ está atestiguado ya en el español americano del siglo XVI, es muy probable que se hubiese difundido también en el español hablado en las islas ABC antes de la conquista holandesa y la llegada de los primeros esclavos africanos.

Por otro lado, la pérdida de la /-s/ final pudo verse favorecida en el proceso de formación del papiamento porque en varias lenguas africanas la /-s/ final es muy poco frecuente y desaparece ante una consonante inicial de otra palabra, como sucede en el español de Guinea (Quilis 1993: 15).

En cuanto al procedimiento holandés de marcar la pluralidad nominal, es posible que tampoco resultara bastante claro para los hablantes africanos que no dominaban el sistema o lo conocían muy imperfectamente. De todos modos, dadas las circunstancias, parece que el uso del holandés en la comunicación entre los esclavos y sus amos era mucho más reducido que el uso del español.

Ahora bien, las lenguas africanas conocen la distinción singular / plural y tienen procedimientos propios de pluralización, como morfemas prefijos o sufijos. Por lo tanto, los hablantes africanos que adoptan el español, si bien podían prescindir fácilmente de marcar la distinción de género, porque en sus lenguas lo hacían solamente en la clase de los animados, sentían, en cambio, la necesidad de marcar la pluralidad nominal en el discurso. Y, probablemente, por tratarse de una distinción que tiene una fuerte realidad psicológica para los hablantes africanos, por un lado, y porque los procedimientos del español y holandés no les resultaban suficientemente claros, por otro, eligieron el sistema de pluralización de sus propias lenguas, impermeable a las interferencias con las otras lenguas de input de las islas ABC.

La frase nominal en papiamento puede estar constituida por un núcleo y uno o varios modificadores. En estos casos, en función de la naturaleza del modificador, la marca de pluralidad la puede aportar el modificador, sin necesidad de que el núcleo reciba la desinencia *-nan*. Desde este punto de vista, el papiamento se diferencia del español estándar, donde, generalmente, la marca de pluralidad se repite en el núcleo y todos los modificadores, incluso cuando es redundante.

Cuando la frase nominal tiene un solo modificador antepuesto y éste es un numeral o un adjetivo indefinido, el sustantivo no recibe, generalmente, la desinencia *-nan*, porque la marca de pluralidad es redundante:

Mi tin tres stul	'(Yo) tengo tres sillas'
Tur buki ku mi kumpra ta karu	'Todos los libros que compro son caros'
Un gran invitashon na tur amigu	'Una gran invitación a todos los amigos'.

En el habla cotidiana se registran cada día más casos de pluralización redundante de tipo *Mi tin dos amigunan* 'Tengo dos amigos', *Ta invita tur amigu i konosínan* 'Se invita a todos los amigos y conocidos', como había notado ya Lenz (1928: 96), no sólo en los sustantivos de origen español, sino también en los de origen holandés: *rekeningennan, ledennan* (Sprock 1995: 7). Maduro (1971: 9) y Sprock (1995: 7-8) consideran que este uso es completamente erróneo.

Cuando la frase nominal tiene dos modificadores antepuestos, aunque por lo menos uno de ellos indica claramente la pluralidad, y, por lo tanto, la marca es redundante, el sustantivo recibe, sin embargo, la desinencia *-nan*, como morfema de pluralidad igual a la /-s/ en español. Compárese:

Tin dos buki na kas 'Hay dos libros en casa'

y

Mi / E dos bukinan ta na kas 'Mis / Los dos libros están en casa'
Tur buki ta na kas 'Todos los libros están en casa'

y

Tur mi / e bukinan ta na kas 'Todos mis / los libros están en casa' (Goilo 1953: 52)[4].

Cuando el modificador es un adjetivo calificativo pospuesto, la desinencia *-nan* como marca de pluralidad puede aparecer en el sustantivo o en el adjetivo (Dijhkoff 1987):

e kasnan bunita o *e kas bunitanan* 'las casas bonitas'.

Pero si el adjetivo es antepuesto, sólo el sustantivo puede recibir la desinencia: *e bunita kasnan* pero no **e bunitanan kas*.

---

[4] Un interesante análisis sobre este aspecto se halla en Dijkhoff (1987; 1993: 163-164).

Cuando la frase nominal tiene varios modificadores pospuestos y éstos son adjetivos calificativos, la marca de plural *-nan* aparece solamente en el sustantivo:

e kasnan bunita, grandi i kostoso 'las casas bonitas, grandes y caras'.

Estas vacilaciones en la pluralización, más exactamente la ausencia de la marca de plural cuando la pluralidad resulta evidente debido a los modificadores, son, en opinión de varios investigadores, resultado de influencias africanas (Joubert b). Sin embargo, el estudio antes mencionado sobre el español de Gran Canaria (Samper Padilla 1990) pone de manifiesto claramente que el hablante español también renuncia a la marca de pluralidad cuando ésta es redundante. Es muy probable que se trate de una tendencia más general que manifiestan los hablantes hacia el esfuerzo mínimo y a evitar la redundancia.

Podemos hablar, en cambio, de una influencia africana evidente, en este caso, si aceptamos que el hablante no siente la necesidad de marcar el plural mediante una desinencia específica al textualizar un plan global, es decir, en el nivel de la estructura superficial, porque en la estructura profunda, en su mente, el plural es evidente. De modo que en la oración *Nan ta bende buki ei* 'Ahí venden libros', no es necesario marcar el plural de *buki*, porque, evidentemente, se sobreentiende que no se vende *un* libro. Si fuese así, el texto que expresaría esta idea sería *Nan ta bende un buki ei* 'Ahí venden un libro', igual que *Nan ta bende un outo na e kas ei* 'En esa casa venden (se vende) un coche'. Esta situación confirma plenamente, en nuestra opinión, el punto de vista expuesto antes («Contacto lingüístico y criollización - 2. Comprensión y producción de textos en condiciones de contacto lingüístico») sobre la importancia de los procesos de comprensión y producción de textos en condiciones de contacto lingüístico. Cuando determinados sistemas o subsistemas tienen una fuerte realidad psicológica en los hablantes de una lengua que se ven obligados a utilizar otro código, dichos subsistemas permanecen impermeables a las influencias de la otra lengua, aun cuando se producen cambios en el sistema gramatical total o cuando éste llega a ser sustituido por el sistema de la lengua de prestigio sociocultural, político.

No obstante, consideramos que se debería tener en cuenta también otro aspecto, derivado asimismo del contacto lingüístico: cuando los hablantes africanos empiezan a usar préstamos léxicos a gran escala y los introducen en su propio sistema lingüístico sin adaptarlos, llega un momento en que los utilizan también con determinantes, siempre y cuando el procedimiento no afecte a la comunicación. Esta hipótesis explicaría la existencia en papiamento de sintagmas como *muchu bes* 'muchas veces', *tin be* 'a veces', *bários otro kos, bários kos mas* 'varias otras cosas', *diferente dòkter* 'diferentes doctores', *algun palu grandi* 'algunos árboles grandes'.

Un fenómeno interesante es la pluralización con la desinencia *-nan* de plurales españoles, muy criticado por los puristas papiamentistas: *inkilinosnan, kasitasnan, señoresnan, oyentesnan, televidentesnan, damasnan, kabayerosnan* (cf. Maduro 1971: 11).

Rona (1976: 1022-1023) opina que estos plurales no presentan un aglomerado de dos desinencias con la misma función, sino con funciones distintas, porque

> bien que sur le plan conceptuel, le pluriel soit toujours le même, cependant sur le plan linguistique le nombre grammatical du papiamento est un fonction grammaticale complètement différente de celui de l'espagnol. J'appellerais nombre implicite celui du papiamento, et nombre explicite celui de l'espagnol. En espagnol, le pluriel sert pour dire *plus d'un* et égalemment pour parler d'une quantité connue, soit exactement, soit approximativement. Il s'oppose uniquement à *un*, et quand on l'emploie, l'information transmise c'est uniquement qu'il ne s'agit pas d'un seul objet. [...] quand il s'agit d'une quantité explicite, même approximative, le pluriel ne s'emploie pas en papiamento. Ce n'est donc point un pluriel: *-nan* signifie *une quantité inconnue* (donc nécessairement *pas un*, parce que *un* serait une quanité connue, mais également *pas deux*, *pas trois,* etc.), et il s'oppose à *quantité exactement ou approximativement connue*, et inclue *un*.

A nuestro juicio, es difícil hacer esta distinción, por las siguientes razones: en primer lugar, según Goilo (1953: 50), la oposición singular / plural en papiamento significa, en realidad, la oposición unidad / más de una unidad, igual que en español y otras lenguas románicas; en segundo lugar, Rona *(loc. cit.)* propone el siguiente esquema, incompleto, en nuestra opinión:

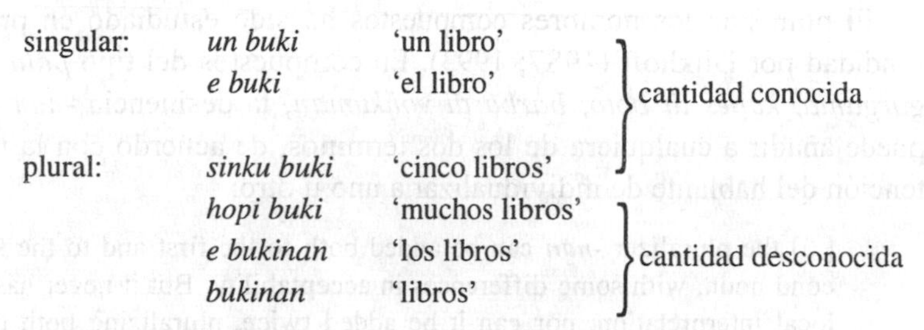

singular:	*un buki*	'un libro'	cantidad conocida
	e buki	'el libro'	
plural:	*sinku buki*	'cinco libros'	
	hopi buki	'muchos libros'	cantidad desconocida
	e bukinan	'los libros'	
	bukinan	'libros'	

En este esquema faltan construcciones como *e sinku bukinan* 'los cinco libros' y *tur mi bukinan* 'todos mis libros', que expresan una cantidad conocida con marcas redundantes de plural (modificadores y desinencia), así como *Bo tin buki?* '¿Tienes libros?', *Nan ta bende buki* 'Venden libros', donde *buki* expresa una cantidad desconocida sin ninguna marca de plural (faltan tanto los modificadores, como la desinencia).

Consideramos, junto con Maduro (1971: 11), que en los casos como *inkilinosnan*, etc. se trata de una aglomeración redundante de dos desinencias marcadores de plural empleadas equivocadamente. Es muy probable que se trate de una ultracorrección o un error generado por la confusión singular / plural en el plano fónico (véase *supra*) y la necesidad de los hablantes de marcar pertinentemente la distinción, para facilitar la comunicación; sin descartar la fuerte realidad psicológica del marcador *-nan* que se transmite sin alterar al nuevo código y representa la verdadera solución de pluralización, ya que el plural (ibero)rromànico en *-s* no es suficientemente claro para una gran parte de los papiamentohablantes.

Otro error señalado por Maduro *(loc. cit.)* es la pluralización con la ayuda de la desinencia *-s*, probablemente por influencia del español: *na ámbos kóstas* en lugar de *na tur dos kosta* 'en los dos lados'; *amigunan outomobilistas* en lugar de *amigu outomobilistanan / amigunan outomobilista* 'amigos automovilistas'; *Antillas*, en lugar de *Antianan*, etc.

El plural de los nombres compuestos ha sido estudiado en profundidad por Dijkhoff (1987; 1993). En compuestos del tipo *palu di garganta, kabes di boto, barba di yònkuman*, la desinencia *-nan* se puede añadir a cualquiera de los dos términos, de acuerdo con la intención del hablante de individualizar a uno u otro:

> [...] the pluralizer *-nan* can be added both to the first and to the second noun, with some differences in acceptability. But it never has a local interpretation, nor can it be added twice, pluralizing both the first and the second noun. So, a) *palunan di garganta largu* 'long neckbones' is well-formed, b) *palu di gargantanan largu* is still acceptable, even though less well-formed, but c) * *palunan di gargantanan largu* is definitely ill-formed [...]. Taking a closer look at the differences in acceptability between a) and b), note that the second noun in a) has a preferred *individuated* use which correlates more or less to what is traditionally called *count*. This particular delimitation accounts for why a) is more acceptable than b). However, when the second noun is *non-individuated* (traditionally called *mass*) such as *lechi* 'milk' below there is a preference for the pluralizer to be attached to the second noun; note also that the delimitation with *-nan* here is only holistic: a) *palunan di lechi* 'a kind of tree', b) *palu di lechinan* (Dijkhoff 1987: 7-8).

Se puede observar que en este tipo de compuestos el procedimiento más formal para la pluralización sigue el modelo español, en el que recibe desinencia de plural sólo el primer término: *palos de rosa* no **palos de rosas* o **palo de rosas*; *flores de la maravilla* no **flores de las maravillas* o **flor de las maravillas*.

No todos los especialistas comparten la opinión de Dijkhoff y consideran que *palu di gargantanan largu* es una construcción tan correcta como *palunan di garganta largu*. Además, en estos casos es preferible usar construcciones menos ambiguas, igual de correctas, que evitan posibles anfibologías, como *palunan largu di garganta*. Cf. también *rench'i oreanan rondó* 'anillos de orejas (pendientes) redondos'.

Según Dijkhoff (1987: 8), cuando el segundo término del compuesto es un adjetivo, la desinencia *-nan* es obligatoria en el adjetivo: *palu friunan, man shushinan*. Esta afirmación es también susceptible de matizaciones, porque si consideramos que cada uno de los compuestos *palu friu, man shushi*, etc. es una sola palabra, la desinencia se añadiría a toda la palabra, no a uno de los términos que la componen. Evidentemente, queda por definir el estatus de estos compuestos o semi-compuestos, cuyos elementos no están completamente fundidos, y la diferencia que se establece entre un compuesto de tipo *palu friu* y uno de tipo *malalenga* o *girasol*, cuyos plurales no permiten variación alguna: *malalenganan, girasolnan* (Dijkhoff 1993: 164)[5].

[5] Pérez Vigaray (1995) resume con acierto el estado actual de la cuestión, destacando tres líneas de investigación en el dominio de la formación de palabras en general, y de la composición nominal en particular: la primera, tradicional, representada, entre otros, por Julio Casares y Emile Benveniste, distingue entre locuciones y nombres compuestos. Las locuciones son formaciones construidas «sobre la base de las reglas de la sintaxis libre», como «tela de araña, mesa de noche, avión a reacción, mercado negro, etc». Los compuestos nominales «deben presentar algún tipo de alteración del significante, que [...] los distinga de las locuciones», como «telaraña, bocamanga, camposanto, carricoche», etc. La segunda línea de investigación, muy extendida actualmente, considera que el único criterio válido para el estudio de los compuestos afecta al significado de las formaciones; e iguala el significado de un signo a su contenido semántico-referencial. Según Pérez Vigaray *(loc. cit.)*, se confunden, de este modo, dos niveles semiológicos distintos: el significado y la designación. La tercerea línea, representada principalmente por Eugenio Coseriu plantea la necesidad de «separar claramente aquellas formaciones que se crean sobre la base de las reglas de la sintaxis libre de una lengua (sintagmas más o menos lexicalizados, pero en definitiva sintagmas), de aquellas otras formaciones de dos o más lexemas que se construyen sobre la base de reglas propias y exclusivas, internas al sistema de la lengua, para crear compuestos [...] "reglas paragramaticales del léxico"» en terminología de Coseriu.

Por otro lado, un autor como Elis Juliana emplea construcciones como *flèktunan pretu* 'trenzas negras' o *su bèlnan chikitu* 'muslos pequeños'.

Cuando el segundo término del compuesto es un verbo, la desinencia se puede añadir tanto al primero, como al segundo término, pero se prefiere marcar el primero: *stulnan di zoya, stul di zoyanan* 'mecedoras' (Dijkhoff 1987: 8). No compartimos esta afirmación, porque las dos construcciones son igual de correctas y la preferencia por una u otra es puramente subjetiva y de carácter individual, de acuerdo con la intención del hablante de individualizar uno de los términos.

3. Funciones del sustantivo

En la oración simple

El sustantivo en la oración puede ser sujeto, complemento del nombre (substantival preposicional), complemento predicativo y complemento, como en español.

sujeto:

E hòmber *ku ken bo tabata papia ta mi ruman*	'El hombre con quien hablabas es mi hermano';
E isla *hulandes mas grandi di Laman Karibe ta karga nòmber di Kòrsou*	'La isla holandesa más grande del Mar Caribe tiene el nombre de Curazao';

complemento del nombre:

Tres kaso di ladronisia	'Tres casos de robo';
Entrada pa dama *ta grátis*	'La entrada para señoras es gratuita';
E polisnan tabata buska un hòmber ku djente *di* oro *i* oloshi *di* plata	'Los policías buscaban a un hombre con diente(s) de oro y reloj de plata';
Habri e bentana sin yalusí	'Abre la ventana sin persianas';

complemento predicativo:

Mi ruman ta karpinté	'Mi hermano es carpintero';
Kòrsou ta e isla *hulandes mas grandi den Laman Karibe*	'Curazao es la isla holandesa más grande del Mar Caribe';

complemento:

circunstancial:

Mi ta bai kas	'Voy a casa';
Mi ta bini di kas *di mi ruman hòmber*	'Vengo de (la) casa de mi hermano';
Tur dia *mi ta spera karta di dje*	'Todos los días espero (una) carta suya / de él';

directo:

Mi gusta papia papiamentu	'Me gusta hablar papiamento';
Mi tin e notisia *ei di bon fuente*	'Tengo esa noticia de fuente fidedigna';
Traha dam, *warda* awa	'Construir el dique y esperar las lluvias' (literariamente: 'Hombre precavido vale por dos');

indirecto:

Tin hopi difikultat den papiamentu	'Hay muchas dificultades en el papiamento';
Ta pa pòst*?*	'¿Es para echar(la) al correo?;
Tin algun karta pa mi kasá*?*	'¿Hay alguna carta para mi mujer?

En la oración compuesta

Al nivel de la frase, en papiamento se registran oraciones subordinadas substantivas con función de sujeto y complemento directo de la oración compuesta. Existen también oraciones de subordinación substantivas interrogativas indirectas y dubitativas, con función de complemento directo de la oración compuesta.

oración substantiva sujeto de la oración compuesta:

Purfin / Por fin e tata a skirbi un karta	'Por fin, padre escribió una carta';
Esta fastioso ku nos no konosé ningun hende pa papia kuné	'¡Qué molesto que no conozcamos a nadie con quien hablar!';

oración substantiva complemento directo de la oración compuesta:

Mi ta kere ku mi por yuda señor	'Creo que puedo ayudarle (a Ud.)';
Mi ta riska bisa ku t'asina	'Me atrevo a decir que es así';

oración substantiva interrogativa indirecta:

Gobièrnu a puntra e kaptan kiko e ker a hasi / ki intenshon e tabatin ku e kriatura ayá	'Las autoridades le preguntaron al capitán qué quería hacer / qué intención tenía con aquel niño';
Un hóben a par'é / stòp e na kaminda i puntr'é kende tabata su mama ku tata	'Un joven la detuvo en el camino y le preguntó quiénes eran su madre y su padre'.

Las interrogativas dubitativas pueden ser introducidas por *ku, si*, o *ku si*, correpondientes al español *si*:

Inmediatamente pastor a bin konfesá e hòmber i puntr'é ku si *e no tin ningun piká*	'El pastor llegó inmediatamente para confesar a aquel hombre y le preguntó si no tenía ningún pecado'.

VII
EL ARTÍCULO

En papiamento, el artículo es determinado (definido) o indeterminado (indefinido), como en español.

El sistema papiamento de los artículos es, sin embargo, distinto del sistema español, aunque, en nuestra opinión, representa, en realidad, una evolución de este último.

Se han conservado hasta hoy formas petrificadas del artículo determinado español, en palabras que se han transmitido al criollo en un aglomerado constituido por artículo más sustantivo: *lareina* (< *la reina*), *laman* (< *la mar*), *laria* (< *el aire*), *Labirgui* (< *la Virgen*), *aloménos* (< *a lo menos*), *alafin* (< *a la fin*), *alavez* (< *a la vez*) (cf. también Lenz 1928: 98). El proceso es idéntico al que sufrieron numerosas voces árabes que penetraron en español (Lapesa 1959: 97 y sigs.).

Birmingham Jr. (1971: 41) señala un curioso vestigio de un artículo determinado femenino plural en *sanka* (< esp. *las ancas*; pg. *as ancas*) vulg. 'trasero, nalgas'.

Como hemos visto en un capítulo anterior («Fenómenos de fonética sintáctica») la causa de este fenómeno es la segmentación errónea de las partes del discurso, resultado de la no dominación o conocimiento imperfecto del sistema. Casos similares se producen también en otros criollos, así como en los procesos de adquisición empírica de una lengua (Wagner 1949: 101; Zamora Vicente 1967: 209; 276; Lenz 1928: 98; Vintilă-Rădulescu 1973a: 307).

1. El artículo definido

El artículo definido tiene una sola forma para el masculino y el femenino, el singular y el plural: *e*, con la variante anticuada, muy poco usada en la actualidad, *es*: *e hòmber* 'el hombre', *e muhé* 'la mujer', *e hòmbernan* 'los hombres', *e muhénan* 'las mujeres'. La ausencia de formas específicas para el femenino y el plural es explicable, si tenemos en cuenta la evolución de las categorías de género y número en papiamento (véase «El sustantivo»).

Cuando el artículo está precedido por una palabra que termina en vocal, se produce la apócope de ésta y, a veces, una fusión: *pa e hòmber* > *p'e hòmber*, *di e* > *dje*, *ku e* > *k'e*, *riba e* > *rib'e*. El fenómeno es bastante frecuente en papiamento, igual que en el español popular.

Lenz (1928: 97) cree que este artículo procede del pg. *esse*, por analogía con los pronombres demostrativos papiamentos. Sin embargo, no encontramos ninguna razón que nos impida derivar el artículo definido papiamento del artículo español *el*, como opina también Birmingham Jr. (1971: 40).

En español, el artículo determinado es un actualizador, que presenta un nombre consabido por el hablante y el oyente; también es un indicador genérico de toda una especie, conocida por los hablantes gracias a factores pragmáticos. En papiamento, el artículo determinado sigue sólo en parte las reglas de empleo del artículo español.

La reorganización que se ha operado en el uso del artículo definido papiamento se debe, en nuestra opinión, a la influencia de las lenguas africanas, que, generalmente, no poseen la categoría de artículo. Es probable que por esta misma razón, también sus funciones determinativas difieran de las del artículo español.

El artículo definido papiamento no se emplea con nombres propios, con apelativos de tipo *Señor, Señora, Doktor, Mener, Mevrou*, ni con nombres propios acompañados por estos apelativos. Tampoco se emplea como indicador genérico de una especie o de objetos únicos, conocidos y definidos:

Maria ta mi amiga	'María es mi amiga';
Señor Fernández ta na kas	'El señor Fernández está en casa';
Piská ta biba den laman	'Los peces viven en el mar';
Abeha ta símbolo di trabou	'La abeja es el símbolo del trabajo';
Libertat bal mas ku plaka	'La libertad vale más que el dinero';
Kuminda ta sirbí	'La comida está servida';
Papa di Roma	'El Papa de Roma';
Solo ta sali seis or	'El sol sale a las seis';
Oro ta un metal presioso	'El oro es un metal precioso'.

Se utiliza, en cambio, el artículo determinado cuando el hablante quiere individualizar el sustantivo o determinarlo con precisión. Compárense los ejemplos siguientes, en los que las oraciones *b)* reflejan la intención individualizadora del hablante:

a) Awe nos no ta bai skol	'Hoy no vamos a la escuela', y
b) E skol ta un edifisio nobo	'La escuela es un edificio nuevo';
a) Nan ta sintá na mesa	'(Ellos) están sentados a la mesa', y
b) E mesa ta di marmer	'La mesa es de mármol'.

Las siguientes oraciones reflejan la intención del hablante de determinar con precisión el sustantivo:

E hòmber ku a drenta mi kas	'El hombre que entró en mi casa';
E asuntu ku nos a papia 'riba	'El asunto de que hablamos';
E gobernador ku a muri aña pasá	'El gobernador que murió el año pasado'.

Como se observa, en todos estos ejemplos, el artículo definido refuerza otros determinantes, reduplica, en realidad, la determinación, como en español.

El artículo definido papiamento puede tener funciones de pronombre demostrativo: *Mi kas i es / e di mi amigu* 'Mi casa y la de mi amigo'. En estos casos, las formas *es, e* parecen haber reconstruido un plural analógico: *esnan, enan*: *Bo bukinan i esnan / enan di mi ruman*[1] 'Tus libros y los de mi hermano' (Goilo 1953: 71). Sin embargo, no debemos perder de vista otra posibilidad: en el paradigma del pronombre demostrativo papiamento (véase «El pronombre - 3. El pronombre demostrativo») existen las formas *esun, esunnan*, con el mismo valor de 'el, la, los, las', que hubieran podido evolucionar del modo siguiente: *esun* > *es* > *e*; *esunnan* > *esnan* > *enan*: *Mi buki y esun di bo* 'Mi libro y el tuyo'; *Mi kasnan y esunnan di nos bisiña* 'Mis casas y las de nuestro vecino'. Si aceptamos esta hipótesis, no se trataría del artículo definido con función de pronombre demostrativo, sino, de un eventual artículo demostrativo, que se habría desarrollado como forma distinta del pronombre; lo que adquiere un interés teórico peculiar, porque apoyaría la hipótesis según la cual los pronombres demostrativos se pueden convertir en artículos definidos y confirmaría la teoría sobre el origen del artículo determinado en el latín tardío y las lenguas románicas (Iordan, Manoliu 1989: I, 244-245). En tal caso, Lenz no se equivocaría mucho al derivar el artículo del pg. *esse*, ya que en español y portugués la forma del demostrativo es idéntica: esp. *ese*, pg. *esse*. Un argumento a favor de esta hipótesis sería la variante anticuada *es*, como fase intermedia de la evolución.

2. El artículo indefinido

Este artículo tiene una sola forma para el singular masculino y femenino: *un*. Para el plural se recurre al adjetivo indefinido *algun* (< esp. *alguno*), que tiene también una sola forma para el masculino y el femenino: *un buki* 'un libro' / *algun buki* 'unos libros'; *un muhé* 'una mujer' / *algun muhé* 'unas mujeres'.

El origen del artículo indefinido es el artículo español *un, una*. Birmingham Jr. (1971: 43) no descarta el doble origen, español y

[1] Las formas *e, enan* se registran, por lo general, sólo en el habla rápida y un tanto descuidada.

portugués (*um, uma*). Él mismo cree identificar vestigios del artículo indeterminado español en formas petrificadas como *atardi* (< esp. **una tarde*) 'tarde' o *anochi* (< esp. **una noche*) 'noche'.

Igual que el artículo determinado, y por las mismas razones que ése, el artículo indeterminado papiamento no tiene el mismo uso y las mismas funciones que su correspondiente español y, generalmente, se usa menos que aquél. Con respecto a esta cuestión estamos en desacuerdo con Goilo (1953: 68-69), quien afirma que el artículo indefinido papiamento tiene los mismos usos que el español, inclusive en las frases enfáticas del tipo *E ta un ladron* 'Es un ladrón'.

Es sabido que en español, el artículo indefinido sirve para presentar un sustantivo por primera vez; luego, cuando el sustantivo es ya conocido por el oyente, se pasa a emplear el artículo definido. Por eso, el artículo indeterminado entra de lleno en el campo de los adjetivos indefinidos y de los numerales. Las relaciones heterosintagmáticas del artículo indefinido se sitúan en el nivel de las ocurrencias individuales, por ser exigido por ciertas palabras, no por clases de palabras (Iordan, Manoliu 1989: I, 249-250). Esta situación explica también las numerosas diferencias en el uso del artículo indeterminado en distintas lenguas, incluidas el español y el papiamento.

Así, por ejemplo, en la gran mayoría de las frases enfáticas, donde el uso del artículo indefinido es obligatorio en español, en papiamento es facultativo, pese a la opinión de Goilo *(loc. cit.)*:

E ta (un) ladron	'Es un ladrón';
E ta (un) sinbergwensa	'Es un sinvergüenza', pero
Tabatin mester di un Washington pa liberá Merka	'Hacía falta un Washington para liberar América'.

El artículo indefinido se utiliza facultativamente también en frases de carácter general, impersonal, en construcciones como *(Un) abeha ta símbolo di trabou* 'La abeja es el símbolo del trabajo', semejantes a las construcciones españolas del mismo tipo: *Un pícaro es siempre un pícaro = El pícaro es siempre pícaro* o a ciertas construcciones impersonales del español como: *Un hombre debe trabajar para ganar su pan* = *El hombre debe trabajar para ganar su pan*. En realidad, en estos casos es más bien un indicador genérico.

A diferencia del español, en papiamento el artículo indeterminado puede usarse con los adjetivos indefinidos *otro, tal*: *un otro kos* 'otra cosa', *un tal hende* 'tal persona' (Birmingham Jr. 1971: 44-45).

VIII
EL ADJETIVO[1]

La mayor parte de los adjetivos calificativos del papiamento son de origen español y portugués y proceden de la forma de masculino singular. Algunos, como *kòrtiku* 'corto; bajo' o *chikitu* 'pequeño, chico' son diminutivos españoles que se han transmitido como tales, pero han perdido el valor diminutival en papiamento (Birmingham Jr. 1971: 46).

El adjetivo calificativo es invariable desde el punto de vista de la categoría del género. Los adjetivos heredados del español o portugués se han fijado en el criollo con la forma de masculino o femenino, sin obedecer a alguna regla. Encontramos así, formas como: *duru* (< esp. *duro*), *haltu* (< esp. *alto*), *nobo* (< esp. *nuevo*, pg. *novo*), *siegu* (< esp. *ciego*), al lado de *bunita* (< esp. *bonito, -a*), *marga* (< esp. *amargo, -a*), *barata* (< esp. *barato, -a*), *bisiña* (< esp. *vecino, -a*, pg. *vizinho, -a*).

En nuestra opinión, para explicar esta situación, debemos tener en cuenta, igual que en el caso del sustantivo (véase «El sustantivo - 1. La categoría del género»), tres factores:

[1] Nos ocupamos en este capítulo solamente del adjetivo calificativo. Los determinativos —demostrativos, posesivos, indefinidos, interrogativos— serán tratados junto con los pronombres correspondientes; los adjetivos determinativos numerales serán tratados en el capítulo «El numeral».

a) la población que empieza a adoptar un sistema lingüístico que no es suyo no domina, o conoce imperfectamente, el sistema prestador;

b) en una primera fase del contacto lingüístico, un gran número de palabras fueron adoptadas sin su flexión original. Un argumento a favor de esta afirmación es que en sintagmas como *mala lenga (malalenga)* 'mala lengua', *mala suerte* 'mala suerte', *di mala fe* 'de mala fe', transmitidos como tales al papiamento, se conserva la forma petrificada de femenino, a pesar de que el adjetivo tiene una sola forma *malu* (< esp. *malo*) con la variante *mal* cuando precede al determinado;

c) la población africana no conocía la distinción de género más que para la clase de los animados.

Birmingham Jr. (1971: 46) cree que en el caso de dos adjetivos, *karu* 'caro' y *malu* 'malo', se puede hablar de cierta vacilación en los hablantes, pero la forma más corriente es la de masculino. Según él, en los niveles altos, estos adjetivos aparecen esporádicamente con formas de femenino cuando acompañan un sustantivo femenino: *kos kara* 'cosa cara', *mucha mala* 'niño malo / niña mala'. En realidad, sólo las personas mayores utilizan todavía la forma *kara*, al lado de *karu*, pero independientemente del género del determinado. Por otra parte, la forma *mala* no se puede posponer al sustantivo; antepuesta, como variante de *mal*, tiene significado distinto de *malu*, pospuesto: *mal(a) mucha* 'niño/, -a travieso/, -a'; *mucha malu* 'niño/, -a enfermo/, -a'.

La categoría del número del adjetivo calificativo de las lenguas europeas de input se reorganiza en el criollo según el modelo de pluralización africano utilizado para los sustantivos, con la desinencia *-nan*.

Generalmente, los adjetivos se posponen al sustantivo, según el uso español[2], aunque un número reducido, como *gran(di)* 'grande',

[2] Según leyes lógicas y estilísticas, el adjetivo, en español, puede ir delante o detrás del sustantivo.

bon 'bueno', *mal(u)* 'malo', *pober* 'pobre', *dushi* 'dulce', puede colocarse antes o después del sustantivo: *un kos bon* 'una cosa buena' o *un bon kos* 'una buena cosa' (Birmingham Jr. 1971: 45).

Existen adjetivos calificativos de origen español que siguen el modelo de esta lengua y cambian su significado de acuerdo con su posición frente al sustantivo. Así: *un hòmber grandi* 'un hombre grande' ~ *un gran hòmber* 'un gran hombre'; *un mucha pober* 'un niño pobre' ~ *un pober mucha* 'un pobre niño'; *pan dushi* 'pan dulce' ~ *dushi pan* 'dulce pan'; *kos dushi* 'cosa dulce' ~ *dushi kos* 'dulce cosa'; *mal hende* 'mala persona (de mal carácter)' ~ *hende malu* 'persona enferma, enfermo'; *E ta mal hende* 'Es mala persona' ~ *E ta un hende malu* 'Es enfermizo'; *Mi hefe ta un hòmber malu* 'Mi jefe es un hombre enfermo / enfermizo', *Mi tin un yu malu na hospital* 'Tengo un hijo enfermo en el hospital' ~ *El a entregá mi un mal trabou* 'Me entregó un mal trabajo / un trabajo malo'.

Cuando preceden a los sustantivos, los adjetivos *malu* y *grandi* apocopan como en español, salvo los casos de sintagmas petrificados. También apocopa el adjetivo *santu* ante nombres propios, igual que en español y con las mismas excepciones: *San Pedro, San Pablo, San Antonio*, pero *Santo Tomás, Santo Toribio, Santo Domingu*. La forma femenina *santa* no apocopa ante los nombres propios: *Santa Ana, Santa Maria, Santa Teresita*.

No se puede hablar en papiamento de una concordancia del adjetivo con el sustantivo desde el punto de vista de la categoría del género. Como hemos visto, en los substantivos esta categoría está marcada sólo en la clase de los animados, mientras en los adjetivos no está marcada en absoluto. Por lo tanto, cualquier concordancia con respecto al género es puramente casual: *flor bunita* 'flor hermosa', pero también *outo bunita* 'coche hermoso' o *kabai blanku* 'caballo blanco' y *kas blanku* 'casa blanca'.

En cuanto a la concordancia de número, hemos visto («El sustantivo - 2. La categoría del número») que, en la frase nominal con adjetivos calificativos como modificadores, la marca de plural aparece sólo en uno de los términos, adjetivo o sustantivo.

1. La comparación

El papiamento hereda del español el sistema de comparación y, parcialmente, los formantes, las modalidades lingüísticas para marcar los grados.

El comparativo

Tiene tres grados. El comparativo de superioridad y el de inferioridad se forman con los adverbios de cantidad *mas, ménos*, respectivamente; el comparativo de igualdad sustituye el formante español *tan* y se construye con el adverbio *mes* (< esp. ant., pg. *mesmo*). En los tres grados, el elemento introductorio del término de comparación es la preposición *ku* (< esp. *que*), con los valores del esp. *que* y *como*.

Comparativo de inferioridad:

Hopi isla den Laman Karibe ta ménos importante ku Kòrsou — 'Muchas islas del Mar Caribe son menos importantes que Curazao';

Un biaha ku bapor ta ménos rápido / lihé ku un biaha ku aeroplano — 'Un viaje en buque es menos rápido que un viaje en avión'.

Comparativo de igualdad:

Haf di Kòrsou ta mes importante ku kualke haf di besindario — 'El puerto de Curazao es tan importante como cualquier puerto de la zona';

E kas ku el a traha ta mes bunita ku kualke di e kasnan bunita di tempu modèrno — 'La casa que ha construido es tan bonita como cualquiera de las casas bonitas de la época moderna'.

Birmingham Jr. (1971: 47) destaca que en las comparaciones negativas el formante es el adverbio *asina* o la locución adverbial *asina tantu*, mientras el elemento introductorio del término de comparación es *manera*:

No asina inteligente manera Alfredo	'No tan inteligente como Alfredo'.

El origen español de este formante y del término introductorio es evidente. Además, la forma *asina*, arcaica, está bastante difundida en numerosas modalidades dialectales hispanoamericanas (Rosario 1970: 87).

El mismo Birmingham Jr. *(loc. cit.)* aprecia que «further, the language abandons *tan*, *tão* in the sense of 'so' and uses [a'sina] plus [ku]: [a'sina 'malu ku] 'so bad that', as for instance in a phrase like 'It is *so bad that I* cannot stand it'». Sin embargo, en este caso se trataría de una construcción en la que el término de comparación sería una oración subordinada comparativa. De todos modos, el papiamento moderno y normado prefiere la construcción con *mes* y *ku*: *E no ta mes inteligente ku Alfredo* '(Él) no es tan inteligente como Alfredo'.

Comparativo de superioridad:

Kòrsou ta mas importante ku hopi (otro) isla den Laman Karibe	'Curazao es más importante que muchas (otras) islas del Mar Caribe';
Un biaha ku bapor ta mas agradabel ku un biaha ku aeroplano	'Un viaje en buque es más agradable que un viaje en avión'.

Cuando el término de comparación del comparativo de superioridad es una oración subordinada, ésta puede ser introducida también por la construcción *di loke*:

Mi ta lesa mas buki ku / di loke mi por kumpra	'Leo más libros de los que puedo comprar';
Mi amigu tabatin mas plaka ku / di loke el a heredá di su tio	'Mi amigo tenía más dinero de lo que había heredado de su tío'.

Como puede verse de la traducción de los ejemplos, el procedimiento existe en el español y se utiliza en las mismas situaciones, es decir, en oraciones compuestas con subordinadas comparativas.

Además de los comparativos analíticos, el papiamento conserva también los comparativos sintéticos españoles de una serie de adjetivos, habitualmente los más frecuentes, los mismos que se han transmitido del latín a las lenguas románicas. Así, al lado de *mas grandi, mas chikitu, mas bon, mas malu, mas ariba, mas abou*, encontramos *mayor, menor, mehor (mihó), peor (pió), superior, inferior*.

El superlativo

Se construye también según modelos hispánicos.

El superlativo relativo utiliza la construcción *di mas*, cuyo origen probable es esp. *de lo más*. Como elemento introductorio del término de comparación cuando se quiere expresar la relación de inclusión se usa la preposición *di*.

El superlativo elativo sustituye el formante español *muy* con otro, también de origen español, el adverbio *mashá* (< esp. *demasiado*), con el significado 'muy'. El procedimiento existe en el español y en las lenguas románicas como modalidad de expresar la intensidad máxima de la cualidad (Iordan, Manoliu 1989: I, 265). Actualmente es muy frecuente la sustitución del formante *mashá* por el sinónimo *hopi* (< hol. *hoop*). Los dos adverbios son, además, intercambiables en un número muy amplio de contextos (Birmingham Jr. 1971: 48-49).

Superlativo relativo:

Su kas ta esun di mas grandi	'Su casa es la más grande';
E ta esun (di) mas kontentu di tur mi amigunan	'Es el más contento de todos mis amigos'.

Superlativo elativo:

E kas akí ta mashá grandi	'Esta casa es muy grande';
Awe nos amigu ta mashá kontentu	'Hoy nuestro amigo está muy contento';
Maria ta mashá / hopi bunita	'María es muy guapa'.

Además de este procedimiento, un número reducido de adjetivos papiamentos adoptaron las formas sintéticas de superlativo absoluto del español construidas con el sufijo *-ísimo*: *grandísimo, malísimo, rikísimo*. El hablante siente estos superlativos más intensos que los formados analíticamente con el adverbio *mashá*. En cierto modo, este hecho repite la situación del español y otras lenguas románicas, que han adoptado formas sintéticas latinas de superlativo, «cultismos que de un carácter enfático original han pasado a ciertos niveles de la lengua, en los que se emplean tan sólo como superlativos absolutos» (Iordan, Manoliu 1989: I, 265)[3]. A veces, utiliza los dos tipos de superlativos juntos, para reforzar el grado de intensidad máxima (Goilo 1953: 123):

E ta biba den un kas mashá grandi, un kas grandísimo	'Vive en una casa muy grande, una casa grandísima'.

Otro procedimiento para expresar el superlativo absoluto es la repetición del adjetivo. Es una modalidad atestiguada ya en el latín tardío y conservada en todas las lenguas románicas. Por eso, no nos parece que se trate de una característica de procedencia africana, como aprecia Joubert (b), sino más bien que la frecuencia del procedimiento en papiamento podría ser el resultado de la influencia africana[4]. Igual que en otros casos, hechos existentes en las lenguas

[3] Encuestas realizadas por Lirca Valles de la Universidad de La Habana han puesto de manifiesto que la mayoría de los hispanohablantes de América siente el superlativo elativo sintético más intenso que el analítico formado con *muy* (comunicación personal).

[4] Véase también Maurer (1989).

africanas reforzarían tendencias hispánicas o románicas. Presentamos, a continuación, unos ejemplos: *sigur-sigur, skur-skur, bon-bon, grandi-grandi, loko-loko, pretu-pretu* con los significados del español 'seguro-seguro = muy seguro', oscuro-oscuro = muy oscuro', etc.

En papiamento se puede reduplicar también el formante *mashá* ante el adjetivo; en este caso, según Goilo (1953: 123), el superlativo analítico sería equivalente al superlativo sintético en *-ísimo*, en la escala de la modificación intensiva de la cualidad: *Un kas mashá, mashá grandi* = *Un kas grandísimo*. El procedimiento existe en español, en las lenguas románicas y en muchas otras. También existe la posibilidad de reforzar el valor de máxima intensidad de *mashá* con la ayuda de *mes*, colocado tras el adjetivo: *Maria ta mashá bunita mes* 'María es guapísima'.

El uso de los dos formantes, *mashá* y *hopi,* juntos, con la misma intención de fortalecer el grado máximo de intensidad, tal como indica Birmingham Jr. (1971: 49) es incorrecto. No se puede decir **Maria ta mashá hopi bunita* 'María es muy, muy guapa = María es guapísima'. La construcción con *mashá hopi* se puede utilizar sólo cuando éstos funcionan como adjetivos cuantitativos (véase «El pronombre - 6. El pronombre indefinido»).

2. Funciones del adjetivo calificativo

En el nivel de la oración simple, el adjetivo calificativo desempeña las mismas funciones que en español. Puede ser atributo del nombre, cuando se usa sin verbo copulativo: *kampo berdè, kas bunita*; y complemento predicativo, cuando se usa con el verbo copulativo o con un verbo de estado:

Mi amigu ta kontentu	'Mi amigo está contento';
E kas a keda bunita	'La casa ha quedado bonita / bien'.

En el nivel de la oración compuesta, en papiamento existen oraciones subordinadas comparativas que siguen el modelo español. Los elementos introductorios de estas comparativas son *ku, manera, di loke, meskos ku* y otros (véase «1. La comparación»).

IX

EL PRONOMBRE

1. El pronombre personal

Las formas absolutas del pronombre personal son: *mi, ami; bo, abo; e (el, ele); nos, anos; boso (bosonan), aboso; nan, anan* y corresponden a las seis personas de las lenguas románicas 'yo', 'tú', 'él, ella', 'nosotros', 'vosotros', 'ellos, ellas'.

Las formas *anos, aboso, anan* no se usan en Curazao, pero son corrientes en Aruba y Bonaire (Joubert 1994: 2-3).

Las formas *bo* 'tú' y *boso* 'vosotros' presentan una situación especial en el paradigma actual del pronombre personal. Porque si hasta hace cincuenta o sesenta años se usaban solamente en el lenguaje familiar, en el trato con personas íntimas o con subordinados, como lo confirman los apuntes de Lenz (1928: 111) y Goilo (1953: 62), hoy día se han generalizado y se emplean corrientemente, como 'tú' y 'vosotros', 'Ud.' y 'Uds.', mermando la posición de los pronombres de cortesía.

La tercera persona, *e (el, ele)* tiene una sola forma para masculino y femenino, sin distinción de género ni siquiera en la clase de los animados. La misma situación presenta la sexta persona, *nan*, de origen africano. *El* se usa ante palabras que empiezan con una vocal. En los demás casos, se utiliza *e*.

Birmingham Jr. (1971: 62) opina que el papiamento emplea bastante más que el español y el portugués el pronombre de tercera persona, porque éste puede omitirse solamente en construcciones clasificadas como «purely impersonal expressions» en español. Así, en construcciones de tipo *ta pusibel* 'es posible' o *ta yobe* 'está lloviendo' no se utiliza, a diferencia de construcciones como *e ta kla* 'está listo' o *el a kabá di yega* 'acaba de llegar', donde la presencia del pronombre personal en español sería enfática.

Lenz (1928: 110; 136) menciona las formas *ami, abo, ele, le* como enfáticas. Rona (1971) interpreta la forma *le* como débil. Excepto en estos autores, no hay constancia de la existencia de una forma enfática *le* en el paradigma del pronombre personal papiamento. *Ele* no es enfático y *le* simplemente no existe. Quizás, en tiempos de Lenz, *ele* se usaba como enfático, a pesar de que los estudios no lo registran con ese valor. De todos modos, para expresar el énfasis, la forma de tercera persona es *e*, como en la oración *No ta e mi a bisa* 'No le dije a él', no **Mi no a bisa ele*, como indica Lenz *(loc. cit.)*. Se usan, en cambio, las formas para la primera y la segunda persona mencionadas por Lenz: *Ami, no abo* 'Yo, no tú'. No obstante, debemos aclarar que estas formas no son solamente enfáticas, como creía Lenz *(loc. cit.)*, sino también formas absolutas no enfáticas para el caso sujeto:

Ken ta bai mañan? Ami '¿Quién va mañana? Yo'.

Con respecto a las formas *ami, abo*, etc., Lenz (1928: 185; 187), basándose en los estudios de Schuchardt (1882-1891; 1888-1889), cree que se trata de un procedimiento de origen africano de fortalecimiento demostrativo, que tiene equivalencias en otros criollos ibéricos, como los de Cabo Verde y São Tomé, y en el criollo francés, donde se registra la forma *avla* < fr. *a* + *voilà*. En nuestra opinión, no se trata de un procedimiento africano, sino, sencillamente, de la aglutinación del pronombre con la preposición *a*, como cree Birmingham Jr. (1971: 61). No olvidemos que en español existe también la forma enfática *a mí* para el acusativo.

Se ha conservado la forma *tu* de vocativo para la segunda persona en expresiones injuriosas, insultos petrificados como:

Bai for di mi, tu muher infiel!	'¡Vete lejos de mí, tú, mujer infiel!';
Pasa bai, tu bestia mahos!	'¡Quítate, tú, bestia fea!';
Bo tin pelea pèrdí, tu ladron, mi a pensa!	'Tienes perdida la pelea, tú, ladrón, pensé yo' (Lenz 1928: 110; 136).

El pronombre personal se combina con las preposiciones *ku, di, den, pa, riba, sin* para expresar las relaciones sintagmáticas correspondientes a los casos latinos. La forma de tercera persona se aglutina con *ku* y se convierte en *kuné*; la misma presenta una variante especial, *dje*, cuando se combina con otras preposiciones: *di dje, den dje, riba dje, sin dje*. En algunos casos, se mantiene la forma *e: pa e, p'e*.

Uno de los problemas más complicados y debatidos con respecto al pronombre personal es su origen. Actualmente, casi todos los especialistas concuerdan en cuanto al origen ibérico (español o portugués) de las formas para las primeras cinco personas del pronombre personal. El origen africano de la sexta persona es unánimemente aceptado. Así: *mi* < esp., pg. *me*; *bo* < esp. *vos*, pg. *vose;*, *e (el, ele)* < esp. *el*, pg. *êle*; *nos* < esp. *nos, nosotros*, pg. *nós*; *boso (bosonan)* < esp. *vos, vosotros*, pg. *vós, voses*. Es evidente que la semejanza entre las formas españolas y portuguesas del pronombre personal no ayuda a esclarecer el origen del mismo en papiamento. El paradigma, con la salvedad de la sexta persona, puede proceder en igual medida del español o portugués (Mugler 1983: 49). No obstante, en lo concerniente, por lo menos, a las formas de segunda y quinta personas, ciertos argumentos que analizaremos nos determinan a inclinarnos hacia el origen español.

Difiere de la opinión mayoritaria Rona (1971), quien afirma que todo el paradigma del pronombre personal papiamento es de origen africano. La comparación con las lenguas africanas propuesta por Rona nos parece muy interesante, pero la existencia de formas semejantes a las del pronombre personal papiamento en varias lenguas de la costa de Guinea y diferentes criollos no conduce necesariamente a la conclusión de que el pronombre personal papiamento sea de origen africano. Según Rona *(op. cit.)*, el sistema del pronombre personal papiamento resultaría incoherente si aceptáramos su origen español, porque la forma de primera persona deriva de un caso oblicuo, mientras las demás formas derivan del nominativo. Este argumento se ve invalidado por la preferencia de distintas lenguas o dialectos románicos, como el retorrománico, el gallego y el arrumano por la forma oblicua de primera persona en caso sujeto, absoluta no enfática y enfática. El empleo de esta forma popular es un fenómeno frecuente en el paso del latín a las lenguas románicas. Además, la forma papiamenta para la cuarta persona podría derivarse también de una forma oblicua, *nos*, no de la forma absoluta de nominativo. Finalmente, no debemos despreciar el hecho de que precisamente la existencia de unas formas pronominales semejantes en las lenguas africanas pudo haber influido en la preferencia de los hablantes para ciertas formas del paradigma pronominal ibérico, que podían asociar con las formas de sus lenguas maternas. Sin embargo, la presencia de una forma para la primera persona, muy parecida en muchas lenguas criollas, podría justificar la opinión de distintos estudiosos que se inclinan por el origen africano de ésta.

Birmingham Jr. (1971) cree que *mi* procede de la forma no enfática absoluta preposicional del español: *(de, a, con) mi* o de la forma oblicua pg. *me* empleadas con la preposición *a*, que desaparecería debido al acento tonal. Esta teoría sería válida también para la forma de segunda persona, según el autor citado, y explicaría también las formas *ami, abo*:

> The pronoun [*mi*] 'I' apparently derives from the Hispanic prepositional object *mí, mim*, or from the Portuguese verbal object *me* (pronounced [mi]). But the former derivation becomes more plausible than latter when we learn that [mi] may be stressed by prefixing the etymological Hispanic preposition [a], whith a resulting tonal pronunciation. [...] The form [bo] 'thou' [...] may likewise be stressed by the method illustrated above [...] (Birmingham Jr. 1971: 61).

Las formas para la segunda y la quinta personas están relacionadas de manera manifiesta, a nuestro juicio, con el fenómeno de voseo. Es sabido que este fenómeno estaba en pleno florecimiento en el español del siglo XVI, tanto en España como en América. Ya en la primera mitad del siglo, parece que existía en el español peninsular un sistema básico integrado por las formas *tú, vos, Vuestra Merced* usadas para la segunda persona, sistema que llega a América. A lo largo del tiempo, la forma *vos*, que en la época medieval expresaba la máxima formalidad, irá variando y cambiando sus valores pragmáticos, llegando a utilizarse en el tratamiento íntimo entre personas de igual condición social y en el trato con inferiores, incluso con valor despectivo (Fontanella de Weinberg 1993: 81-91).

Actualmente, el voseo está difundido en una gran área de América (*Esbozo*: 345-346; Rona 1967; Zamora Vicente 1967: 400 y sigs.; Rosario 1970: 151 y sigs.; Agüero 1962: 68 y sigs.; Fontanella de Weinberg 1993: 144 y sigs.) y «es prácticamente el único rasgo gramatical del español americano de vasta extensión, que no existe en el español peninsular actual [...]» (Fontanella de Weinberg 1993: 144). Cuervo (1947: 77) considera que a su gran difusión en América contribuyó precisamente su desplazamiento del extremo de máxima formalidad al extremo opuesto, forma empleada para dirigirse a inferiores y subordinados, incluso con valor despectivo, tratamiento que todo conquistador daba a los autóctonos. Si en etapas ulteriores a la primera fase de la colonización el uso de *vos* se restringió en el continente americano bajo la influencia de la(s) norma(s) metropolitana(s), no debemos olvidar que el español de las islas ABC quedó aislado de esa norma en la primera mitad del siglo XVII.

La forma para la quinta persona, *boso* procede de la forma española correspondiente, *vosotros*. Birmingham Jr. (1971: 63), cree que su origen podría ser el pg. *vosso*, con posible influencia ulterior del español.

Entre las formas *boso* y *bosonan* no existe una diferencia semántica identificable. Se trata de un plural redundante, porque la oposición singular : plural está marcada entre la segunda y la quinta persona, *bo : boso*. Para Mugler (1983: 51), entre las dos formas podría haber diferencias estilísticas, si no se trata de una determinada distribución sociolingüística. Birmingham Jr. (1971: 64) sugiere la posibilidad de que el significado real de *nan* en las lenguas africanas era más bien 'otros', no 'ellos, ellas' y, en este caso, *bosonan (bosnan)* sería una forma paralela a la española *vosotros*, igual que *boso dos* se correspondería a *vosotros dos*. Si eso fuese cierto, «it is probably wise to interpret [nãŋ] as a free form in all environments, including its use as a noun pluralizer: thus [pušinaŋ] is literally 'cat-others'» (Birmingham Jr., *loc. cit.*).

Otra posible explicación de la existencia de las dos formas para la quinta persona podría ser simplemente la tendencia del papiamento hacia el plural redundante. Como hemos visto, en papiamento el plural se marca o no, de acuerdo con el contexto o el *cotexto*, mientras en otras ocasiones se marca de manera redundante. Así, al lado de

tres stul 'tres sillas',
tur amigu i amiga 'todos los amigos y amigas',
Nan ta bende buki 'Venden libros',

encontramos
tur mi bukinan 'todos mis libros' (cf. también Mugler 1983: 153)

y formas incorrectas como *akinannan, einannan* y otras.

La forma para la tercera persona, *e (el, ele)* y la existencia de una forma similar en el palenquero y en el habla 'bozal' es uno de los argumentos de los defensores del origen afroportugués del papiamento. Whinnom (1965), Batalha Nogueira (1961-1962) y Granda (1988: 21-30), entre otros, consideran que la forma *ele* del palenquero es de origen portugués y constituye una prueba irrefutable de la relación genética entre el criollo de el Palenque de San Basilio y un protocriollo afroportugués. Esta teoría ha sido rechazada por Lipski (1993: 12-17; 1993a; véase también «Teorías con respecto al origen del papiamento - 1. Análisis de las teorías que defienden el origen portugués»).

La forma para la cuarta persona deriva del español o portugués, según la mayoría de los especialistas. Por las razones que hemos expuesto sobre la posición del español entre las lenguas de input en las islas ABC, nos inclinamos hacia el origen español; el étimo del pap. *nos* podría ser también la forma oblicua esp. *nos*, como en el caso de la forma de primera persona (véase *supra*).

Para la sexta persona, el papiamento recurre a las lenguas africanas. La explicación más corriente es que la forma correspondiente del español se habría confundido con la forma para la tercera persona, tras la caída de la sílaba final, evolución fonética habitual en papiamento (Lenz 1928: 186). Mugler (1983: 50) considera que esta explicación no es suficiente, porque formas semejantes a *nan* existen en otros criollos, como los de São Tomé y Annobón, en los cuales las formas de tercera y sexta personas de la lengua base europea no se habrían confundido tras las evoluciones fonéticas características de los respectivos idiomas criollos. Según esta autora, es muy probable que el empleo de la forma *nan* para la sexta persona esté relacionado con su función original en las lenguas africanas y la de marca de plural en papiamento (Mugler 1983: 148 y sigs.). Hemos visto antes que Birmingham Jr. (1971: 64) se decanta por una explicación en la misma línea. Finalmente, la función original de *nan* en las lenguas africanas y la de pluralización en papiamento determinaron que este elemento tuviese una fuerte realidad psicológica y se transmitiese inalterado al criollo (véase «El sustantivo - 2. La categoría del número»).

El pronombre de cortesía

Como fórmulas de tratamiento cortés, el papiamento usa para la segunda persona las palabras *Señor, Señora, Señorita*, procedentes del español, con sus respectivos plurales, y *Mener, Mevrou / Mevrouw, Yùfrou, Pastor, Frater, Dòkter, Zùster*, del holandés. El procedimiento existe en el portugués brasileño, donde la fórmula de tratamiento puede incluso repetirse, como en papiamento:

Mener, mener, por bisa mi... '¿Puede Ud. decirme, señor...?'.

En determinados contextos, con valor estilístico, este tipo de construcciones puede aparecer en todas las lenguas románicas: pg.: *Como está o senhor?*; esp.: *¿Cómo está el señor?*; it.: *Come sta il signore?*; rum.: *Cum se simte domnul?* '¿Cómo está [el señor (Ud.)]?'.

A la misma categoría pertenecen *shon* y *mosa*, del español o portugués, actualmente en vías de desaparición (Goilo 1953: 62).

El uso de *Mevrou, Mevrouw* está también limitado. Las dos formas se utilizan sólo para dirigirse o referirse a una señora oriunda de Holanda o, entre las criadas procedentes de las islas caribeñas británicas, para referirse a la dueña de la casa.

La utilización de unas fórmulas de tratamiento cortés para la segunda persona se explica por el empleo de fórmulas semejantes en español y portugués (pronombres de cortesía), así como en el resto de las lenguas románicas en determinados contextos; y de manera particular en las variedades diatópicas españolas, especialmente americanas, el español popular y el portugués peninsular y brasileño: esp. *ño, ña* (< *señor, señora*), *seña* (< *señora*), *misia, misiá* (< *mi señora*), etc. (Zamora Vicente 1967: 440); pg. *o senhor, seu*.

Funciones del pronombre personal

El pronombre personal tiene función de sujeto, complemento directo y complemento indirecto en la oración.

sujeto:

Mi gusta bo	'(Tú) me gustas';
Mi *stima bo*	'(Yo) te amo, te quiero';
Mi *ta duna señor e buki*	'(Yo) le doy el libro a Ud.';
Bo *tin (un) fòrki?*	'¿Tienes (un) tenedor?';

complemento directo:

Mi *mes ta stima* bo *pa mi kasa ku bo*	'Yo misma te quiero, para casarme contigo';
*Un hende ta yam'*é	'Alguien lo llama' (Lenz 1928: 110);

complemento indirecto:

Dunami un buki òf un korant	'Deme (Ud.) un libro o un periódico';
*Señor / Mener / Shon no ta dunami*e */ dunam'*é	'Ud. no me lo da'.

Como en papiamento el verbo no cambia su forma en el paradigma, el uso del pronombre personal sujeto no enfático es obligatorio, a diferencia del español y el portugués, lenguas en las que su uso como sujeto es opcional. En papiamento, el pronombre personal sujeto indica las diferencias de persona de todo el enunciado pronombre + verbo. Mugler (1983: 52) opina que este aspecto es uno de los rasgos que demuestran la evolución interna independiente del papiamento, en oposición tipológica con la lengua base. Nuestra opinión al respecto es que se trata simplemente de un recurso natural de la lengua, como consecuencia de la uniformidad de las formas verbales. Además, el procedimiento no es ajeno al modelo románico, si tenemos en cuenta la situación del francés.

Cuando tiene función de sujeto, en la mayoría de los casos, el pronombre personal papiamento precede al verbo, como se puede observar en los ejemplos anteriores. Sin embargo, en las construcciones enfáticas que empiezan con *ta*, la posición del pronombre es interpretable, aunque, en nuestra opinión, no se trata de un cambio de posición del pronombre sujeto, sino simplemente de la anteposición de la marca distintiva de énfasis:

Ta bai mi ta bai / Bai mi ta bai	'Es que me voy';
Ta kome e ta kome / Kome e ta kome	'Es que está comiendo'.

Cuando el pronombre personal tiene función de complemento, se pospone al verbo. Éste es otro rasgo del pronombre papiamento que lo diferencia del modelo románico (Mugler 1983: 52).

Cuando en la misma oración aparecen dos complementos pronominales, uno directo y otro indirecto, el complemento indirecto precede al directo:

duna nos e	'dánoslo';
e ta duna nos e	'nos lo da',

como en español (cf. también Lenz 1928: 137)[1].

2. El pronombre posesivo

Las formas del pronombre posesivo son: *mi, bo, dje, nos, boso, nan* precedidas por la preposición *di*. Cuando funcionan como pronombres posesivos, las formas *mi, bo, nos, boso, nan* son idénticas a las correspondientes formas absolutas del pronombre personal[2].

Para la tercera persona, se emplea la construcción *di* + *e* 'de él' > *di dje*[3] : *e di dje* (< *esun di dje*) '(el / la) suyo / suya; de él / de ella'.

El paradigma completo del pronombre posesivo es:

un solo objeto poseído y un solo posesor:

(e) di mi	'(el) mío, (la) mía'
(e) di bo	'(el) tuyo, (la) tuya'
(e) di dje	'(el) suyo, de él, (la) suya, de ella'
(e) di Señor / Señora	'(el) suyo, (la) suya, de Ud.'

[1] Las gramáticas suelen tratar el pronombre reflexivo junto al personal. Sin embargo, como en papiamento el pronombre reflexivo es uno de los índices de la voz reflexiva, igual que en las lenguas románicas, lo analizaremos en el capítulo «El verbo».

[2] Mientras *ami, abo, anos, anan* son solamente formas absolutas no enfáticas y enfáticas del pronombre personal en función de sujeto.

[3] Hemos visto («1. El pronombre personal») que la forma de tercera persona del pronombre personal se combina con varias preposiciones y cambia de *e* en *dje*.

un solo objeto poseído y varios posesores:

(e) di nos	'(el) nuestro, (la) nuestra'
(e) di boso(nan)	'(el) vuestro, (la) vuestra'
(e) di nan	'(el) suyo, de ellos, (la) suya, de ellas'
(e) di Señornan / Señoranan	'(el) suyo, (la) suya, de Uds.'

varios objetos poseídos y un solo posesor:

esnan, esunnan, enan[4] *di mi; (e) di mi nan*	'(los) míos, (las) mías'
esnan, esunnan, enan di bo; (e) di bo nan	'(los) tuyos, (las) tuyas'
esnan, esunnan, enan di dje; (e) di dje nan	'(los) suyos, de él, (las) suyas, de ella'
esnan, esunnan, enan di Señor /Señora	'(los) suyos, (las) suyas, de Ud.'

varios objetos poseídos y varios posesores:

esnan, esunnan, enan di nos, e di nosnan	'(los) nuestros, (las) nuestras'
esnan, esunnan, enan di boso, e di boso(nan)	'(los) vuestros, (las) vuestras'
esnan, esunnan, enan di nan	'(los) suyos, de ellos, (las) suyas, de ellas'
esnan, esunnan, enan di Señornan / Señoranan	'(los) suyos, (las) suyas, de Uds.'.

Cuando funcionan como adjetivos posesivos, se utilizan las formas *mi, bo, su, nos, boso, nan*.

Cuando preceden al sustantivo determinado, se utilizan sin la preposición *di*:

[4] La forma *enan* es característica del habla corriente, de la gente de la calle, un tanto popular, y de la manera rápida de hablar. En un habla más esmerada, se suelen utilizar las formas *esnan* 'los / las', casi exclusivamente para personas, y *esunnan* 'los / las', para cosas y personas.

mi kas 'mi casa';
bo kas 'tu casa';
su kas 'su casa';
nos buki 'nuestro libro'.

En cambio, si se posponen al determinado, están precedidos por la preposición y la forma *su* de tercera persona se sustituye por *di dje*:

e buki di mi 'mi libro; el libro mío';
e buki di bo 'tu libro; el libro tuyo';
e buki di dje 'su libro; el libro suyo; el libro de él / ella'.

Este modelo de construcción existe en el español estándar para la tercera y sexta personas y se usa para evitar las posibles confusiones de tipo *ésta es su casa* que puede significar 'ésta es la casa de Pedro' o 'ésta es la casa de Ud., está Ud. en su propia casa'.

Como es sabido, en el español de América se llega incluso a construcciones redundantes de tipo *ésta es su casa de Ud.* o a la extensión del modelo a todas las personas (*Esbozo*: 211; Zamora Vicente 1967: 433).

La forma *su* puede ser interpretada como fórmula de cortesía del adjetivo posesivo, cuando el hablante no quiere o no puede utilizar la segunda o la quinta personas para dirigirse al interlocutor. Generalmente, se considera más cortés dirigirse a una persona con una fórmula de tratamiento cortés o incluso llamándola por su nombre, precedido o no por una de estas fórmulas, que utilizar el pronombre *bo* (Goilo 1953: 63), a pesar de su expansión cada día mayor (véase «1. El pronombre personal»):

Unda Señor su yiunan ta? '¿Dónde están sus hijos (los hijos de Ud.)?';
Unda Mener su kas ta? '¿Dónde está su casa (la casa de Ud.)?';
Unda (Shon) Maria su ruman ta? '¿Dónde está su hermano, (Doña) María?'.

La misma forma *su* se emplea sin que sea necesaria la presencia de una de las fórmulas de tratamiento cortés utilizadas en papiamento. En tales casos, se utiliza, en cambio, el pronombre indefinido *un hende* 'alguien', si el hablante se dirige a un desconocido: *Un hende su bida ta na peliger* 'Su vida (de Ud.) está en peligro'.

El procedimiento debe relacionarse con el tipo similar de construcciones atestiguadas en el español y el portugués de los siglos XVI-XVII (véase «El español llevado a América - 1. El español del siglo XVI y comienzos del siglo XVII»).

Su reemplaza también la forma *nan* 'su', cuando tiene valor de 'Ustedes' y refuerza el posesor expresado en la misma oración: *Mami i Papi su rumannan* 'sus hermanos = los hermanos de Uds. (de papá y mamá); *Menernan su famia* 'su familia (de Uds.) = la familia de Uds.'; *nan famia, e famia di nan* 'su familia, la familia suya de ellos / ellas', pero *su famia* 'su familia, la familia de Uds.'

Birmingham Jr. (1971: 65) opina que el posesivo *su* se utiliza siempre en las construcciones correspondientes a las perífrasis posesivas de origen hispánico con *de*: *Diego su kas* 'la casa de Diego'.

Para el autor citado, es evidente la similitud con las construcciones posesivas del inglés antiguo y, por tanto, la influencia del holandés: «Indeed, this Germanic construction is no doubt to Dutch influence: cf. standard Dutch *Jan's huis* and older Dutch *Jan zijn huis*, in which *zijn* means 'his'»; lo que explicaría también la utilización de esta forma en el tratamiento cortés:

> This influence may account for the formal possessive illustrated above, such as in ['mama su som'brɛ] '(Mother,) your hat', literally *mother her hat*. It definitely accounts for such constructions as [e mu: ča 'hɔmbə̃r su 'mama] 'the boy's mother' (cf. Dutch *de jongen's moeder*) (Birmingham Jr., *loc. cit.*).

La explicación de Birmingham Jr. parece plausible, sobre todo si tenemos en cuenta algunos casos registrados por Lenz (1928: 113) de conservación de la forma *su* en sintagmas fijos, petrificados, en los cuales ha perdido totalmente el valor original:

Su manisé, ora mi a lamantá	'El otro día, cuando me levanté';
Su otro dia es yaya a bai na pakus[5]	'El otro día, la niñera fue a la tienda'.

3. El pronombre demostrativo

El sistema de los pronombres demostrativos papiamentos es bidimensional, con distinción también con respecto al hablante: proximidad a la segunda persona ~ proximidad a la tercera persona, como en español. Sin embargo, el papiamento no hereda ni tampoco adopta el sistema español de los demostrativos. Presentamos, a continuación, su paradigma completo:

esaki	'éste, ésta'	*esakinan*	'éstos, éstas'
esei	'ese, esa'	*eseinan*	'esos, esas'
esaya	'aquél, aquélla'	*esayanan*	'aquéllos, aquéllas'.

Como se observa, no existen formas especiales para masculino y femenino.

El sistema utiliza elementos de origen español, que combina siguiendo un procedimiento que no es ajeno a las lenguas románicas para marcar la proximidad o distancia. Se trata de la combinación de un demostrativo, pap. *es* (< esp. *ese, éste*; pg. *esse*) y un adverbio de lugar, como en francés. De ese modo, *es* + esp. *aquí* > pap. *esaki*; *es* + esp. *ahí* (> pap. **esaí*) > pap. *esei*; *es* + esp. *allá* > pap. *esaya*, como el fr. *celui-ci, celui-là*, etc. (cf. también Lenz 1928: 114).

Goilo (1953: 70) opina que los pronombres demostrativos papiamentos representan la fusión del artículo definido *e* con los distintos adverbios de lugar. Como explicaremos más adelante, consideramos que Goilo cometió una equivocación y que, en realidad, se refería a los adjetivos demostrativos.

Además de las formas indicadas, en papiamento existen también el pronombre demostrativo *esun*, que se deriva, probablemente, del

[5] Pap. moderno: *Su otro dia e yaya a bai pakus*.

esp. *ese uno* y su variante *es*, con plurales analógicos, reconstruidos según el modelo propio, *esunnan*, *esnan*:

Mi kas i esun / es di mi amigu	'Mi casa y la de mi amigo';
Bo bukinan i esunnan / esnan di mi ruman	'Mis libros y los de mi hermano';
Esunnan ku ta pensa ku mundu ta di nan	'Los que piensan que el mundo es suyo'[6].

Estas formas cumplen las mismas funciones que el artículo definido *e, es* (véase «El artículo - 1. El artículo definido»).

Los adjetivos demostrativos correspondientes siguen el mismo modelo románico basado en el uso de adverbios de lugar para expresar la proximidad o la distancia. La única diferencia es que el primer elemento del adjetivo es el continuador del artículo definido español, *e*, en vez de *es*:

e buki akí	'este libro';
e bukinan ei	'esos libros';
e buki ayá	'aquel libro'.

En la actualidad, se registra cada vez con mayor frecuencia un cambio del acento dinámico en el adverbio, de la última vocal a la inicial: *e buki* aki; *e buki* aya.

4. El pronombre relativo

Las formas del pronombre relativo son: *ku, ken(de), kua(l), loke, lokua(l)*.

[6] Lenz (1928: 116) registra la forma *nan ku* 'los que', que incluye en la categoría de los pronombres indefinidos, pero con el valor de *esunnan*: *Nan ku tabata bao di peso di pikar, tabata traha ku doble forsa* 'Los que estaban bajo el peso de un pecado trabajaban con doble fuerza'. La forma *nan ku* no existe en papiamento y nos inclinamos a creer que Lenz interpretó o entendió mal la forma *enan (esnan) ku*.

Es evidente que *ken(de), kua(l), loke, lokua(l)* son continuadores directos de los correspondientes pronombres españoles *quien, cual, lo que, lo cual*. Más difícil resulta explicar el origen de *ku*, ya que las evoluciones fonéticas habituales en el paso del español al papiamento no permiten derivarlo del esp. *que*.

Lenz (1928: 115) opina que la forma *ku* procede del pg. *como*. Sin embargo, en textos antiguos papiamentos aparece una forma *ki*, en lugar de *ku*, que sí puede ser perfectamente el continuador del esp. *que*. Por tanto, no nos parece demasiado arriesgado suponer que todo el paradigma del pronombre relativo procede del español y que la forma *ki* (< esp. *que*) experimentó ulteriores transformaciones del cuerpo fónico, debidas, posiblemente, a una analogía con *kua(l)*.

Ku puede referirse a personas o cosas, como en español. Cuando se usa precedido por preposiciones, *ku* suele ser sustituido por *kua(l)* cuando se refiere a cosas: *E kosnan ku mi ta papia di dje* 'Las cosas de las que estoy hablando' o *E kosnan di kua(l) mi ta papia* 'Las cosas de las cuales estoy hablando'.

Cuando forma parte del grupo nominal, precedido por un antecedente nombre de persona, *ku* puede ser reemplazado sólo por *ken(de)*: *E artista ken(de) a gana* 'El artista quien ganó'.

Ken(de) 'quien' se emplea sólo para referirse a personas, mientras *kua(l)*, sólo para referirse a cosas.

Loke 'lo que' es una forma para el neutro creada según el modelo español artículo definido + *que*:

Mi ta gusta loke bo a dunami	'Me gusta lo que me has regalado';
Mi ta gusta loke ta bunita	'Me gusta lo que es hermoso'.

El mismo modelo sirvió para rehacer en papiamento otras formas de relativo con un artículo definido o demostrativo y con los demostrativos propiamente dichos:

esun ku	'el que, la que';
esunnan, esnan, enan ku	'los que, las que',

para referirse casi exclusivamente a personas. Estos relativos se utilizan como en español, sin que el antecedente sea expresado:

Mi ta gusta esun / es ku a kanta	'Me gusta el que cantó'.

La construcción con *es ku* se considera algo anticuada y está en vías de desaparición.

Lenz (1928: 115) registra las formas *kuyo* e incluso *kuya* (por efecto de la influencia culta del español) como pronombres y adjetivos relativos. En realidad, estas formas no existen en papiamento y es muy probable que el informante de Lenz hablase un sociolecto fuertemente influido por el español. Los valores del esp. *cuyo (cuya, cuyos, cuyas)* se expresan en papiamento por *ku*:

Un hende ku su kurason ta limpi	'Una persona cuyo corazón está limpio'.

Es evidente, a nuestro juicio, que se trata también de una tendencia a simplificar el sistema. Y no nos parece de más recordar que en español también se manifiesta con bastante vigor en la actualidad la tendencia a sustituir la forma *cuyo* por otras construcciones (*Esbozo*: 222).

Maduro (1953: 64) registra también un pronombre relativo *kuantu*, pero esta forma se emplea sobre todo con valor interrogativo (véase *infra* «5. El pronombre interrogativo»).

Un procedimiento típico del papiamento en el empleo de los pronombres relativos es la sustitución de todas las formas por *ku* y la repetición del antecedente mediante pronominalización: pronombre personal precedido por una preposición: *E homber pa ken(de) mi ta traha* > *E homber ku mi ta traha p'e* 'El hombre para quien trabajo > *El hombre que trabajo para él'. Creemos que se trata de una tendencia de la lengua a simplificar el sistema de los relativos, favorecida por el hecho de que la forma *ku* puede ser utilizada en todos los contextos sin restricciones y porque es la más utilizada en el habla (Goilo 1953: 73). Además, no debemos perder de vista que una tendencia parecida a sustituir los otros relativos por *que* se registra en español y en casi todas las lenguas románicas (Bentivoglio, Stefano, Sedano 1987).

Funciones del pronombre relativo

Los pronombres relativos papiamentos introducen oraciones de subordinación adjetiva o de relativo, determinativas o especificativas y explicativas, igual que en español.

Oración adjetiva especificativa:

E kas den kua nos ta biba ta nobo	'La casa en que vivimos es nueva';
Un mama ku no ta stima su yu no ta un bon mama	'Una madre que no quiere a su hijo no es una buena madre';
Tur piká ku e tin(i) ta solamente ku el a ofresé di kura e muda	'El único pecado que tiene es que (sólo) se ofreció a curar al mudo'.

Oración adjetiva explicativa:

E mucha (hòmber) akí, ku ta studia / studiando, ta mi ruman	'Este muchacho, que está estudiando, es mi hermano';
E muhé bieu, ku ta bini awor, ta mi wela	'La anciana, que viene ahora, es mi abuela'.

5. El pronombre interrogativo

El pronombre interrogativo papiamento tiene las siguientes formas: *ken(de), ki, kiko, kua*, que corresponden a los pronombres españoles *quién, qué, cuál.*

El pronombre relativo se emplea en interrogaciones directas o indirectas.

Oración interrogativa directa:

Ken(de) ta biba akí?	'¿Quién vive aquí?';
Ta ken(de) su buki esaki ta?	'¿ De quién es este libro?';

Ki(ko) a pasa? '¿Qué (cosa) sucedió?';
Ki(ko) bo ke? '¿Qué quieres?';
Ki(ko) lo e hasi ku tur e plaka? '¿Qué haría con todo el dinero?';
Ku tur su sabiduria, ki(ko) el a gana? '¿Qué ganó, con toda su sabiduría?';
Kua bo ta gusta mas? '¿Cuál te gusta más?'.

Oración interrogativa indirecta:

Nos no sa ki(ko) a sosodé / pasa 'No sabemos qué pasó';
Bai mira ken ta na porta 'Ve a ver quién llama a la puerta';
Mi no sa di ken(de) e ta 'No sé de quién es'.

El origen de estas formas es, en nuestra opinión, indudablemente español. Así, *ken(de)* es el continuador del esp. *quién*, igual que el pronombre relativo correspondiente. Lenz (1928: 114) cree que la forma *ken(de)* es el resultado último de la evolución: esp. *qué gente* > pap. *_ki kende_ > pap. *ken(de)*.

Las formas *ki, kiko* tienen origen común, a nuestro parecer: esp. *qué cosa* > pap. *ki(ko)*, con transformaciones fonéticas explicables y la tendencia a la reducción del cuerpo fónico. Sin embargo, no podemos descartar totalmente la opinión de varios especialistas, que derivan el pap. *ki* del esp. *qué* y el pap. *kiko* del esp. *qué cosa*.

Kua es evidentemente el continuador del esp. *cuál*, igual que el relativo correspondiente.

Además de estas formas, hemos encontrado en textos papiamentos también el pronombre interrogativo *kuantu*:

Dia kuantu awé (ta)?, Awe ta dia kuantu?, Kuantu di luna nos tin awé? '¿A cuánto del mes estamos (hoy)?';
Kuantu señor a paga? '¿Cuánto pagó Ud.?';
Kuantu mi debe (bo)? '¿Cuánto te debo?';
Kuantu ta kosta di aki pa...? 'Cuánto cuesta (el billete) de aquí hasta...?';
Ainda nos no sa kuantu tempu nos ta keda 'No sabemos todavía cuánto (tiempo) nos quedamos' (Joubert 1994 *passim*).

Curiosamente, Lenz (1928), Goilo (1953) y Birmingham Jr. (1971) no registran esta forma, que se usa de manera corriente.

Las formas *ki* y *kuantu* pueden funcionar también como adjetivos en oraciones interrogativas:

Ki notisia bo tin? '¿Qué noticia(s) tienes?';
Ki buki bo a kumpra? '¿Qué libro(s) compraste?';
Kuant'or tin / ta? '¿Qué hora es?';
Di kuant'or te kuant'or (e) ofisina ta habrí? 'Cuál es el horario de / De qué hora a qué hora está abierta la oficina?' (Joubert 1994 *passim*).

La forma *ki* puede emplearse con valor adjetival también en oraciones exclamativas:

Ki bergwensa! '¡Qué vergüenza!';
Ki tristu Helena lo ta! '¡Qué triste estará Helena!'.

6. El pronombre indefinido

Goilo (1953) no menciona este pronombre en su gramática del papiamento. Tampoco lo menciona Birmingham Jr. (1971) en el capítulo dedicado a los pronombres. Sin embargo, en la lengua hablada y en los textos, inclusive en la misma *Gramatica* de Goilo (1953 *passim*), o en Lenz (1928 *passim*), se encuentra una serie de pronombres que son, sin duda alguna, continuadores de pronombres o adjetivos indefinidos españoles: *algun* [< esp. *algun(o)*]; *algu* (< esp. *algo*); *un* (< esp. *uno*); *otro* (< esp. *otro*); *kada* (< esp. cada); *kualke / kalke* (< esp. *cualquier*); *ningun* [< esp. *ningun(o)*]; *nada* (< esp. *nada*); *siertu* (< esp. *cierto*); *tal* (< esp. *tal*); *tantu* (< esp. *tanto)*; *mes* (< esp. *mismo*).

Junto a estas formas, se registran en papiamento también construcciones que reemplazan diversos pronombres indefinidos españoles: *un hende* por *alguien*; *ningun / niun hende* por *nadie*:

Un hende a yega	'Ha llegado alguien';
Ningun / Niun hende (no) a yega	'Nadie ha llegado';

ken ku ta por *quienquiera* o *cualquiera* (sólo para referirse a personas); *ki(ko) ku ta* por *cualquiera* (sólo para referirse a cosas).

En papiamento, el valor adjetival de algunos pronombres indefinidos de origen español se extendió a otros, que en español son solamente pronombres. Al mismo tiempo, el valor pronominal de algunos adjetivos indefinidos de origen español también se extendió a otros, que en español son solamente adjetivos. En la actualidad, el paradigma de los pronombres y adjetivos indefinidos en papiamento es el siguiente:

algun, ningun pueden funcionar como pronombres o adjetivos indefinidos:

Mi tin algun regalo pa mi amigunan	'Tengo algunos regalos para mis amigos';
Mi mester di algun sèrbetè èkstra	'Necesito algunas toallas más';
algun biaha	'a veces'[7];
ningun hende	'nadie';
di ningun manera	'de ninguna manera';
ningun kaminda	'a / en ninguna parte';

algu, nada son sólo pronombres, como en español:

Bisa algu na papiamentu	'Diga algo en papiamento';
Mi no tin nada di deklará	'No tengo nada que declarar' (Joubert 1994: *passim*).

Algu puede ser sustituido por el sintagma *un kos* (< esp. *una cosa*);

un es sólo pronombre. Cuando acompaña a un sustantivo, su valor de adjetivo indefinido se confunde con el del artículo indefinido, como en español y las lenguas románicas:

[7] Cf. *de viaje* 'de una vez', en Costa Rica (Maduro 1953: 128); en Aruba, *di bia*.

Mi ke bai un diskotèk, bo por rekomendá mi un(u)?	'Quiero ir a una discoteca; ¿puedes recomendarme una?';
Tabatin hopi outo riba kaya; den nan un franses tambe	'Había muchos coches por la calle; entre ellos también uno francés';
A bini un hòmber	'Vino un hombre';

otro funciona como pronombre y adjetivo. A diferencia del español, puede estar acompañado por el artículo indefinido *un*, como en varias lenguas románicas. Cf. fr. *un autre*; it. *un altro*, rum. *un altul*:

Bo ta papia di un otro asuntu	'Tú hablas de otra cosa'.

En determinados contextos, llega a expresar la reciprocidad:

Nan ta papia ku otro	'(Ellos) están hablando / se hablan / hablan unos con otros';
Nan a duna otro man	'Se estrecharon las manos';

kada, sólo adjetivo en español, se emplea en papiamento también como pronombre indefinido, con el valor del esp. *cada uno*:

un dia pa kada (unu)	'un día para cada uno; cada uno, un día' (Lenz 1928: 116);

kualke es solamente adjetivo:

kualke / kalke dia	'cualquier día';
E por yega kualke / kalke momentu	'Puede llegar en cualquier momento'.

Como hemos visto antes, para las funciones del pronombre indefinido español *cualquiera*, el papiamento usa las construcciones *ki(ko) ku ta*, para referirse a cosas, y *ken ku ta*, para referirse a personas. Esta última construcción corresponde también al pronombre español *quienquiera*;

siertu funciona solamente como adjetivo, igual que en español:

den siertu sentido	' en cierto sentido';

tal es también sólo adjetivo, como en español:

Mi no ta konfia tal hende	'No confío en tal persona';

tantu tiene las mismas funciones que su correspondiente español, de pronombre y adjetivo:

pronombre indefinido:

El a paga tantu pa su kuminda	'Pagó tanto para su comida';
Tantu bal tili komo tala	'Tanto monta, monta tanto';
Tantu ku ta posibel	'En la medida de lo posible';

adjetivo indefinido:

Kiko mi ta hasi ku tantu plaka ?	'¿ Qué hago con tanto dinero?';
Semper ta hasi tantu kalor?	'¿Siempre hace tanto calor?';

mes es, en realidad, un pronombre de identidad, variante especial del pronombre indefinido, que funciona como adjetivo, a diferencia del español, donde puede ser tanto pronombre, como adjetivo:

e mes ora, dia, aña	'la misma hora, el mismo día, el mismo año';
Mi ta akusá mi mes di e delitu	'Me acuso (a mí mismo) del delito'[8].

El paradigma del pronombre indefinido se completa con la serie de los llamados pronombres cuantitativos (*Esbozo*: 232-234), que el papiamento heredó o tomó prestados en su gran mayoría del español:

mashá / masha	'muy'(adverbio), 'mucho, -a, -os, -as' (adjetivo);
muchu	'muy, demasiado' (adverbio), 'mucho, -a, -os, -as' (adjetivo);
demasiado, di mas	'demasiado' (adverbio), 'demasiado, -a, -os, -as' (adjetivo);

[8] Analizaremos más detenidamente las construcciones de este tipo, con pronombre posesivo seguido de *mes* para expresar una forma verbal reflexiva, más adelante, en el capítulo «El verbo».

poko	'poco';
basta, bastante	'bastante';
tur	'todo';
sufisiente	'suficiente'.

Junto a éstos, se emplea también *hopi* (< hol. *hoop*), como sinónimo de *mashá*.

Cuando *mashá* y *hopi* funcionan como adjetivos cuantitativos, se pueden emplear juntos, si el hablante quiere fortalecer el grado máximo de intensidad:

E tin mashá / hopi gana di bai Spaña	'Tiene muchas ganas de ir a España';
E tin mashá hopi gana di bai Spaña	'Tiene muchísimas ganas de ir a España'.

Los étimos españoles de estas formas, excepto *hopi*, son fáciles de identificar: *mashá / masha* < esp. *demasiado*; *muchu* < esp. *mucho*; *basta* < esp. *bastante*; *tur* < esp., pg. *todo*.

El análisis del paradigma de los pronombres indefinidos nos permite afirmar, a modo de conclusión, que el pronombre indefinido español experimenta un proceso de simplificación en su paso al papiamento: eliminación de algunas formas españolas y la sustitución de las mismas, y de otras, por varios sintagmas formados también con elementos españoles.

X

EL NUMERAL

1. El numeral cardinal

Todos los numerales cardinales papiamentos son continuadores de los correspondientes españoles:

0	*sero*	30	*trinta*
1	*un, unu*	31	*trintiun(u)*
2	*dos*	32	*trintidos*
3	*tres*	40	*kuarenta*
4	*kuater*	50	*sinkuenta*
5	*sinku*	60	*sesenta*
6	*seis*	70	*setenta*
7	*shete*	80	*ochenta*
8	*ocho*	90	*nobenta*
9	*nuebe*	100	*shen*
10	*dies, djes*	101	*shentiun, shentiunu*
11	*diesun, djesun*	110	*shentidies, shentidjes*
12	*diesdos, djesdos*	111	*shentidiesun, shentidjesun*
13	*diestres, djestres*	124	*shentibintikuater*
14	*dieskuater, djeskuater*	200	*doshen*
15	*diesinku, djesinku*	300	*treshen*
16	*dieseis, djeseis*	1000	*mil*
17	*dieshete, djeshete*	1100	*mil unshen*

18	*diesocho, djesocho*	1200	*mil doshen*
19	*diesnuebe, djesnuebe*	2000	*dosmil*
20	*binti*	10.000	*diesmil, djesmil*
21	*bintiun*	100.000	*shenmil*
22	*bintidos*	1.000.000	*mion.*

Como se puede observar, los numerales españoles *once, doce, trece, catorce, quince*, distintos de los numerales del 16 al 19 en cuanto a su formación y, quizás, por esta razón interpretados como más difíciles y aislados en el sistema basado en la simple suma, han sido reconstruidos según el modelo *decem (et) duo*, etc., más sencillo. No nos parece de más recordar que ya en el latín popular existían variantes de este tipo, que se extendieron, en muchas regiones románicas para los numerales del 16 al 19 (Iordan, Manoliu 1989: I, 269).

La misma tendencia de simplificación y regularización del paradigma determinó la sustitución de los numerales compuestos españoles *quinientos, novecientos*, aislados en el sistema, por las formas *sinkushen, nuebeshen*, reconstruidas según el modelo más simple y más regular de los demás numerales compuestos con *centum*.

El numeral cardinal papiamento tiene valor pronominal y adjetival, como en español.

Los numerales cardinales precedidos de *un* se pueden usar como sustantivos colectivos que implican la idea de 'aproximadamente; alrededor de': *un shen hende* 'unas cien personas'; *un binti outo* 'unos veinte / una veintena de coches'; *un mil hende* 'unas mil personas'.

Los numerales *mion, bion* (< esp. *billón*) se usan con valor de sustantivos colectivos.

2. El numeral ordinal

El papiamento ha reorganizado el paradigma del numeral ordinal español. Al lado de unos cuantos numerales heredados, que analizaremos más adelante, se produjo un proceso de simplificación, cuyo resultado fue la sustitución de la mayoría de los numerales ordinales por los correspondientes cardinales, precedidos por la preposición *di*:

1º *promé* (< esp. *primero*)
2º *segundo* (< esp. *segundo*), *di dos*
3º *terser, -a* (< esp. *tercero, -a*), *di tres*
4º *di kuater*
5º *di sinku*
6º *di seis*
7º *di shete*
8º *di ocho*
9º *di nuebe*
10º *di dies, di djes.*

Sin embargo, además de estas formas, en el lenguaje del béisbol se usan casi exclusivamente los numerales ordinales españoles, prueba evidente de la influencia del español caribeño y continental. Así, al lado de *promé base*, se oye frecuentemente *primera base*, como también se emplean *tersera base* y *segundo, terser, kuarto, kinto, seksto, séptimo, oktavo, nobeno inning*:

na terser innig 'en el tercer inning'.

La simplificación del sistema español del numeral ordinal es fácilmente explicable. Es sabido que en los numerales ordinales la idea de número es subsidiaria, y, por tanto, son menos concretos y aparecen con menos frecuencia en el habla popular. Por otro lado,

> a partir del 'once' las dificultades de orden formal aumentan hasta grados de suma dificultad, puesto que entonces los ordinales se forman por el cardinal correspondiente más diversas adiciones, que dan lugar a palabras excesivamente largas. Prueba de estas dificultades es la tendencia que hay en todos los idiomas a reemplazar los ordinales por cardinales, incluso en los números bajos y en el habla de la gente instruida, por muy acostumbrada que esté a manejar formas y palabras difíciles (Iordan, Manoliu 1989: I, 271).

Esta tendencia se manifiesta con bastante fuerza también en el español estándar (*Esbozo*: 245). Y es muy probable que en el caso del papiamento se haya visto reforzada por la influencia de las lenguas africanas, porque, según destaca Maurer (1987; 1991), en varias lenguas de la familia bantú, los numerales ordinales desde 2 en adelante se construyen con la partícula genitiva *a*. Es posible que, siguiendo ese modelo, el papiamento haya reemplazado esta partícula por la correspondiente *di*, de origen ibérico, antepuesta al numeral cardinal.

3. El numeral fraccionario

El papiamento heredó parcialmente del español el modelo de formación de los numerales fraccionarios: numeral cardinal + numeral ordinal, que simplificó y adaptó al paradigma del numeral ordinal papiamento. Así, para los numerales del 'sexto' al 'noveno', se usan las construcciones: (*un, dos,* etc.) *di seis, di shete, di ocho, di nuebe* + *parti* (< esp. *parte*). No se utilizan corrientemente las formas tomadas del español *tersio, kinto, seksto, séptimo, oktavo, nobeno*. Pero sí se usan *dos terser parti* y más frecuentemente *dos tersera parti*, y *kinta parti*, al lado de *un di seis parti* 'un sexto, una sexta parte', *tres di ocho parti* 'tres octavos', etc.

Además, el papiamento heredó directamente o tomó del español o portugués algunos numerales fraccionarios. Éstos son:

mei (< pg. *meio*, esp. medio), *medio* 'medio'; los dos se usan como adjetivos o adjetivos con valor adverbial:

mei liter	'medio litro',
medio morto	'medio muerto';

mitar (di), en Curazao y Bonaire; *mitá*, en Aruba (< esp. *mitad*); se usa también como adjetivo o adjetivo con valor adverbial y como sustantivo, igual que en español:

mitar dia	'la mitad de un día, media jornada';
E ke mitar	'Quiere una / la mitad';

Nos ta topa na mitar di kaminda	'Nos encontraremos a medio camino';
un kuartu (< esp. *cuarto*), *un kuarta parti*	'un cuarto, una cuarta parte'.

Otros numerales heredados o tomados del español se conservan sólo con valor substantival. Son:

tersio (< esp. *tercio*), con el significado de 'compañero, amigo':

E ta bon / mal tersio	'Es buen / mal compañero';
Hasi kos di bon / mal tersio	'Portarse como un buen / mal amigo';

nobena (< esp. *novena*), con el mismo significado del español; *désimo* (< esp. *décimo*), con el mismo significado del numeral español y de 'décimo' de lotería nacional.

Paralelamente, se usan las formas holandesas de los numerales fraccionarios, porque, como es sabido, el holandés es la lengua oficial y, a la vez, la lengua de instrucción en un 99% de las escuelas. De modo que se puede decir *(een) derde* o *(un) terser(a) parti, (een) zesde* o *(un) di seis parti, (een) zevende* 'un séptimo', *(een) achtste* 'un octavo', *(een) negende* 'un noveno', *(een) tiende* 'un décimo'.

Para los numerales fraccionarios superiores a 10, unos hablantes usan la construcción papiamenta numeral cardinal + *di* + numeral cardinal + *parti*, utilizada para los numerales del 6 al 9: *(un) di djesun parti* '(un) onceavo, (una) undécima parte', literalmente '(una) de (las) once partes'; *(un) di djesdos parti* '(un) doceavo, (una) duodécima parte', etc. Se puede observar que en este caso, el papiamento manifiesta la misma tendencia a regularizar y simplificar el sistema y sustituye la complicada y pesada modalidad española con derivados en *-avo* para los numerales superiores a 10. Otros hablantes prefieren las formas holandesas *(een) elfde* '(un) onceavo', *(een) twaalfde* '(un) doceavo', etc.

4. Otros numerales

El papiamento heredó del español o del holandés otros numerales. Es posible que algunas formas españolas se hayan visto consolidadas por su semejanza con las correspondientes formas holandesas o viceversa. Éstos son los siguientes numerales:

a) numerales múltiples

simpel (< esp. *simple*, hol. *simpel*) o *ènkel* (< hol. *enkel*) 'simple';
dòbel (< esp. *doble*, hol. *dubbel*);
tripel (< esp., hol. *triple*);

El resto de la serie se completó con unas formas analíticas creadas según el modelo español o ibérico de las formas adverbiales:

kuater be(s) 'cuádruplo',
sinku be(s) 'quíntuplo',
seis be(s) 'séxtuplo', etc.;

b) numerales colectivos

desena (< esp. *decena*); se usa con valor sustantivo, sólo en plural + *di* + sustantivo:

Tabatin desénas di hende na e resèpsi / resepshon 'Había decenas de personas en la recepción';

dosein (< hol. *dozijn*); se usa con valor sustantivo;
kinsena (< esp. *quincena*); se usa con valor sustantivo y exclusivamente con el significado de 'período de dos semanas' y 'sueldo que se cobra a mitad del mes, paga para una quincena de trabajo';
sentenar (< esp. *centenar*); se utiliza con valor sustantivo, sólo en plural + *di* + sustantivo:

Tabatin sentenáres di hende na morto 'Había centenares de personas en el entierro';

miar (< esp. *millar*); se utiliza con valor sustantivo.

XI
EL VERBO

Una de las cuestiones que suscitaron numerosas controversias y las más acaloradas polémicas sobre el papiamento es la del verbo, invocada como uno de los más serios argumentos a favor de la existencia de un protocriollo afroportugués o afrohispánico, así como del origen (afro)portugués de esta lengua criolla (véase «Teorías con respecto al origen del papiamento»).

En el análisis de las teorías que defienden el origen (afro)portugués del papiamento, Rona (1971) aprecia que el verbo papiamento es un argumento decisivo a favor de su teoría según la cual la gramática papiamenta es de origen africano. Rona identifica en el sistema verbal papiamento un modelo africano basado en tres categorías aspectuales binarias: continuativo / no continuativo, perfectivo / imperfectivo, real / hipotético (no real).

Un punto de vista semejante defiende Granda (1988: 21-30). En su opinión, el sistema verbal papiamento se fundamenta en un paradigma de partículas aspectuales, que sigue un modelo ternario.

Valeriano Salazar (1974) comparte esta opinión y propone un paradigma parecido, basado en las tres categorías aspectuales binarias identificadas por Rona (1971). La autora aprecia que las categorías de aspecto y las funciones del verbo en papiamento y en otros criollos caribeños son de origen africano (Valeriano Salazar 1974: 42).

La presencia de construcciones con *ta* + verbo en infinitivo en diferentes criollos de base ibérica, como el papiamento, el palenquero, el chabacano, el kriol de Guinea-Bissau y Cabo Verde o los criollos de base portuguesa de India[1], Sri Lanka, Macao y Malasia determinó a muchos investigadores a defender la existencia de un criollo afrohispánico que se habría hablado en todo el Caribe y, probablemente, en la América Meridional (Otheguy 1973; Granda 1988: 21-30; Megenney 1984; 1985; 1986; Perl 1982). Naro (1978: 342) cree que *ta* existía como tal en el *reconnaissance language* y que a partir de esta modalidad pasó a los distintos criollos. El mismo Lipski (1993: 15), generalmente escéptico con respecto a la existencia de un protocriollo afrohispánico o afroportugués, aprecia que la presencia de las partículas aspectuales, concretamente *ta*, es uno de los pocos argumentos serios que se pueden invocar a favor de tal protocriollo:

> The most indisputably creole element found in some Caribbean *bozal* texts, which has formed the centerpiece for theories which claim a previous Afro-Hispanic creole, is the use of *ta*, in combination with a verbal stem derived from the infinitive lacking final /r/.

Sin embargo, matiza esta afirmación, destacando que «the existence of ta + V_{inf} in these creoles is a strong bit of evidence in favor of a common origin or at least mutually shared influences» (Lipski 1993: 16). Y subraya que afirmaciones como la de Naro se basan más en deducciones que en pruebas directas (Lipski 1993a: 218). Por otro lado, destaca Lipski (1993: 16), las similitudes entre esos criollos en cuanto a su sistema verbal no son tantas.

Es sabido que la partícula *ta* se usa de diversos modos para expresar el presente / imperfectivo y durativo; el palenquero utiliza la partícula *ba* como marcador del imperfectivo, aunque sus propiedades sintácticas son distintas de las de *ta*; mientras el papiamento y el criollo de Cabo Verde recurren a algunas formas verbales imper-

[1] Interesantes análisis sobre estos criollos ofrecen Theban (1993) y Theban (1975; 1975a; 1977).

fectivas hispano-portuguesas. La partícula *ya / ja* presenta diferentes variantes, como *a*, en papiamento y ternateño, para expresar el pasado / perfectivo. La diversidad es más evidente cuando se trata de la categoría irreal / futuro, ya que el papiamento emplea la partícula *lo*, el palenquero *tan*, el criollo filipino *di* o *ay*, mientras el habla 'bozal' no utiliza partículas, sino el presente indicativo o la construcción perifrástica española con *ir*.

Maurer (1986a; 1987a) pone de manifiesto que la teoría monogenética, incluso en su versión restringida a la zona antillana, no puede explicar todas las diferencias entre los paradigmas verbales de los criollos de la región. En su opinión, estas diferencias se explican por la influencia más o menos fuerte ejercida por las lenguas africanas y el *reconnaissance language* en el proceso de formación de las respectivas lenguas criollas (Maurer 1987a: 67).

Analizaremos, a continuación, los instrumentos morfológicos que emplea el papiamento para expresar las categorías aspectuales y en qué medida podemos establecer relaciones entre el sistema verbal papiamento y el de las lenguas iberorrománicas.

El verbo con función predicativa tiene forma única, es invariable en papiamento. Esta forma procede, muy probablemente, de una de las formas paradigmáticas más utilizadas por los europeos en el habla corriente, eso es, presente del indicativo o, más bien, imperativo, supuestamente el más empleado por el colonizador o el amo en sus contactos con los indígenas conquistados y los esclavos. Tampoco podemos descartar como origen el infinitivo, si aceptamos la teoría del esfuerzo consciente (o incluso inconsciente) de los hablantes europeos para simplificar el mensaje y facilitar así la comunicación, vistas las diferencias entre los niveles de competencia textual e intertextual entre los distintos grupos socio-etno-culturales. Las dos hipótesis pueden servir como método de trabajo indistintamente de la lengua europea de la que procedan los continuadores papiamentos, español, portugués u holandés, como lo ilustra este botón de muestra: *tuma* (< esp. tomar), *kumpra* (< esp. *comprar*), *kome* (< esp. *comer*), *bende* (< esp. *vender*), *hasi* (< esp. *hacer*), *skirbi* (< esp. *escribir*), *por* (< esp. *poder*), *ke* (< esp. *querer*), *wak* (< hol. *waken*), *keiru* (< hol. *kuieren*), *sòru* (< hol. *zorgen*), *bishitá* (< pg., esp. *visitar*).

Para los verbos de indudable origen español, Maurer[2], basándose en el sistema tonal del papiamento, se decanta por el infinitivo como forma originaria:

> Hay que tener en cuenta que el papiamento conoce oposiciones tonales. Así es que hay una diferencia entre los casos siguientes: *mata* (_´ -), verbo, del cast. *matar*, *mata* (-´ _), sustantivo, del cast. *mata*, *matá* (_ -´), participio perfecto, del cast. *matado*. Casi todos los verbos disilábicos tienen la estructura tonal 'bajo-alto', con el acento tónico en la penúltima sílaba. Hay también algunos sustantivos y adverbios que tienen la estructura tonal 'bajo-alto', y casi todos éstos son derivados de palabras que en español [o portugués] tienen el acento tónico en la última sílaba de la palabra papiamenta correspondiente: *tambe* (_´ -), *mucha* (_´ -), *Hose* (_´ -). Y de ahí *mata* (_´ -), derivado de *matar*. Nótese que en el imperativo hay cambio de tono: *mata!* (-´ _). No me parece sin interés el hecho de que en ciertas lenguas bantú del grupo occidental, que por motivos históricos bien pudieran ser lenguas de base del papiamento, el semantema verbal tenga la misma estructura tonal del papiamento, y que el imperativo de estas lenguas tenga el mismísimo cambio tonal del papiamento.

La hipótesis de Maurer es muy atractiva, pero parte de unas suposiciones falsas, en nuestra opinión. En primer término, como hemos venido subrayando varias veces hasta ahora, no creemos que en el período de formación del papiamento se haya logrado constituir una koiné africana en la que prevaleciera el sistema verbal bantú, única condición para que tal sistema se continuara en el papiamento, debido a la diversidad étnica y lingüística de los esclavos negros y a sus condiciones de vida. En segundo término, la estructura tonal actual del papiamento en las palabras procedentes del español o portugués no puede ser invocada como argumento irrefutable a favor de la

[2] Comunicación personal en una carta de hace aproximadamente diez años. El autor no ha vuelto a abordar este tema.

hipótesis del infinitivo, por varias razones. La estructura tonal cambia en diferentes lenguas criollas del Caribe de _ -´ a _´ -. Los inmigrantes de las islas caribeñas ex colonias británicas, por ejemplo, al hablar papiamento, lengua aprendida después de afincarse en las islas ABC, pronuncian *polis (_´ -)*, en vez de *polis (_ -´)* 'policía', o *pantry (_´ -)* en vez de *pantry (-´ _)* 'despensa'. Los papiamentohablantes de las islas ABC cambian el patrón tonal de los verbos y los substantivos, con marcada preferencia por la estructura 'bajo-alto' (véase «El sistema tonal»): esp. *pedir (_ -´)* > pap. *pidi (_´ -)*, esp. *trabajar (_ _ -´)* > pap. *traha (_´ -)*, esp. *caminar (_ _ -´)* > pap. *kamna, kana (_´ -)*, esp. *verdad (_ -´)* > pap. *bèrdè (_´ -)*, esp. *también*, pg. *tamben (_ -´)* > pap. *tambe (_´ -)*, afr. *quingombó (_ _ -´)* > pap. *guiambo (_´ -)*. Quizás, la misma frecuencia de la estructura tonal 'bajo-alto' en papiamento, principalmente en los verbos, haya determinado la necesidad de operar en el imperativo el cambio del patrón tonal mencionado por Maurer. Por estos motivos, nosotros nos inclinamos por una forma más empleada perteneciente al presente del indicativo y más todavía por el imperativo.

Varios estudios proponen para el papiamento un paradigma verbal basado en categorías aspectuales binarias (Rona 1971; Granda 1988: 21-30; Valeriano Salazar 1974; Joubert b).

Trataremos de establecer, a continuación, unas equivalencias entre el paradigma papiamento de los verbos llamados regulares y el paradigma tradicional de los verbos románicos. Utilizamos para el papiamento el paradigma propuesto por Joubert (b), que aporta ciertas matizaciones y modificaciones al paradigma de Valeriano Salazar (1974: 17).

(mi) ta kanta	[real, continuo, imperfectivo] = *(yo) canto*	[presente del indicativo]
(mi) a kanta	[real, no continuo, perfectivo] = *(yo) canté / he cantado*	[pretérito indefinido/pretérito perfecto del indicativo]
(mi) ta'a	[real, continuo, imperfectivo] =	[pretérito imperfecto

(tabata) kanta	*(yo) cantaba*	del indicativo]
lo (mi) kanta	[hipotético, no continuo, imperfectivo] = *(yo) cantaré*	[futuro imperfecto del indicativo]
lo (mi) ta kanta / kantando	[hipotético, continuo, imperfectivo] = *(yo) estaré cantando*	
lo (mi) tabata kanta / kantando	[hipotético, continuo, imperfectivo] = *(yo) estaría cantando*	
lo (mi) a kanta	[hipotético, no continuo, perfectivo] = *(yo) habré cantado*	[futuro perfecto del indicativo]
(si mi) kanta	[hipotético, continuo, imperfectivo] = *si (yo) canto / cantaría*	[potencial simple].

A este paradigma habría que añadir las formas mediante las cuales se expresan los valores de

subjuntivo presente:	*(pa mi) kanta = [(para) que yo] cante*
imperativo:	*kanta = canta, cantad*
gerundio:	*kantando = cantando*
infinitivo:	*kanta = cantar*

El participio presente no existe como tal en el paradigma verbal, pero la lengua conserva algunos con valor sustantivo o adjetival como lexemas independientes, o en modismos y sintagmas petrificados como: *kantante, influyente, presente, ousente, luna kresiente, luna menguante* y otros.

El participio perfecto se utiliza solamente con valor adjetival o para expresar la voz pasiva: *Mi ta kansá* 'Estoy cansado', en comparación con *Mi a kansa* 'Me cansé', pretérito perfecto, construido con la misma forma del infinitivo; *Mi ta siñá* 'Soy instruido'; *Duná ta duná te den porta di Shon Arei* 'Lo dado es dado hasta llegar a la puerta del Rey', o en una traducción literaria 'Quien da y luego quita, se lo lleva la perra maldita'.

Goilo (1953: 83) establece una oposición indicativo / gerundio en parejas como *mi ta kome ~ mi ta komiendo, mi tabata kome ~ mi ta-*

bata komiendo, lo mi ta kome ~ *lo mi ta komiendo*, que, en su opinión, demuestra que los hablantes sienten la necesidad de reforzar la distinción indicativo / gerundio con la ayuda del *cotexto*: *Mi ta kome tres bes pa dia* 'Como tres veces al día', en oposición con *Mi ta komiendo* 'Estoy comiendo' o *Mi ta huma dos paki di sigaria pa dia* 'Fumo dos paquetes de cigarrillos al día', en oposición con *Mi ta humando* 'Estoy fumando'.

No obstante, en el caso de la última pareja de los ejemplos dados por Goilo, con valor hipotético, continuo, imperfectivo, en el 99% de las situaciones, si no en todas, se prefiere la construcción con gerundio: *lo mi ta komiendo*, no con indicativo *lo mi ta kome*. Eso no significa que la construcción con indicativo no exista:

E tempu ei (na aña 2000) ya lo mi ta traha kaba	'Por aquel entonces (en el año 2000) estaré trabajando ya'.

Maurer (1986a: 133 y sigs.; 1987a: 35 y sigs.; 1988: 49-350) propone otra descripción del paradigma verbal papiamento para los verbos regulares, basada en cinco clases morfológicas que modifican el verbo. Éstas son: 'presente', expresado por el morfema *ta* o, en algunos casos de verbos de estado, por una ausencia de la modificación; 'futuro', expresado por el morfema *lo*; 'imperfekto', expresado por el morfema *tabata*; 'perfekto', expresado por el morfema *a*; 'suphuntivo', expresado por un morfema cero (∅), que no debe confundirse con

> d'autres cas de modification zéro du sémantème verbal, à savoir l'effacement de *ta* dans le cas de certains verbes statifs noté (-) [...], l'effacement de *ta* dans certaines propositions subordonnées temporelles, noté (--) [...] et l'absence de modification, notée __ (Maurer 1988: 49; véase también Maurer 1986a: 137-138; 1987a: 35-36).

Maurer ilustra estas distinciones con los siguientes ejemplos:

Mi ta deseá pa e [∅] bai	'Quiero que se vaya';
Mi (-) tin *un kas*	'Tengo una casa';

Ora e (--) bini, *lo mi t'ei*	'Cuando venga, estaré (ahí)';
Mi ta kontentu di __ bai	'Estoy contento de marcharme'.

Y establece una distinción entre el morfema *ta*, marca del 'presente', y el verbo copulativo *ta* (Maurer, *loc. cit.*).

De acuerdo con la distribución del morfema *ta* y su alomorfo cero, el autor citado distingue tres clases de verbos:

a) verbos modificados obligatoriamente por *ta*, clase que incluye a la mayoría de los verbos papiamentos, inclusive a algunos que expresan 'estado', como *kere* 'creer';

b) verbos modificados facultativamente por *ta* o por ∅, sin que esto implique un cambio semántico, clase constituida por ocho verbos:

bal(e)	'valer'
debe	'deber, tener una deuda'
dependé	'depender'
falta	'faltar, no tener'
gusta	'gustar'
meresé	'merecer'
parse	'parecer'
stima	'amar, querer';

c) verbos modificados obligatoriamente por ∅, clase constituida por siete verbos:

ke	'querer'
mester	'tener que'
por	'poder'
sa	'saber'
konosé	'conocer'
tin	'tener; existir'
yama	'llamar(se)'.

Entre los verbos de los grupos *b)*, *c)*, hay algunos que, de acuerdo con su significado, deben ser modificados obligatoriamente por el morfema *ta* en la clase 'presente' y, por tanto, pertenecen al grupo *a)*. Así:

E ta dependé di su mayornan	'Depende de sus padres'

(uso obligatorio de *ta*), pero

Dependé / Ta dependé ken(de) bo puntra	'Depende a quién (lo) preguntas'

(uso facultativo de *ta*, sin cambio de significado).

En cuanto al grupo *c)*, Maurer (1988: 57) establece otra distinción, entre verbos que pueden ser modificados por el 'perfekto' y los que no lo pueden ser.

Otro grupo particular está integrado por dos verbos que expresan funciones temporales. «Ainsi, le verbe *bai* 'aller', lorsqu'il est modifié par *ta*, peut exprimer un futur d'intention, alors que le verbe *sa* 'savoir', modifié par ∅ au présent et par *tabata* au passé, peut exprimer explicitement l'habituel» (Maurer 1987a: 37-38), como se refleja en los siguientes ejemplos:

Mi ta bai traha un kas	'Voy a construir una casa';
E sa bini seka nos tur dia	'Suele venir a nuestra casa todos los días';
E tabata sa bini seka nos tur dia	'Tenía la costumbre / Solía venir a nuestra casa todos los días'.

Un caso aparte lo representa el verbo *di* (con la variante anticuada *disi*, que todavía se puede oír), cuya función principal es la de introducir el discurso, sinónimo, generalmente, de *a bisa* 'he / has, etc. dicho': *(mi, bo,* etc.*) di* 'dije, dijiste, etc.'. Este verbo no puede ser modificado por ninguna de las cinco clases establecidas (Maurer 1988: 57).

Como puede verse, el alomorfo Ø de *ta* modifica quince verbos que expresan 'estado'. Estos verbos no se combinan o se combinan facultativamente con *ta*, lo que puede ser interpretado como una huella del antiguo valor progresivo de *ta*. En cambio, la existencia del grupo *c)*, por un lado, y de algunos verbos que expresan 'estado' modificados obligatoriamente por *ta*, como el verbo *kere* 'creer', así como el hecho de que *ta* se refiere a conjuntos de procesos habituales genéricos, demuestran que *ta* ha perdido su valor progresivo en el papiamento actual (Maurer 1987a: 36-37).

Entre los morfemas que modifican el verbo papiamento, sólo un tipo de combinación es funcional: entre *lo* y *ta*, *lo* y *tabata* y *lo* y *a*. Dichas combinaciones expresan la probabilidad dentro del marco de la modalidad aseverativa:

Lo e ta hunga / hungando	'Estará jugando (ahora)';
Lo e tabata hunga / hungando	'Estaría jugando';
Lo el a hunga	'Habrá jugado'.

Cuando el predicado no es verbal, *lo* está siempre acompañado por *ta*, mientras la partícula *a* es agramatical (Maurer 1986a: 134). Para Goilo (1953: 97 y sigs.), la combinación *lo* + *a* expresa un valor equivalente al del potencial perfecto, y la combinación *lo* + *tabata*, un valor equivalente al del potencial imperfecto.

En las oraciones subordinadas, el morfema Ø está en oposición funcional con el morfema *ta* y la presencia de uno u otro determina el tipo de relación entre la oración principal y la subordinada (Maurer 1986a: 138). Así, la oración compuesta *Ora mi kome bakiou, mi ta sinti mi felis* 'Cuando como bacalao, me siento feliz' expresa una relación causal, mientras *Ora mi ta kome bakiou, mi no ta papia* 'Cuando estoy comiendo bacalao, no hablo' expresa una relación temporal[3].

---

[3] Para el análisis pormenorizado de las funciones de los morfemas *ta, tabata, a, lo*, véase Maurer (1986a).

Como resulta de lo visto hasta ahora, la comparación o las posibles equivalencias entre el paradigma verbal papiamento y el paradigma verbal románico, particularmente español, pone de manifiesto datos muy interesantes. La primera observación que se impone es que el papiamento tiene un paradigma exclusivamente analítico (Birmingham Jr. 1971: 73). En el paradigma no aparecen formas especiales para expresar el pretérito indefinido[4] y el pluscuamperfecto del indicativo, el potencial compuesto, los tiempos pasados y futuro del subjuntivo y el participio presente. En cambio, aparecen una serie de construcciones para expresar la probabilidad, que en el español y las lenguas románicas no se identifican con tiempos y modos, sino con diferentes construcciones perifrásticas.

La mayor parte de los tiempos y modos del español que no se han conservado en papiamento son los que tienden a desaparecer también en el español corriente, diario, siguiendo una tendencia más antigua de la Romania a reducir la flexión verbal, manifestada ya en el latín popular (Iordan, Manoilu 1989: I, 320-365).

Para expresar el infinitivo y el subjuntivo, el papiamento utiliza la misma forma invariable, igual que para expresar el imperativo y el participio perfecto del pretérito definido. Sin embargo, es muy importante destacar que estos últimos se diferencian del infinitivo y el subjuntivo por el acento tónico y la estructura tonal.

El participio perfecto usado en la voz pasiva es el resultado de la evolución de dos modelos diferentes: uno, iberorrománico, para los verbos de origen iberorrománicos: esp. *cantado* > pap. *kantá*; esp. *comido* > pap. *komé*; esp. *pedido* > pap. *pidí*; otro, holandés, para los verbos de origen holandés: hol. *geverfd* 'pintado' > pap. *ifèrf, difèrf*, (Aruba *hefèrf*); hol. *gezaagd* 'dentellado' > pap. *izag, dizag*, (Aruba *hezag*). Maurer (1986a: 147, nota 22), Goilo (1953: 95) y Lenz (1928: 123) identifican en las variantes *difèrf, dizag,* un prefijo *di-* < hol. *ge-, e-*, opinión que no comparten todos los papiamentistas, porque, por un lado, las variantes más corrientes en el

---

[4] La única excepción es el verbo *di*, que corresponde al esp. *dije, dijiste, dijo*, etc.

habla son las sin *di-* y, por otro, la evolución fonética sería bastante difícil de explicar.

Lenz (1928: 123) registra también la posibilidad de los verbos de origen holandés de formar este participio perfecto como en holandés, añadiendo una *-t*, o una *-d* finales al tema verbal.

Es interesante poner de manifiesto que, a pesar de esta situación que puede sugerir excesiva heterogeneidad, el papiamento actual tiene un sistema coherente con reglas propias para formar el participio perfecto de la voz pasiva, como lo demuestran los participios que se construyen según uno u otro modelo, independientemente de la lengua de origen del verbo. De este modo, pap. *dal* (< esp. *dale*, pg. *dalhe*) tiene el participio perfecto *idal, didal*, no **dalá*; mientras pap. *spula* (< hol. *spoelen*) 'enjuagar' tiene el participio perfecto *spulá*, no **ispula,* **ispul*, **dispula,* **dispul* (Maurer 1991).

Muchos especialistas opinan que el morfema *ta* es una partícula aspectual que forma parte de un sistema verbal africano, basándose en las funciones y los diferentes valores del mismo (Römer 1974; Valeriano Salazar 1974; Joubert b).

Maurer (1986a: 141; 1987a: 39) considera que *ta* es un caso de convergencia entre la perífrasis española *estar* + gerundio, la perífrasis *estar* + gerundio o infinitivo y el morfema *ta* del *reconnaissance language*.

La mayor parte de los especialistas derivan este morfema o partícula del esp., pg. *estar*, que es un verbo auxiliar utilizado en construcciones progresivas y, a la vez, un verbo independiente que expresa localización o estado, condición, cuando le acompaña un adjetivo. Lipski (1993a: 217) aprecia que las construcciones progresivas con *estar* del español y portugués son relativamente poco frecuentes y aparecen semánticamente marcadas si se comparan con formas verbales simples. Por tanto, concluye que no es probable que hayan sido adoptadas durante la pidginización como representante principal de todos los verbos en presente.

Contrariamente a la afirmación de Lipski, la perífrasis española con *estar* es muy frecuente en el habla corriente y muy antigua en la lengua, atestiguada, según algunos autores, desde el siglo xii (García de Diego 1961: 261). Al mismo tiempo, las formas *ta, tan* por *está, están* aparecen con bastante frecuencia en diferentes modalidades diatópicas del español americano (Rona 1971; Hills *et al.* 1938: 104). Estos hechos nos determinan a decantarnos por el origen español de *ta*. El mismo Lipski (1993: 16-17) llama la atención sobre la posibilidad de derivar la partícula *ta* del habla 'bozal' del esp. *esta(r)*, cuando actúa como cualquier verbo locativo o en combinación con un adjetivo, así como sobre la posible erosión fonética de los gerundios en *-ando, -(i)endo*, que explicaría también construcciones de tipo *pavo real ta bucán palo* en el español 'bozal' caribeño.

La modalidad de expresar el tiempo mediante perífrasis con verbos existenciales, que semánticamente contienen los valores del lat. *esse*, es un fenómeno que se registra en varios criollos románicos, desde el criollo haitiano o los criollos portugueses, hasta los hispánicos —el chabacano filipino, el palenquero y el papiamento— y, como acabamos de ver, también en el habla 'bozal', lo que determinó a los partidarios de la monogénesis a considerarlo uno de los rasgos más distintivos de los idiomas criollos, cuyo origen tendría que encontrarse en un protocriollo afroportugués.

No obstante, debemos tener en cuenta que varios estudios ponen de manifiesto que las lenguas romances que, en nuestra opinión, representan el componente básico de los criollos románicos en su proceso de formación y cristalización, emplean en la variante estándar o en diferentes modalidades diatópicas o diastráticas construcciones aspectuales con verbos existenciales, que podrían explicar el paradigma verbal de dichos criollos (Vintilă-Rădulescu 1973a: 326 y sigs.).

En vez de contemplar un posible origen múltiple del morfema *ta* (africano, *reconnaissance language*, iberorromániico), opinamos que su origen es el verbo esp. *estar* (cf. también Birmingham Jr. 1971: 79), con su variante americana *ta*, que, en el período de formación del papiamento, funcionaba como verbo copulativo, pero tenía, a la vez, valor continuativo en las construcciones perifrásticas con gerundio.

Evidentemente, es muy posible que a la consolidación de *ta* y la consecuente multiplicación y especialización de sus funciones en el papiamento hayan contribuido la perífrasis similar portuguesa y el morfema *ta* del *reconnaissance language*; igual que en el habla 'bozal', donde, según Lipski (1993: 17), la existencia de construcciones durativas en las que el español nunca emplearía el verbo *estar* puede ser un indicio de una infusión de elementos criollos.

La mayoría de los estudios consultados aprecian que semánticamente el papiamento no distingue entre el aspecto continuativo y no continuativo en las construcciones con *ta*. Por tanto, *e ta mira* significa tanto 'él mira' [no continuativo], como 'él está mirando' [continuativo] (Lenz 1928: 120; Zamora Vicente 1967: 445). A nuestro juicio, lo que ocurre en realidad es lo siguiente: una vez cristalizada y fijada la perífrasis verbal con *ta*, paulatinamente, los hablantes dejan de percibir el aspecto continuativo de la misma (existente en la construcción española con *estar* + gerundio) o, en todo caso, no perciben una oposición pertinente entre ésta y la forma sin *ta*, que expresa un aspecto no continuativo. Una prueba a favor de esta hipótesis es la aparición de la perífrasis *ta* + gerundio, según el modelo español, en oposición con la perífrasis *ta* + infinitivo, como señala Goilo (1953: 83). De esta manera, el hablante puede expresar con más precisión el aspecto continuativo de la acción que se está desarrollando en el momento del habla. Así:

Mi ta kome tres bes pa dia	'Como tres veces al día'

y

Awor mi ta humando un sigaria	'Ahora estoy fumando un cigarrillo'.

Hemos visto que Goilo *(loc. cit.)* llama la atención sobre este tipo de oposiciones también en las construcciones con *tabata* y la combinación de partículas *lo* + *ta*, *lo* + *tabata*:

Ora bo a yega, mi tabata skirbiendo	'Cuando llegaste, estaba escribiendo

un karta	una carta';
Lo mi ta drumiendo	'Estaré durmiendo';
Lo mi tabata trahando	'Estaría trabajando'.

El hecho de que hay unos verbos papiamentos que no son modificados por *ta* o lo son de manera facultativa y que, semánticamente, no aceptan o aceptan difícilmente la idea de acción continua, durativa, es, como hemos dicho antes, una huella evidente del valor progresivo de *ta*. Pero, al mismo tiempo, resumiendo, podemos afirmar que en el papiamento actual la partícula o el morfema *ta* ya no tiene valor continuativo. Esta afirmación se fundamenta en los siguientes argumentos: la clase más numerosa de los verbos papiamentos está constituida por aquellos que están modificados por *ta*; unos verbos estáticos son modificados facultativa o incluso obligatoriamente (como *kere*) por *ta*; además, *ta* puede ser verbo copulativo; puede referirse a actividades habituales y futuras; puede tener valor enfático (Römer 1974)[5]; finalmente, la perífrasis *ta* + gerundio, que indudablemente tiene valor continuativo, quizás no se habría reconstruido en papiamento si *ta* hubiera conservado su valor continuativo, progresivo.

Existe, no obstante otra alternativa, que no podemos pasar por alto: la posible influencia del español americano en la aparición de esta perífrasis en papiamento para expresar el aspecto continuativo en oposición con la perífrasis *ta* + indicativo. Sin embargo, al considerar esta hipótesis, no podemos dejar de subrayar que en las variedades americanas del español, igual que en el judeoespañol, la perífrasis *estar* + gerundio ya no se percibe como término marcado de una oposición continuativo : no continuativo y compite, en cuanto a la distribución, con la forma simple correspondiente (Zamora Vicente 1967: 435; Crews 1935 *passim*).

El morfema *tabata* está formado por *taba* + *ta*, según el modelo $\textit{estar}_{\text{imperfecto}}$ + gerundio, perífrasis existente en el español y portugués

[5] Incluimos en la tercera parte del libro, «Textos papiamentos», las consideraciones de Römer sobre los valores de *ta*.

(Birmingham Jr. 1971: 87). Esta explicación se basa en la presencia de dos huellas de una forma antigua *taba* en papiamento:

a) el pretérito imperfecto del verbo *tin* 'tener', cuya forma es *tabatin*, con la variante menos frecuente *taba tin*, evidente forma primaria en la que los elementos componentes no han fusionado;

b) la forma contraída *ta'a*, que, por su aspecto fonético, puede proceder sólo de *taba*. La forma *taba* se emplea todavía en el sociolecto de los sefardíes curazoleños; y en la mencionada carta de 1775 (Emmanuel 1970; Maduro 1971; Ferrol 1982; Salomon 1982; Henriquez 1988: 100), hasta el momento el primer documento lingüístico del papiamento conservado, aparece la perífrasis *taba* + verbo para expresar un aspecto imperfectivo en el pasado:

Mi a topa tío Lau ku Sara Meme.	'Me encontré con el tío Lau y Sara
Nan taba bini Punta	Meme. Venían a Punda[6]'

Es muy probable que, durante el período de cristalización del papiamento, las formas *taba* y *tabata* hayan coexistido. Y no nos parece de más mencionar al respecto el hecho de que en el criollo de Cabo Verde coexisten, en la actualidad, las formas *tába* y *tába ta*. En papiamento llegó a imponerse *tabata*. La elección obedeció, posiblemente, a la ley fundamental de la claridad del mensaje: la forma *taba* en su variante contraída *ta'a* podía llegar a confundirse fácilmente con *ta*.

Tabata es el único morfema del paradigma verbal papiamento que no está atestiguado en el *reconnaissance language*, a pesar de su presencia en el criollo caboverdiano. Al llamar la atención sobre este hecho, Maurer (1986a: 142) opina que «il n'est pas exclu —quoique peu probable— qu'on doive considérer *taba* comme une combinaison de *ta* et *ba*, ce dernier morphème apparaissant dans plusieures

[6] Nombre de la parte oriental de la capital de Curazao.

langues créoles afroportugaises ainsi qu'en palenquero» (Maurer 1987a: 40).

Según el paradigma verbal propuesto por Rona (1971), el morfema *tabata* estaría compuesto por la partícula continuativa *ta* + la partícula perfectiva *a* (en su variante *ba*) + el verbo auxiliar *ta* (< esp. *estar*).

Nuestra opinión es que el morfema *tabata* se fijó en papiamento como resultado del mismo proceso que impuso en la lengua el morfema *ta* para el presente del indicativo. Con respecto a estos dos morfemas podemos decir, junto con Maurer (1986a: 142), que

> ha habido una reinterpretación de su función, pasando de 'progresivo presente' y 'progresivo pasado' a 'presente' e 'imperfecto', lo que se manifiesta por el hecho de que estos dos morfemas pueden modificar verbos estáticos y pueden referirse a actividades habituales.

El morfema *a* del pretérito perfecto del indicativo procede, según varios autores a los que nos sumamos, del esp. *haber* o pg. *haver*, verbos auxiliares con que se construye el pretérito perfecto del indicativo en esas lenguas (Lenz 1928: 121; Birmingham Jr. 1971: 85). Estructuralmente, este morfema ocupa la misma posición que el verbo auxiliar español. En la lengua hablada se funde frecuentemente con los pronombres sujetos: *mi a bini / m'a bini* '(yo) vine' (Lipski 1993: 33).

Maurer (1987a: 39) considera que explicar el morfema *a* sólo como continuador del auxiliar iberorrománico no es suficiente. La presencia del morfema *a* en el paradigma verbal papiamento se debería, según él, también a otros elementos de las lenguas de input en las islas. Éstos serían: la perífrasis holandesa con *hebben*, correspondiente a la perífrasis iberorrománica esp. *haber* / pg. *haver* + participio perfecto; el adverbio pg. *já* 'ya', que desempeñó un papel importante en el *reconnaissance language*; el morfema *a* de la lengua mbundu de Angola.

Rona (1971), Valeriano Salazar (1974) y Joubert (b), entre otros, opinan que se trata de una partícula perfectiva de origen africano. Según Rona *(loc. cit.)*, la variante *ba* de ésta es también uno de los elementos que componen el morfema *tabata* del pretérito imperfecto (véase *supra*).

Igual que en otros casos, no descartamos las influencias de las diferentes lenguas participantes en la génesis del papiamento, pero seguimos opinando que fue el español la lengua con mayor peso entre las demás. Por tanto, siempre que un sistema o subsistema papiamentos pueden ser explicados de manera natural por un modelo español, consideramos que los sistemas o las estructuras de los demás elementos de input que presentaban similitudes con los españoles los consolidaron y ayudaron a fijarse en el nuevo idioma que se estaba forjando. Desde esta perspectiva entendemos la hipótesis de Maurer: el pretérito perfecto iberorrománico pudo ser reforzado perfectamente por el pretérito perfecto holandés construido según el mismo modelo con *hebben*, así como por la partícula africana *a* con valor perfectivo.

El morfema *lo*, marca del futuro imperfecto del indicativo, procede del adverbio pg. *lôgo* 'luego, inmediatamente' (Lenz 1928: 121; Zamora Vicente 1967: 435; Birmingham Jr. 1971: 89). Lipski (1993: 33) tampoco excluye el posible origen portugués, pero sugiere que, en igual medida, podría derivarse del esp. *luego*. Estructuralmente, este morfema se coloca delante de los pronombres sujetos o entre el grupo nominal con función de sujeto y el verbo:

lo mi bai 'iré';
Maria lo bai 'María irá'.

Maurer (1986a: 140) opina que este morfema fue introducido en el papiamento por vía del *reconnaissance language*, que emplea el adverbio *lôgo* para expresar el futuro.

Rona (1971) y los defensores del sistema africano de las categorías aspectuales creen que se trata de una partícula de origen africano. Sin embargo, actualmente, casi todos los lingüistas se inclinan a favor del origen portugués o iberorrománico de *lo*.

Birmingham Jr. (1971: 89) hace una interesante observación con respecto al futuro analítico papiamento. Igual que las lenguas románicas, que sustituyeron el futuro sintético latino por construcciones perifrásticas de tipo *amare habeo*, el papiamento rechaza el futuro español y recurre a un procedimiento analítico simplificado.

Para expresar el valor del futuro analítico construido en español con *ir* + *a* + $\text{verbo}_{\text{infinitivo}}$, el papiamento utiliza el presente con *ta* con valor de futuro: *Mi ta bai* 'Voy a ir' (véase también Maurer 1988: 91).

1. La voz

El papiamento tiene voz activa, pasiva y reflexiva.

La voz pasiva se construye según el modelo románico o germánico, con un verbo auxiliar y el participio perfecto del verbo que se conjuga. Como verbos auxiliares se emplean *wòrdu* (Aruba *wordo*), *ser, keda*. Entre los tres no existen diferencias funcionales y todos pueden combinarse con todos los morfemas verbales (Maurer 1988: 329-332):

E kas ta ser / wòrdu / keda kumprá pa mi tata	'La casa es comprada por mi padre';
E kas a ser / wòrdu / keda kumprá pa mi tata	'La casa fue / ha sido comprada por mi padre';
E porta a / ser / wòrdu / keda ifèrf kòrá	'La puerta fue / ha sido pintada de rojo',

a diferencia de la voz activa:

Mi tata ta kumpra e kas	'Mi padre compra la casa';
Mi tata a kumpra e kas	'Mi padre compró la casa';
El a ferf e porta	'Él ha pintado la puerta'.

El verbo *wòrdu* es de origen holandés; *ser* es de origen español, y *keda* 'quedar' es un verbo copulativo papiamento que, según Maurer (1988: 329), empezó a utilizarse para expresar la voz pasiva desde hace relativamente poco tiempo. Actualmente, se emplea con mucha frecuencia. Los dos primeros funcionan solamente como verbos auxiliares de la voz pasiva, mientras *keda* tiene también otras funciones,

> peut se combiner avec des adjectifs, des participes passés, des adverbes ou des syntagmes adverbiaux. Du point de vue du sens, ce verbe peut renvoyer soit à un état soit à l'entrée dans un état [...] au 'perfekto' et au 'futuro' permet d'exprimer l'aspect perfectif avec un état (Maurer 1988: 139).

El empleo del verbo *keda* como auxiliar de la voz pasiva obedece, en nuestra opinión, a una ampliación de las funciones del verbo español correspondiente: desde la combinación con adjetivos y adverbios: *quedar bien, quedar mal, quedar corto, quedar(se) atrás*, etc. a la combinación con participios perfectos con valor adjetival:

E kas ta keda kumprá 'La casa queda comprada'.

No todos los papiamentistas de las islas ABC están de acuerdo con esta construcción. El rechazo a la misma es absoluto cuando se usa en presente: *ta keda kumprá* 'está comprada'; y se acepta cuando se usa en perfecto: *a keda kumprá* 'fue / ha sido comprada'.

La voz pasiva se puede expresar también en papiamento con la construcción *ta* + participio perfecto del verbo que se conjuga. A diferencia de las modalidades mencionadas, esta construcción expresa una acción concluida, correspondiente a la española *estar* + participio perfecto:

E karta ta skirbí 'La carta está escrita'

(acción terminada en el momento del habla) equivale a

E karta a wòrdu / ser / keda skirbí 'La carta fue / ha sido escrita';
E kas ta pintá 'La casa está pintada' = *E kas a wòrdu / ser / keda pintá* 'La casa fue / ha sido pintada'.

El papiamento, igual que todas las lenguas criollas de base europea y todas las lenguas románicas, evita, en lo posible, la voz pasiva, que sustituye por construcciones activas o reflexivas impersonales. Así, se prefiere una construcción de tipo *E karpinté a traha e kas* 'El carpintero construyó la casa' en lugar de *E kas a wòrdu / ser / keda trahá pa e karpinté* 'La casa fue / ha sido construida por el carpintero'; *nan ta bisa ku* 'dicen que / se dice que' en lugar de *ta wòrdu / ser bisá ku* 'es / está dicho que'. No obstante, las generaciones jóvenes empiezan a utilizar cada vez más la voz pasiva, particularmente con *keda*.

La voz reflexiva se expresa en papiamento mediante tres modalidades.

En el capítulo «El pronombre» hemos visto que los pronombres personales no flexionan y no modifican su forma (con una sola excepción) cuando se combinan con diferentes preposiciones para expresar las relaciones sintagmáticas correspondientes a los casos latinos. Los pronombres personales papiamentos no tienen formas átonas que puedan participar en construcciones especiales para expresar la voz reflexiva, como en español y las lenguas románicas en general. Sin embargo, una de las modalidades para expresar la voz reflexiva es el uso del pronombre personal con valor reflexivo *mi, bo, e, nos, boso, nan* pospuesto al verbo:

mi ta sinti mi malu	'me siento mal';
bo ta sakrifiká bo	'te sacrificas';
e no ta domin'é	'él no se domina';
nos a kibuká nos	'nos hemos equivocado'.

Sin embargo, no todos los verbos pueden formar la voz reflexiva de este modo.

El procedimiento existe también en el criollo haitiano para cualquier construcción reflexiva: *Moin rappeler m' toutt histoire la très bien* 'Me acuerdo muy bien de toda la historia'; *li té rappeler li; ous tâ rappeler ous; llo tavap-rappeler llo*, etc. (Faine 1939: 78). Ahora bien, si aceptamos que el pronombre personal de los criollos románicos procede de las formas oblicuas de los respectivos pronombres personales de las lenguas base y que «en los idiomas románicos, los pronombres personales de primera, segunda, cuarta y quinta persona desarrollaron un valor reflexivo y pasaron a usarse como índices de diátesis» (Iordan, Manoliu 1989: I, 295-296), el procedimiento para marcar la voz reflexiva en papiamento y el criollo haitiano es, evidentemente, románico.

Otra posibilidad es construir la voz pasiva con la ayuda del pronombre posesivo seguido de *mes* (< esp. *mismo*). Esta modalidad va ganando terreno en el habla actual, sobre todo entre los jóvenes, con toda probabilidad debido a la fuerte presión ejercida sobre el papiamento por el holandés, el inglés y el español. En determinados casos y solamente con algunos verbos se puede expresar la voz reflexiva de esa manera:

nan ta hasi nan mes *meritorio di* — 'se hacen meritorios de';
e ta puntra su mes — '(él) se pregunta (a sí mismo)';
es(un) ku alsa su mes, *lo ta humiliá* — 'quien se subleva, se humillará';
e ta gosa su mes — '(él) se regocija de sí mismo'.

Maduro (1967: 14-17; 1971: 8) llama la atención sobre el uso erróneo de esta modalidad. Así, no son correctas las construcciones *El a tira su mes den un riu*; *N.N. lo trasladá su mes pa Canadá* sino

El a tira su kurpa / bula den un riu — 'Se zambulló en un río';
N.N lo biaha pa Kánada — 'N.N. viaja al Canadá'.

Como tampoco son correctas construcciones como *El a laba su mes* o *Mi ta kastigá mi mes* para

El a laba su kurpa — 'Se lavó';
Mi ta kastigá mi kurpa — 'Me castigo (a mí mismo)'.

Como se puede observar, se trata de dos tipos de errores o ultracorrecciones: uso equivocado de la modalidad pronombre posesivo + *mes*; y uso de construcciones reflexivas para verbos que en papiamento son pronominales. Con respecto a este último tipo de error, debemos precisar que los verbos que proceden de transitivos españoles con valor pronominal casi nunca necesitan una construcción reflexiva con el pronombre pospuesto al verbo, porque conservan su valor reflexivo de la voz activa:

Mi ta feita	'Me afeito'.

En estos casos, el valor transitivo se expresa mediante el objeto directo: *E ta feita su ruman* '(Él) afeita a su hermano'. En cambio, los verbos que proceden de verbos españoles transitivos y pronominales necesitan construcciones especiales para expresar la voz reflexiva:

Mi ta sinti mi malu	'Me siento mal';
No sinti kurpa bon	'No sentirse bien';
Mi a kansa (mi) kurpa	'(Yo) me cansé'.

Como resulta de algunos de los ejemplos anteriores, la tercera posibilidad de expresar la voz reflexiva es la construcción verbo + (pronombre posesivo) + el sustantivo *kurpa* (< esp. *cuerpo*):

horka kurpa	'ahorcarse';
kansa kurpa	'cansarse';
kaña kurpa	'emborracharse';
defendé su kurpa	'defenderse';
kuida su kurpa	'cuidarse';
mata su kurpa	'matarse; cansarse';
seka su kurpa	'secarse';
yuda su kurpa	'ayudarse';
El a horka (su) kurpa	'(Él) se ahorcó'.

Esta modalidad se utiliza con muchos verbos, aunque Maurer (1988: 44) opina que es bastante limitada. De hecho, se oye con escasa frecuencia entre las generaciones jóvenes.

Faine (1939: 77-78) registra un procedimiento similar en el criollo francés de la Isla Mauricio: *Mo va-touye mo lécorps* 'Me mataré';

cf. pap. *Mi ta bai mata mi kurpa*; *Madame peigne so latète / so civés* 'La señora se peina (el cabello)'; cf. pap. *Señora ta peña (señora) su kabei*.

El criollo haitiano utiliza las palabras *tête* y *corps*, que Faine (1939: 78) considera *de réels pronoms réfléchis:*

> [...] l'haitien dirá indifféremment pour le fait physique: pas fatiguer *corps ous* = ne vous fatiguez pas; pour le fait moral: pas fatiguer *tête ous* = ne vous tourmentez pas. Il dit aussi: mourir *corps ous!* = ne vous mettez pas en évidence (faites le mort); et: li tuer *tête li* = il s'est suicidé.

El autor citado aprecia que el sistema de construcción reflexiva con la palabra *corps* tiene su origen en «formes très anciennes», porque el mismo procedimiento se encuentra en los versos de Robert Wace, poeta anglo-normando del siglo XII (Faine *loc. cit.*).

El valor de reciprocidad se expresa con la construcción verbo + el pronombre *otro*:

Nan ta stima otro	'(Ellos) se quieren';
Nan a duna otro man	'Se estrecharon las manos'.

El procedimiento es parecido a las construcciones de los criollos franceses estudiados por Faine (1939): *éne à l'autre, éne laute* 'uno a otro', en el criollo de la Isla Mauricio; y *ioune laute* 'uno a otro', en el criollo haitiano. Así:

Zautes content éne à l'autre	'(Ellos) se quieren (uno a otro)';
Tit-moune llo ap-faire mauvai jeu là ha ioune *ap-morder* laute	'Los niños juegan mal, se muerden (mutuamente, uno a otro)' (Faine 1939: 78).

2. Modos y tiempos [7]

Presentamos, a continuación, los valores de los modos y tiempos del papiamento en la oración principal, desde la perspectiva de sus posibles equivalencias con el paradigma verbal tradicional.

El indicativo

El presente expresa:

a) una acción simultánea con el momento del habla:

E ta kanta aworakí 'Canta (ahora)';
E tin (un) outo 'Tiene (un) coche';
E yama Roberto 'Se llama Roberto';

b) una acción repetida o habitual en el presente:

Nos ta lesa tur dia 'Leemos todos los días';

c) una acción posterior al momento del habla:

Mi ta kumpra un buki mañan 'Mañana compro un libro';

d) una acción repetida o habitual en el futuro:

For di mañan e ta pasa tur dia 'A partir de mañana pasará todos los días'.

Se trata, en este caso, de una acción posterior al momento del habla, que el hablante anticipa mentalmente, considerándola como realizada en el momento del enunciado (Iordan 1944: I, 147-148).

[7] Para un análisis detallado de los valores modales y temporales del papiamento, véase Maurer (1986; 1986a), y, particularmente, Maurer (1988: 49-350).

Por esa razón, este tipo de acción puede ser expresada también mediante el futuro con *lo*: *For di mañan lo e pasa tur dia.*

El hecho de que, prácticamente, no existen contextos en los que los morfemas *ta* y *lo* sean mutuamente exclusivos cuando se emplean para expresar este tipo de acción permite apreciar, según Maurer (1986a: 135), «que estos dos tiempos son sinónimos funcionales en cuanto a la función mencionada ('futuro'), y que se trata de una oposición participativa cuyo elemento marcado es *lo*». En realidad, la construcción con *ta* implica en la conciencia del hablante un grado mayor de seguridad en cuanto a la realización de la acción.

El pretérito imperfecto expresa:

a) un aspecto imperfectivo en el pasado:

Ora el a bini, mi tabata kome 'Cuando vino, (yo) estaba comiendo';

b) una acción repetida no especificada o habitual en el pasado:

E tabata kanta tur dia 'Cantaba todos los días'.

El pretérito perfecto expresa:

a) un aspecto perfectivo en el pasado:

El a pinta e kas ayera 'Pintó la casa ayer';

b) el resultado en el presente de una acción pasada:

El a bai 'Se ha ido (y ya no está aquí)';

c) una acción repetida especificada en el pasado:

El a pinta e kas tres bes 'Pintó la casa tres veces'.

El futuro imperfecto expresa:

a) una acción posterior con respecto al momento del habla:

Lo mi lesa mañan 'Leeré mañana';

b) una acción repetida o habitual en el futuro:

Lo nos lesa tur dia 'Leeremos todos los días'.

Cuando el futuro es hipotético, suele producirse la neutralización entre el presente y el futuro, independientemente de la existencia o no de un localizador definido o indefinido. Sin embargo, según Maurer (1988: 91), un enunciado en presente que contiene un localizador indefinido, como en

Algun dia e ta bin stima su mama 'Algún día terminará por querer a su madre',

puede ser percibido como agramatical por algunos hablantes, que prefieren, en tales casos el uso del futuro: *Algun dia* lo *e bin stima su mama*. Cuando el enunciado contiene un localizador definido, la mayoría de los hablantes considera menos adecuado el empleo del futuro y prefiere el presente. «La cause [...] purrait se trouver dans le fait que le "futuro" est redondant lorsqu'un énoncé contient un circonstant localisateur futur défini» (Maurer, *loc. cit.*).

En las oraciones subordinadas completivas cuya oración principal tiene un verbo en indicativo se utilizan los mismos tiempos del indicativo, aun cuando el verbo de la oración principal está en un tiempo pasado. Resulta que la concordancia de los tiempos en indicativo se presenta muy simplificada: independientemente del momento del habla, presente, pasado, futuro, los tiempos del indicativo de la subordinada expresan las mismas relaciones de simultaneidad, anterioridad o posterioridad que en la oración principal. Existe, sin embargo, una excepción: cuando en la oración principal el verbo se utiliza en un tiempo pasado y la subordinada expresa una acción simultánea, el verbo de ésta puede estar en el presente o el imperfecto:

M'a kere ku mi tabata den karnaval 'Creí que estaba en carnaval'.
= *M'a kere ku mi ta den karnaval*

Según Maurer (1988: 166-168), la neutralización entre el presente y el imperfecto es muy frecuente, pero se produce sólo «lorsqu'on a affaire à un repère secondaire antérieur et qu'il s'agit d'une relation de simultanéité. Dans le cas d'un repère secondaire simultané, l'opposition entre les deux temps est fonctionnelle». En determinados contextos puede haber una diferencia de orden estilístico entre el empleo del presente y del imperfecto; los hablantes sienten el presente como más expresivo (véase su uso en la narración), lo que «significa que *ta* es semánticamente marcado cuando expresa la simultaneidad con respecto a un momento de referencia pasado» (Maurer 1986a: 137; 1988: 168). Esto nos permite afirmar que los tiempos gramaticales del indicativo son tiempos relativos cuando expresan relaciones de posterioridad y anterioridad, y absolutos sólo cuando expresan una relación de simultaneidad, debido a la oposición entre el presente y el imperfecto. En el caso de las oraciones indirectas no se produce la transposición de la deixis temporal expresada por los tiempos gramaticales, sino que se reproduce el tiempo utilizado en el discurso directo (Maurer 1986a: 137; 1988: 171).

En la descripción de Maurer (1986a; 1987a; 1988), en las subordinadas temporales, relativas, completivas y condicionales puede aparecer el morfema ∅, que analizaremos en cada caso concreto.

El potencial

Los valores del modo potencial de las descripciones tradicionales se expresan en papiamento mediante una combinación entre el morfema *lo* y los morfemas de los demás tiempos *ta, a, tabata*. Dentro de la modalidad aseverativa, estas combinaciones expresan un aspecto hipotético, continuativo imperfectivo:

lo mi ta kanta / kantando	'(yo) estaré cantando';
lo mi tabata kanta / kantando	'(yo) estaría cantando',

o un aspecto hipotético no continuativo, perfectivo:

lo mi a kanta	'(yo) habré cantado',

que corresponde, de hecho, al futuro perfecto del indicativo.

El potencial papiamento sirve para establecer una concordancia temporal cuando se expresa una hipótesis real de tipo tiempo pasado en la oración principal, acción futura en la oración subordinada. El modelo de estas construcciones es el español:

Mi a primintí bo ku lo mi a lesa	'Te prometí que leería';
Mi a kere ku lo bo a bolbe	'Creí que volverías'.

Existe también la posibilidad de expresar la hipótesis real del mismo tipo con la ayuda del futuro imperfecto en la subordinada (véase *supra*):

El a kere ku su otro dia nan lo mat'é	'Creyó que al día siguiente lo matarían' (Maurer 1986a: 137).

Una situación particular presentan las oraciones subordinadas condicionales introducidas por *si*, que no siguen el modelo español. Podemos distinguir dos clases de construcciones con *si*:

a) cuando la oración condicional expresa una hipótesis real, segura, en la oración subordinada se usa el indicativo, igual que en la oración principal:

Si e ta bini, mi ta ward'é	'Si (es seguro que / me garantizas que / me dices que) viene, le espero';
Si nan ta yega promé ku mi, anto mi no tin mester di bai	'Si (es seguro que, etc.) llegan antes que yo, ya no hace falta que me vaya';

b) cuando la oración principal expresa un deseo o una orden, en la misma se usa el imperativo y en la subordinada lo que Goilo (1953: 94) llama «forma hipotética» del subjuntivo:

Si e bini, bis'é warda mi	'Si (por acaso / por casualidad / en el futuro / algún día / mañana) viene, dile que me espere';
Si nan yega promé ku mi, obligá nan warda mi	'Si (por acaso / por casualidad, etc.) llegan antes que yo, oblígalos que me esperen'.

Esta forma hipotética podría relacionarse, a nuestro juicio, con el empleo del morfema ∅ en las subordinadas condicionales de la descripción de Maurer (1986a: 138):

Si bo gusta e bolo akí, bo ta haña un pida mas	'Si te gusta este pastel, recibirás un trozo más'.

Como hemos visto, según Maurer (véase *supra*), la misma oración se puede construir con el morfema *ta* del indicativo, sin que se produzca ningún cambio de significado: *Si bo ta gusta e bolo akí, bo ta haña un pida mas*. Sin embargo, sí existe una diferencia de significado que el mismo autor reconoce. Para Maurer (1986a: 139; 1988: 232-236), el uso de los morfemas *ta* o ∅ depende de la opción del hablante por uno de los dos «mundos» posibles implicados en el enunciado de una condición: un mundo en que la condición es válida, y otro en que no lo es. Por tanto, el empleo del morfema ∅ expresaría la posición neutral del hablante frente a esos mundos, mientras el empleo de *ta* expresaría la preferencia del hablante por el mundo en que la condición es válida, aunque no obligatoriamente de manera absoluta. Igual que en el caso de la neutralización de la oposición presente : futuro, la construcción con *ta* tiene en la conciencia del hablante un grado mayor de seguridad.

Para expresar una hipótesis irreal de tipo modo potencial en la oración principal y modo subjuntivo (imperfecto o pluscuamperfecto) en la oración subordinada, el papiamento no sigue las reglas de la *consecutio temporum* heredada por las lenguas románicas del latín. La construcción papiamenta es mucho más simple, sin que esto afecte a la claridad del mensaje:

Si bo puntra mi, mi por kontestá bo ku...	'Si me preguntaras, podría contestarte que...';
Si bo a puntra mi, mi por a kontestá bo ku...	'Si me hubieras preguntado, habría podido contestarte que...'.

El subjuntivo

Tiene un solo tiempo. La reducción de los cinco tiempos del subjuntivo español en el proceso de formación del papiamento es explicable si tenemos en cuenta algunos aspectos. Por un lado, en el mismo español estándar se manifiesta la tendencia a renunciar a los dos tiempos futuros (*Esbozo*: 476) y, en el habla cotidiana, a restringir en general el paradigma del subjuntivo. También debemos tener presente la tendencia general de diferentes variedades americanas del español a reducir el paradigma verbal y a evitar las formas analíticas (Zamora Vicente 1967: 434; Bartoš 1971).

Por otro lado, los tiempos del subjuntivo se han conservado en español, en gran medida, debido a la correspondencia de los tiempos entre el indicativo y el subjuntivo. No obstante, es sabido que, por efecto del carácter irreal de la acción expresada por el subjuntivo, las relaciones estrictamente temporales que establecen los tiempos del subjuntivo son mucho más imprecisas que las que establecen los tiempos del indicativo (*Esbozo*: 476). Por este motivo, en diferentes variedades americanas del español y en el español peninsular menos cuidado, la correspondencia de los tiempos ya no se respeta con rigurosidad y se manifiesta cierta tendencia a generalizar el presente del subjuntivo para el imperfecto del mismo, es decir, a reducir aun más el paradigma del subjuntivo[8].

En español, el subjuntivo se usa, con muy pocas excepciones (cuando expresa votos, exhortaciones, dudas, deseos), sólo en las oraciones subordinadas, cuando el verbo de la oración principal ex-

[8] La observación se basa en conversaciones personales no dirigidas con hispanoamericanos, canarios y peninsulares de diferentes grupos de edad y con un nivel de instrucción medio.

presa una orden, un ruego, una petición, una prohibición, una duda, etc. (*Esbozo*: 467-482).

En papiamento se emplea el subjuntivo, o para ser más exactos, la forma verbal única sin la partícula *ta*, lo que, para mayor facilidad hemos equiparado en nuestro estudio con el subjuntivo, cuando se expresan votos, exhortaciones y deseos. Presentamos algunos ejemplos:

E drumi dushi / trankil!	'¡(Que él / ella) duerma tranquilo / -a!';
Bai na pas!	'¡Vaya / vete en paz!;
Biba nos partido!	'¡Viva nuestro partido!';
E bini mañan, awe mi no tin tempu!	'¡(Que él / ella) venga mañana, hoy no tengo tiempo!';
Ku e aña benidero trese pas	'¡Que el año venidero traiga paz!'

Es muy probable que la omisión de *ta* para expresar el subjuntivo esté directamente relacionada con la oposición *ta* ~ ∅ propuesta por Maurer (véase *supra*). En muchos casos en que el español no emplea el subjuntivo, el papiamento utiliza el verbo modificado por cero:

Mi drenta o mi spera / warda bo afó?	'¿Entro o te espero fuera?'.

Además, el mismo Maurer (1988: 343) reconoce que

> [...] il existe une ambiguïté structurale dans le cas des verbes modifiés par (-) au «presente» quant à l'opposition entre le «suphuntivo» et le «presente».
>
> De façon générale, il n'est pas toujours aisé, dans un cas déterminé, de savoir à quel type de modification zéro l'on a affaire. Ce problème concerne avant tout l'opposition entre le «suphuntivo» et l'absence de modification [...].

En español, cuando la oración expresa una duda, se puede usar el indicativo o el subjuntivo. En papiamento, en el mismo caso, se puede usar u omitir la partícula *ta* después de las conjunciones *aunke, ounke, anke, maske* 'aunque' y los adverbios *kisas, tal bes, akaso, por ta* 'quizás, tal vez, acaso':

Aunke e ta ofresé bo mil florin / heldu	'Aunque te ofrece mil florines'
y	
Aunke e ofresé bo mil florin / heldu	'Aunque te ofrezca mil florines';
Kisas / Tal bes / Akaso / Por ta e ta bini mañan	'Quizás / Tal vez / Acaso viene mañana'
y	
Kisas / Tal bes / Akaso / Por ta e bini mañan	'Quizás / Tal vez / Acaso venga mañana'.

A diferencia del español, donde se pueden usar tanto el subjuntivo como el indicativo si en la oración principal se expresa una duda, el papiamento no exige el subjuntivo en la subordinada, sino el presente del indicativo:

Mi ta duda ku e ta yama *mi mañan*	'Dudo que me llame mañana'

y no **Mi ta duda ku e* yama *mi mañan*.

Igual que en español, que emplea el indicativo para expresar un grado mayor de seguridad, la construcción papiamenta con *ta* tiene la misma propiedad:

Akaso e yega lat, kiko mi bis'é / mi ta bis'é?	'Acaso (él / ella) llegue / llega tarde, ¿qué le digo?';
Akaso bo ta kere ku mi ta loko?	'¿Acaso crees que estoy loco?'.

Maurer (1988: 342) señala también que el subjuntivo puede expresar las mismas funciones que el futuro o el presente (en sus funciones de posterioridad) cuando la oración compuesta contiene un adverbio de modo de tipo *kisas*, o en las oraciones subordinadas, cuando el verbo de la principal expresa duda, esperanza, deseo, posibilidad, probabilidad, como

spera	'esperar',
duda	'dudar',
no kere	'no creer',

y fundamentalmente en el caso del primero. Precisamente debido a la similitud con el español, que «permet soit l'indicatif soit le subjonctif avec les adverbes du type *quizás* 'peut-être', et exige le subjonctif après les verbes *esperar*, *dudar* et *no creer*» (Maurer 1988: 343), el autor citado cree que este fenómeno no es una evolución interna del papiamento, sino una influencia del español. Sin embargo, la situación es algo más complicada, en nuestra opinión, porque, igual que las construcciones impersonales que exigen el subjuntivo (véase *infra*), parece que la elección de uno u otro modo, con la consiguiente matización del significado hacia un mayor o menor grado de seguridad, realidad, validez, está acompañada o, incluso, tal vez, requerida por las conjunciones *ku* 'que' y *pa* 'para que, a fin de que':

Mi ta spera (pa) e papia / bisa berdat	'Espero que diga la verdad (ya que se decidió a hablar)';
Mi ta spera (ku) e ta papia / bisa berdat	'Espero que dice (que está diciendo) la verdad'.

En el último ejemplo la subordinada no puede ser introducida por *pa*, lo que probaría, a nuestro juicio, que la conjunción *pa* exige el empleo del subjuntivo —el verbo sin *ta*, o con el modificador ∅, según Maurer (1988: 49)—, mientras la conjunción *ku* exige el uso del presente del indicativo (el verbo con *ta*).

Maurer (1988: 244) considera que se pueden distinguir dos clases fundamentales en el empleo del subjuntivo en papiamento:

> les cas où le contenu propositionnel de la proposition contenant le verbe modifié par 0 se situe hors du domaine de l'assertable, et les cas où ce contenu propositionnel se situe à l'interieur du domaine de

l'assertable. Cette distinction pragmatique correspond grosso modo à la distinction morphosyntaxique entre les subordonnées introduites par *pa* et celles introduites par *ku*.

Los principales verbos del papiamento que exigen el subjuntivo (o sea, la construcción verbal sin *ta*) en la oración subordinada son:

deseá	'desear'
ke / kier	'querer'
pidi	'pedir'
eksigí / eksihí /eksiguí / èksiguí	'exigir'
roga	'rogar'
suplikά	'suplicar'
obligá	'obligar'
permití	'permitir'
enkargá	'encargar'
nenga	'negar'
impedí	'impedir'
konsehá	'aconsejar' (Goilo 1953: 92)[9]
rekomendá	'recomendar'
sugerí	'sugerir'
manda	'mandar'
pone	'obligar a hacer, mandar'
ordená	'ordenar'

y otros. Así:

El a pone mi kome e pan 'Me obligó a / hizo comer el pan'.

El subjuntivo se emplea también después de numerosas conjunciones y locuciones conjuncionales que introducen oraciones subordinadas. Entre éstas mencionamos:

[9] Hemos operado algunas modificaciones en la lista de Goilo con el fin de actualizarla: *ke / kier* por *kere* con el significado de 'querer'; *impedí* por *impidí*.

pa	'para que'
a menos ku, a no ser ku	'a menos que, a no ser que'
basta (ku), kon tal ku	'con tal que'
en kaso (ku)	'en caso que'
promé (ku)	'antes (de) que'
asina (ku), manera	'así que'
tan pronto ku	'tan pronto como'
ora (ku), dia (ku)	'cuando'
despues ku	'después (de) que'.

No es obligatorio, sino opcional el uso del subjuntivo después de las locuciones *ora (ku)* 'cuando', *sin ku* 'sin que', *no pasobra* 'no porque':

Ora (ku) e ta drenta	'(Siempre) cuando entra'

u

Ora (ku) e drenta	'Cuando entre';
E ta dal e mucha, sin ku e mucha ta hasi nada malu	'(El / Ella) pega al niño, sin que el niño haga nada malo';
No pasobra e ta bisa asina, mi tin ku ker'é	'No porque él diga eso, tengo / tenga que creerle';
No pasobra e sali bai, abo tambe tin ku sali (bai)	'No porque él / ella salga tienes / tengas que salir tú también'.

El subjuntivo puede usarse también después de las construcciones impersonales de tipo:

por ta (ku)	'puede ser que'
no ta sigur ku	'no es cierto que'
ta bon pa / ku	'es bueno que'
ta malu (ku)	'es malo que'
ta nesesario pa	'es necesario que'
ta sufisiente pa / ku	'es suficiente que'
ta inútil (pa) / (ku)	'es inútil que'

ta kumbiniente / kumbiní (pa) / (ku)	'es conveniente / conviene que'
ta preferibel (pa)	'es preferible que'
bal la pena (pa) / (ku)	'vale la pena que'.

Algunas de estas construcciones cambian su significado y el de la subordinada de acuerdo con la conjunción *pa* o *ku*:

(Ta) bale la pena pa traha *asina duru*	'Vale la pena trabajar tan duro (porque así se logra lo que se desea)',

en comparación con

(Ta) bale la pena ku e ta traha *asina duru*	'Vale la pena que trabaje tan duro (se nota el resultado de su laboriosidad)'.

En la primera oración se expresa más bien una opinión, un deseo, etc., mientras en la segunda se refleja una realidad[10].

Cuando la oración subordinada expresa una suposición negativa, el papiamento emplea, de nuevo, el indicativo en lugar del subjuntivo:

Mi no ta kere ku e ta bini	'No creo que venga / viene'.

Es sabido que, en estos casos, el español vacila entre el uso del subjuntivo y el del indicativo. El papiamento tiene también estas dos posibilidades, pero no se trata de una vacilación, ya que la elección del modo verbal en la subordinada parece depender siempre de la conjunción que introduce la oración subordinada:

No ta pusibel ku e ta tres*'é mañan* =	'No es posible que lo traiga mañana';
No ta pusibel pa e tres*'é mañan*	
No ta nesesario ku e ta bai *awé* =	'No es cierto / probable que (él) se vaya hoy'.
No ta nesesario pa e bai *awé*	

[10] Para algunas matizaciones sobre el uso de *ku* y *pa*, véase Van Putte, García (1990: 190).

El papiamento reconstituye un sistema de correspondencias de los tiempos según el modelo español, pero dispone de un solo tiempo en el subjuntivo, que utiliza en todas las situaciones. A la vez, trata de suplir la ausencia de los tiempos pasados del subjuntivo, empleando en la oración subordinada los tiempos pasados del indicativo. En estos casos, la única marca que indica que se trata de un subjuntivo es, en nuestra opinión, la conjunción *pa*. Como hemos visto, en las construcciones impersonales, en las oraciones con el verbo *spera* y en las subordinadas que expresan suposición negativa parece que es esta conjunción la que exige o, mejor dicho, indica un valor subjuntival.

El esquema simplificado de la concordancia temporal, aunque no podamos hablar de una concordancia absoluta en papiamento, podría representarse de la siguiente manera:

oración principal		oración subordinada
presente, futuro del indicativo		subjuntivo
Mi ta deseá *Lo mi deseá*	'Deseo 'Desearé	*pa bo bini* que vengas'
pretérito perfecto, imperfecto, futuro perfecto del indicativo, potencial		subjuntivo o tiempos pasados del indicativo
Mi a deseá *Mi tabata deseá* *Lo mi a deseá*	'Deseé 'Deseaba 'Habré deseado / Desearía / Habría deseado	*pa bo (a) bai* que te marcharas'

Cuando en la oración principal se usa un tiempo pasado, en la subordinada se pueden emplear el subjuntivo o el pretérito imperfecto del indicativo para los verbos irregulares que no tienen pretérito perfecto *(ta, tin)*. Para los verbos que, según la descripción de Maurer (véase *supra*) pueden ser modificados por el morfema *ta* y el morfema ∅, se pueden utilizar en la subordinada los dos tiempos pasados del indicativo. Cuando el verbo de la oración principal está en el futuro perfecto del indicativo, en la subordinada se puede emplear también el subjuntivo.

Mi a deseá pa el a mira den ki estado nan a bai laga mi	'Deseé / Había deseado que (él) viera en qué estado me habían dejado';
Mi a deseá pa bo tabatin plaka	'Deseé / Había deseado que tuvieras dinero';
Mi tabata deseá pa bo tabata 'ki / tabat'aki	'Deseaba que estuvieras aquí';
Lo mi a deseá pa bo tabata 'ki / tabat'aki	'Hubiera deseado / Desearía que estuvieses aquí';
Lo mi a deseá pa bo t'aki	'Habré deseado / Desearía / Habría deseado que estés / estuvieras aquí';
Mi a deseá pa e stima mi	'Deseé / Había deseado que me amara' (Goilo 1953: 108-109).

Una situación distinta presenta el ejemplo

Mi a deseá ku lo el a stima mi	'Deseé / Había deseado que me amara',

donde en la oración subordinada introducida por *ku* se utiliza el futuro perfecto del indicativo.

Según Maurer (1986a: 138), en el caso de las subordinadas completivas introducidas por *pa*, se trataría de una modificación del verbo por el morfema cero de la subordinación, cuando, independientemente del tiempo gramatical de la oración principal, el verbo de la subordinada estaría modificado por el morfema ∅. Sin embargo, hemos visto que se dan casos de completivas introducidas por *pa* y por *ku*, con verbos modificados por otros morfemas:

Mi ke pa bo bai	'Quiero que te vayas';
Nan a pidi pa áwaseru kai	'Pidieron / Habían pedido que cayese la lluvia',

al lado de:

Mi a deseá pa el a mira	'Deseé / Había deseado que él viera';
Lo mi a deseá pa bo a bai	'Habré deseado / Desearía / Habría deseado / Hubiera deseado que te fueses / hubieses ido';

Mi a deseá ku lo el a stima mi	'Habré deseado / Desearía que me amara'.

El imperativo

El imperativo en papiamento no tiene forma propia. Se diferencia de las demás formas del verbo por la estructura tonal en determinadas situaciones, que analizaremos a continuación.

En los verbos bisílabos cuyo patrón tonal es _´ -, éste cambia, cuando después del verbo sigue una pausa absoluta. He aquí un ejemplo con el verbo *kome* 'comer':

E ta kome pan	_ - _´ - -	'(Él / Ella) come pan'	[Indicativo];
Kome pan!	_´ - -	'¡Come pan!'	[Imperativo, sin cambio de patrón tonal, porque al verbo no le sigue una pausa];
Kome!	-´ _	'¡Come!'	[Imperativo, seguido de pausa, con cambio de patrón tonal].

Cuando la pausa no es absoluta, el cambio del patrón tonal no se produce:

Abo kanta (_´ -), *amí sí no ta kanta!*	'¡Canta tú, yo no canto!';
E kanta (_´ -), *te ora e no por mas!*	'¡Que (él / ella) cante hasta no más poder!';
Boso kanta (_´ -) *awor!*	'¡Cantad (vosotros) / Canten (Uds.) ahora!';
Kanta (_´ -) *kuantu ku bo ke!*	'¡Canta cuanto quieras / quieres!';
Bo kanta (_´ -) *kuantu ku bo ke!*	'¡Que cantes cuanto quieras / quieres!'.

El cambio del patrón tonal no se produce en los verbos bisílabos que no tienen el patrón tonal _´ -, como

skeiru (- ´ _)	'cepillar(se)',

ni en los verbos con más de dos sílabas, como

lubidá (_ _ -´)	'olvidar(se)',
planifiká (_ _ _ -´)	'planificar',

indistintamente si están o no seguidos por una pausa absoluta:

Skeiru bo djente!	-´ _ - - _	'¡Cepíllate los dientes!;
Skeiru!	-´ _	'¡Cepilla!';
Lubidá e outo!	_ _ -´ - - _	'¡Olvídate del coche!';
Lubidá!	_ _ -´	'¡Olvídate!';
Planifiká promé!	_ _ _ -´ _ -	'¡Planifica primero!';
Planifika	_ _ _ -´	'¡Planifica!'.

Se han conservado en papiamento algunas formas de imperativo derivadas de imperativos españoles como *ban* (< pap. antiguo *bam* < esp. *vamos, vámonos*): *Ban kas!* '¡Vámonos a casa!'. Las formas *tene*: *Tene lástima!* '¡Ten piedad!' y *bai*: *Bai kas!* '¡Vete a casa!', que algunos estudios incluyen también entre las formas del imperativo español conservadas, son, de hecho, las únicas formas de los respectivos verbos:

tene	'tener; agarrar; aguantar';
bai	'ir'.

Por tanto, no pueden ser consideradas como específicas del imperativo, como es el caso de *ban*.

El verbo *ta* 'ser; estar' reconstituyó o tomó prestada la forma *sea*, del esp. *ser*:

Sea un bon mucha!	'Sé un buen muchacho!';
Sea asina bon di bisa mi...	'Tenga la bondad de decirme...' (Goilo 1953: 93).

La preferencia por una forma de *ser* en vez de una forma de *estar* podría explicarse, quizás, por influencia de la tan conocida y empleada fórmula del «Padre Nuestro» *Nos tata ku ta na shelu // Bo nòmber sea santifiká // Laga bo reino bini na nos //...*

El imperativo se puede construir también con el verbo *laga* (< hol. *laten*). Este verbo, correspondiente al ingl. *to let*, puede significar en español 'dejar; mandar; hacer':

Laga mi splika bo	'Déjame explicarte';
Mi a laga traha un kas	'Mandé construir una casa'.

Al mismo tiempo, se emplea para expresar el imperativo según el modelo holandés, reforzado, posiblemente, en el papiamento moderno por la estructura similar del inglés:

Laga nos ban = hol. *Laten we gaan* = ingl. *Let's go*	'¡Vámonos!';
Laga nos kuminsá awor (akí) = hol. *Laten we nu beginnen* = ingl. *Let's begin now*	'¡Empecemos ahora!'.

El imperativo tiene en papiamento los mismos usos que en español y las otras lenguas románicas:

Stima bo próhimo manera bo mes	'Ama a tu prójimo como a ti mismo';
No hasi ku otro loke bo no ke pa nan hasi ku bo	'No le hagas a otro lo que no te gustaría que hicieran contigo'.

El gerundio

Una serie de verbos papiamentos que proceden del holandés o inglés no tienen formas especiales para el gerundio:

skòp (< hol. *schoppen*)	'dar puntapiés'
ferf (< hol. *verven*)	'pintar'
mòrs (< hol. *morsen*)	'derramar'
sòru (< hol. *zorgen*)	'procurar'
wòri (< ingl. *to worry*)	'preocuparse'
klinchi (< ingl. *to clinch*)	'remachar'
brek (< ingl. *to break*)	'frenar'

y otros.

Entre los verbos que proceden del español, una situación peculiar presenta *dal* (< esp. *dar*), que no tiene una forma especial para el gerundio. En cambio, numerosos verbos de origen español tienen una forma de gerundio español en *-ando, -(i)endo*, o una forma muy parecida a la original española, a pesar de las numerosas evoluciones fonéticas operadas en el paso del español al papiamento. De este modo:

tin ⟶ *teniendo;*
ke ⟶ *keriendo;*
kere ⟶ *kreyendo;*
drumi ⟶ *durmiendo / drumiendo;*
sa(bi) ⟶ *sabiendo.*

Lo más probable es que la lengua haya tomado prestados estos gerundios del español americano o los haya reconstruido según el modelo hispánico sobre las formas verbales papiamentas heredadas del español.

Un caso especial presenta el verbo *ta*, cuyo significado de 'ser' y 'estar' se refleja en los gerundios *siendo* y *estando*.

El verbo *por* no tiene gerundio. Esporádicamente aparece la forma *pudiendo*, pero siempre que sea posible, se sustituye por las construcciones perifrásticas *aunke e por, aunke e tabata por*:

Aunke e por / Aunke e tabata por *(a) hasi e kos ei, e no a hasié*	'Pudiendo hacer eso, no lo hizo' = 'Aunque podía / había podido / pudiera hacer eso, no lo hizo'.

La existencia de formas especiales para el gerundio podría explicarse por la necesidad de la lengua de rehacer o reforzar la oposición durativo / no durativo del español, cuando, una vez fijada la nueva lengua criolla, el desgaste fonético de las perífrasis *estar* + V_{gerundio} tuvo como resultado la construcción *ta* + $V_{\text{infinitivo}}$. Sin embargo, no podemos descartar la influencia del español en la aparición de las construcciones *ta* + V_{gerundio}.

La gran similitud y, en muchos casos, identidad entre las formas papiamentas del gerundio de los verbos de procedencia española o ibérica y las formas españolas del gerundio de estos mismos verbos se explica, a nuestro juicio, precisamente por la influencia que sigue ejerciendo el español sobre el papiamento. Es evidente, en nuestra opinión, que la lengua prefirió adoptar muchas formas españolas de gerundio, en vez de crear un sistema propio para formar el gerundio. Así se explican formas como *siendo* y *estando* en vez de un posible **tayendo*, *teniendo* en vez de **tiniendo* o *durmiendo* en vez de *drumiendo*.

El gerundio tiene en papiamento las mismas funciones que el gerundio español (*Esbozo*: 489-493):

a) expresa una acción durativa en las perífrasis verbales con *ta*:

E ta kantando 'Está cantando';
Mi ta lesando 'Estoy leyendo';

b) complemento predicativo:

Bo ta pasa kantando 'Pasas cantando';
Nan ta bini papiando 'Vienen hablando';
E ta pidi limosna yorando 'Pide limosna llorando';

c) determinante del sujeto del verbo de la oración principal:

E homber, mirando ku su ruman tabata den peliger, a bula na awa pa yud'é 'El hombre, viendo que su hermano estaba en peligro, se lanzó al agua para ayudarle';
Un mucha, sabiendo ku e ta haña kastigu, no ta bolbe kas 'Un niño, sabiendo que va a ser castigado / lo van a castigar, no vuelve a casa';

Sin embargo, igual que en español, el gerundio no puede tener la función de atributo especificador, singularizador, de un sujeto o un complemento. La lengua no admite construcciones de tipo

**Un hòmber komiendo tres bes pa dia*	'*Un hombre comiendo tres veces al día';
**Mi a konosé un mucha papiando shete idioma*	'*Conocí a un niño hablando siete idiomas'.

d) determinante de un complemento directo, cuando la acción es simultánea con la del verbo principal:

Mi a mira un avion bahando	'Vi un avión aterrizando'	=	*Mi a mira un avion (ku) ta baha / (ku) tabata baha(ndo)*	'Vi un avión que aterrizaba';

e) núcleo de una oración subordinada circunstancial:

Bisando asina, el a sali bai kas	'Diciendo esto, salió para (dirigirse a) casa / su casa / se marchó para la / su casa / se fue a casa'[11].

En papiamento se puede expresar el valor continuativo del gerundio también de manera enfática, mediante la reduplicación del verbo precedido por la partícula *ta*. En este tipo de construcciones debemos distinguir, según Römer (1974) entre un ta_1 enfático y un ta_2 continuativo[12]. Por tanto, no se trataría de una simple repetición del verbo en presente del indicativo, como puede parecer a primera vista: Ta_1 *traha e* ta_2 *traha*; Ta_1 *skirbi e* ta_2 *skirbi un karta*. El significado de estas oraciones es: '(Es que) está trabajando; Es que trabaja (para lograr todo esto); Es que está trabajando (por eso no puede ayudarte ahora); Está trabajando (¿no te das cuenta?)', etc. Y '(Es que) está escribiendo una carta'; Es que escribe una carta (para lograr todo eso)', etc. El *ta* enfático se puede omitir, sin que el significado de la oración cambie: *Traha e ta traha*.

El procedimiento de la reduplicación del verbo para expresar un aspecto continuativo se encuentra, con el mismo valor enfático, en varias lenguas románicas.

[11] *Sali bai* es un ejemplo de verbos seriales (véase «4. Los verbos seriales»).

[12] Véase «Textos papiamentos», donde reproducimos el citado texto de Römer.

El infinitivo

Tiene las principales funciones sintácticas del infinitivo español (*Esbozo*: 484-488):

a) sujeto:

Hasi *bon ta deber di nos tur* / Hasi *bon ta nos tur su deber*	'Hacer bien es el deber de todos nosotros';

b) complemento predicativo:

Perdè speransa ta muri *na bida*	'Perder la esperanza es morir en vida';

c) complemento circunstancial y directo:

Mi ta traha pa (mi) biba	'Trabajo para vivir';
Mi ta preferá traha	'Prefiero trabajar';

Igual que en español, el infinitivo se puede utilizar

d) con *verba sentiendi*, según el modelo acusativo + infinitivo:

Mi ta mir'é sali	'Lo veo salir';

e) con verbos que expresan voluntad o deseo:

Mi ta deseá di sali	'Deseo salir';
Mi ke sali	'Quiero salir';

f) en las construcciones perifrásticas *tin ku* y *tin di* 'tener que', con valor de obligatoriedad o probabilidad:

Un bon siudadano tin ku obedesé leinan di su pais	'Un buen ciudadano tiene que obedecer las leyes de su país';
Tur hende tin ku kome pa biba	'Todo hombre tiene que comer para vivir';

Awa tin ku kai un di e dianan akí	'Tiene que llover uno de estos días';
E bapor tin ku yega un di e dianan akí	'El barco tiene que llegar uno de estos días';
E tabatin ku bini ayera, ma te awor e no a yega	'Tenía que venir ayer, pero hasta ahora no llegó' (Goilo 1953: 109).

Para expresar los valores del infinitivo perfecto románico, el papiamento recurre al morfema *a* del pretérito perfecto del indicativo:

Nos no por suponé den Hesus tal lokura di a funda un reino di desórden	'No podemos suponer en Jesús la locura de haber creado un reino del desorden' (Lenz 1928: 176).

3. La persona

El papiamento tiene una serie de construcciones perifrásticas unipersonales, según el modelo español:

ta hasi kalor	'hace calor';
ta hasi friu	'hace frío';
ta bira skur	'oscurece';
ta nochi kaba	'ya anochece; es de noche ya';
ta di dia	'amanece; es de día';
ta di mas bisa	'está de más decir'.

El verbo *tin* (< esp. *tener*, pg. *tem*) asimiló también el valor existencial impersonal del esp. *hay*:

Tin hopi hende riba kaya	'Hay mucha gente en la calle';
Tin hopi bestia ku por keda hopi tempu sin kome	'Hay muchos animales que pueden quedarse mucho tiempo sin comer'.

El verbo *ta* se usa con valor unipersonal en unas construcciones perifrásticas que expresan la idea de tiempo transcurrido desde cierta fecha; en tales casos, *ta* cumple las funciones del verbo español *hacer*:

ta hopi dia kaba	'hace (ya) muchos días';
ta hopi tempu kaba	'hace (ya) mucho tiempo';
no ta muchu ora pasá	'no hace mucho (tiempo) que'.

Un procedimiento semejante existe en algunas lenguas románicas, como el rumano, que utiliza el verbo *fi* 'ser; estar' en la tercera o sexta personas:

e mult (timp) de (când)	'hace mucho (tiempo) desde (que)';
sunt multe luni de (când)	'hace muchos meses (que)'.

Para expresar el carácter impersonal de una acción, el papiamento recurre a la sexta persona, uno de los procedimientos que utiliza también el español:

Mientras nan tabata dera un pariente di mi amigu...	'Mientras enterraban a / era enterrado un pariente de mi amigo...'.

4. Los verbos seriales

Uno de los aspectos peculiares del papiamento, que comparte con las demás lenguas criollas, es el de los llamados verbos seriales. Se trata de verbos que pueden yuxtaponerse, pero que conservan su calidad de verbo independiente. He aquí unos ejemplos:

Nan a keda para mira	*'Se quedaron a parar a ver' = 'Se pararon a mirar';
El a kore pasa drenta bira sali den un fregá di wowo	'Pasó corriendo, entró, dio la vuelta y salió en un abrir y cerrar de ojos'.

La cuestión de los verbos seriales de los criollos no está todavía solucionada definitivamente y las explicaciones que se dan al respecto no son unánimes. Algunos especialistas consideran que se trata de una evidente influencia del substrato africano, más exactamente de las lenguas de la costa occidental pertenecientes al grupo kwa, que tienen construcciones similares. Otros estudiosos creen que el procedimiento responde a la necesidad de expresar una serie de relaciones sintagmáticas en lenguas que no disponen de flexión nominal, ni de un sistema preposicional o que tienen muy pocas preposiciones y, por tanto, no pueden reflejar mediante construcciones preposicionales tales relaciones. Una tercera opinión considera que se trata «de stratégies permettant d'accroître le nombre d'arguments; ainsi, dans les langues ne possédant que deux arguments (un sujet et un objet), les séries verbales permettent d'obtenir des constructions avec trois arguments» (Maurer 1988: 255).

Valeriano Salazar (1974: 70-98) dedica un amplio capítulo al análisis de los verbos seriales y propone una clasificación de éstos sobre la base de unos criterios sintáctico-semánticos, clasificación que reproduce Maurer (1988: 258) en líneas generales:

A) el objeto del primer verbo es el sujeto lógico del segundo verbo

1. verbo transitivo:

M'a mira bo (ta) sali — 'Te vi salir';
M'a mir'é krusa kaya — 'Le vi cruzar la calle';

2. verbo desiderativo:

Mi ke (pa) bo bai Punda — 'Quiero que vayas a la ciudad';

B) el sujeto del primer verbo es el sujeto implícito de los verbos siguientes:

1. la serie expresa una sola acción

a) expresa el aspecto (incoativo, durativo, iterativo etc.):

Dòlfi a kuminsá kanta	'Dolfi comenzó a cantar';
Dòlfi a keda mira e barbulètè	'Dolfi se quedó a mirar la mariposa' = 'Dolfi mira la mariposa';
El a kab'i kome	'Acabó / Acaba de comer';
E piskánan tur a para muri	*'Todos los peces se pararon a morir' = 'Todos los peces murieron';
El a para mira e barkonan	'Se detuvo a mirar los barcos' = 'Mira los barcos';
El a bolbe hari	'Volvió a reír';

b) expresa la modalidad:

El a bula bisa	*'Habló volando' = 'Habló de repente';
El a bula lanta	'Se paró / levantó bruscamente / rápidamente';
El a kore bai	'Se fue corriendo';

c) construcciones seriales:

El a hisa e bala benta den awa	'Cogió la pelota y la tiró al agua';

2. la serie expresa varias acciones

a) el segundo verbo, introducido por la conjunción *pa* expresa la finalidad:

M'a fia e buki pa lesa e kuenta	'Tomé prestado el libro para leer el cuento';

b) common multi-verbal construction:

El a hap, frega su wowonan, rèk su kurpa	'Bostezó, se restregó los ojos y estiró su cuerpo'.

Valeriano Salazar (1974: 85-87) distingue, como se puede observar, entre 'construcciones seriales' y 'common multi-verbal construction'. Para los papiamentohablantes, las primeras expresan partes de una acción única «two parts of a single action», igual que en el criollo jamaicano, mientras las segundas expresan dos o más acciones diferentes. Un argumento a favor de esta distinción sería que en los enunciados de tipo 'construcciones seriales' no puede aparecer la conjunción *i* 'y' entre los verbos.

Maurer (1988: 258) no está totalmente de acuerdo con la clasificación de Valeriano Salazar y aprecia que las categorías A 2 (verbos desiderativos) y B 2a (expresión de la finalidad) no representan verdaderas construcciones seriales, por dos razones: los verbos están separados por la conjunción *pa*; la supresión del sintagma nominal sujeto en la subordinada es opcional. Por otro lado, Valeriano Salazar no incluye en la clasificación las construcciones con los verbos modales. «Or, du point de vue des structures de surface, ces constructions se présentent aussi comme des séries verbales», opina Maurer *(loc. cit.)* [13].

5. Clasificación de los verbos según la terminación

En papiamento no existen tipos flexionales, como en español y el resto de las lenguas románicas, que han heredado el sistema del latín. Como hemos visto (véase *supra*), la flexión se realiza exclusivamente por medios analíticos y el verbo permanece invariable desde el punto de vista formal. Sin embargo, consideramos que es posible proponer una clasificación de los verbos papiamentos según su terminación. Nuestra propuesta coincide parcialmente con el intento similar de Birmingham Jr. (1971: 74-77).

[13] Para las modificaciones verbales que el 'presente' en su forma *ta* puede operar en el segundo o el enésimo verbo de las series verbales del papiamento, véase Maurer (1988: 255-270).

Distinguimos seis clases de verbos papiamentos según la terminación, de las cuales, las primeras tres corresponden a las tres conjugaciones del español (véase también Goilo 1953: 80; Hoyer 1950: 59-66):

a) verbos en *-a* (átona o tónica): *tuma, kumpra, buska, kanta, huma, kumindá, sofoká, kontrarestá*, etc.;

b) verbos en *-e* (átona o tónica): *kome, bebe, skonde, komprendé, komprondé, defendé*, etc.;

c) verbos en *-i* (átona o tónica): *hasi, pidi, skirbi, sufri, divertí, disminuí, risibí, wòri*, etc.;

d) verbos en consonante, de origen holandés, español o inglés: *hür, yag, drùk, ferf, wak, dal, por, mester, djòin, djèk, djòmp*, etc.;

e) verbos en *-u* átona, de origen holandés: *sòru, fangu, respu, pupu, bedaru*, etc.;

f) verbos en diptongo: *bai, skarmai, frei, drei, pui, snui, snou, wou*, etc.

***

Llegados al final de esta sucinta presentación de los más llamativos aspectos del verbo papiamento, podemos destacar algunas ideas fundamentales, en nuestra opinión, a modo de conclusión.

El sistema verbal papiamento es, quizás, el compartimento donde las lenguas africanas ejercieron su mayor influencia. En el contacto y la pugna que se libró entre los sistemas (ibero)rromániсo y holandés, por un lado, basados en categorías de tiempo y modo, y el sistema africano, por otro lado, basado en categorías aspectuales binarias, no hubo ningún vencedor absoluto. A pesar del estatus de lenguas dominantes, cuyos hablantes ocupan un grado alto en la jerarquía de las culturas del mundo, las lenguas europeas no lograron imponer totalmente su sistema verbal; probablemente, porque el otro sistema, basado en oposiciones aspectuales, tenía una fuerte realidad psicológica que impidió que fuera sustituido totalmente por el sistema español.

Sin embargo, no podemos considerar que el sistema verbal africano se mantuvo impermeable a todo tipo de interferencia y se transfirió como tal al nuevo criollo. Nuestra hipótesis es que el sistema basado en categorías aspectuales fusionó con el español, en la medida en que los elementos de los dos no eran absolutamente irreconciliables. Se llegó así a dos resultados:

a) una simplificación del sistema español, en cuanto a tiempos y modos, que asimilaron también valores aspectuales en concordancia con la antigua categoría latina de aspecto desaparecida en el paso del latín a las lenguas románicas; esta simplificación obedeció a tendencias internas propias del español, liberadas de la presión de la norma en las condiciones del contacto lingüístico prolongado y a amplia escala; y

b) un enriquecimiento del sistema aspectual binario africano, que, mediante la combinación de determinadas partículas podía expresar valores temporales y modales semejantes al sistema español; el sistema africano sufre la enorme presión del sistema español dominante y evoluciona de acuerdo con las necesidades de la comunicación, dictadas por el proceso de comprensión y producción de textos en condiciones de contacto lingüístico. Es decir, el nuevo criollo llega a un sistema verbal formalmente más simple con respecto al sistema español, totalmente analítico; pero más rico en cuanto a la posibilidad de expresar diversos valores: temporales y modales, como en español, y aspectuales (perfectivo ~ imperfectivo, continuo ~ no continuo), como en las lenguas africanas, sin necesidad de recurrir a perífrasis verbales.

Desde el punto de vista semántico, los tiempos y modos gramaticales se parecen mucho a los del español y, generalmente, a los de las lenguas (ibero)rrománicas.

Según Maurer (1986a; 1988), las diferencias semánticas más importantes entre el papiamento y el español son las siguientes: no hay transposición de la deixis temporal en el estilo indirecto; el pretérito perfecto y el futuro imperfecto del indicativo son tiempos relativos en las subordinadas; y la oposición entre los morfemas *ta* y cero en las subordinadas no existe y no tiene correspondencia en el español y las demás lenguas (ibero)rrománicas.

XII
EL ADVERBIO

El papiamento conserva, en líneas generales, el sistema español de los adverbios. Existen adverbios con forma propia, heredados o prestados, principalmente, del español y, en menor proporción, del holandés; adverbios idénticos en cuanto a la forma con los adjetivos correspondientes y adverbios derivados de adjetivos. Hay también adverbios que proceden de construcciones españolas asimiladas en la mente de los futuros papiamentohablantes a distintos valores adverbiales, como es el caso de *ki ora, ki dia* 'cuándo'.

Los adverbios con forma propia se pueden clasificar en varias categorías, que presentamos a continuación (véase también Goilo 1953: 17-21; Hoyer 1950: 56-58).

Adverbios de lugar

aki 'aquí'; *ei* 'ahí'; *aya* 'allá'; *aden, aden* 'adentro'; *pafó* (anticuado *pafor*) '(a)fuera'; *serka* 'cerca'; *leu* 'lejos'; *dilanti* 'delante, ante'; *atras* 'atrás'; *patras* 'atrás'; *abou* 'abajo'; *ariba* 'arriba'; *unda, kaminda, kamina*[1] 'donde', etc.:

[1] La mayoría de los gramáticos papiamentohablantes nativos curazoleños censuran este uso de *unda*, aunque el adverbio es muy frecuente en Aruba y, cada vez más, en Curazao y Bonaire, con la tendencia a reemplazar a los sinónimos *kaminda* y *kamina*, este último un tanto anticuado. En lugar de *E pais kaminda tin hopi biná* 'El

Mi t'aki	'Estoy aquí';
Su kas ta serka	'Su casa está cerca';
Di mi ta keda leu	'La mía queda lejos';
Pasa dilanti	'Pasa adelante'.

Adverbios de tiempo

awor 'ahora'; *ora* 'cuando'; *awe* 'hoy'; *ayera* 'ayer'; *ántayera* 'anteayer'; *mañan* '(día) mañana'; *mainta* '(la) mañana'; *ya* 'ya'; *kaba* 'luego, ya'; *ainda* 'todavía, aun'; *tempran* 'temprano'; *lat* 'tarde'; *nunka* 'nunca'; *hamas* 'jamás'; *ántes* 'antes'; *promé,* (antic.) *promer* 'primero'; *despues* 'después, luego', etc.:

Awor mi ta bai kas	'Ahora voy a casa';
Ya bo ta bai?	'¿Ya te vas?';
Ainda no nos a kome	'Todavía no hemos comido';
Mi ta lanta tempran	'Me levanto temprano';
Mi no ta gaña nunka	'No miento nunca';
Antes nos tabata amigu	'Antes éramos amigos'.

Adverbios de modo

bon 'bien'; *malu* 'mal'; *mihó,* (antic.) *mehor* 'mejor'; *pió* 'peor'; *tambe* 'también'; *asina* 'así'; *asinasina* 'así así'; *lihé* 'rápidamente, de prisa'; *so, solamente* 'solamente'; *apénas* 'apenas'; *pokopoko, poulatinamente* 'lentamente, paulatinamente'; *manera* 'como', etc.:

Bo ta traha bon	'Trabajas bien';
Mi no por traha asina	'Yo no puedo trabajar así';
Kore mas lihé, señor / shon / mener!	'¡Vaya más de prisa, caballero / señor!'.

país donde hay muchos venados', se oye con frecuencia *E pais unda tin hopi biná*. En cambio, se considera correcto el uso de *unda* como interrogativo: *Unda Pedro ta?* '¿Dónde está Pedro?'; *Mi no sa unda e ta.* 'No sé dónde está'. Maurer (1988: 39) lo incluye entre los pronombres interrogativos; los valores adverbial y pronominal son inseparables.

Adverbios de cantidad

mashá / hopi 'mucho (gran cantidad)'; *basta* 'bastante'; *mas* 'más'; *ménos* 'menos'; *nada* 'nada'; *mashá, hopi* 'muy'; *muchu, demasiado, di mas* 'demasiado', *apénas* 'apenas', etc.:

Nos a balia mashá	'Bailamos mucho';
Nos a balia muchu / di mas / demasiado	'Bailamos demasiado';
E ta biba den un kas basta grandi	'Vive en una casa bastante grande';
Apénas mi tin plaka pa mi biba	'Apenas tengo dinero para vivir'.

Adverbios de afirmación

sí 'sí'; *sigur* 'seguro / seguramente, cierto / ciertamente'; *klaro* 'claro / claramente', etc.:

Sigur mi ta bai	'Me voy seguramente'.

Adverbios de negación

nò, no 'no'; *nunka* 'nunca'; *hamas* 'jamás', etc.:

Nò, e no ta bini nunka	'No, nunca viene';
Mi no a mir'é hamas	'Jamás lo vi'.

La negación *no* apocopa frecuentemente delante de una vocal, una consonante o en posición inicial absoluta. En estos dos últimos casos, la grafía de la misma es, a veces, *un* (Maurer 1988: 41):

Min' ta bai	'Yo no voy';
Nosn' ta bai / Nos un ta bai	'No vamos';
un tin	'(ya) no hay / no queda'.

Generalmente, en papiamento se emplea la doble negación, indistintamente si el segundo elemento de la negación precede o sigue al verbo:

Niun hende no a bai	'Nadie fue';
Mi no a bai nunka	'(Yo) no fui nunca';
Nunka mi no a bai	'Jamás fui' (Maurer, *loc. cit.*)[2].

Adverbios de duda

kisas 'quizás'; *akaso* 'acaso'; *tal bes* 'tal vez'; *por ta, podisé* 'quizás, acaso, tal vez, puede ser', etc.:

Tal bes mi gana un premio	'Tal vez gano un premio';
Por ta mi bini awenochi	'Quizás / Acaso / Tal vez venga / vendré esta noche; Puede ser que venga esta noche'.

Adverbios interrogativos

unda 'dónde'; *na unda* 'dónde, adónde'; *ki ora, ki dia, ki aña, ki tempu* 'cuándo'; *kon, di ki manera* 'cómo'; *pakiko, di kon* 'por qué; para qué'; *pasikiko* 'por qué, para qué', etc.:

Unda bo ta bai?	'¿Dónde vas?';
Ki tempu bo ta bai ku vakashon?	'¿Cuándo te vas de vacaciones?'.

Como se observa, el esp. *cuándo* ha sido sustituido por varias construcciones perifrásticas. Una posible explicación sería la eventual confusión con el pronombre y adjetivo interrogativo *kuantu* 'cuanto'.

Adverbios idénticos formalmente con los adjetivos correspondientes

Son numerosos en papiamento, igual que en español: *altu* 'alto'; *karu* 'caro'; *barata* 'barato'; *kontentu* 'contento'; *felis* 'feliz', *sigur* 'seguro'; *lihé* 'rápido'; *simpátiko* 'simpático', etc. Estos adverbios,

[2] En Aruba se manifiesta la tendencia a evitar la doble negación: *Nunka el a bisa mi ku...* 'Nunca me dijo que...'.

que son también adjetivos desde el punto de vista de la forma, pueden tener una variante en *-mente*, según el modelo español:

Bo ta altamente kiboká	'Estás muy equivocado';
Felismente nada no a pasa	'Felizmente, no pasó nada'.

Adverbios derivados de adjetivos

El papiamento tomó del español el modelo románico de derivación con el sufijo *-mente* para formar adverbios de adjetivos calificativos: *igualmente, eksaktamente, perfektamente, únikamente*, etc.:

Berdaderamente, bo tin rason	'De verdad, tienes razón';
Gustosamente el a mustra nos kaminda	'Nos mostró el camino amablemente'.

La derivación en *-mente* está acompañada por algunos cambios en la substancia fónica del adjetivo. Éstos son:

-o / *-u* > *-a*:	*úniko* > *únikamente*; *perfekto* > *perfektamente*, etc.
-bel > *-ble*:	*lamentabel* > *lamentablemente*; *amabel* > *amablemente*, etc.

Los dos cambios pueden explicarse por la influencia del español. Es muy posible que el papiamento haya tomado muchos adverbios en *-mente* del español con su forma inalterada, como préstamos, aunque el procedimiento exista independientemente en el criollo[3].

[3] Maurer (1988: 41, nota 1) se pronuncia a favor de la existencia del procedimiento en papiamento: *lástimamente* es una formación propia del papiamento, un derivado en *-mente* de un sustantivo, lo que demostraría que la derivación en *-mente* está bien integrada en el sistema gramatical papiamento. Maduro (1979: 8) y Sprock (1995: 7) critican el uso de esta forma, porque *lástima* «ta un sustantivo. Di un sustantivo no por forma un atverbio» (Sprock, *loc. cit.*). Sin embargo, si consideramos que pap. *lástima* es no sólo sustantivo, sino también adjetivo, con el significado 'lamentable' (*Ta lástima ku bo no a bini* 'Es lamentable / una pena / una lástima que no has venido'), *lástimamente* sería una creación papiamenta en terreno propio, perfectamente correcta.

Los grados de comparación

La comparación de los adverbios sigue el modelo de la comparación adjetival, como en español y las otras lenguas románicas.

Comparativo:

mas serka ku	'más cerca que'
mes serka ku	'tan cerca como'
ménos serka ku	'menos cerca que'

Superlativo:

masha serka	'muy cerca'.

Se conservan también en papiamento los comparativos sintéticos que el español heredó del latín:

Mi ta skirbi bon, ma e ta skirbi mihó (ku mi)	'Yo escribo bien, pero él escribe mejor (que yo)';
Mi ta skirbi malu, ma e ta skirbi pió (ku mi)	'Yo escribo mal, pero él escribe peor (que yo)'.

Desde el punto de vista sintáctico, los adverbios funcionan como complementos circunstanciales a nivel de la oración simple. A nivel de la oración compuesta, los adverbios introducen oraciones subordinadas de lugar, temporales, de modo, comparativas de modo, igual que en español:

Lo mi bai unda *ku bo ke / bisami*	'Iré adonde (tú) quieras / me digas';
Despues *ku mi a sufri vários luna di reumatismo, m'a bai (serka) un dòkter*	'Después de haber sufrido varios meses (a causa) del reumatismo, fui a ver a un médico';
Komportá bo desente(mente), manera *bo mayornan a siña bo*	'Pórtate decentemente, como te enseñaron tus padres';
Mi no ta kanta asina bon *manera abo ta kanta*	'(Yo) no canto tan bien como cantas tú'.

Locuciones adverbiales

Algunas locuciones adverbiales españolas se han convertido, en su paso a la nueva lengua, en adverbios, como, por ejemplo, *di ki manera* 'cómo' y han conservado la estructura de locución; otras, debido a fenómenos de fonética sintáctica o falsa segmentación, han adquirido forma propia de adverbios: *paden, patras, pafó, pokopoko, pakiko, pasikiko, podisé*, etc.

Al mismo tiempo, se han conservado numerosas locuciones adverbiales españolas o creadas en terreno propio con elementos españoles. Presentamos unos ejemplos:

di ningun manera 'de ninguna manera';
serka di 'cerca de';
mas o ménos 'más o menos';
hamas i nunka, nunka mas 'nunca (jamás)';
un be(s) mas 'una vez más';
de bes en kuando 'de vez en cuando';
na tempu 'en tiempo';
poko dia pasá 'hace poco tiempo, recientemente';
aki poko dia 'dentro de poco';
ningun kaminda 'en ningún lugar';
mas lihé posibel 'lo más rápidamente posible';
tur kaminda / na tur lugá 'por doquier(a)';
di mas 'demasiado';
di unda 'de dónde', etc.

XIII
LA PREPOSICIÓN

Las preposiciones más usadas en papiamento representan, en nuestra opinión, una continuación un tanto simplificada del sistema preposicional español, sin la intervención de las demás lenguas participantes en su gestación.

Lenz (1928: 141) opina, sin aportar argumentos,

> que las preposiciones del papiamento se explican casi todas mejor como procedentes del portugués que del español. Es ésta una de las pruebas más claras para mostrar que este idioma en el fondo es la continuación del negro-portugués traído por los esclavos.

La simplificación del sistema preposicional español es explicable, si tenemos en cuenta que el funcionamiento de las preposiciones es bastante diferente de una lengua a otra, incluso cuando se trata de lenguas pertenecientes a la misma familia o grupo. Sin embargo, a pesar de las diferencias bastante grandes entre los distintos sistemas africanos y los iberorrománicos (Quilis 1993: 15; Aub-Busher 1976), el papiamento ha heredado las más frecuentes preposiciones españolas y / o portuguesas con sus principales valores.

Las preposiciones papiamentas más frecuentes son: *di* 'de'; *ku* 'con'; *pa* 'para'; *na* 'en; a'; *den* 'dentro'; *te* 'hasta'; *riba* 'sobre, encima'; *sin* 'sin'; *entre* 'entre'; *kontra* 'contra', etc. (Lenz 1928: 138-139; Goilo 1953: 21; Hoyer 1950: 58-59)[1].

Un aspecto llamativo del sistema preposicional papiamento es la desaparición de las preposiciones españolas *por* y *a*.

Con respecto a la desaparición de *por*, creemos, junto con Birmingham Jr. (1971: 104), que existen dos razones fundamentales:

> First is the fact that the differences between *por* and *para* are frequently troublesome for a person attempting to learn Spanish or Potuguese. Second is the danger of confusion with the verb *por* '(to be) able', particularly since Papiamentu prefers to avoid homophones where possible.

La desaparición de *a*, preposición con múltiples funciones en español, es, en nuestra opinión, el más interesante aspecto del sistema preposicional papiamento. Para explicar este fenómeno, debemos tener en cuenta varios factores.

Como marca del dativo y el acusativo personal, *a* podía fácilmente desaparecer, si tenemos en cuenta ciertos aspectos que presenta esta preposición en español. En primer lugar, debemos recordar que en muchas situaciones —nombre de persona no especificada, nombre propio usado como apelativo—, la preposición se omite en acusativo. En cambio, se utiliza en muchas otras situaciones en que no se trata de un acusativo personal, con nombres de objetos, en determinados contextos. En segundo lugar, es sabido que la distinción entre el dativo y el acusativo se percibe sólo cuando el sustantivo está reforzado o anticipado por un pronombre. Debido a estas confusiones, que podían ser un serio impedimento en la comunicación, así como al reducido cuerpo fónico de la preposición, es explicable, a nuestro juicio, que, en el período de formación del papiamento, en las condiciones del contacto lingüístico múltiple, *a* haya desaparecido como marcador del dativo y el acusativo.

---

[1] Para más detalles sobre los valores y usos de las preposiciones, véase Birmingham Jr. (1971: 103-109).

Para salvar el valor de 'dirección; movimiento' de la preposición, considerado necesario para la claridad del mensaje, la nueva lengua lo transfiere a otras preposiciones, como *na, di, pa, ku*; o, simplemente, omite la preposición, cuando el contexto está claro y lo permite:

Muchos verbos de movimiento no exigen preposición:

Mi ta bai kas — 'Me voy a casa';
Nos ta bai Merka — 'Nos vamos a América';
E ta bai mira — 'Va a ver';
E ta bin mira — 'Viene a ver';
Bo ta bini kas — 'Vuelves a casa';
Nan a yega Boneiru — 'Llegaron / Han llegado a Bonaire'.

La preposición *na* (< *en* + *a*) suma los valores de *en* y de *a*:

Nos tata ku ta na shelu... — 'Padre Nuestro que estás en los cielos...';
Na unda bo ta bai? — '¿Adónde vas?'.

Es sabido que muchos especialistas, defensores de la monogénesis, opinan que *na* es de origen portugués o incluso africano (véase «Teorías con respecto al origen del papiamento»). Aún aceptando esta opinión, consideramos que nuestra hipótesis sobre la transferencia de valores permanece válida:

baha na fièrnu — 'bajar al infierno';
atené bo na — 'atenerse a'.

La preposición *di* sustituye a *a* y a *en* frecuentemente, cuando éstas conectan dos verbos en español:

El a disidí di bai — 'Se decidió a marcharse / irse';
El a keda di bai — 'Quedó en ir';
Su esposa a yega di bis'é un dia... — 'Un día su esposa llegó a decirle...'.

A diferencia del español, desaparece, a veces, en algunas construcciones, también la preposición que introduce un sustantivo complemento de nombre:

pida habón	'pastilla de jabón';
pida palu	'trozo de madera; palo';
e pida tera akí	'este pedazo de tierra';
un pida baranka	'un pedazo de roca'.

Opinamos junto con Lenz (1928: 141) que en estos casos se trata de la influencia del holandés, donde existe este tipo de construcción. Así se explica su continua expansión en papiamento.

Un fenómeno semejante sucede en las construcciones que expresan la posesión. Encontramos dos modelos: uno, iberorrománico, con la preposición *di*: *e kas di Pedro* 'la casa de Pedro'; otro, germánico, adoptado del holandés coloquial, con el pronombre posesivo *su*: *Pedro su kas* (Maurer 1991).

El fenómeno de sustitución de unas preposiciones por otras en papiamento o la preferencia por preposiciones distintas de las utilizadas corrientemente en el español estándar pueden relacionarse también con la situación del español de los siglos XVI-XVII (véase «El español llevado a América»). Es sabido que el régimen preposicional de aquel período era bastante distinto del régimen del español actual. Pero sólo un estudio completo dedicado a este aspecto podría aclarar si el régimen preposicional papiamento refleja la situación del sistema preposicional español de aquel entonces.

Locuciones preposicionales

El papiamento tiene también numerosas locuciones preposicionales, la mayoría heredadas del español o creadas en terreno propio con elementos españoles:

bou di	'bajo, debajo de';
dilanti di	'ante, delante de';
debí na / pa via di	'debido a';
denter di	'dentro de';
grasias / danki na	'gracias a', etc.

Junto a éstas, se han conservado algunas locuciones españolas en construcciones petrificadas como

porfin	'por fin';
por lo ménos	'por lo menos';
pòrnada	'en vano';
por ehemplo / por ehèmpel	'por ejemplo'.

XIV
LA CONJUNCIÓN

El sistema papiamento de conjunciones es en líneas generales el heredero del sistema de conjunciones español, que sufrió una serie de simplificaciones. Se han conservado, con las habituales evoluciones fonéticas, las principales conjunciones españolas o se han creado algunas locuciones en terreno propio con elementos españoles.

Siguiendo la clasificación propuesta por Goilo (1953: 27-28), hemos agrupado las conjunciones, locuciones conjuncionales y palabras con valor de conjunción en las siguientes categorías [1].

Conjunciones coordinantes

a) copulativas: *i* 'y'; *ni* 'ni'; *tambe* 'también'; *no solamente... (sino)* 'no solamente... (sino)'; *tampoko* 'tampoco';

b) disyuntivas: *o / òf* 'o'; *o / òf... o / òf...* 'o... o...'; *ni... ni...* 'ni... ni...'; *un ora... otro ora..., tin ora... tin ora...* 'ora... ora..., ya... ya...';

c) adversativas: *ma, pero* 'pero, mas'; *sino* 'sino';

d) causales: *pues* 'pues';

e) consecutivas: *wèl* 'bien'; *puesto ku, komo (ku), ya ku* 'puesto que, ya que'; *di moda / manera ku, asina ta ku* 'de modo /

[1] Véase también Lenz (1928: 142-144); Hoyer (1950: 58-59).

manera que'; *kie(re) desir / ke men (ku)* 'es decir, eso es'; *ademas, fuera di esei* 'además (de eso)'.

Conjunciones subordinantes

a) causales: *pasobra* 'porque'; *ya ku, komo (ku)* 'ya que, dado que, visto que'; *komo* 'como';

b) finales: *pa* 'para que';

c) completivas: *ku, pa* 'que';

d) temporales: *apénas* 'apenas'; *miéntras (ku)* 'mientras (que)'; *na medida ku* 'a medida que'; *tempu ku, ora ku, dia ku* 'cuando'; *dia ku* 'el día que';

e) condicionales: *si* 'si'; *en kaso ku* 'en caso (de) que'; *basta, kon tal ku* 'con tal que'; *eksepto / solamente ora* 'sólo cuando'; *eksepto / solamente si* 'sólo si'; *si (akaso)* 'si (acaso)'; *dado kaso (ku)* 'en caso (de) que'; *a ménos ku, a no ser ku* 'a menos que, a no ser que';

f) comparativas: *manera* 'como'; *meskos ku* 'tal como'; *mes... ku* 'tan(to)... como...'; *mas... ku* 'más... que';

g) concesivas: *a pesar ku, no opstante ku* 'a pesar (de) que'; *aunke, anke, ounke, maske* 'aunque, por más que';

h) consecutivas: *di moda ku, di manera ku, asina ku* 'de modo que'.

Un aspecto interesante del sistema papiamento de conjunciones es la frecuente sustitución de la conjunción *i* por la preposición *ku* con valor asociativo. De este modo, *ku* puede aparecer entre dos substantivos, dos pronombres, dos adjetivos (con valor substantival), dos verbos o dos adverbios:

luna ku solo	'la luna y el sol';
mama ku yu	'madre e hijo';
mama ku tata	'madre y padre; padre y madre';

tata ku mi ruman	'papá y mi hermano';
mi kuné / e ku mi	'él y yo';
nan ku nos	'ellos y nosotros';
grandi ku chikitu	'los grandes y los pequeños';
pretu ku blanku	'negro y blanco; blanco y negro';
kome ku bebe	'comer y beber';
lesa ku skirbi	'leer y escribir';
awe ku mañan	'hoy y mañana';
patras ku (pa)dilanti	'delante y detrás /atrás'.

Maurer (1991) considera que el fenómeno se debe a una influencia africana que se puede notar en varios criollos. Sin embargo, no podemos pasar por alto el hecho de que el procedimiento se encuentra también en español y otras lenguas románicas. El español sustituye la conjunción *y* con la preposición *con* cuando *y* conecta substantivos y adjetivos; a veces, la sustitución implica cierto matiz estilístico: *cafe con leche* (cf. pap. *kòfi ku lechi*), *papá con mi hermano, negro con blanco*. En rumano, el procedimiento es el mismo:

cafea cu lapte	'café con leche';
luna cu soarele	'la luna y el sol';
tata cu mama	'papá y mamá', etc.

Otro fenómeno interesante es la omisión de la conjunción *ku* como elemento que introduce subordinadas completivas, en determinados contextos:

E mira [∅] e muhé ta bini	'(Él / Ella) ve que viene la mujer';
Nanzi a pone su kabez abou, ma na e mesun momento el a sinti [∅] un kos ta move, bou di e zamba	'Nanzi se acostó, pero en el acto sintió que algo se movía bajo la cama'.

No podemos descartar, en estos casos, la influencia del modelo español *verba sentiendi* + V inf: 've venir a la mujer'; 'sintió moverse algo...'.

Van Putte, García (1990: 212), que analizan estos casos en obras literarias de varios autores papiamentos, como Juliana, Lauffer, Pinto y otros, llegan a la conclusión de que la omisión de *ku*, o la alternancia *ku* ~ ∅ no se produce al azar y que está motivada desde el punto de vista de la comunicación, en la línea de los principios de la economía y sistematización en el lenguaje:

> [...] the choice between *ku* or *null*, far from arbitrary or mechanical, is independently exploited for different kinds of messages. *Ku* is an appropriate choice when what must be suggested in the consimultaneity or separateness of the event introduced in the complement clause with respect to the one expressed by the complementizing verb, or when the event, as such, of the complement clause has to be foregrounded. The use of *null*, on the other hand, is an adequate communicative strategy when the simultaneity or nonseparateness of the two events has to be underlined or when the main participant, (subject) rather than the event as whole, must be focused on.

En cuanto a la elección entre *ku* y *pa* como elementos que introducen subordinadas completivas, Maurer (1988: 43) considera que *pa* introduce complementos de algunos verbos determinados, verbigracia *ke* 'querer' (véase «El Verbo - 2. Modos y tiempos»).

Las conjunciones del papiamento tienen, en líneas generales, las mismas funciones que sus correspondientes españolas, al nivel de la oración simple y de la oración compuesta.

XV
LA INTERJECCIÓN

Las interjecciones del papiamento proceden del español, del holandés y, en menor medida, de otras lenguas. Es llamativo el hecho de que las lenguas africanas no han dejado huellas en este compartimento de la lengua, con la salvedad de la onomatopeya *bim* 'sonido provocado por un golpe violento' y, quizás, *so*, interjección usada para ordenar a los caballos que vayan menos rápidamente. Porque está demostrado que, generalmente, en las variedades diatópicas del español americano en las cuales el elemento africano tuvo un peso más importante, como en la zona caribeña, se ha conservado un número relativamente elevado de interjecciones de origen africano (Álvarez Nazario 1961, *passim*).

Mencionamos, a continuación, algunas de las más frecuentes interjecciones papiamentas: *ai, ui, (h)epa, karamba, diabel / diablu, hei, pst.* Se emplean, además, palabras o sintagmas con valor de interjección, como: *bestia, kuidou, mira, ousilio, stòp, Mara (berdè), Kòrda berdè, mi mama dushi, kit'eifó* 'quítate de allí / ahí'.

***

Nuestro análisis de la morfosintaxis del papiamento es, evidentemente, muy sucinto y no pretende agotar el tema. Quedan muchas cosas en el tintero y otras más que, en nuestra opinión, requieren todavía la atención de los especialistas.

Hemos considerado necesario, sin embargo, pasar revista y comentar las cuestiones más importantes o polémicas de la morfosintaxis del papiamento para tener una imagen de conjunto de este criollo, que nos ayude a argumentar y apoyar nuestro punto de vista acerca del origen y la evolución de esta lengua.

Fieles a los principios metodológicos expuestos en la primera parte del estudio, al analizar la morfosintaxis y al explicar algunos fenómenos, hemos tenido en cuenta siempre, en primer lugar, las tendencias propias, internas, de evolución de las lenguas de input en las islas ABC. No obstante, no hemos perdido de vista un aspecto importante, a saber, los diferentes escalones que hemos asignado a cada una en cuanto a su importancia, a su peso específico en el crisol lingüístico de la génesis del papiamento.

Al estudiar este complejo entramado de tendencias, así como el proceso de la comunicación, comprensión y producción de textos, de mensajes simples o complejos, en las condiciones específicas del contacto lingüístico plurilingüe, prolongado y a amplia escala, hemos llegado a unas cuantas conclusiones, que completan y consolidan, a nuestro juicio, las conclusiones de la investigación hecha en el campo de la fonética y fonología.

La estructura morfológica y sintáctica del papiamento se ha organizado, en su mayor parte, tomando como base un modelo iberorrománico, más exactamente español. Las estructuras españolas han sufrido una serie de simplificaciones y reducciones explicables, debido, por un lado, a tendencias propias de evolución, hispánicas o románicas, reforzadas en las condiciones específicas de un sistema periférico generadas por el contacto lingüístico, y por otro, a numerosos fenómenos de interferencia. Las interferencias causaron: la consolidación de determinadas tendencias del español, cuando se trataba de fenómenos semejantes en los distintos sistemas lingüísticos; fusiones formales o semánticas entre sistemas o subsistemas; adopción por parte de la lengua dominante en proceso de evolución y transformación de algunos elementos o (sub)sistemas con fuerte realidad psicológica, que se conservan impermeables ante la presión de la(s) lengua(s) dominante(s); y adopción de modelos de otra(s) lengua(s) con estatus de lengua dominante desde el punto de vista socio-político-cultural, como el holandés y el inglés.

XVI

FORMACIÓN DE PALABRAS[1]

El papiamento utiliza los procedimientos corrientes de todas las lenguas para crear nuevas palabras: derivación, composición, parasíntesis y cambio de categoría gramatical.

La parasíntesis no presenta especial importancia, porque, generalmente, los parasintéticos fueron tomados del español como tales, con las habituales evoluciones fonéticas propias de la transferencia del español al nuevo criollo.

El cambio de categoría gramatical, particularmente la substantivación de los adjetivos, es un procedimiento frecuente en papiamento:

Tur hende por drenta: grandi ku chikitu	'Todo el mundo puede entrar: los mayores y los pequeños';
Mi gusta berdè	'Me gusta el verde'.

Dedicaremos apartados especiales solamente a la derivación y la composición.

[1] El estudio más completo y más actual, hasta el momento, sobre la formación de palabras en papiamento es el de Dijkhoff (1993).

1. La derivación

El papiamento tiene un número relativamente grande de prefijos y sufijos de origen español, pero no todos tienen el mismo estatus en la lengua.

Es sabido que algunos especialistas consideran que la formación de palabras con prefijos es un procedimiento que debería formar parte de la composición, mientras otros lo analizan dentro de la derivación. Adoptamos este último punto de vista.

En cuanto a la derivación con sufijos, debemos precisar que en papiamento existe toda una serie de sufijos productivos, que se usa en la actualidad para crear nuevas palabras en terreno propio, al lado de otra serie, más numerosa, de sufijos no productivos, que han entrado en el paradigma papiamento con diferentes préstamos léxicos españoles.

Los sufijos

Los sufijos nominales más productivos del papiamento son:

-bel:	*invensibel, respetabel, amabel, agradabel*;
-dat, -tat:	*igualdat, skarsedat, bobedat, amistat*;
-dor, -dó:	*kobrador, trahador, kapdor, lesador, servidor*;
	pap. moderno: *kobradó, trahadó, kapdó, lesadó*;
-ero; -era:	*bombero, blekero, labandera, kahera*;
-mentu:	*kasamentu, komementu, papiamentu*;
-sion, -shon:	*ehekusion / ehekushon, atraksion / atrakshon, tentasion / tentashon*;
-ura:	*finura, anchura, altura, kabesura, kandidatura, lokura*.

Como se puede notar, el sufijo de agente *-dor* ha experimentado un cambio formal en el papiamento moderno, de acuerdo con otras tendencias evolutivas de la lengua, lo que, en nuestra opinión, es una prueba de su gran productividad.

Con respecto a la pareja *-sion, -shon*, debemos destacar que se trata de variantes regionales de un mismo sufijo. El papiamento arubano prefiere la variante *-sion*, forma recreada, quizás por presión del español, mientras el papiamento curazoleño y bonairense prefiere la variante *-shon*, que representa el resultado de la evolución fonética natural del sufijo esp. *-sión, -ción* en su paso al papiamento.

Al grupo de sufijos productivos se podrían sumar los sufijos:

-eria: *karniseria, panaderia, porkeria, makakeria*;
-ismo: *patriotismo, protestantismo, idiotismo*;
-ista: *dentista, futbolista, tenista, violinista, manista, parista*[2],

considerados más o menos productivos en la lengua actual.

Todos estos sufijos desempeñan las mismas funciones que sus respectivos correspondientes españoles.

El segundo grupo, constituido por sufijos no productivos, penetrados con los respectivos derivados, es más numeroso:

-ada; -ado: *tonelada, temporada, bobada, bahada, pendehada, obispado, reinado*;
-ahe: *paisahe, personahe, aprendisahe*;
-ako: *polako, austriako*;
-al, -ar: *mortal, karnal, kriminal, artifisial, ehemplar, familiar*;
-ansia; ansio: *ekstravagansia, elegansia, repugnansia, kansansio*;
-ano: *paisano, republikano*;
-ansa: *mudansa, semehansa*;
-ante; -ente: *estudiante, kabesante, komersiante, pretendiente*;
-anu; -eño: *arubianu, bonerianu, kurasoleño, brasileño, islaribeño, isleño;*
-ario: *revolusionario, mandatario, bibliotekario*;
-aso: *balaso, kañonaso, golaso*;
-ato: *liderato, kampeonato*;

[2] Partidarios del Movimiento Antias Nobu (MAN) y Partido Antia Restrukturá (PAR), respectivamente.

-ayo; -ino:	*paraguayo, hamaikino*;
-eno; -ena:	*moreno, nobeno, kinsena, maisena*;
-es; -ense:	*hulandes, hapones, kostarisense, estadounidense*;
-esa:	*bunitesa, liheresa, sutilesa, hombresa, firmesa*;
-esko:	*gigantesko, pintoresko, parentesko*;
-ia, isia:	*alegria, pulmonia, outoria, kortesia, malisia*;
-ida:	*bebida, salida, baida*;
-iko:	*paralítiko, poétiko, rakítiko*;
-in; -ina:	*bailarin, bailarina*;
-ivo:	*abusivo, karitativo, vengativo*;
-oso:	*kariñoso, fastioso, fastidioso, peligroso*;
-ut:	*eksaktitut, hubentut, multitut*[3].

Lenz (1928: 148-150) considera que los únicos sufijos característicos del papiamento son *-mentu, -dor* (modernamente *-dó*) y *-ero*, que forman parte del primer grupo. Dijkhoff (1993: 74) opina que los más productivos son *-mentu* y *-dó*. Otros sufijos que, según la autora citada, han desarrollado cierto grado de productividad son *-ano, -eño, -dat, -ero, -ida, -ista, -eria*. La opinión de Dijkhoff, sesenta años después del estudio del investigador alemán, demuestra claramente que Lenz no estaba equivocado y que, efectivamente, sólo unos cuantos sufijos nominales son productivos en papiamento. No obstante, creemos que la opinión de los dos autores citados es, quizás, demasiado restrictiva. Esta afirmación se basa en observaciones empíricas que nos llevan a considerar productivos también los sufijos *-bel, -shon / -sion*.

Dijkhoff (1993: 76-80) incluye, no obstante, entre los sufijos no productivos *-ero ; -era; -ismo; -ista; -ura*, que, según nuestras propias observaciones, son productivos. Coincide, en cambio, con nosotros al considerar que el sufijo *-shon* se está convirtiendo en un sufijo productivo. Según la autora citada, este sufijo

[3] Dijkhoff (1993: 75-81) da una relación muy detallada de los sufijos no productivos del papiamento.

> is attached to verb bases of Spanish origin ending in *-a*, *-e*, or *-i* and it produces a high quantity of forms. Of a list of ± 1.800 entries of verbs [...], the morpheme *-shon* may be attached to 553. Besides these attested forms, and those encountered in existent dictionaries and vocabularies, native speakers tend to allow the possibility in 138 other non-attested cases (Dijkhoff 1993: 81).

La productividad del sufijo se reflejaría no sólo en el número de casos encontrados y estudiados por Dijkhoff, sino en otros dos aspectos muy importantes, a saber:

a) la existencia de creaciones propias en papiamento con este sufijo. Que no se trata de derivados españoles tomados directamente como tales de esa lengua y adaptados fonéticamente al papiamento lo demuestra el hecho de que las creaciones papiamentas no tienen correspondientes en el español: *ekonomisashon, ofisialisashon, isolashon, palabrashon, eskalashon*; o difieren de las formaciones análogas españolas desde el punto de vista formal: *krusifikashon* (esp. *crucifixión*). Es muy posible que en algunos de estos casos hayan influido derivados ingleses construidos según el mismo modelo, como *isolation, escalation*; u holandeses: *isolatie, escalatie*;

b) la distribución complementaria con el sufijo productivo *-mentu* y la tendencia de los papiamentohablantes nativos a sustituir los derivados en *-mentu* por derivados en *-shon*: *pronunsiamentu ~ pronunsiashon, huramentu ~ hurashon, aserkamentu ~ aserkashon* (Dijkhoff 1993: 83-84).

Con respecto al último aspecto, creemos que la afirmación de Dijkhoff necesita ciertas matizaciones. No se trata sólo de la tendencia a crear derivados en *-shon* que sustituyan a los en *-mentu*, sino también de la tendencia a crear derivados en *-mentu* que sustituyan a los en *-shon*. Por tanto, consideramos más acertado hablar de la tendencia a crear derivados con los dos sufijos, ambos productivos, como lo demuestran los siguientes dobletes escogidos al azar: *salbashon ~ salbamentu, nabegashon ~ nabegamentu, negashon ~ nengamentu, fihashon ~ fihamentu, negosiashon ~ negosiamentu, finansiashon ~ finansiamentu, kanselashon ~ kanselamentu, kongelashon ~ kongelamentu*, etc. De estos ejemplos, sólo tres tienen dobletes correspondientes en español; *salvación ~ salvamiento / salvamento, financiación ~ financiamiento, congelación ~ congelamiento*. Los ejemplos ponen de manifiesto que muchas palabras españolas en *-ción (-sión, -xión)* son préstamos al papiamento con el sufijo correspondiente, o creaciones en terreno propio con *-shon*, y que de los temas de las mismas se crean derivados dobletes en *-mentu*. No ocurre lo mismo con las palabras españolas en *-miento*, que son préstamos al papiamento con el sufijo correspondiente, o creaciones en terreno propio con *-mentu* y de cuyos temas, generalmente, no se crean derivados dobletes en *-shon*:

sakamentu (< esp. *sacamiento),* pero no **sakashon;*
atakamentu (< esp. *atacamiento),* pero no **atakashon;*
raskamentu (< esp. *rascamiento),* pero no **raskashon,* etc.

Hemos registrado sólo unos pocos y esporádicos dobletes en *-shon*, como: *aserkashon, hurashon* (Dijkhoff 1993: 83-84), *nombrashon*.

Esta situación, así como las numerosas creaciones propias en papiamento con el sufijo *-mentu*, como *kabamentu, robamentu, buskamentu, huzgamentu, papiamentu, tiramentu, ponementu, korementu, skirbimentu* y centenares más, demuestran que éste sigue siendo el más productivo de la lengua.

En algunos casos, los dobletes en *-shon* y *-mentu* conservan la diferencia de significado conferida por los respectivos sufijos en sus orígenes: *-shon* denotaba el 'resultado de la acción' y *-mentu*, la 'acción'. Es el caso de *fihashon ~ fihamentu* o *pronunsiashon ~ pronunsiamentu*: *Su pronunsiashon di spañó ta fututu* 'Su pronunciación en español es muy mala' y *Pronunsiamentu di papiamentu ta un asuntu di konsentrá riba tono* 'El pronunciar / La pronunciación del papiamento es cuestión de concentrarse en el tono' o *Pronunsiamentu de divorsio entre tal i tal persona* 'La pronunciación del divorcio entre tal y tal persona'. Sin embargo, con el tiempo muchos de los derivados en *-mentu* han llegado a significar 'acción y resultado' y se convirtieron en simples sinónimos de los derivados en *-shon.*

Tanto Lenz (1928: 148-150), como Zamora Vicente (1967: 445-446) llaman la atención sobre la aparición de creaciones en terreno propio sobre un modelo iberorrománico. La mayoría se forman sobre temas españoles, pero, igual que en el español americano, encontramos también derivados formados de palabras holandesas e inglesas:

bebementu	'bebida';
fadamentu	'enfado';
kerementu	'creencia';
pidimentu	'petición';
perdèmentu	'pérdida';
binimentu	'venida';
bringadó	'luchador';
konosedó, konosedor	'conocedor; autoridad en materia';
batidó	'batidora';
bendedó	'vendedor';
bombero	'bombero'

junto a

blekero	'hojalatero';
shapero	'bodeguero',
ferfdó	'pintor de brocha gorda', etc.

Cf. *bordinguero* en Ant., EE.UU., Méx. 'persona que tiene casa de huéspedes' (Wagner 1949: 103); *noqueador / knockeador* en Amér. 'boxeador hábil en dejar knock-out a su adversario' (Sala, Munteanu,

Neagu, Şandru-Olteanu 1982: I, 340); *lonchera* en Chile 'cajita de lata para bocaditos' (Oroz 1966: 466), *guiñoso* en Ven. 'lo que comunica mala suerte' (Sala, Munteanu, Neagu, Şandru-Olteanu 1982: I, 446); *ñangada* en Amér. Centr. 'dentellada; acción disparatada y dañina'; *ñanguero* en Cuba 'ñangada', etc.

Los sufijos diminutivos más frecuentes en papiamento son:

-itu ; -ita:	*chikitu, chikititu, kasita, mesita, kucharita*;
-situ ; -sita:	*papasitu, mamasita.*

También en la categoría de estos sufijos hay algunos que no son productivos y se han conservado sólo en los derivados tomados prestados. Es, entre otros, el caso de *-ika* en *kartika.*

El papiamento heredó también del holandés unos sufijos diminutivos. Se trata de *-chi, -i*: *hanchi, panchi, sunchi, buki, taki*. Sin embargo, estos sufijos perdieron su valor diminutivo en su paso del holandés al criollo y la evolución ulterior de este último. Por esa razón, los hablantes, que han dejado de identificarlos como diminutivos, recurren a construcciones perifrásticas de tipo *buki chikitu* para expresar el valor diminutivo.

El número muy reducido de sufijos diminutivos en papiamento está en contradicción con la tendencia general de varias modalidades americanas del español a formar diminutivos de casi todas las categorías gramaticales, no sólo de las pertenecientes al grupo nominal. La explicación se encuentra en un rasgo propio del papiamento, la preferencia por las construcciones perifrásticas con valor diminutivo. De ese modo, los hablantes prefieren emplear *kas chikitu* por *kasita, mesa chikitu* por *mesita* o *mucha chikí* por *muchachito.*

Los sufijos aumentativos y peyorativos más frecuentes son:

-eron:	*kaseron, solteron*;
-on:	*barbon*;
-acho; -ucho:	*populacho, papelucho*;
-uela:	*muhersuela.*

Todos estos sufijos se han transmitido con los respectivos derivados en formas petrificadas y no son productivos en papiamento. Goilo (1953: 36-39) presenta un listado más rico de sufijos aumentativos, pero muchos de sus ejemplos son hispanismos, que no existen en el papiamento actual.

Los prefijos

Todos los prefijos papiamentos son de origen iberorrománico y no son productivos. Una amplia relación de los mismos se encuentra en Goilo (1953: 45-48) y, más recientemente, en Dijkhoff (1993: 85-87). Presentamos, a continuación, estos prefijos según Dijkhoff *(loc. cit.)*:

bi: *bisentenario, bilingualismo*;
de: *deformashon, desentralisashon, devaluashon*;
des: *desaprobashon, desempleo, desbentaha*;
èks: *èkskasá, èksdoño, èkskampion*;
i(m/n): *imperfekshon, indignidat, iregularidat*;
mini: *mini kini, mini konferensia, mini falda*;
multi: *multimionario, multikoló, multidisiplinario*;
neo: *neofasismo, neokomunismo, neokolonialismo*;
pre: *predestinashon, preprograma, preselekshon*;
re: *reagrupashon, reedishon, reorganisashon*;
sup: *supdesaroyo, supkategoria, supkomishon*;
super: *superoferta, superrebaho, superganga*;
vise: *visepresidente, visesekretario, visealmirante.*

2. La composición

La composición es un procedimiento más débilmente representado en el campo de la formación de palabras de las lenguas románicas, si la comparamos con la derivación con sufijos e incluso prefijos (Iordan, Manoliu 1989: II, 49). No obstante, existe un número bastante importante de palabras formadas por composición, para que el papiamento haya podido adoptar el modelo iberorrománico de composición.

Presentamos, a continuación, esquemáticamente las más representativas categorías de palabras compuestas, según la naturaleza morfológica de los elementos que se combinan[4]:

sustantivo + sustantivo: *tawela, panbolo, reskuk*;
sustantivo + adjetivo: *pandushi*;
cuantificador + sustantivo: *dòriá, sienpié, dòsplaka*;
verbo + sustantivo: *limpiabota, dòrnasòl / dòrnasol, birasol, bringamosa, rompekabes(a), salbabida*;
adverbio + verbo: *maltratá, menospresiá*;
adverbio + adjetivo: *bonkriá, bonbiní, malkontentu*;
preposición + sustantivo: *kontratempu, sobrekama, sinbèrgwensa, traskuartu*;
preposición + verbo + pronombre: *pakiko* (< *pasikiko* < *pa hasi kiko*).

---

[4] Un estudio detallado y propuestas de clasificación de los compuestos papiamentos se encuentran en Dijkhoff (1993: 141-304).

XVII

LÉXICO

El léxico papiamento ha sido y sigue siendo uno de los compartimentos más estudiados. El interés de los especialistas por este aspecto es natural, porque «el léxico de una lengua es el reflejo de la vida socio-económica» (Iordan, Manoliu 1989: II, 64) de un pueblo. A pesar de que el léxico, precisamente debido a su relación directa con la vida material y espiritual en continua evolución y transformación, se modifica rápida y profundamente, cada lengua posee un fondo principal, un vocabulario básico, muy resistente, capaz de ofrecer informaciones valiosas sobre el origen y la evolución de la misma.

Con respecto al papiamento, los especialistas son unánimes en cuanto a su origen ibérico, principalmente español; y holandés. La polémica gira sobre las vías de penetración de las palabras de origen español: heredadas desde el período de formación del papiamento o tomadas prestadas más tarde, fundamentalmente en el siglo pasado, mediante el llamado proceso de (re)hispanización.

Se han llevado a cabo, con criterios más o menos rigurosos y consecuentes, diferentes investigaciones de carácter etimológico y estadístico. Se han propuesto etimologías, generalmente acertadas, para el vocabulario fundamental. Y se han elaborado estadísticas que reflejan en porcentajes las aportaciones de cada lengua de input al léxico papiamento.

Lenz (1928) dedica un amplio capítulo al léxico y registra un corpus de aproximadamente 2.500 voces, que clasifica en 50 campos semánticos. Dentro de cada campo, Lenz propone etimologías para todos los lexemas. Sintetizando el análisis de Lenz, el resultado es el siguiente: de las aproximadamente 2.500 unidades analizadas, unas 1.500, esto es, un 60%, son de origen español; cerca de 800 (un 30%) son de origen holandés; y el resto (un 10%), de origen portugués, francés e inglés, en orden decreciente (Lenz 1928: 207-260; cf. también Terlingen 1957: 238).

Maduro (1953: 43-134) intenta elaborar un breve diccionario etimológico de 2.426 palabras, que clasifica de la siguiente manera:

español antiguo	21 unidades
español antiguo / portugués	7
español antiguo / portugués / gallego	14
español antiguo / gallego	7
español antiguo / gallego antiguo	1
español	501
español / portugués	660
español / gallego	7
español / portugués / gallego	13
español / gallego antiguo	2
portugués	89
portugués / gallego	78
gallego	73
gallego antiguo	10
americanismos (Ven., Col., etc.)	107
holandés	683
inglés	40
francés	31
origen dudoso, pero europeo	53
africano, antillano	23

El porcentaje es: el 66% de origen ibérico e hispanoamericano; el 28% de origen holandés y el 6%, otros orígenes. Del 66% de las unidades de origen iberoamericano, el 39% es de indudable origen español; el 42%, de origen español / portugués; el 3,5%, de origen portugués / gallego; el 2%, de origen español / portugués / gallego.

Sintetizando estos datos, el corpus analizado se reparte en los siguientes porcentajes en cuanto a la etimología:

palabras holandesas	28%
palabras españolas seguras	25%
palabras españolas / portuguesas	28%
palabras portuguesas seguras	4%
palabras gallegas	3,5%
palabras gallegas / portuguesas	3,5%
palabras españolas / portuguesas / gallegas	2%
palabras de otros orígenes	6%

Maduro (1953: 134) se muestra bastante cauto a la hora de pronunciarse sobre el origen portugués y gallego antiguo y moderno, por no haber podido averiguar «te na ki punto e vokablonan aki tin semehansa ku idioma spañó di siglo dieséis o dieshete». Y llama la atención sobre los siguientes aspectos:

a) en el período de formación del papiamento no participaron las variedades actuales del español y portugués;

b) muchos fenómenos considerados de origen portugués existieron en el español del siglo XVI y comienzos del XVII (véase «El español llevado a América - 1. El español del siglo XVI y comienzos del siglo XVII»);

c) la forma actual de las palabras es el resultado de una evolución propia del papiamento.

Un punto de vista parecido, que compartimos plenamente (véase «Principios metodológicos»), lo adopta también Van Wijk (1958a: 180), al subrayar la dificultad de establecer con exactitud si el étimo de una palabra es español o portugués, debido a la semejanza entre las dos lenguas ibéricas y a las evoluciones fonéticas operadas en el paso al naciente criollo y en su evolución ulterior.

Zamora Vicente (1967: 446) afirma que en el papiamento moderno aproximadamente un 85% del léxico es de origen español, un 5% de origen holandés y el 10% restante de origen portugués, africano e inglés.

Los datos, bastante diferentes de los anteriores, sorprenden sobre todo en cuanto a los porcentajes de palabras de origen holandés e inglés. Es muy probable que Zamora Vicente haya analizado el léxico literario, de la norma culta escrita; y aun así, el léxico de origen holandés e inglés tiene un peso mayor que el señalado. Lo confirman no sólo los modernos diccionarios del papiamento (Joubert 1991; Dijkhoff 1991), sino la misma realidad lingüística. No hay que olvidar que, desde 1935, la lengua de instrucción en todos los niveles es el holandés, los libros de textos y los manuales están escritos en holandés, la lengua escrita más utilizada en la administración pública es el holandés. Y si los papiamentistas hablan de *aritmétika, historia, geografia*, los alumnos emplean corrientemente los términos *rekenen, geschiedenis, aardrijkskunde*, respectivamente. Esta realidad invalida también la opinión de Maurer (1991), según la cual las voces de origen holandés pertenecen especialmente a las esferas semánticas que se refieren a la vida diaria (sobre todo «casa y objetos de la casa»).

Clemesha (1981) propone otra clasificación del léxico papiamento desde el punto de vista etimológico: origen holandés, hispánico (ibérico e hispanoamericano), inglés, holandés-hispánico, hispánico-caribeño, hispánico-inglés (para los compuestos) y origen desconocido.

En un intento de corroborar las conclusiones de estas investigaciones hemos elegido como base de nuestro breve estudio el «núcleo del vocabulario representativo del español» para ver en qué medida los lexemas que integran este fondo fundamental del español tienen correspondientes de origen español en papiamento.

El corpus está constituido por 210 unidades léxicas: palabras latinas heredadas (165); préstamos del latín (20); creaciones internas (9); palabras germánicas (8); palabras de varias etimologías (5); palabras de origen incierto (3). El «núcleo» representa el 8,5% del vocabulario representativo español[1]. Presentamos, a continuación, el inventario español con sus correspondientes papiamentos:

abrazar - brasa; aceite - zeta; (Aruba) *azeta; aire - aire, airu; ala - ala;* (Aruba) *hala; alcalde - alkalde* (para referirse a los alcaldes de Holanda se usa además el hol. *burgemeester); alcanzar - alkansá; alegre - alegre;* (anticuado) *leger; alto - haltu, altu; alzar - alsa, halsa; lanta (<* esp. *levantar); hisa (<* esp. *izar); andar - kana, kamna* (< esp. *caminar); año - añ(a); aprovechar - probechá; árbol - palu, mata* (< esp. *palo; mata*)*; arco - bog* (< hol. *boog);*

bajar - baha; bajo - abou (< esp. *abajo*)*; banco - banki* (< hol. *bank, bankje*; para el significado moderno de 'banco financiero' se utiliza *banko*)*; bandera - bandera; baño - baño, bañu; barba - barba; blanco - blanku* (para el significado 'meta' se utiliza *blanko*)*; boca - boka; brazo - brasa; bueno - bon;*

caballero - kabayero (menos corriente *her* < hol. *heer*)*; caballo - kabai; cabeza - kabes; cabo - kabu; caer - kai; caja - kaha; calle - kaya; cama - kama* (los protestantes blancos descendientes directos de holandeses, que hasta comienzos de nuestro siglo seguían hablando entre ellos holandés, utilizan *bèt* < hol. *bed*)*; cámara - kamber* (< hol. *kamer*; para el significado moderno 'cámara del parlamento' se utiliza *kámara*; y para 'aparato de fotografiar' *kodak, kámara, kos di saka pòtrèt*)*; cambiar - kambia; camino - kaminda,* (antic.) *kamina; campo - kunuku* (< esp. am. *conuco*, de origen arawak-caribe)*;* (Aruba) *kampo; cantar - kanta; capa - kapa; capital - kapital; carcel - prizòn; piskalat* (< hol. *fiscalaat*)*; cargar - karga; carne - karni;*

[1] El término *vocabulario representativo* propuesto por Sala *et al.* (1988: 12-14) designa el inventario de las unidades léxicas de una lengua, seleccionadas de acuerdo con un procedimiento que combina los criterios «riqueza semántica» y «capacidad de derivación» (utilizados en la elaboración de los léxicos básicos) con el criterio «uso» (utilizado por los diccionarios de frecuencia). Para que una palabra sea seleccionada en el vocabulario representativo, tiene que responder por lo menos a uno de los criterios. El «núcleo del vocabulario representativo» está integrado por las unidades léxicas que responden a los tres.

carta - karta; casa - kas; casar - kasa; centro - sentro; sentèr (< hol. *centrum;* ingl. *center); ciego - siegu; claro - kla, klaro, klaru; coger - kohe, kue;* (Aruba) *koi; color - koló; comer - kome; componer - komponé; común - komun; gewon* (< hol. *gewoon); condición - kondishon; conocer - konosé; contar - konta; corazón - kurason; corona - korona; correr - kore, kuri; corte - korte; costumbre - kustumber; cuadro - kuadro; cuarto - kuartu* (con el significado de 'cuarta parte' se usa también *kuart* < hol. *kwart); cuchillo - kuchú;* (Aruba) *kuchiu; cuerpo - kurpa* (con el significado de 'grupo, asociación' se utiliza *kuerpo); cumplir - kumpli;*

decir - bisa (< esp., pg. *avisar); dejar - laga* (< esp., pg. *largar); derecho - drechi; règs* (< hol. *rechts*; para el significado relacionado con las leyes se utiliza *derecho, derechi); diente - djente; dormir - drumi; duro - duru;*

echar - tira (< esp. *tirar); engañar - gaña; entender - komprondé, komprendé* (< esp. *comprender); entero - hinté, (h)enter; escribir - skirbi, skibi; estilo - estilo, stilo; estrella - strea;*

falda - saya (< esp. *saya); falso - falsu;* (Aruba) *falso; fe - fe; figura - figura; fino - fini; flor - flor; fraile - frater, fratu* (< hol. *frater); franco - franko; frente -* (parte de la cara) *frenta;* (grupo, partido) *frente; fresco - fresku; frío - friu; fuego - kandela* (< esp. *candela); fuerte - fuerte;*

ganar - gana; golpe - gòlpi; sla (< hol. *slag); grado - grado* (para el significado 'curso escolar' se utiliza *klas* < hol. *klas); guardar - warda; gusto - gustu; smak* (< hol. *smaak);*

hablar - papia (< esp., pg. *papear); hacer - hasi; hermano - ruman; hijo - yu, yiu; hilo - ilu, hilu; hoja - blachi* (< hol. *blaadje); hombre - hòmber; hueso - wesu; huir - hui; humor - humor, umor;*

jugar - hunga;

lado - banda (< esp. *banda); kantu (*< hol. *kant); ladrón - ladron; largo - largu;* (Aruba) *largo; lavar - laba; lengua - lenga* (para el significado 'idioma' se utiliza también *idioma* < esp. *idioma); levar - lanta; hisa* (< esp. *izar); libro - buki* (< hol. *boek*); *loco - loko; kèns* (< hol. *kinds); lugar - lugá;*

llamar - yama, hama; llevar - hiba;

madre - mama (< esp., pg. *mama*; hol. *mamma); maestro - mener* (< hol. *meneer, mijnheer); maestro; mandar - manda; manga - manga; mano - man; masa - masa; matar - mata; menudo - chikí, chikitu* (< esp. *chiquito); meter - mete* (para el significado concreto 'poner en' se utiliza *hinka* < esp. *hincar);*

mirar - mira; monte - seru (< esp. *cerro*; para el significado 'bosque' se utiliza *mondi* < esp. *monte); mover - move; muf* (< ingl. *to move); mozo - hóben* (< esp. *joven);*

nacer - nase; negro - pretu (< pg., gall. *preto;* esp. *prieto*; para el significado 'persona de color' se utiliza *hende pretu, hende koló skur*; peyor. *neger); niño - mucha* (< esp. *muchacho); nube - nubia;*

obispo - obispu; ojo - wowo;

padre - tata, papa (para el significado 'religioso, sacerdote' se utiliza *pader* < esp., pg. *padre;* hol. *pater); pagar - paga; pájaro - para;* (Aruba) *pahra; palabra - palabra;* (pop.) *palaba; pan - pan, pam; papel - papel* (para el significado 'rol' se utiliza también *ròl* < hol. *rol); parar - para; stòp* (< hol. *stoppen;* ingl. *to stop); parte - parti; pasar - pasa; pasión - pashon; pecho - pechu; pedir - pidi; pelo - kabei* (< esp. *cabello); pena - pena; perder - perdè; pesar - pisa; piedra - piedra;* (pop.) *pieda; pierna - pia* (< esp. *pie); pisar - trapa* (< hol. *trappen*; se utiliza también la perífrasis *pone pia riba*, creación en terreno propio con elementos españoles; y con menos frecuencia *pisa); planta - mata* (< esp. *mata); planchi* (< hol. *plantje); plaza - plasa; plenchi* (< hol. *pleintje); pluma - pluma* (para el significado 'pluma de escribir' se utiliza *pèn* < hol. *pen); pobre - pober; político - polítiko; poner - pone; práctica - práktika; puente - brùg* (< hol. *brug); puerta - porta* (< esp. ant., pg., gall. *porta); puerto - haf* (< hol. *haven); punta - punta; punto - punto;*

quemar - kima; querer - ke; quitar - kita;

real - real; recibir - risibí; red - ret; nèt (< hol. *net); regla - regla* (para el significado 'instrumento de medición' se utiliza *linial* < hol. *liniaal); reparar - drecha* (< esp. *enderezar, enderechar*); *responder - rospondé, respondé; romper - kibra* (< esp. *quebrar*);

sacar - saka; sal - salu; salir - sali; saltar - bula (< esp. *volar*; en sentido figurado se utiliza también *salta); santo - santu; seco - seku; seguir - sigui; sentar - pone sinta* (construcción perifrástica creada en terreno propio con elementos españoles, cuyo significado literal es 'hacer sentarse'); *simple - simpel* (< esp. *simple;* hol. *simpel); sombra - sombra; sonar - zona; suelo - suela; sufrir - sufri;*

tabla - tabla; tender - abri; tener - tin (< pg. *tem;* gall. *ten*); (menos frecuente) *tini; término - término; tesoro - tesoro; tierra - tera; tocar - mishi* (<

pg. *mexer;* para el significado 'tocar un instrumento' se utiliza *toka;* para el significado 'concernir', *toka* y *konserní*); *tomar - tuma; tono - tono; torno - draibank* (< hol. *draaibank*); *trabajo - trabou; triste - tristu;*

valer - bal, bale; venir - bin(i); verde - berdè; vivo - bibu; voz - bos; stèm(< hol. *stem*).

El análisis de este inventario pone de manifiesto una serie de aspectos interesantes.

Se observa que un número elevadísimo de las palabras que integran el «núcleo del vocabulario representativo español» tiene en papiamento correspondientes de origen español. Algunas veces, el papiamento manifestó su preferencia por otras palabras, sinónimos españoles de las unidades léxicas del «núcleo» español; o prefirió crear perífrasis en terreno propio, también con elementos españoles.

Los equivalentes papiamentos de origen hispánico de los lexemas del «núcleo» español se dividen en dos categorías:

a) palabras criollizadas, resultado de las evoluciones internas del español en condiciones de contacto lingüístico, del proceso de criollización y de la acción de las leyes fonéticas propias del papiamento sobre los vocablos españoles;

b) palabras formalmente idénticas a sus correspondientes españoles, que, en la mayoría de los casos, son préstamos recientes; sin embargo, «algunas veces, son préstamos históricos que han retenido su forma original puesto que ya cumplían con las exigencias del sistema fonológico del papiamento» (Clemesha 1981: 46).

En el período de su formación, el papiamento ha adoptado palabras de las diferentes lenguas de input, como lo demuestran las formas criollizadas de los étimos, pero el peso específico le corresponde al español y al holandés. Esta observación corrobora los resultados de Clemesha (1981: 48), quien registra en su cuestionario un porcentaje casi igual de palabras-respuesta de origen hispánico y holandés en el tema 'la casa'.

Ningún término del «núcleo del vocabulario representativo español» tiene equivalente de origen africano en papiamento, lo que confirma la contribución más reducida de las lenguas africanas no sólo al léxico, sino, generalmente, a la formación del criollo. Las voces de origen africano existentes en papiamento son pocas y reflejan especialmente realidades africanas pertenecientes a temas referentes a flora, fauna, alimentación, tradiciones y culturas africanas. Son interesantes algunos casos de extensiones de significado de lexemas españoles bajo la influencia africana, estudiados por Maurer (1991).

El porcentaje elevado de palabras de origen español en el léxico papiamento se debe a factores extralingüísticos analizados en la primera parte del libro: la posición privilegiada del español entre las demás lenguas de input en el período de gestación del papiamento y en las etapas posteriores de cristalización y evolución, debido a los permanentes y cada vez más amplios y profundos contactos con los países hispanohablantes vecinos del continente americano en el campo económico y cultural (hoy día el español se escucha continuamente por la radio y la televisión, principalmente venezolana); los matrimonios en los que uno de los cónyuges era hispanohablante; la llegada de una fuerte ola de hispanoamericanos que se establecen en las islas ABC en el siglo pasado; la enseñanza en español en algunas instituciones durante el siglo XIX y las primeras décadas del siglo XX; y, no en último lugar, el hecho de que el español no fue considerado nunca la lengua del colonizador, como el holandés.

Esta situación explicaría, en nuestra opinión, también el hecho de que el papiamento recurre frecuentemente al español para ampliar su vocabulario y menos al holandés. Otra «desventaja» del holandés es la ortografía de esta lengua, que difiere muchísimo de la del papiamento, más cercana a la española, y hace que los préstamos del holandés por la vía culta sean aceptados con más dificultad. Así, los hablantes prefieren usar *gobernador / gobernadó, konseho insular, ortografia, dikshonario, skol doméstico, maestra di enseñansa preparatorio* en vez de *gouverneur, eilandsraad, spelling, woordenboek, huishondschool, kleuterleidster.*

Los numerosos préstamos léxicos del español americano, así como variaciones hispanizantes en el dominio del fonetismo, esto último sobre todo en Aruba, han llevado a distintos especialistas a afirmar que asistimos, en la actualidad, a un proceso cada vez más intenso, de descriollización y (re)hispanización (Zamora Vicente 1967: 446; Van Wijk 1958a: 176). La influencia del español sobre el papiamento es indudable y nos parece natural, debido a los diferentes factores extralingüísticos determinantes y condicionantes: cercanía, origen común con los pueblos hispanoamericanos, afinidades espirituales, culturales, religiosas, etc. No compartimos, en cambio, la tesis de la descriollización y (re)hispanización.

El estudio de Clemesha (1981) sobre estos supuestos procesos invalida claramente la tesis de la descriollización y (re)hispanización del papiamento. Para su investigación, la autora ha elegido varios temas semánticos, más o menos resistentes a las modificaciones naturales que se operan en el léxico de cada lengua, en este caso concreto, a la influencia hispánica: 'la casa', con los núcleos 'casa' y 'comida', «tema neutral [...] resistente o no-resistente a influencias hispánicas»; 'la familia' «tema que se puede considerar más resistente a la hispanización actual [...] con los núcleos familia - ciclo de vida - enfermedades»; y 'el deporte - la política - el coche', «un tema en que se puede esperar un fuerte influjo de léxico hispánico» (Clemesha 1981: 41). Las conclusiones de la autora, que compartimos, son las siguientes: si bien se verifican procesos fonológicos de descriollización bajo la influencia del español, la difusión de éstos es reducida y el fenómeno no reviste mayor importancia; en el campo del léxico, se observa la influencia del español, pero los casos de sustitución de lexemas criollos por lexemas hispánicos no justifica el concepto de descriollización del papiamento. La actual (re)hispanización consiste, principalmente, «en la *ampliación* del vocabulario criollo del papiamento mediante préstamos léxicos hispánicos» (Clemesha 1981: 51-52).

En realidad, la situación es mucho más complicada, debido a la fuerte presión ejercida por el holandés. Existe evidentemente cierto rechazo ante esta presión y el temor de que el papiamento podría holandizarse, a pesar de que los mismos papiamentohablantes introducen elementos holandeses en su habla diaria, como sucede siempre en el contacto lingüístico con una lengua con estatus dominante. Lo demuestra el hecho de que casi siempre cuando usan una palabra holandesa, añaden *manera (nan) ta bisa na hulandes* 'como se dice en holandés'. Incluso cuando una palabra holandesa ha penetrado y se ha generalizado en papiamento, el hablante añade la frase para marcar la diferencia y por el temor de que se le reproche que *nos ta hulandisá nos dushi papiamentu* 'holandizamos nuestro dulce papiamento'. Esta situación influye considerablemente, en nuestra opinión, en el fenómeno interpretado como rehispanización. Creemos que se trata simplemente de una reacción natural de los hablantes ante la presión de la lengua oficial: la preferencia por palabras papiamentas (de origen hispánico u holandés) o por préstamos del español, más antiguos o más recientes, adaptados al papiamento. Las causas de la preferencia por el español, extralingüísticas y lingüísticas, han sido analizadas anteriormente (véase *supra*). A pesar de la voz de alarma de varios papiamentistas de las islas ABC ante la (re)hispanización del papiamento, parece que la gran masa de la población no experimenta ese temor, pero teme, en cambio, una posible holandización de su lengua.

Nuestra conclusión es que el léxico papiamento refleja, igual que los otros compartimentos de la lengua, las características de un criollo resultado de un contacto lingüístico múltiple. En el proceso de formación del criollo, el español, por su posición privilegiada, y el holandés, por su estatus de lengua dominante, han desempeñado el papel principal y representan los componentes fundamentales. En el campo del vocabulario, la aportación del holandés ha sido más substancial, igual que en el dominio fonético-fonológico. Sin embargo, este hecho no modifica el origen fundamentalmente hispánico del léxico papiamento, como lo demuestra claramente el sucinto análisis de los equivalentes criollos de los lexemas que integran el «núcleo del vocabulario representativo» del español.

XVIII

CONCLUSIONES

El interés por el estudio de las lenguas criollas ha ido creciendo en los últimos aproximadamente cuarenta años de forma espectacular. No obstante, las investigaciones en este campo no se han llevado a cabo siempre de manera rigurosamente científica y sobre la base de unos principios y criterios metodológicos coherentes; situación que, en más de una ocasión, ha dado lugar a confusiones e interpretaciones erróneas, por un lado, de fenómenos concretos, puntuales, característicos de uno u otro criollo; y, por otro lado —y eso parece más grave todavía—, de fenómenos generales, con implicaciones teóricas fundamentales en la explicación del proceso de criollización.

El examen objetivo de la historia extralingüística del papiamento y de los aspectos más importantes que caracterizan su estructura en todos los compartimentos de la lengua nos lleva a las siguientes conclusiones.

El papiamento es una lengua criolla hispánica, formada en la segunda mitad del siglo XVII en Curazao. La aparición de este criollo es el resultado de un contacto lingüístico múltiple y prolongado, a escala relativamente amplia, entre varias lenguas de input: español, holandés, portugués, eventualmente otras modalidades ibéricas, y lenguas africanas. En este crisol lingüístico, la contribución de los diferentes componentes estuvo determinada por la correlación de fuerzas entre éstos y por la posición ocupada por cada una de las lenguas en el contexto socio-histórico de la época.

El español tuvo una posición privilegiada debido a su presencia continua, desde el descubrimiento de las islas ABC hasta hoy día, y porque sus hablantes ocupaban una posición superior en la escala jerárquica de las culturas del mundo en aquel período, más privilegiada todavía que el holandés, con estatus de lengua dominante políticamente. Por eso, en el proceso de aparición del nuevo criollo, son estas dos lenguas, y principalmente el español, el foco de propagación de las influencias que generaron fenómenos de interferencia y transferencia, las que imprimieron la dirección fundamental en la gestación de la nueva lengua. En términos de los defensores de la poligénesis, el español es la lengua base o madre del papiamento. No negamos, evidentemente, las influencias de los demás participantes en el crisol lingüístico del futuro criollo y el carácter recíproco de estas influencias, sino solamente la igualdad de fuerzas de las mismas.

En el contacto lingüístico que conlleva la aparición del papiamento y, generalmente, de los criollos, se producen simultáneamente varios procesos de simplificación y reorganización:

a) simplificación de todos los sistemas lingüísticos de input en situación periférica, que implica el debilitamiento y la desaparición de las oposiciones sutiles y la consolidación de los componentes fuertes del sistema;

b) la situación periférica favorece también la libre manifestación de las tendencias internas de evolución de las lenguas en contacto, que pueden llegar, a veces, a consecuencias últimas. Naturalmente, las lenguas que ocupan una posición más fuerte en el crisol lingüístico imprimen sus tendencias evolutivas a las otras. Es el caso del español, en pleno proceso de evolución y transformación en el siglo XVI y comienzos del XVII, que se modifica endogenéticamente en las islas ABC, principalmente Curazao, en las condiciones específicas del debilitamiento de las normas y tradiciones lingüísticas;

c) las tendencias internas de evolución y los componentes resistentes, así como las oposiciones fundamentales de las lenguas en contacto pueden ser reforzados por elementos y tendencias evolutivas de otras lenguas y modalidades lingüísticas participantes en la formación del criollo, cuando éstos no son completamente ajenos a las estructuras de las lenguas que los recibe o son compatibles con éstas. Lo que significa que las modificaciones endogenéticas de los sistemas lingüísticos en contacto pueden ser favorecidas por influencias exógenas, por las lenguas de contacto;

d) otro tipo de simplificación se produce debido a las diferencias de nivel en cuanto al manejo de la(s) lengua(s) dominante(s), a las diferencias individuales en experiencia verbal entre los distintos grupos etno-sociales. Los hablantes de la(s) lengua(s) con estatus bajo, en nuestro caso los africanos, aplican una serie de estrategias a la lengua dominante para poder aprenderla con más facilidad y no tener que recordar y usar continuamente dos sistemas lingüísticos distintos: simplifican categorías gramaticales, sobregeneralizan una opción entre varias permitidas por el sistema, tienden a regularizar los paradigmas, transfieren a la lengua que van adquiriendo formas de su propia lengua. Generalmente, estas estrategias corresponden también a las propias tendencias internas de evolución de la(s) lengua(s) dominante(s) o con una posición privilegiada, en este caso, fundamentalmente el español;

e) debido a las diferentes competencias comunicativas, textuales e intertextuales, en estrecha relación con la posición distinta de los grupos sociales de hablantes y de su situación de productor o receptor del texto, se pueden producir sincretismos africano-europeos que se verán reflejados en estructuras lingüísticas mixtas en el naciente criollo. En estas estructuras aparecen elementos o (sub)sistemas que no son compatibles con los sistemas lingüísticos europeos, principalmente con el español, en nuestro caso, y tampoco refuerzan tendencias internas de evolución de este último. Se trata de elementos y/o (sub)sistemas cargados de una fuerte realidad psicológica en las lenguas africanas, que no son permeables a influencias o transferencias extranjeras. Éstos se han transmitido inalterados a la nueva lengua, reorganizando parcialmente, desde el exterior, la estructura de la lengua base, que, de todas formas, experimentaba una proceso de reestructuración debido a su propia evolución en las condiciones del contacto lingüístico;

f) conscientes de las diferencias mencionadas entre africanos y europeos, estos últimos, que generalmente son más frecuentemente productores de texto que receptores, tratan, a veces, de simplificar deliberadamente su propio sistema lingüístico, para facilitar la comunicación.

Los principales compartimentos del papiamento reflejan claramente todos estos fenómenos que integran el complejo proceso de criollización.

La organización del sistema fonético-fonológico papiamento pone de manifiesto que fueron las lenguas con estatus alto, fundamentalmente el español, las que impusieron su dirección de evolución al proceso de criollización. Una parte importante de los fonemas papiamentos son fonemas españoles o resultados de tendencias de evolución hispánicas y/o románicas, que se manifiestan de forma latente y en diversas fases de realización en varias modalidades del español. El holandés desempeñó un papel importante en la organización del sistema. Debido a los préstamos léxicos a gran escala del holandés al español de las islas ABC, en el naciente criollo se estabilizan nuevos fonemas de origen holandés o se fonologizan alófonos españoles. Aparecen así nuevas correlaciones con papel fonológico y un nuevo sistema, que será la base del actual criollo.

En el dominio de la morfosintaxis, llaman la atención el sistema de pluralización, el paradigma del pronombre personal y el verbo.

El marcador de la pluralización es de origen africano en papiamento y es, a la vez, la forma de la sexta persona del pronombre personal. Éste es un caso claro de transferencia inalterada de un subsistema africano con fuerte realidad psicológica primero a la lengua con estatus alto y luego, al nuevo criollo. Es muy probable que la función original de *nan* en las lenguas africanas fuese distinta del significado criollo actual y que eso le confiriera una fuerte posición en la nueva lengua.

El sistema verbal papiamento es el dominio que mejor refleja la fusión de los distintos sistemas lingüísticos de input en otro nuevo, y, quizás, el compartimento donde las lenguas africanas aportaron su mayor contribución. El sistema africano basado en categorías binarias fusionó con el español, en la medida en que los elementos de ambos no eran totalmente irreconciliables. Los resultados son: el sistema español se simplifica mediante la reducción de tiempos y modos y la desaparición de las formas sintéticas; los tiempos y modos que se conservan asimilan también valores aspectuales en concordancia con la antigua categoría latina desaparecida; el sistema aspectual binario africano se enriquece con valores temporales y modales semejantes al sistema español.

El vocabulario pone de manifiesto también nuestras más importantes tesis: las lenguas dominantes, con una posición privilegiada, el español y el holandés, son los componentes fundamentales del léxico papiamento, porque ocupaban posiciones superiores en la correlación de fuerzas de las lenguas de input. A pesar de las influencias que las dos han ejercido y siguen ejerciendo sobre el papiamento, es evidente que las palabras criollizadas, resultado de las evoluciones exigidas por las leyes fonéticas que operaron en el período de gestación del criollo, representan una parte importante del léxico.

Todos los compartimentos de la lengua reflejan el proceso de fusión de los componentes de input del papiamento. En algunos, como la fonología o el vocabulario, se nota algo más la influencia del holandés. En otros, como en la morfosintaxis, se han transmitido inalterados elementos africanos con una fuerte realidad psicológica. Pero en todos es evidente la aportación mayoritaria cualitativa y cuantitativamente del español, lo que justifica incluir al papiamento en el grupo de lenguas que podríamos denominar «neo-hispánicas», y considerar el español su lengua base. Las similitudes entre las estructuras de los distintos criollos que integran esta familia se explican por la existencia de tendencias internas de evolución de la lengua base, comunes en todos los criollos de la misma familia. Las diferencias entre los mismos y la ulterior evolución independiente de cada uno se deben a la dirección del proceso de desarrollo del criollo que, esta vez, es exogénesis → endogénesis.

El amplio y complejo proceso de asimilación de la(s) lengua(s) europea(s) por los africanos en las condiciones específicas que se dan cuando toda una comunidad tiene que cambiar de lenguaje, conduce, en determinadas condiciones sociolingüísticas, a la criollización y a la aparición de un nuevo instrumento de comunicación para toda la población. La condición fundamental para que la nueva variedad adquiera estatus de lengua es que se convierta de segunda lengua en lengua materna con las múltiples funciones que eso implica.

Convertido en lengua materna, el papiamento, igual que otros criollos, experimenta una expansión interna materializada en el enriquecimiento del léxico y el desarrollo de complejidades sintácticas; y una expansión externa de las funciones de la lengua mediante esfuerzos conscientes. De este modo, a las funciones de lengua materna se suman las de lengua literaria, de cultura y de instrucción, lo que consolida la conciencia sociolingüística de sus hablantes.

Una vez obtenido el estatus de lengua (forma propia, estabilidad, autonomía de norma, funciones múltiples), el papiamento, como todos los criollos que tienen el mismo estatus, presenta todas las características de las demás lenguas, es decir cierta homogeneidad en las normas de evaluación social y en las interpretaciones semánticas, y sigue las líneas comunes de evolución de todas las lenguas.

Tercera parte

TEXTOS PAPIAMENTOS

Presentamos en esta sección una recopilación de textos en papiamento, con el fin de proporcionar al lector interesado una imagen más completa sobre el estado de esta lengua criolla y su literatura.

Hemos intentado incluir en nuestra selección textos variados, que representen distintos géneros y estilos literarios, desde la literatura oral hasta el ensayo. Figuran también textos representativos para las distintas etapas recorridas por el criollo en su camino hacia la estandarización; y por su literatura hasta su desarrollo actual.

Hemos incluido también textos que reflejen las diferentes ortografías utilizadas hasta el momento. Por eso, los textos han sido reproducidos con su ortografía original.

Finalmente, aunque el presente libro está dedicado a la modalidad curazoleña y bonairense del papiamento, hemos considerado interesante presentar también unos fragmentos de textos de Aruba, para que el lector pueda apreciar las diferencias entre las dos modalidades y sus respectivas ortografías.

En la traducción al español de los textos ha colaborado Luis H. Daal, quien tuvo la amabilidad de ofrecernos una versión propia en español de su poema «Te aworó, lamán», así como Lucille Berry-Haseth y Paloma Herrewijn, cuyo entusiasmo, cariño y dedicación queremos agradecer también en esta ocasión.

Expresamos nuestro agradecimiento también a todas las personas y entidades que, desinteresadamente, nos han permitido reproducir los textos que siguen.

Banderitas[1]

Meneer de Jongh van Beek en Donk, bo lei ta malu...
B'a traha misa na piskalat, sin kòrda kèrki[2].

*

Tokadó, mi tamburero,
kantu kantu n'e barí.
Meimei ta kunuku ku su doño,
pa bo marka di chapi no keda 'den[3].

Compa Nanzi i baca pinta[4]

Shon Arey tabatin un tereno grandi, cu tabata yen di brigamosa. Nada e no por a haci cu e tera ey, p'esey el a bai busca hende, cu quier roza e lugar. Esun, cu por rosa e tera, sin grawata su curpa, lo hanja un baca grandi i gordo. Ma esun cu grawata, lo mester caba su

---

[1] Reproducimos aquí algunas de las publicadas por Berry-Haseth (1994).

[2] La banderita reprocha al mandatario blanco de Jongh van Beek en Donk su idea de que sólo los católicos son criminales, y los protestantes no.

[3] Esta banderita tiene una clara connotación sexual, ya que en ella, la mujer advierte al amante que tiene marido (el conuco tiene dueño) y, por tanto, que debe tener cuidado de no dejarla embarazada (que no quede la marca del espadón en el conuco).

[4] Hemos elegido la versión del volumen editado por Nilda M. Geerdink-Jesurun Pinto, *Cuentanan di Nanzi*, Edishon en conmemorashon di e fecha di 54 anja di nacementu di Sra. Nilda Pinto, Curaçao, Herdruk Drukkerij Scherpenheuvel N.V., 1952.

Banderitas

Señor de Jongh van Beek en Donk, tu ley es mala...

Mandaste construir una iglesia católica en la prisión, sin acordarte de una iglesia protestante.

*

Tocador, mi tamburero,
toca sólo al borde del tambor.
En medio está el conuco que tiene dueño;
que no quede (en él) la marca de tu espadón.

Compadre Nanzi y la vaca con manchas

Su Majestad el Rey tenía un terreno extenso, que estaba lleno de pringamozas. No podía hacer nada con esa tierra y por eso se puso a buscar gentes que quisieran rozar el campo. Quien pudiera hacerlo sin rascarse, recibiría una vaca grande y gorda. Pero el que se rascara, perdería bida na palu di horca.

Ningun hende no quier a bai purba. Tur tin gana di hanja e baca, ma ora nan corda sol, cu casi sigur Shon Arey lo larga horca nan, nan ta larga e cos ey para.

Nanzi tambe a pensa e cos ey mashá bon. Te un día e no por a wanta mas. El a conta Shi María, cu awe lo e bai purba su suerte. Shi María a yora: «Nanzi, nunca mas lo mi weita-bo. Ta con bo por ta golos asina? Larga e baca queda na su lugar».

Nanzi tabata mashá terco, el a bai toch.

Yegando palacio Shon Arey a largu'e bini cerca dje. E quier a mira e hende, cu a bin' tuma su morto.

Shon Arey a hari chiquí-chiquí, ora el a mira Nanzi. Sinembargo e di cun'é: «Ta gana di muri bo tin? Ni bieew bo no ta».

«No Shon Arey, mi no tin gana di muri, ni lo mi no muri tampoco. E baca sí lo mi gana. Mi tin un fabor sí di pidi Shon Arey. Promer, cu mi rosa e tera, lo mi quier scoge e baca. Mi ta spera, cu Shon Arey lo no tin nada contra».

«Wel, no Nanzi. Siguimi».

Nanzi a camna bon mucha tras di Shon Arey, té ora nan a queda pará dilanti di hopi baca bunita i gordo.

«Shon Arey, lo mi por hanja esun bunita aqui?».

Nanzi a munstra un baca gordísimo i tur pintá.

«Sigur no, Nanzi. Ta bon. Mira pa bo gana e baca, tende! Ayoo».

Un coprá a bin' busca Nanzi p'e rosa e tera.

Nanzi a cuminza traha, ma e bringamosanan a dun'é mashá gana di grawata su curpa. El a hiza su cara p'e wak e coprá. Esaqui tabata wak e bon. Poco mas aleuw el a mira su baca.

la vida en la horca.

Nadie quería ir a probar (su suerte). Todos tienen ganas de ganar la vaca, pero al pensar que casi seguro Su Majestad el Rey mandaría ahorcarlos, desistían del plan.

Nanzi pensó también mucho en el asunto. Hasta que un día no pudo aguantar más. Le dijo a Doña María[5] que ese día iría a probar su suerte. Doña María se echó a llorar: «Nanzi, nunca jamás volveré a verte. ¿Cómo puedes ser tan codicioso? Deja la vaca en su lugar».

Nanzi era muy terco, (y) a pesar de la advertencia de Doña María, se fue.

A su llegada al palacio, lo recibió el Rey. Quería ver a la persona que había venido a recibir su (propia) muerte.

El Rey rió a hurtadillas cuando vio a Nanzi. Sin embargo, le dijo: «¿Tienes ganas de morir? Ni (siquiera) eres viejo».

«No, Majestad, no tengo ganas de morir, ni tampoco moriré. (Pero) quiero solamente pedirle un favor a Ud. Antes de rozar (el campo), quisiera elegir la vaca. Espero que Ud. no tenga nada en contra».

«Pues no, Nanzi. Sígueme».

Nanzi caminó como un niño bien educado tras el Rey, hasta que se detuvieron delante de muchas vacas hermosas y gordas.

«¿Majestad, puedo elegir a esa hermosa?».

Nanzi señaló una vaca gordísima, con muchas manchas.

«Claro que sí, Nanzi. Está bien. Procura ganar la vaca, ¿oyes? Adiós».

Un cabo vino a buscar a Nanzi para la roza del terreno.

Nanzi se puso a trabajar, pero las pringamozas le daban muchas ganas de rascarse. Alzó los ojos y miró al cabo. Éste le vigilaba atentamente. Un poco más lejos vio a su vaca.

---

[5] Esposa de Compa Nanzi.

«Coprá, coprá, bo sâ ta cua baca ta pa mi? Ta esun, cu tin un mancha aqui, un mancha aya, un mancha p'aqui, un mancha p'ey».

Tur es tem', Nanzi tabata grawata e lugarnan, cu e ta mustra na su smak. Cada bez, cu e ta sinti, cu e mester grawatá, e ta mustra e coprá, na unda e baca ta pintá. Den menos cu mei ora, el a bini clá cu su tera.

Coprá i soldá mester a declara cu Nanzi no a grawata su curpa ni un ora sol. Nan no a comprondé, cu ta grawata Nanzi tabata grawata, ora e ta papia cu nan.

Asina Nanzi a gana su baca grandi i gordo.

Cantando na boz haltu el a bolbe cas. Shi María i tur e yiunan a curi bin' contr'é. Nan a braz'é, sunch'é cu mashá gracia. Nan a quere sigur, cu nunca mas lo nan a mir'é. P'esey nan a grita:

«Biba Papa Nanzi!».

Carta de Natividad Sillie al doctor Rodolfo Lenz[6]

Mi estimado señor:

Despues di mi saludá-bo mi ta spera ku na drentada di es kortu linea aki den bo man, lo e kontrá-bo di un perfekto salud, segun ta deseo di mi profundo i verdadera kurason.

Mi ta spera ku lo bo dispensa tur falta di es karta aki ku mi ta dirihí na bo; pa motibu ku mi dukashon no por a yega na altura di bo. Pero sin embargo, mi ta desea ku puramentu pa mi boluntar i kariño ku mi ta dirihí-bo es karta aki, lo bo keda satisfecho i gradisido di mi.

Risibí un abraso di bo afectisimo servidor Natividad Sillie

---

[6] Reproducimos la primera carta, publicada en Lenz (1928: 61).

«Cabo, cabo, ¿sabes cuál de las vacas es para mí? Es la que tiene una mancha aquí, una mancha allá, una mancha p'acá, una mancha por allá».

Mientras tanto, Nanzi se rascaba a su antojo en los lugares que señalaba. Cada vez que siente la necesidad de rascarse, le muestra al cabo dónde tiene una mancha la vaca. En menos de media hora terminó el trabajo.

El cabo y el soldado tuvieron que declarar que Nanzi no se rascó ni una sola vez. No se dieron cuenta que Nanzi se rascaba mientras hablaba con ellos.

Así Nanzi ganó su vaca grande y gorda.

Cantando en voz alta, regresó a casa. Doña María y todos los hijos corrieron a su encuentro. Lo abrazaron, lo besaron con mucho cariño. Habían creído que nunca más volverían a verlo. Por eso gritaron:

«¡Viva Papá Nanzi!».

Carta de Natividad Sillie al doctor Rodolfo Lenz

Mi estimado señor:

Después de saludarle, espero que cuando estas breves líneas estén en sus manos, le encontrarán en un perfecto estado de salud, conforme al deseo de mi profundo y sincero corazón.

Espero que disculpe todas las faltas de esta carta que le dirijo; en razón de que mi educación no pudo llegar a la altura de la suya. Pero, sin embargo, deseo que esté satisfecho y me quede agradecido, simplemente por mi voluntad y cariño con que le dirijo esta carta.

Reciba un abrazo de su afectuosísimo servidor Natividad Sillie

Joseph Sickman Corsen: *Atardi*[7]

Ta pakiko mi no sa,
ma esta tristu mi ta bira
tur atardi ku mi mira
solo baha den laman.

Talbes ta un presentimiento,
O ta un recuerdo kisas,
Podisé n'ta nada más
ku un kos di temperamentu.

P'adilanti podisé
mi ta mira na caminda
un doló ku n'nace ainda
ma ku lo mi conoce?

Tin kisas den mi memoria
un doló masja scondí,
masha bieeuw ku mi sintí
no por lubida su historia?

O talbes mi nervionan
tin, sin causa, horror di Pretu
i dje abismo scur i ketu
meimei dj'awe ku majan?

---

[7] Reproducimos el texto y su traducción al español firmada por Sidney M. Joubert, publicados ambos en *Kristòf III* (1976), 2 : 78-79.

Joseph Sickman Corsen: *La tarde*

No sé por qué será
mas cuán triste me pongo
las tardes cuando veo
ponerse el sol en la mar.

Tal vez sea un presentimiento,
O quizás sea un recuerdo,
Puede que no sea otra cosa
que algo del temperamento.

¿Puede que en la lejanía
Esté viendo en el camino
(acercándose)
un dolor que aún no ha nacido
pero que conoceré?

¿Hay quizás en mi memoria
un dolor muy adentro
muy viejo, de cuya historia no
logre olvidarme?

¿O tal vez mis nervios
tengan, sin razón, horror de lo negro
y del oscuro y quieto abismo
entre hoy y mañana?

Mi no sabi ki armonia
ki secreto relasjon
tini den mi curazon
ku cabamentu di un dia.

Ma spiritu di doló
mi ta sinti camna ku mi ora
solo ta bai drumi
i ta bisa: «Te aworó».

Te aworó? Ma te majan.
Hopi ora falta ainda;
cuantu historia na caminda
sin cu nos sabi di nan...

Promé solo bolbe hari,
tempu tin pa hopi cos;
¡Dios sa cuantu di nos
morto den dj'anochi a bari.

Causa mi doló no tin;
ma esta tristu mi ta bira
semper ku mi para mira
dia jega na su fin.

No sé qué armonía
qué secreta relación
haya en mi corazón
al acabarse un día.

Mas siento andar a mi lado
el espíritu del dolor cuando
el sol se va a acostar
y me dice: «Hasta ahora».

¿Hasta ahora? Pero hasta mañana.
Aún faltan muchas horas;
cuántas historias habrá en el camino
sin que sepamos de ellas...

Antes que el sol vuelva a reír,
queda tiempo para mucho;
y Dios sabe a cuántos de nosotros
la muerte haya barrido en la noche.

No hay motivo para mi dolor;
mas cuán triste me pongo
siempre cuando veo al
día llegar a su fin.

Guillermo E. Rosario: *Mi nigrita-papyamentu* [Kòrsow, 1971], fragmentos

Ay,
mi nigrita-papyamentu
mi stimabo
meskos ku mi stima
e
muhé krioyo
dushi
di mi tera.

[..................]

Bo ta manera
e
muhé pretu
simía ku bo no ta haña
otro kaminda
sino
aki so
riba e swela
ku ta produsí
poko awa,
ma
di un gustu úniko:
aw'i pos ku ta imitá
awa di koko.

Guillermo E. Rosario: *Papiamento, mi negrita*

Ay,
papiamento, mi negrita
te amo
como amo a
la
mujer criolla
dulce
de mi tierra.

[....................]

Eres como
la negra mujer
semilla
que
no se encuentra
en otro lugar
sino sólo aquí
en este suelo
que produce
poca agua,
pero de un sabor único:
agua de pozo
que imita
al agua del coco.

[....................]

Pasobra,
meskos ku
e
muhé pretu fini,
no a haña
rekonosementu
di
su mes hendenan
i
ku ta e Makamba
mester a
dun'e
nómber di «señora»,
meskos abo tambe
mi nigrita-papyamentu
ta esnan di afó,
promé
ku esnan di kas,
mester a rekonosebo
komo idyoma.

[...................]

Porque,
igual que
la
negra bien
no fue
reconocida (como tal)
por
su propia gente
y
tuvo que ser
el holandés
quien
le llamara «señora»,
a ti también,
papiamento, mi negrita
son los de fuera,
antes
que los de la casa,
que te reconocieron
como idioma.

Luis H. Daal: del volumen *Kosecha di Maloa*, Willemstad, Curaçao, G. C. T. van Dorp & Co. (Ned. Ant.) N. V., 1963

Te aworó, lamán

Ajó, lamán, mi amigu bon;
lo pasa hopi tem'
promé nos bolbe topa.
Pero bo s>
ku aja riba,
den sérunan di Iberia,
lo mi kòrdabo;
ku lo mi keda kòrda
bo kweru blòw,
bo sángr salu
i kantika di bo awa lòw
ku su ritmo fjel
kurtí den mi orea.

Lamán, amigu bon,
bo s> ku mi n' gusta
jama ajó na mi amígunan.
P'eséj, di kurasón,
mi tin di bisa awó:
Te aworó, lamán, te aworó...

Luis H. Daal: del volumen *Kosecha di Maloa*:

Hasta luego, mar

Adiós, amigo mar;
mucho tiempo ha de pasar
antes de vernos nuevamente.
Pero bien sabes tú
que en lo alto
de la sierra de Iberia
me acordaré de ti;
que recordando seguiré
tu piel azul,
salada tu sangre
y el cantar de tu agua tibia
con, fiel, su ritmo
engastado en mi oído.

Mar, buen amigo,
ya sabes tú
que despedirme de amigos
no me gusta.
De ahí que de corazón
he de decirte ahora:
¡Hasta luego, mar, hasta luego!

Pierre Lauffer: *Versos* [Curazao, 1979], fragmentos

I.
Rekuerdonan ta basha bini riba mi
manera un pelíkula kontinuo:
kara, kos i kaso,
alegria ku desilushon
un tras di otro
den nan karavana mi dilanti.
Ma mi n' por yora
ni tampoko hari mas,
pasobra, kontemplando kada un,
mi mes ta komprendé
ku wega di payasu
ta di belenkiá den bida
sin ningun satisfakshon.

IV.
Mi golèt su belenan bolá di bientu
ta kapiando yen di brio
p'e por yega porta di sosiegu.
Ma promé ku basha anker
nos lo kore kosta,
yama tur e faronan ayó,
tur e meuchinan

Pierre Lauffer: *Versos*

I.
Recuerdos se me echan encima
cual una película de sesión continua:
caras, cosas y casos,
alegrías y desilusiones,
unas tras otras
en su caravana ante mí.
Mas, llorar no puedo
ni reír tampoco,
porque, al contemplarlos a cada uno,
yo mismo comprendo
que juego de payaso
es ir jaraneando por la vida
sin satisfacción alguna.

IV.
Mi goleta con sus velas infladas por el viento
va capeando (el temporal) llena de valentía
para poder arribar al puerto de sosiego.
Mas, antes de echar anclas
bordearemos costas,
despidiéndonos de todos los faros,
de todas las gaviotas

kòrtando airu riba nos kabes.

Mi barku molostiá
su masternan a putri,
su timon ta mankaron
i su kabuyanan gastá.
Ma djis promé nos drenta haf
nos dos lo proba
den nos último kareda
ku ki poko bientu nos por nabegá.

V.
Kantami un kansion di antes
pa mi floria mi behes.
Kontami un istoria tierno di promé ayá
pa mi por sera wowo, rekordá.
Gañami ku ainda mi ta hoben,
pa, lantá, mi sinta soña.
Bisami, kara seku,
ku mi barba no ta blanku,
pa mi disfrutá dje ilushon
ku falta masha hopi mas
promé mi bai.

surcando el aire encima de nosotros.

Mi barco (está) cansado
sus mástiles se han podrido,
su timón está estropeado
y sus amarras gastadas.
Pero justo antes de entrar en puerto
probaremos los dos
en nuestra última carrera
con cuán poco viento podemos navegar.

V.
Cántame una canción de antaño
para que florezca mi vejez.
Cuéntame un cuento enternecedor de antes
para que pueda cerrar los ojos y recordar.
Miénteme que aún soy joven,
para que, despierto, me ponga a soñar.
Dime así, sin más,
que mi barba no está blanca,
para que disfrute de la ilusión de
que falta mucho, pero mucho más
antes de que me vaya.

Elis Juliana: *Plasa nobo*

Kambrada kuantu pa ko'i sòpi?
—Sinku riá dòs plaka, mai!
Kón kambrada? Kren dios padre!
Ta na unda nos ta bai?

—Mi duy, kaminda bo ta mira
bo kambrada 'ki sintá,
o ní pa bai Sentro Pro Arte
n' tin nodi ta tantu pegá.

—Bo n' ta mira mi peluka?
Bo n' ta mira mi bistí?
Ta ku Zjuan mi tin ku zoya
pa mi logra sinta 'ki!

Elis Juliana: *Mercado nuevo*

Amor, ¿cuánto valen las verduras para la sopa?
—Ochenta céntimos[8], hija!
¿Cómo dices, amor? ¡Santo Dios!
¿Adónde vamos a parar con estos precios?

—Querida mía, ya ves
cómo está vestida tu amiga,
que ni para ir al Sentro Pro Arte[9]
hace falta vestirse tan elegantemente.

—¿No ves mi peluca?
¿No ves mi vestido?
Pues tengo que convivir con Juan[10]
para poder estar aquí.

---

[8] Un ria = 15 céntimos; un plaka = 2,5 céntimos.

[9] Nombre del teatro municipal de Curazao.

[10] Juan es el apelativo que se le da a cualquier obrero portugués de Madeira, cuyo nombre se ignora. Los portugueses llegaron a Curazao para trabajar como jornaleros en la refinería de Shell instalada en 1915. Debido a su posición socioeconómica baja, a pesar de ser blancos, se relacionaban, cuando lo hacían, sólo con el grupo poblacional afronegroide, al que pertenece la verdulera de la poesía.

Lucille Berry-Haseth: del volumen *Resonansia,* Curazao, 1990

Sorpresa

Den un enkuentro
di sorpresa
nos a ripará
kon nos kabei
a pinta blanku,
kon tempu
a marka nos kara
pa nos kòrda
ku mañan tambe
lo bira ayera.

Identidat

Nò...
no ta e enkantonan
tradishonal
di mi tera
ta ponemi sinti
ku mi ta na kas.

Ta e zjeitu,
e kadans melódiko

Lucille Berry-Haseth: del volumen *Resonansia*

Sorpresa

En un encuentro
de sobresalto
nos dimos cuenta
cómo nuestro pelo
se tiñó de blanco
cómo el tiempo
marcó nuestros rostros
para que recordemos
que mañana también
se convertirá en pasado.

Identidad

No...
no son los encantos
tradicionales
de mi tierra
los que me hacen sentir
que estoy en mi elemento.

Es el hechizo,
la cadencia melodiosa

di mi lenga
na boka
na orea.

Ta e esensia puru
di Papiamentu
ku nos ta respirá
ta hasimi tá
eternamente
enteramente
mi mes.

Yerba Seku: del volumen *Mi ta na kaminda...*, [sin lugar de publicación], 1973

ki dia
nos por
papia
di
pretu
y nos ke
men
blanku
nos por
papia
di
blanku

y nos ke
men
bruin
nos por
papia
di bruin
y nos ke
men
hel
ki dia
nos por
papia

de mi lengua
a flor de labios
en el oído.

Es la esencia pura
del papiamento
que respiramos
que me hace sentir
eternamente
enteramente
yo misma.

Yerba Seku: del volumen *Mi ta na kaminda...*

cuándo
podremos
hablar
de
negro
queriendo
decir
blanco
podremos
hablar
de
blanco

queriendo
decir
moreno
podremos
hablar
de moreno
queriendo
decir
amarillo
cuándo
podremos
hablar

di
mahos
y nos ke
men
bunita
nos por
papia
di
skur
y nos ke
men
kla
ki dia
nos por
papia

di rasa
y nos ke
men
ruman
si
ruman
den mes un
lucha
kontra
traishon
ultrahe
diskriminashon
kontra
inhustisia

Philomena Wong: del volumen *Crusando Frontera - Crossing Borders,* Aruba, 1993

Reflecshon

Core mucha, core!
Cue e barbuleta!
Piki un flor di mondi!
Core dijs pa core!
Caricia un bestia!
Bula ovr'i piedra!
Subi pal'i mata!

de
feo
queriendo
decir
hermoso
podremos
hablar
de
oscuro
queriendo
decir
claro
cuándo
podremos
hablar

de raza
queriendo
decir
hermano
sí
hermano
en la misma
lucha
contra
la traición
el ultraje
la discriminación
contra
la injusticia

Philomena Wong: del volumen *Crusando Frontera - Crossing Borders*

Reflexión

¡Corre, niño, corre!
¡Atrapa la mariposa!
¡Recoge una flor silvestre!
¡Corre por correr, no más!
¡Acaricia un animal!
¡Salta una piedra!
¡Trepa a un árbol!

Sapatia dj'alegria!
Laga splendor di solo
refleha riba bo rostro!
Canta cu bos halto!
Laga mundu sa
Con felis bo ta!

Nydia Ecury: del volumen *Cosecha Arubiano. Un antologia dedicá na Pueblo di Aruba,* Aruba, [sin fecha de publicación]

Sekura

Ata 'wó
m'a keda so
maner'un mata
ku su raís
kobá, ranká
ta seka
warda morto

Den mi kabei
para pretu
di ultratumba
a sinta traha nèshi
pa nan fika.

Dje yobida di antaño

¡Da brincos de alegría!
¡Deja que el esplendor del sol
se refleje en tu rostro!
¡Canta en voz alta!
¡Haz que el mundo sepa
lo feliz que eres!

Nydia Ecury: del volumen *Cosecha Arubiano. Un antologia dedicá na Pueblo di Aruba*

Sequía

Y ahora
me he quedado sola
como una mata
que con las raíces
excavadas, arrancadas
se está secando
esperando la muerte

En mis cabellos
pájaros negros
de ultratumba
vinieron a hacer su nido
para permanecer (allí)
De las lluvias de antaño

ai, n' keda ni un gota
pa alivia e gran sekura
den mi alma

Ata 'wo
e mata skur i seku
ku ta mi mes
ta persiguimi
henter dia
i den mi soño
para pretu
ku nan gritunan salvahe
ta koba, ranka, piki
den dje tiki
ku a resta
di mi kurason kibrá

Edward A. de Jongh: *30 di mei 1969. E dia di mas históriko,* Curazao, 1970[11], fragmento

—Boy!
—Ablif Mamai?
—Bo n' sa kiko... Ata Rosita a lubidá su pan atrobe. E'n kome nada mainta...
—Ai karamba! Anto mi'n ta tin idea di bai Punda awe mainta, Mamai sa? Ma mi tey

[11] *Apud* Maurer (1988: 384-385).

ay, no quedó ni una gota
para aliviar la gran sequía
en mi alma

Y ahora
la mata oscura y seca
que soy yo misma
me persigue
todo el día
y en mis sueños
pájaros negros
con sus gritos salvajes
excavan, arrancan, pican
en lo poco
que quedó
de mi corazón roto

Edward A. de Jongh: *El 30 de mayo de 1969. El día más histórico*

—¡Boy!

—¿Sí, mamá?

—¿Sabes algo? Mira que Rosita se olvidó otra vez el pan. No comió nada por la mañana...

—¡Caramba! Y no tenía la intención de ir a Punda esta mañana, ¿sabes madre? Sin embargo baña tòh dijs akí i hib'e pan pa Rosita. Manera e poko sèns k'e gana, e'n ta kumpra nada kune maske e lubidá su kuminda na kas. E ta prefera wanta hamber. Ta p'esey mi'n po' laga di hib'e pan p'e.

—Dios lo bendishonabo, mi yu.

—Mamai!

—Boy?

—Mamai sa, m'a tende nan tin mester di un un loopjongen na Pakús Nobo.

—Mi yu, bai mésora. Bo'n warda. Bisti un bon kamisa na bo kurpa.

—Ta ún kamisa só mi tin awor, mamai, anto ni bon e'n ta mas.

—Dios lo perkurá pa bo, mi yu. Wak den trònchi, mi ke ku tin mitar pan fransés. Mi'n tin manteka... Mi ta dunabo dies plaka pa bo kumpra un ko'i kome.

—O yu! Danki Dios b'a bini. M'a lubidá limpi di hinka mi pan den mi tas. Danki! Asina Rosita a yama bonbiní na Boy, su úniko rumán.

—Mi ta bai pa mi'n strobabo.Ata ya doño ta wak nos. Mi tin gana di mand'é kaminda el a sali.

—Lag'é Boy, lag'é. Hasi komo si fwera bo'n mira nada. Kon ta? M'a molostiabo no? Kon b'a bini?

—Na pia... Ai n' ta nada; m'a kustumbrá kaba.

—Kwater kilometer na pia? Anto b'a kome kaba?

—Bo'n wòri p'esey. M'a kome pan fo'i temprán.

—E mitar pan fransés k'a keda den trònchi? Ata! Rosita a lòs e kònòpi di su lensu i saka sinkwenta sèn fo'i dje.

—Pa bo kumpra un ko'i kome. I dies plaka pa bo bai kas

voy a bañarme dentro de poco y le llevaré a Rosita el pan. Con lo poco que gana, no se compra nada, aunque se haya olvidado la comida en casa. Prefiere pasar hambre. Por eso tengo que llevarle su pan.

—¡Dios te bendiga, hijo mío!

—¡Madre!

—¿Boy?

—Madre, ¿sabes?, he oído decir que necesitan un chico para los recados en la Tienda Nueva.

—Hijo mío, ve en seguida. No esperes. Ponte una camisa buena.

—Madre, ahora tengo una sola camisa, y además no está en buenas condiciones.

—Dios te protegerá, hijo mío. Mira en la caja de galletas, creo que hay medio pan francés. No tengo mantequilla... Te doy veinticinco céntimos para que te compres algo de comer.

—¡Qué bien! Afortunadamente has venido. Me olvidé completamente de meter el pan en el bolso. ¡Gracias! Así le dio Rosita la bienvenida a Boy, su único hermano.

—Me voy para no molestarte. Mira, que el dueño ya nos está observando. Tengo ganas de mandarle al cuerno.

—Déjalo, Boy, déjalo. Haz como si no vieras nada. ¿Cómo te va? Te causé molestias, ¿verdad? ¿Cómo viniste?

—A pie... Pero no importa. Estoy acostumbrado ya.

—¿Cuatro kilómetros a pie? Y, ¿comiste algo?

—No te preocupes por eso. Desayuné algo de pan muy temprano.

—¿Aquella mitad de pan francés que quedó en la caja de galletas? ¡Ten! Rosita desató el nudo de su pañuelo y cogió cincuenta céntimos.

—Para que te compres algo de comer. Y veinticinco céntimos para que regreses a casa ku bus.

—No, Rosita, mi ta tuma ún dies plaka so.

—Foei! N'ta nada; tuma!

—Danki. Boy a hinka e sènnan den su saku.

—Kon ta ku Michi? Michi, ta mal dia'we! Boy tabata dirigí su palabra na un kolega di Rosita pará un banda. E tabata drechando e trashètnan di paña. Asina no tin kliente, e señoritanan mester hasi kwalke trabow, manera limpia trashèt.

—Kon ta ku bo, Boy?— Michi a puntra.

—Bon danki. T'un trabow mi tey buska'wo. Na Pakus Nobo.

—Ta bèrdè. Nan mester di hende, no? Djo laga bo bini kla. Tempu ta hodèis, ju!

[...]

Sidney M. Joubert: *175 aña di amistat entre Bolívar i Kòrsou*[12]

Promé biaha ku Simón Bolívar a pone pia riba Kòrsou 175 aña pasá, e no a risibí di gobièrnu ingles di e tempu ei e famoso hospitalidat kurasoleño. Al kontrario, e no a kaba di baha na tera, ku nan a pone beslag riba su ekipahe. Sin embargo promé bishita di Simón Bolívar na Kòrsou a bin resultá den un di e akontesimentunan mas importante di su bida. Pasobra el a siña konosé kantidat di eksilado latinoamerikano i tambe personalidatnan importante di Kòrsou, isla natal di Pedro Luis Brion.

E último akí lo a bira mas despues Promé Almirante di Amérika, i Libertador Simón Bolívar a skirbié dia 16 di yüli 1815: «Mi no sa kiko mi mester atmirá mas di Bo, Bo liberalidat, Bo patriotismo o Bo bondat [...] Na Abo, Amigu Brion, mester duna e onor di ta Promé Protektor di Amérika i e persona mas liberal na mundu».

---

[12] Texto publicado en un folleto especial editado por el Servicio Postal de las Antillas Neerlandesas, Curazao, 1987.

en autobús.

—No, Rosita. Me llevo sólo una moneda de veinticinco céntimos.

—¡Hombre! Eso no es nada. ¡Tómalo!

—Gracias. Boy metió el dinero en su bolsillo.

—¿Cómo estás, Michi? Michi, hace mal día hoy. Boy le dirigía la palabra a una compañera de Rosita, que estaba de pie, al lado. Ordenaba las telas en los estantes. Cuando no había clientes, las señoritas tenían que hacer cualquier trabajo, como por ejemplo, limpiar las estanterías.

—¿Y a ti cómo te va, Boy?— preguntó Michi.

—Bien, gracias. Voy a buscar trabajo. En Tienda Nueva.

—Es verdad. Necesitan gente, ¿no? Esperemos que tengas suerte. Son tiempos difíciles, ¿verdad?

[...]

Sidney M. Joubert: *175 años de amistad entre Bolívar y Curazao*

Al pisar por primera vez la tierra de Curazao hace 175 años, a Simón Bolívar no se le brindó por parte del gobierno de la isla, inglés, en aquel entonces, la famosa hospitalidad curazoleña. Al contrario, apenas llegado, le embargaron su equipaje. Sin embargo, esta primera visita de Simón Bolívar a la isla de Curazao iba a ser uno de los más importantes acontecimientos de su vida. Conoció a numerosos exiliados latinoamericanos y también a personalidades destacadas de Curazao, isla natal de Pedro Luis Brion.

Éste sería más tarde el primer Almirante de América, y el Libertador Simón Bolívar escribiría el 16 de julio de 1815: «No sé lo que pueda más admirar en usted, si su generosidad, su patriotismo o su bondad [...] Es preciso, amigo Brion, que a usted se le tribute el honor de ser el Primer Protector de América y la persona más liberal del mundo».

Durante e bishita memorabel ei na Kòrsou, Bolívar a sera konosí tambe ku señor Mordechay Ricardo, ferviente defensor di lucha emansipador latinoamerikano. Libertador a aseptá ku man abrí amistat di señor i señora Ricardo, e hospitalidat ku esakinan a demostrá na Juana i Maria Antonia.

Ricardo a ofresé e rumannan akí di Bolívar alohamentu na Octagon, un kas kant'i laman, ku su suegra tabata poseé serka di su propio kas.

Dr. Ricardo de Sola-Ricardo, ñetu tuma ñetu di señor Mordechay Ricardo, ta konservá manera un relikia e outograf den kua Bolívar ta ekspresá su gradesimentu na señor Ricardo pa servisio i atenshonnan demostrá na dje i, partikularmente, na su ruman muhénan.

Na okashon di konmemorashon di 175 aniversario di amistat entre famia Bolívar i Kòrsou, Servisio Postal di Antianan Ulandes ta emití dos stampia.

Riba esun di 60 sèn ta figurá Octagon, situá na kosta di Laman Karibe, un poko pafó di Willemstad, kapital di Kòrsou. Ta trata di e monumento históriko mas bieu di Kòrsou ku ta liga presente direktamente ku añanan turbulento di lucha bolivariano pa liberashon di Amérika.

E prestigioso firma kurasoleño S.E.L. Maduro & Sons N.V. (e aktual Maduro Holding N.V.) a regalá komunidat di Kòrsou e edifisio akí, bou di kondishon ku lo instalá den dje un museo dediká na Bolívar. A pesar di su edat respetabel, estado di Octagon ta ekselente ainda.

[...]

For di aña 1968 tin un «Museo Bolivariano» instalá den Octagon, patrosiná pa Gobièrnu di Kòrsou i dirigí pa «Fundación Amigos del Museo Bolivariano».

Bolívar conoció además durante esa memorable visita a Curazao al señor Mordechay Ricardo, ferviente defensor de la lucha emancipadora latinoamericana. El Libertador aceptó de buena gana la amistad que le brindara el señor y la señora Ricardo, así como la hospitalidad que éstos ofrecieron a Juana y María Antonia.

Ricardo ofreció a las hermanas de Bolívar alojamiento en el Octagón, una casa que tenía su suegra a orillas del mar, cerca de su propia casa.

El dr. Ricardo de Sola-Ricardo, tataranieto del señor Mordechay Ricardo, conserva como una reliquia la carta autógrafa en que Bolívar expresa su agradecimiento al señor Ricardo por los servicios y atenciones que tuvo con él y, particularmente, con sus hermanas.

Con motivo de la conmemoración del 175 aniversario de la amistad entre Bolívar y Curazao, el Servicio Postal de las Antillas Neerlandesas emite dos sellos.

En el sello de 60 céntimos figura el Octagón, situado en la costa del Mar Caribe, en las afueras de Willemstad, capital de Curazao. Es el monumento histórico más antiguo de Curazao, que relaciona directamente el presente con los turbulentos años de lucha bolivariana por la liberación de América.

La prestigiosa firma curazoleña S.E.L. Maduro & Sons C.A. (el actual Maduro Holding C.A.) donó esta casa al gobierno de Curazao, a condición de que se instale en ella un museo dedicado a Bolívar. Pese a su venerable edad, el Octagón se ha conservado en condiciones excelentes.

[...]

Desde el año 1968, en el Octagón está instalado un «Museo bolivariano», patrocinado por el gobierno de Curazao, y dirigido por la «Fundación Amigos del Museo Bolivariano».

Sidney M. Joubert: *Weganan Olímpiko*[13]

Weganan Olímpiko original. Historia di Weganan Olímpiko, ku ta organisá kada kuater aña, ta remontá segun algun historiador te na mas o ménos 1350 aña promé ku Kristu. Parse ku ta Hercules tabata fundador di e Weganan akí.

Nan tabata wega públiko popular, na kua no tabata kompetí solamente pa mihó prestashon riba tereno di deporte, sino tambe riba tereno di arte poétiko, muzik, deklamashon etc. Tabata tene e weganan akí na Olimpia —p'esei nan yama olimpiada o weganan olímpiko— na honor di Zeus, Dios supremo di griegonan, i di Pélope, un rei mítiko. Olimpia ta un lugá sagrado na Gresia, kaminda graf i altar di Pélope ta.

A organisá e weganan akí te 394 aña despues di Kristu. Despues di e aña ei e emperador romano Teodosio a abolí nan.

Weganan Olímpiko modèrno. Na 1896 a introdusí aktual Weganan Olímpiko. Esakinan ta eksklusivamente dediká na prestashonnan riba tereno di deporte. A tene e promé Weganan Olímpiko modèrno na Gresia, orígen di Weganan Olímpiko.

E medayanan ku ta otorgá pa e diferente ramonan di deporte ta: unu di oro (e medaya máksimo), unu di plata i, komo di tres «premio», un medaya di bròns.

Meskos ku tabata e kaso ku e olimpiadanan original, ta tene Weganan Olímpiko modèrno kada kuater aña, pero awor na diferente siudat na mundu. Ademas, na e weganan aktual deportista di mayoria di pais na mundu ta partisipá.

E pensamentu olímpiko ta (a lo ménos mester ta): gana no ta importante, ma partisipá, no e viktoria ku ta logra, sino e lucha ku ta hiba. E partisipantenan ta prepará nan durante hopi aña pa mehorá nan prestashon.

---

[13] Texto publicado en un folleto especial editado por el Servicio Postal de las Antillas Neerlandesas, Curazao, 1991.

Sidney M. Joubert: *Juegos Olímpicos*

Los Juegos Olímpicos originales. La historia de los Juegos Olímpicos, que se celebran cada cuatro años, remonta según algunos historiadores, aproximadamente, al año 1350 a. C. Según parece, Hércules fue el fundador de esos Juegos.

Eran juegos públicos populares, en los que no se competía para (obtener) los mejores resultados sólo en el terreno del deporte, sino también en los del arte poético, la música, la declamación, etc. Estos juegos se celebraban en Olimpia —de aquí el nombre de olimpiada o juegos olímpicos— en honor a Zeus, dios supremo de los griegos, y de Pélope, un rey mítico. Olimpia es una ciudad sagrada en Grecia, donde se halla la tumba y un altar de Pélope.

Estos juegos se celebraron hasta el año 394, cuando fueron abolidos por el emperador romano Teodosio.

Los Juegos Olímpicos modernos. En 1896 se iniciaron los Juegos Olímpicos actuales. Éstos están dedicados exclusivamente a las competiciones deportivas. Los primeros Juegos Olímpicos modernos se celebraron en Grecia, (lugar de) origen de los Juegos Olímpicos.

Las medallas que se conceden en las diferentes ramas deportivas son: una de oro (máxima distinción), una de plata y, como tercer «premio», una medalla de bronce.

Al igual que en el caso de las olimpiadas originales, los Juegos Olímpicos modernos se celebran cada cuatro años, pero, ahora, en distintas ciudades del mundo. Además, en los juegos actuales participan deportistas de la mayoría de los países del mundo.

El pensamiento olímpico es (o al menos tiene que ser): lo que importa no es ganar, sino participar, no la victoria que se logre, sino la lucha que se libra. Los participantes se preparan durante muchos años para mejorar sus resultados.

Un lès importante ku nos por siña di Weganan Olímpiko ta sinti i mustra atmirashon no solamente pa esnan ku gana un medaya, ma tambe pa tur esnan ku a hasi esfuerso pa yega na e prestashonnan mas altu riba tereno di deporte.

Antianan Hulandes i Weganan Olímpiko. Antianan Hulandes a partisipá na diferente Wega Olímpiko modèrno ku un o vários partisipante. E aña olímpiko akí Servisio Postal di Antianan Hulandes ta emití tres stampia spesial, partikularmente pa rindi homenahe na e Weganan akí i na tur e persona i organisashonnan ku a dediká nan na e olimpiadanan. Tur e tres stampianan akí, yen di kolorido, por tribi yama nan stampia tropical, tin e sinku sírkulonan ku Komité Olímpiko Internashonal tini den su logo, ademas di nos globo.

Stampia di 30 sèn. E distinshon mas altu ku Antianan Hulandes a yega di haña na Weganan Olímpiko ta un medaya di plata. E stampia di 30 sèn ta dediká na e medaya di plata ku Jan Boersma a gana na windsurfing na último Weganan ku a selebrá na Seoul na aña 1988.

Stampia di 55 sèn. Riba e stampia akí nos ta mira posishon di Antianan Hulandes riba nos globo i e bandera nashonal ku e partisipantenan di Antia na Weganan Olímpiko benidero na Spaña lo mustra mundu ku orguyo.

Stampia di 115 sèn. E stampia akí, ku e balor mayor di e tres stampianan, ta dediká na Komité Olímpiko Antiano (NAOC). Riba dje ta paresé logo di e organisashon akí. NAOC ta e órgano di mas altu di mundu di deporte organisá na Antianan Hulandes. E aña akí e ta selebrá su hubileo di 60 aña. A lanta e Komité akí dia 23 di mart 1931, ku e meta di promové i mantené idealnan di Weganan Olímpiko na Antianan Hulandes. NAOC ta hasi su máksimo esfuerso pa Antianan Hulandes partisipá na Weganan Olímpiko, Weganan Panamerikano, Sentroamerikano i di Karibe. Ademas e ta sostené otro eventonan ku ta tuma lugá ku ouspisio di Komité

Una importante lección que podemos aprender en los Juegos Olímpicos es sentir y mostrar admiración no sólo por los que ganan una medalla, sino también por todos los que se esfuerzan por lograr mejores resultados en el campo del deporte.

Las Antillas Neerlandesas y los Juegos Olímpicos. Las Antillas Neerlandesas han participado en varios Juegos Olímpicos modernos, con uno o más participantes. Este año olímpico el Servicio Postal de las Antillas Neerlandesas emite tres sellos especiales, particularmente para rendir homenaje a estos Juegos y a todas las personas y organismos que han venido dedicándose a las olimpiadas. Los tres sellos, (tan) llenos de colorido, que se pudieran llamar sellos tropicales, tienen en común los cinco círculos que luce el logotipo del Comité Olímpico Internacional, además de nuestro globo.

Sello de 30 céntimos. La más alta distinción que las Antillas Neerlandesas han logrado obtener en los Juegos Olímpicos fue una medalla de plata. Este sello de 30 céntimos está dedicado a la medalla de plata que Jan Boersma ganó en windsurfing, en los últimos Juegos que se celebraron en Seúl, en el año 1988.

Sello de 55 céntimos. En este sello podemos ver la posición de las Antillas Neerlandesas en el globo y la bandera nacional que los participantes de las Antillas Neerlandesas enseñarán al mundo orgullosamente en los próximos Juegos Olímpicos de España.

Sello de 115 céntimos. Este sello, el de mayor valor de los tres, está dedicado al Comité Olímpico de las Antillas Neerlandesas (NAOC). En él figura el logotipo de NAOC, el más alto organismo del mundo deportivo organizado de las Antillas Neerlandesas. Este año, (dicho organismo) celebra su 60 aniversario. Este Comité se constituyó el día 23 de marzo de 1931, con el fin de promover y mantener los ideales de los Juegos Olímpicos en las Antillas Neerlandesas. El NAOC hace el máximo esfuerzo para que las Antillas Neerlandesas participen en los Juegos Olímpicos, los Juegos Panamericanos, Centroamericanos y del Caribe. Además, fomenta otros eventos que se celebran bajo los auspicios del Comité

Olímpiko Internashonal, manera Olympic Day Run, un evento ku ta organisá anualmente.

Aktualmente, tin 18 bònt di deporte nashonal rekonosé pa nan respektivo Federashonnan Internashonal komo miembro afiliá na NAOC.

Na Weganan Olímpiko na Seoul, Antianan Hulandes a gana su promé medaya olímpiko, den ramo di winsurfing. Tantu na Weganan Olímpiko ku lo tene na Albertville komo esunnan na Barcelona, Antianan Hulandes lo ta representá ku un delegashon.

STT ta analisa contrato PCS... pa pueblo Aruba mes husga...[14], fragmento

Oranjestad. E sindicato STT a trese un analysis completo di e contrato di PCS (Personal Communication System), cu ministro di transporte i telecomunicacion, señor Glenbert Croes a firma na aprel 1995 na Washington, pa asina tur hende cu tin Aruba na pecho por husga pa su mes.

STT den e publicacion di awe ta presentá e promé parti di e analysis i ta bisa den dje, cu Setar ta un compania hopi joven i cu orgullo STT a mira e compania Setar evolucioná for di un compania di apenas un par di mil abonadonan te na un compania di casi 25.000 abonado den un periodo di menos di 10 anja. Alavez Aruba tin awor su propio comunicacion internacional, cu antes tabata pasa via di Landsradio Curaçao, Servicionan di celular, paging, telex i datacommunicatie.

Pronto Setar lo introdusí como un di promé paisnan den region di Caribe, su servisionan di ISDN (Integrated Services Digital Network).

[14] Artículo publicado en el periódico *Èxtra*, Curazao, el 29 de junio de 1995, pág. 23. El artículo aparece en la sección «Aruba» y, por tanto, está escrito con la ortografía que se utiliza en esa isla.

Olímpico Internacional, como el Olympic Day Run, evento que se organiza anualmente.

En la actualidad hay 18 asociaciones deportivas nacionales, reconocidas por sus respectivas Federaciones Internacionales como miembros afiliados a la NAOC.

Durante los Juegos Olímpicos de Seúl, las Antillas Neerlandesas han ganado su primera medalla olímpica en la rama de windsurfing. Tanto en los Juegos Olímpicos que se celebrarán este año en Albertville, como en los de Barcelona, las Antillas Neerlandesas estarán representadas por una delegación.

STT[15] *analiza el contrato PCS... para que el mismo pueblo de Aruba juzgue...*, fragmento

Oranjestad. El sindicato STT presentó un análisis completo del contrato de PCS (Personal Communication System), que el ministro de transporte y telecomunicaciones, señor Glenbert Croes, firmó en abril de 1995 en Washington, para que todo el mundo que ama a Aruba pueda juzgar por sí mismo.

STT presenta en una publicación de hoy la primera parte del análisis y en la misma destaca que Setar es una compañía muy joven, y que STT, con orgullo, la ha visto convertirse de una compañía de apenas un par de mil abonados en una compañía de casi 25.000 abonados en un período de menos de 10 años. A la vez, Aruba tiene ahora sus propias comunicaciones internacionales (que antes se efectuaban a través de la Radio Nacional de Curazao), servicios de telefonía móvil, paging, télex y transmisión de datos.

Pronto Setar será uno de los primeros países [*sic* en original] de la región del Caribe en introducir los servicios de ISDN (Integrated Services Digital Network).

---

[15] Sindicato di Trahadornan den Transporte i Telecomunicacion (Sindicato de los Trabajadores de Transporte y Telecomunicaciones) de Aruba, con sede en la capital de la isla, Oranjestad.

Ta pesei STT ta defendé Setar, patrimonio di Aruba y no ta laga ningun stranhero cu ayudo di e propio gobièrnu di Aruba bin probechá di Aruba y caba cu Setar pa interesnan personal.[...]

[Anuncio publicitario] [16]

Danki
Aruba Rotary Club i e comission organisatorio di
Fiesta Rotaria 1995
Ta gradici un i tur pa e grandioso
cooperacion cu nos a ricibi!
Danki
Pueblo di Aruba pa asisti masalmente!
Voluntarionan pa tur e ayudo fantastico!
Comercio pa boso valioso donacionnan!
Prensa i Radio pa boso gran aporte!
Danki na un i tur
cu a haci posibel cu Rotary Club por
sigui yuda nos comunidad dignamente!
sin boso «Fiesta Rotaria» no ta posibel!
Rifa 1995
E feliz ganadornan di e premionan di nos gran rifa 1995 ta e siguiente numbernan:
1 Premio: Number: 1050
2 Premio: Number: 724
3 Premio: Number: 3423

[16] Publicado en el periódico *Amigoe*, Curazao, 3 de mayo de 1995, pág. 4.

Por eso STT defiende a Setar, patrimonio de Aruba y no permite que ningún extranjero con la ayuda del propio gobierno de Aruba se aproveche de Aruba y acabe con Setar por intereses personales. [...]

[Anuncio publicitario]

Gracias
Aruba Rotary Club
y la comisión organizadora de la
Fiesta Rotaria 1995
¡Agradecemos a todos y cada uno la grandiosa
cooperación que se nos brindó!
Gracias
¡Pueblo de Aruba, por haber asistido masivamente!
¡Voluntarios, por toda la fantástica ayuda!
¡Comercio, por tus valiosas donaciones!
¡Prensa y Radio, por vuestro gran aporte!
¡Gracias a todos y a cada uno
que han hecho posible que el Club Rotario pueda
seguir ayudando dignamente a nuestra comunidad!
¡Sin vosotros la «Fiesta Rotaria» no es posible!
Rifa 1995
Los felices ganadores de los premios de nuestra
gran rifa 1995 son los siguientes números:
1 Premio: Número: 1050
2 Premio: Número: 724
3 Premio: Número: 3423

Raúl G. Römer: *Ta kua dje «ta»-nan bo ke men?* [17]

Ora mi ta papia mi ta preferá di weta e hende ku mi ta papia kuné mi dilanti. Na telefòn mi ta imahiná e hende ku e aparato den su man, pegá na su orea. Na radio o televishon, mi tin ku hasi manera ta e mikrofon ta mi oyente.

Ma kon bo ta hasi imahinabu un «forum» ku bo no sa di ken e ta konsistí, un públiko ku bo no sa ta kende ta su komponentenan? Ta pesei mi tabata kontentu ora, kasi bo por bisa na delaster momentu, Luis Daal a mentami nòmber di e prinsipal protagonistanan di e «happening» aki. Esei a buta ku m'a disidí di kambia algun kos den e ehèmpelnan ku mi ta duna: mi ta uza nòmber di e kuater hendenan di e «panel» ku mi konosé mihó: Bunchi Römer, May Henriquez, Antoine Maduro, Sydney Joubert. Konsekuensha lo ta sigur sigur ku nan lo takami mas duru riba tur puntonan ku nan no ta di akuerdo kuné.

Bon. Laga nos kuminsá pa paga tinu bon ki tono nos ta uza pa e palabra «ta» den e frasenan aki:

(1) Sydney ta kontentu
- _ - _ - _ «ta» ku tono agudo

(2) Sydney ta malu
- - _ - _ «ta» ku tono grave.

Den e dos frasenan aki, ku «ta» kombiná ku un palabra no-verbal (kontentu, malu), tono di «ta» ta kambia sigun e tono ku e palabra ku ta sigui ta kuminsá kuné: «kontentu» ta kuminsa ku grave, «ta» ta agudo; «malu» ta kuminsa ku agudo, «ta» ta grave. Esaki ta un ley di «ta» no-verbal.

[17] Reproducimos aquí el texto original de la comunicación que leyó Bunchi Römer en nombre del autor, Raúl G. Römer, quien no pudo participar personalmente, en el foro «*E lenga'ki di nos*», organizado por *Forsa Femenina* el 2 de junio de 1974. Hemos optado por esta versión, porque el texto publicado en la revista *Kristòf* (que figura en la «Bibliografía») apareció con erratas, algunas con respecto a la anotación del tono.

Raúl G. Römer: *¿A cuál de las «ta»-es te refieres?*[18]

Cuando hablo, prefiero ver a la persona con la que hablo. Al teléfono me imagino a la persona con el auricular en la mano, pegado a su oreja. En la radio o televisión, tengo que imaginarme que el micrófono es mi oyente.

Pero, ¿cómo imaginarse uno un «foro» del que no sabe quiénes lo integran, un público cuyos componentes desconoce? Por eso quedé contento cuando Luis Daal me comunicó, podría decirse que casi en el último momento, los nombres de los principales protagonistas de este «happening». Esto hizo que decidiera cambiar algunas cosas en los ejemplos que doy: uso los nombres de cuatro personas del «panel» a las que conozco mejor: Bunchi Römer, May Henriquez, Antoine Maduro, Sidney Joubert. El resultado será que seguramente ellos me atacarán con más dureza en todos los puntos en que no estén de acuerdo conmigo.

Bien. Para empezar, fijémonos bien en el tono que usamos para la palabra «ta» en estas frases:

(1) Sidney ta kontentu (Sidney está contento)
- _ - _ - _ «ta» con tono alto

(2) Sidney ta malu (Sidney está malo)
- - _ - _ «ta» con tono bajo.

En estas dos frases, con «ta» en combinación con una palabra no-verbal (kontentu, malu), el tono de «ta» cambia según el tono con que empieza la palabra que le sigue: «kontentu» empieza con tono bajo, «ta» es alto; «malu» empieza con tono alto, «ta» es bajo. Ésta es una ley de «ta» no-verbal.

[18] La traducción al español respeta el texto original de la comunicación. Hemos modificado sólo la grafía de Sydney en Sidney.

Awor laga nos analisá:

(3) Bunchi ta kome

- _ - _ -   «ta» ku tono agudo

(4) Bunchi ta skeiru

- _ - - _   «ta» ku tono agudo.

Den tur dos e frasenan aki, ku «ta» kombiná ku un palabra verbal (kome, skeiru), tono di «ta» ta agudo, independiente di e tono ku e palabra siguiente ta kuminsá kuné. Nos por suponé ku «ta» no-verbal i «ta» verbal ta dos palabra distinto. Ma mester di mas prueba.

Den e frasenan (3) y (4) nos por uza «a» na lugá di «ta»:

(5) Bunchi a kome

(6) Bunchi a skeiru.

Ma nos no por bisa ni:

(7) *Sydney a kontentu,

ni:

(8) *Sydney a malu.

Konklushon: «a» por sustituí «ta» verbal pa pasa di tempu presente na tempu pasado, ma «a» nunka por sustituí «ta» no-verbal.

Ultimo prueba:

Nos ta bisa

(9) Ta kontentu May ta (, 'n ta tristu)

(10) Ta malu May ta (, p'esei e no a bini).

Nos no ta ripití e palabranan no-verbal «malu» i «kontentu».

Ma nos ta bisa:

(11) Ta kome Antoine ta kome

(12) Ta skeiru Antoine ta skeiru.

Nos mester ripití e palabranan verbal «kome» i «skeiru».

Analicemos ahora:

(3) Bunchi ta kome (Bunchi come)

- _ - _ - «ta» con tono alto

(4) Bunchi ta skeiru (Bunchi se cepilla)

- _ - - _ «ta» con tono alto.

En ambas frases, con «ta» en combinación con una palabra verbal (kome, skeiru), el tono de «ta» es alto, independientemente del tono con que empieza la palabra que le sigue. Podemos suponer que «ta» no-verbal y «ta» verbal son dos palabras distintas. Pero son necesarias más pruebas.

En las frases (3) y (4) podemos usar «a» en lugar de «ta»:

(5) Bunchi a kome (Bunchi comió / ha comido)

(6) Bunchi a skeiru (Bunchi se cepilló / se ha cepillado).

Pero no podemos decir ni:

(7) *Sidney a kontentu,

ni:

(8) *Sidney a malu.

Conclusión: «a» puede substituir a «ta» verbal para pasar del tiempo presente al tiempo pasado, pero «a» nunca puede substituir a «ta» no-verbal.

Última prueba:

Decimos

(9) Ta kontentu May ta (, 'n ta tristu) [May está contenta (, no está triste)]

(10) Ta malu May ta (, p'esei e no a bini) [May está mala (, por eso no vino)].

No repetimos las palabras no-verbales «malu» y «kontentu».

Pero decimos:

(11) Ta kome Antoine ta kome (Antoine está comiendo)

(12) Ta skeiru Antoine ta skeiru (Antoine está cepillándose).

Debemos repetir las palabras verbales «kome» y «skeiru».

Konklushon: E «ta» verbal, ku nos ta uza ku un verbo (kome, skeiru), ta distinto di e «ta» no-verbal ku nos ta uza ku un palabra ku no ta verbo (kontentu, malu). Di moda ku ya nos tin dos «ta».

Tin ku bisa ku ademas e «ta» no-verbal tin dos subkategoria (o kisas mas), pasobra den e frasenan

(13) May ta na Merka (, unda b'a kere?)

- - _ - _ «ta» ku tono agudo

(14) Bunchi ta na Ulanda (, bo n' tende?)

- _ - - _ - _ «ta» ku tono agudo,

e palabra «ta» semper tin tono agudo, maske ki tono e palabra «na», ku ta siguié, tin. Ma ta un «ta» no-verbal, pasobra nos no por bisa ni:

(15) *Antoine a na Merka,

ni:

(16) *Ta na Ulanda Sydney ta na Ulanda.

Ma ademas di e «ta» verbal i e «ta» no-verbal, tin por lo menos un «ta» mas. Nos ta bisa:

(17) Antoine ta malu (18) Sydney tabata malu

(19) Bunchi ta kome (20) May tabata kome.

Nos ta uza «tabata» na lugá di «ta», pa indiká ku nos ta pasa di un tempu presente na un tempu pasado. Awor, nos ta bisa, na tempu presente:

(21) Ta Bunchi ta kome

(22) Ta May ta skeiru

(23) Ta Antoine ta malu

(24) Ta Sydney ta kontentu.

Ma, na tempu pasado, nos ta bisa:

(25) Ta Bunchi tabata kome

Conclusión: El «ta» verbal que usamos con un verbo (kome, skeiru) es distinto del «ta» no-verbal, que usamos con una palabra que no es un verbo (kontentu, malu). De modo que ya tenemos dos «ta»-es.

Hay que observar además que el «ta» no-verbal tiene dos subcategorías (o quizás más), porque en las frases

(13) May ta na Merka (, unda b'a kere?) [May está en los EE.UU. (, ¿dónde creíste tú?)]

- - _ - _ «ta» con tono alto

(14) Bunchi ta na Ulanda (, bo n' tende?) [Bunchi está en Holanda (, ¿no oíste?)]

- _ - - _ - _ «ta» con tono alto,

la palabra «ta» tiene siempre tono alto, cualquiera que sea el tono de la palabra «na» que le sigue. Pero es un «ta» no verbal, ya que no podemos decir ni:

(15) *Antoine a na Merka,

ni:

(16) *Ta na Ulanda Sidney ta na Ulanda.

Pero, además del «ta» verbal y del «ta» no-verbal, hay, por lo menos, un «ta» más. Decimos:

(17) Antoine ta malu (18) Sidney tabata malu

(19) Bunchi ta kome (20) May tabata kome.

Usamos «tabata» en lugar de «ta» para indicar que pasamos de un tiempo presente a un tiempo pasado. Ahora decimos en tiempo presente:

(21) Ta Bunchi ta kome (Es Bunchi la que está comiendo)

(22) Ta May ta skeiru (Es May la que está cepillándose)

(23) Ta Antoine ta malu (Es Antoine el que está malo)

(24) Ta Sidney ta kontentu (Es Sidney el que está contento).

Pero, en tiempo pasado, decimos:

(25) Ta Bunchi tabata kome (Es Bunchi la que estaba comiendo)

(26) Ta Antoine tabata malu.

I nos no por bisa:

(27) *Tabata Bunchi tabata kome,

ni:

(28) *Tabata Antoine tabata malu.

Di moda ku awor nos a siña distinguí un di tres «ta». Nos ta yam'é «ta» enfátiko.

Pesei, ora un hende puntra nos kiko ta nos opinion tokante e palabra «ta» ei di papiamentu, ta un kos nos por kontest'é: «Ta kua dje ta-nan bo ke men?».

(26) Ta Antoine tabata malu (Es Antoine el que estaba malo).

Y no podemos decir:

(27) *Tabata Bunchi tabata kome,

ni:

(28) *Tabata Antoine tabata malu.

De modo que ahora hemos aprendido a distinguir un tercer «ta». Lo llamamos «ta» enfático.

Por eso, cuando alguien nos pregunta qué opinamos de esa palabra «ta» del papiamento, le podemos contestar tan sólo una cosa: «¿A cuál de los ta-es te refieres?».

ABREVIATURAS

ACICCLR — *Actes du Colloque International de Civilisations, Littératures et Langues Romanes (Bucarest, 1959)*, Bucarest, 1962.

ACIEA I — *Actas del I Congreso Internacional sobre el Español de América, San Juan, Puerto Rico, 1982*, San Juan, 1987.

ACIEA III — *El español de América. Actas del III Congreso Internacional del Español de América, Valladolid, 3 a 9 de julio de 1989*, I-III, Junta de Castilla y León, 1991.

ACIL IV — *Actes du Quatrième Congrès International des Linguistes tenu à Copenhague du 27 août au 1.er septembre 1936*, Copenhague, 1938.

ACIL VI — *Actes du Sixième Congrès International des Linguistes (Paris, juillet 1948)*, París, 1949.

ACIL X — *Actes du Xe Congrès International des Linguistes, Bucarest, 28 août-2 septembre 1967*, I-IV, Bucarest, 1969-1970.

ACILPhR XIII — *Actes du XIIIe Congrès International de Linguistique et Philologie Romanes tenu à l'Université Laval (Québec, Canada), 29 août-5 septembre 1971*, I-III, Québec, 1976.

ACILPhR XVII — *Congrès International de Linguistique et Philologie Romanes (Aix-en-Provence, 29 août-3 septembre 1983). Actes du XVII congrès*, I-IX, Aix-en-Provence, 1984-1986.

ACILR IX — *Congresso internacional de lingüística românica. Universidade de Lisboa (31 de Março-4 de Abril 1956). Actas*, I-III, Lisboa, 1961-1962.

AdeL	*Anuario de Letras*, México.
AGI	*Archivio Glottologico Italiano*, Florencia.
ALFAL V	*Actas del V Congreso Internacional de la Asociación de Lingüística y Filología de la América Latina, Universidad Central de Venezuela*, Caracas, 1978.
ALFAL VIII	*Actas del VIII Congreso Internacional de la Asociación de Lingüística y Filología de la América Latina, San Miguel de Tucumán, Argentina, 7-11 de septiembre de 1987* [en prensa].
ALFAL X	*Actas del X Congreso Internacional de la Asociación de Lingüística y Filología de la América Latina, Veracruz, 11-16 de abril de 1993* [en prensa].
ALH	*Anuario de Lingüística Hispánica*, Valladolid.
BDH	*Biblioteca de Dialectología Hispanoamericana*, Buenos Aires.
BFE	*Boletín de Filología Española*, Madrid.
BFUCh	*Boletín de Filología de la Universidad de Chile*, Santiago de Chile.
BL	*Bulletin Linguistique*, Bucarest-París.
DA	*Diccionario de Autoridades*, edición facsímil, I-III, Madrid, 1979.
DELAL	*Diccionario Enciclopédico de las Letras de la América Latina*, 10 vols., Caracas [en prensa].
DRAE	Real Academia Española, *Diccionario de la lengua española,* XXI.ª ed., Madrid, 1992.
Esbozo	Real Academia Española, *Esbozo de una nueva gramática de la lengua española*, Madrid, 1973.
LAROUSSE	*Gran Enciclopedia Larousse*, 24 vols., Barcelona, 1992.
NRFH	*Nueva Revista de Filología Hispánica*, México.
Ortografia	Sekshon Informativo di Schooladviesdienst pa promoshon di bon uzo di papiamentu den enseñansa i komunidat, *Ortografia di papiamentu*, Kòrsou, 1983.
Papiamentu	*Papiamentu. Problems and possibilities. Papers presented at the conference on papiamentu, Papiamentu: Problema i Posibilidat.* Organized by the University of the Netherlands Antilles and the Instituto pa Promoshon

i Estudio di Papiamentu, 4-6 June 1981, [Curaçao], 1983.

PFLE — *Presente y Futuro de la Lengua Española (Actas de la Asamblea de Filología del Primer Congreso de Instituciones Hispánicas)*, I-II, Madrid, 1964.

PICL — *Proceedings of the Seventh International Congress of Linguistics (London, 1-6 September 1952)*, Londres, 1956.

REL — *Revista Española de Lingüística*, Madrid.

RFE — *Revista de Filología Española*, Madrid.

RFH — *Revista de Filología Hispánica*, Buenos Aires.

RLiR — *Revue de Linguistique Romane*, París.

RRL — *Revue Roumaine de Linguistique*, Bucarest.

SCL — *Studii şi Cercetări Lingvistice*, Bucarest.

VOX — *Diccionario general ilustrado de la lengua española*, Barcelona 1991.

ZRPh — *Zeitschrift für romanische Philologie*, Tubinga.

BIBLIOGRAFÍA

Abad Nebot, Francisco. 1991. «Historiografía del concepto del 'español atlántico'», en *ACIEA III*, San Juan, t. I: 155-163.

Acosta, José de. 1954. *Obras del P. José de Acosta de la Compañía de Jesús*, Madrid.

Acosta Saignes, Miguel. 1961. «Los negros cimarrones de Venezuela», en *El movimiento emancipador de Hispanoamérica*, Caracas, t. III: 353-398.

Agüero, Arturo. 1962. *El español de América y Costa Rica*, San Jose.

Alarcos Llorach, Emilio. 1961. *Fonología española*, 3.ª ed., Madrid.

— 1962. «Problèmes de phonologie romane», en *ACICLLR*, Bucarest: 203-214.

— 1964. «Algunas cuestiones fonológicas del español de hoy», en *PFLE*, Madrid, t. II: 151-161.

Alleyne, Mervyn, C. 1971. «Acculturation and the Cultural Matrix of Creolization», en Hymes ed. 1971: 169-186.

— 1976. «Langues créoles - dialectes néoromans ou dialectes néoafricains», en *ACILPhR XIII*, Quebec, t. II: 1081-1089.

Alonso, Amado. 1951. «Historia del 'ceceo' y del 'seseo' españoles», *Thesaurus* VIII (1951): 31-50.

— 1953. *Estudios lingüísticos. Temas hispanoamericanos*, Madrid.

— Lida, Raimundo. 1945. «Geografía fonética: -l y -r implosivas en español», *RFH* VII (1945): 313-345.

Alonso, Dámaso. 1962. «Temas y problemas de la fragmentación fonética peninsular», en *Enciclopedia lingüística hispánica*, Madrid, t. I. Suplemento.

Alvar, Manuel. 1968. *Estudios canarios*, Las Palmas.

— 1972. *Niveles socio-culturales en el habla de Las Palmas de Gran Canaria*, Excmo. Cabildo Insular de Gran Canaria.

— 1977. *Dialectología hispánica*, Madrid.

— 1979. «Propagación de la norma lingüística sevillana», *Arbor* 408 (1979): 23-38.

— 1987. *Léxico del mestizaje en Hispanoamérica*, Madrid.

— 1990. *Norma lingüística sevillana y español de América*, Madrid.

— 1991. «Español de dos mundos», en *ACIEA III*, Castilla y León, t. I: 141-154.

Alvarado de Ricord, Elsie. 1971. *El español de Panamá. Estudio fonético y fonológico*, Panamá.

Álvarez Nazario, Manuel. 1961. *El elemento afronegroide en el español de Puerto Rico*, San Juan.

— 1970. «Un texto literario del papiamento documentado en Puerto Rico en 1830», *Revista del Instituto de Cultura Puertorriqueña*, 47 (1970): 1-4.

— 1972. «El papiamento: ojeada a su pasado histórico y visión de su problemática del presente», *Atenea* IX (1972), 1-2: 9-20.

— 1987. «Orígenes del español en Puerto Rico», en *ACIEA I*, San Juan: 33-45.

Andersen, Roger W. 1974. *Nativization and Hispanization in the Papiamentu of Curaçao, N.A.: A Sociolinguistic Study of Variation*, University of Texas at Austin [tesis doctoral].

— 1980. «Creolization as the Acquisition of a Second Language as a First Language», en Valdman, Highfield eds. 1980: 273-295.

Armistead, Samuel G. 1992. *The Spanish Tradition in Louisiana*, Newark, Delaware.

— 1994. «La poesía oral improvisada en la tradición hispánica», en Trapero, Maximiano, Munteanu Dan, Cáceres Lorenzo Mª. Teresa eds. 1994. *La décima popular en la tradición hispánica. Actas del Simposio internacional sobre la décima (Las Palmas, del 17 al 22 de diciembre de 1992)*, Las Palmas de Gran Canaria: 41-69.

Arrom, José Juan. 1951. «Criollo. Definición y matices de un concepto», *Hispania* 34, (1951): 172-176.

— 1959. *Certidumbre de América*, La Habana.

Aub-Busher, Gertrud. 1976. «À propos de quelques rapports prépositionnels en créole», en *ACILPhR XIII*, Quebec, t. II: 1091-1099.

Azevedo, Milton M. 1992. *Introducción a la lingüística española*, Englewood Cliffs, New Jersey.

Bailey, C. J. N. 1974. «Some Suggestions for Greater Consensus in Creole Terminology», en De Camp, D., Hancock, I. F. eds. 1974. *Pidgins and Creoles: Current Trends and Prospects*, Washington D. C.: 88-92.

Bartoš, Lubomir. 1971. *El presente y el porvenir del español en América*, Brno.

Batalha Nogueira, Graciete. 1961-1962. «Coincidencias com o dialecto de Macao em dialectos espanhois das Ilhas Filipinas», en *ACILR IX*, Lisboa, t. II: 295-303.

Baum, Paul. 1974. «Dos corrientes de literatura en papiamento», *Revista interamericana* (Puerto Rico) IV, 3 (1974): 330-335.

Bayle, Constantino, S. J. 1953. *Alonso de Ojeda* (traducí na papiamentu pa E. R. Goilo), Curaçao.

Bello, Andrés. 1952. *Resumen de la historia de Venezuela*, Caracas.

Bentivoglio, Paola, Stefano, Luciana de, Sedano, Mercedes. 1987. «El uso del *que galicado* en el español actual», ponencia presentada en *ALFAL VIII*, San Miguel de Tucumán.

Berceo, Gonzalo de. 1992. *Vida de Santo Domingo de Silos*, Madrid.

Bernárdez, Enrique. 1982. *Introducción a la lingüística del texto*, Madrid.

Berry-Haseth, Lucille. 1994. «Banderita», *Kristòf* (Curazao) IX (1994), 2: 1-10.

Bickerton, Derek. 1975. *The Dynamics of a Creole System*, Londres.

— 1980. «Decreolization and the Creole Continuum», en Valdman, Highfield eds. 1980: 107-128.

— 1981. *Roots of Language*, Ann Arbor.

—, Escalante, Aquiles. 1970. «Palenquero: A Spanish-Based Creole of Northern Colombia», *Lingua* XXIV (1970), 3: 254-267.

Birmingham Jr., John C. 1971. *The Papiamentu Language of Curaçao*, Ann Arbor.

— 1971a. «Still More on Papiamentu», *Hispania* 55 (1972): 857-864.

— 1975. «Papiamentu's West African Cousins» [manuscrito].

— sd. «Papiamento: A Portuguese Version of the Lingua Franca?» [manuscrito sin fecha].

Bloomfield, Leonard. 1933. *Language*, Nueva York.

Boretzky, N. 1983. *Kreolsprachen, Substrate und Sprachwandel*, Wiesbaden.

Boyd-Bowman, Peter. 1960. *El habla de Guanajuato*, México.

— 1964. *Índice geobiográfico de cuarenta mil pobladores españoles de América, I, 1493-1519*, Bogotá.

Broek, Aart G. 1994. «Un monde caribéen ignoré: la litterature des Antilles Néerlandaises», *Antilla* (Curazao), 611 y 612 / 1994: 31-32; 25-26.
Byrne, Francis, Holm, John. eds. 1993. *Atlantic Meets Pacific*, Amsterdam-Filadelfia.
Cabrera, Lidia. 1954. *El Monte. Igbo Finda*, La Habana.
Calcaño, Julio. 1949. *El castellano en Venezuela*, Caracas.
Cárdenas, Daniel. 1967. *El español de Jalisco. Contribución a la geografía lingüística hispanoamericana*, Madrid.
Casares, J. 1950. *Introducción a la lexicografía moderna*, Madrid.
Casas, Fray Bartolomé de las. 1986. *Historia de las Indias*, edición de Agustín Millares Carlo y estudio preliminar de Lewis Hanke, 2.ª ed., México, t. II.
Castro, Américo. 1924. *Lengua, enseñanza y literatura*, Madrid.
Catalán, Diego. 1989. *El español. Orígenes de su diversidad*, Madrid.
Clemesha, Josephine. 1980. «Ensayo de bibliografía temática del papiamento», *Trayecto* 2 (1980): 27-52.
— 1981. *Hispanización y desacriollamiento* [sic] *en papiamento* [*Trayecto*, Anejo 3 (1981)], Utrecht.
Córdova Bello, Eleázar. 1964. *Compañías holandesas de navegación, agentes de la colonización neerlandesa*, Sevilla.
Corominas, Joan, Pascual, José Antonio. 1980-1984. *Diccionario crítico etimológico castellano e hispánico*, 6 vols., Madrid.
Coseriu, Eugenio. 1988. *Sincronía, diacronía e historia*, 3.ª ed., Madrid.
Coteanu, Ion. 1957. «À propos des langues mixtes (sur l'istro-roumain)», en *Mélanges linguistiques publiés à l'occasion du VIII-e Congrès International des Linguistes*, Bucarest: 129-148.
Crews, C. M. 1935. *Recherches sur le judéo-espagnol dans les pays balkaniques*, París.
Criado de Val, Manuel. 1954. *Fisonomía del idioma español*, Madrid.
Cuervo, Rufino José. 1947. *El castellano en América*, Buenos-Aires.
— 1954. «Apuntaciones críticas sobre el lenguaje bogotano», en *Obras*, Bogotá, t. I: 1-906.
De Camp, David. 1971. «The Study of Pidgin and Creole Languages», en Hymes ed. 1971: 13-39.
De Haseth, Carel 1990. «Een bijdrage in de discussie over het ontstaan van het Papiaments», *De Gids* (Amsterdam) 7-8 (1990): 548-557.
Del Castillo Mathieu, N. 1982. *Esclavos negros en Cartagena y sus aportes léxicos*, Bogotá.

— 1984. *El léxico negro-africano de San Basilio de Palenque*, Bogotá.

Dietrich, A. 1891. «Les parlers créoles des Mascareignes», *Romania* XX (1891): 216-276.

Dijk, T. A. van. 1988. *Texto y contexto*, Madrid.

Dijkhoff, Mario, Vos de Jesús, Magalis. 1991. *Dikshonario papiamentu-ulandes, ulandes-papiamentu*, Amsterdam.

Dijkhoff, Marta. 1987. «Complex Nominals and Composite Nouns in Papiamentu», en Maurer, Stolz eds. 1987: 1-10.

— 1993. *Papiamentu Word Formation. A Case Study of Complex Nouns and their Relation to Phrases and Clauses*, Curazao.

Donni de Mirande, Nélida E. 1968. *El español hablado en Rosario*, Rosario.

Dumitrescu, Domnita. 1993. «El español en los Estados Unidos: Fenómenos de contacto lingüístico y problemas de política eductiva», en *Estados Unidos y América Latina: Relaciones Interculturales. Problemas de la contemporaneidad. El pasado visto desde lo contemporáneo. XXVI Jornadas en la Facultad de Filosofía y Letras, Universidad de Buenos Aires, noviembre, 1993,* Buenos Aires: 136-166.

Emmanuel, Isaac S., Emmanuel, Suzanne A. 1970. *History of the Jews of the Netherlands Antilles*, Cincinatti.

Escalante, Aquiles. 1954. «El Palenque de San Basilio», *Divulgaciones Etnológicas* (Barranquilla) III (1954), 5.

Faine, Jules. 1939. *Le créole dans l'Univers*, Port-au-Prince, t. I: 77-78.

Fernández, Salvador. 1951. *Gramática española*, Madrid, t. I.

Fernández de Oviedo, Gonzalo. 1959. *Historia general y natural de las Indias*, edición y estudio preliminar de Juan Pérez de Tudela Bueso, 5 vols. (*Biblioteca de Autores Españoles*), Madrid.

Ferrol, Orlando. 1982. *La cuestión del origen y de la formación del papiamento*, La Haya.

Fishman, Joshua A. ed. 1968. *Readings in the Sociology of Language*, La Haya-París.

Flórez, Luis. 1951. *La pronunciación del español en Bogotá*, Bogotá.

— 1958. «De la vida y el habla popular en la costa Atlántica de Colombia», *Thesaurus* XIII (1958): 195-200.

— 1965. *El español hablado en Santander*, Bogotá.

Fontanella de Weinberg, Mª. Beatriz. 1980. «Español del Caribe: ¿rasgos peninsulares, contacto lingüístico o innovación?», *Lingüística española actual* 2 (1980): 189-199.

— 1993. *El español de América*, 2.ª ed., Madrid.
Frago Gracia, Antonio. 1993. *Historia de las hablas andaluzas*, Madrid.
Frake, C. 1971. «Lexical Origins and Semantic Structure in Philippine Creole Spanish», en Hymes ed. 1971: 223-242.
Friede, J. 1966. «Los estamentos sociales en España y su contribución a la emigración a América», *Revista de Indias*, 1966: 103-104.
Friedemann, Nina S. de, Patiño Roselli, Carlos. 1983. *Lengua y sociedad en el Palenque de San Basilio*, Bogotá.
Gáldi, Ladislau. 1949. «De l'importance des parlers français créoles pour la linguistique générale», en *ACIL VI*, París: 307-315.
Galmés, Álvaro. 1962. *Las sibilantes en la Romania*, Madrid.
García de Diego, Vicente. 1959. *Manual de dialectología española*, 2.ª ed. corregida y aumentada, Madrid.
— 1961. *Gramática histórica española*, 2.ª ed. revisada y aumentada, Madrid.
García González, José. 1973. «Remanentes lingüísticos munsundis: un estudio descriptivo», *Islas* 44/1973: 193-246.
García Herrera, Rosalía. 1972. «Observaciones etnológicas de dos sectas religiosas afrocubanas en una comunidad lajera. La Guinea», *Islas* 43/1972: 143-181.
Gauger, Hans-Martin. 1989. *Introducción a la lingüística románica*, Madrid.
Goilo, E. R. 1953. *Gramatica papiamentu*, Curazao.
— 1974. *Hablemos papiamento*, Aruba.
Gomes Casseres, Charles. 1990. *Historia kòrtiku di hudiunan di Kòrsou*, Curazao.
González Batista, Carlos. 1990. *Antillas y tierra firme*, Caracas.
Goodman, J. S. 1970. «The Dynamics of Pidgin Languages», en *ACIL X*, Bucarest, t. IV: 819-821.
Goodman, Morris F. 1964. *A Comparative Study of Creole French Dialects*, La Haya.
Granda, Germán de. 1968. «Materiales para el estudio sociohistórico de los elementos lingüísticos afroamericanos en el área hispánica», *Thesaurus* XXIII (1968) [separata].
— 1971. «Materiales complementarios para el estudio sociohistórico de los elementos lingüísticos afroamericanos en el área hispánica (I: América)», *Thesaurus* XXVI (1971) [separata].

— 1971a. «Materiales complementarios para el estudio sociohistórico de los elementos lingüísticos afroamericanos en el área hispánica (II: África)», *Thesaurus* XXVI (1971) [separata].

— 1974. *De la matrice africaine de la «langue congo» de Cuba. (Recherches préliminaires)*, Dakar.

— 1977. *Estudios sobre un área dialectal hipanoamericana de población negra. Las tierras bajas occidentales de Colombia*, Bogotá.

— 1978. *Estudios lingüísticos hispánicos, afrohispánicos y criollos*, Madrid.

— 1985. *Estudios de lingüística afro-románica*, Valladolid.

— 1988. *Lingüística e historia: temas afro-hispánicos*, Valladolid.

— 1991. *El español en tres mundos. Retenciones y contactos lingüísticos en América y África*, Valladolid.

— 1994. *Español de América, español de África y hablas criollas hispánicas. Cambios, contactos y contextos*, Madrid.

Graur, Al. 1947. «Langues mêlées», *BL* 15, 1947: 8-19.

— 1960. *Studii de lingvistică generală (Variantă nouă)*, Bucarest.

—, Stati, S., Wald, Lucia red. resp. 1971. *Tratat de lingvistică generală*, Bucarest.

Grimshaw, Allen D. 1971. «Some Social Forces and Some Social Functions of Pidgin and Creole Languages», en Hymes ed. 1971: 427-445.

Guillén Tato, Julio F. 1951. *La parla marinera en el diario del primer viaje de Cristóbal Colón*, Madrid.

Gutiérrez, Manuel J., Silva-Corvalán, Carmen. 1993. «Clíticos del español en una situación de contacto», *REL* 23/2 (1993): 207-220.

Hall Jr., Robert A. 1953. «Pidgin English and Linguistic Change», *Lingua* 3, 1953: 138-146.

— 1955. «Sostrato e lingue creole», *AGI* 40, 1955: 1-9.

— 1958. «Creolized Languages and 'Genetic Relationship'», *Word* 14, 1958: 367-373.

— 1966. *Creole Languages*, Itaca-Nueva York.

— 1968. «Creole Linguistics», en Sebeok ed. 1968: 361-371.

Halliday, M. A. K. 1956. [Contribución a Martinet], en *PICL*, Londres: 126.

Hancock, Ian F. 1971. «A Survey of the Pidgins and Creoles of the World», en Hymes ed. 1971: 509-523.

Hartog, J. 1968. *Curaçao: From Colonial Dependence to Autonomy*, Aruba.

Haudricourt, A. G., Juilland, A. 1949. *Essai pour une histoire du phonétisme français*, París.

Haugen, Einar. 1956. *Bilingualism in the Americas: A Bibliography and Research Guide*, Alabama.

Hazaël-Massieux, Guy. 1984-1986. «Contribution à l'étude de la filiation des créoles à lexique roman: la comparaison entre divers créoles à lexique roman permet-elle d'établir ou de confirmer certaines formes de parenté privilégiées?», en *ACILPhR XVII*, Aix-en Provence, t. II: 179-190.

Henriquez, May. 1988. *Ta asina? o ta asana? Abla, uzu i kustumber sefardí*, Kòrsou.

— 1991. *Loke a keda pa simia*, Kòrsou.

Henríquez Ureña, Pedro. 1921. «Observaciones sobre el español de América», *RFE* 7 (1921): 357-390.

— 1939. *El español en Santo Domingo (BDH V)*, Buenos Aires.

Herculano de Carvalho, José G. 1961-1962. «Le vocalisme atone des parlers créoles du Cap Vert», en *ACILR IX*, t. III: 3-12.

- 1966. «Sobre a natureza dos crioulos e sua significação para a lingüística Geral», en *Actas do V Colóquio Internacional de Estudos Luso-Brasileiros (Coimbra 1963)*, Coimbra, t. III: 257-273.

Hills, E.C., Semeleder, F., Marden, Carroll C., Revilla, M. G., Nykl, A. R., Lentzner, K., Gagini, C., Cuervo, R. J., Henríquez Ureña, Pedro. 1938. *El español en Méjico, Los Estados Unidos y la América Central (BDH IV)*, Buenos Aires.

Hjelmslev, Luis. 1939. «Études sur la notion de parenté linguistique. Relations de parenté des langues créoles», *Revue des études indo-européennes* 2, 1939: 271-286.

Holm, John. 1987. «African Substratal Influence on the Atlantic Creole Languages», en Maurer-Stolz eds. 1987: 11-26.

Hoyer, W. M. 1950. *Woordenlijst en samenspraak. Hollands-Papiaments-Spaans*, Curazao.

Hymes, Dell, ed. 1971. *Pidginization and Creolization of Languages*. Proceedings of a Conference held at the University of the West Indies, Mona, Jamaica, April 1968, Cambridge.

Iordan, Iorgu. 1944. *Stilistica limbii române*, Bucarest.

— 1957. «Cu privire la lexicul limbilor ibero-romanice», *Revista de Filologie Romanică şi Germanică* I, 1957: 97-106.

— 1967. «Sobre el tratamiento de e y o átonas en el español de América», en *Lengua, literatura y folklore. Estudios dedicados a Rodolfo Oroz*, Santiago: 245-250.

—, Manoliu, Maria. 1989. *Manual de lingüística románica*. Revisión, reelaboración parcial y notas por Manuel Alvar, 2.ª reimpresión Madrid, 2 vols.

Jakobson, Roman. 1938. «Sur la théorie des affinités phonologiques des langues», en *ACIL IV*, Copenhague: 48-59.

— 1970. «Prinzipien der historischen Phonologie», en *Travaux du Cercle Linguistique de Prague* IV (1931): 247-267. Cito por la traducción francesa, en Troubetzkoy, N.S. 1970. *Principes de phonologie*. Traducción de J. Cantineau, París.

Jespersen, Otto. 1922. *Language. Its Nature, Development and Origin*, Londres.

Jeuda, David N. 1980. «Early Newspaper Texts in Papiamentu: Internal and External Comparisons», ponencia leída en el *Congreso de la Sociedad para la Lingüística del Caribe*, septiembre de 1980, [manuscrito].

Joubert, Sidney M. 1976. «Asentuashon na Papiamentu», *Kristòf* III (1976), 3: 127-138.

— 1987. «El papiamento, lengua criolla tonal», ponencia presentada en *ALFAL VIII*, San Miguel de Tucumán.

— 1991. *Dikshonario papiamentu-hulandes*, Curazao.

— a. «Lenguas criollas», en *DELAL*.

— b. «El papiamento», en *DELAL*.

— c. «Pierre Antoine Lauffer», en *DELAL*.

—, Joubert, Debbie. 1994. *Papiaments op Reis*, Curazao.

Kiparsky, P. 1983. «La explicación en la fonología», en Peters, S. ed. 1983. *Los objetivos de la teoría lingüística*, Madrid: 279-336.

Kortlandt, F. H. H. 1973. «Sur l'identification des unités phonologiques du castillan», *Linguistics* XI (1973): 43-50.

Labov, William. 1971. «The Notion of 'System' in Creole Studies», en Hymes ed. 1971: 447-472.

— 1980. «Is There a Creole Speech Community?», en Valdman, Highfield eds. 1980: 369-388.

Lapesa, Rafael. 1956. «Sobre el ceceo y el seseo en Hispanoamérica», *Revista Iberoamericana* XXI, 1956: 409-416.

— 1957. «Sobre el ceceo y el seseo andaluces», en *Estructuralismo e historia. Miscelánea Homenaje a André Martinet*, La Laguna-Canarias, t. I: 67-94.

— 1959. *Historia de la lengua española*, 5.ª ed. corregida y aumentada, Madrid.

— 1964. «El andaluz y el español de América», en *PFLE*, Madrid, t. II: 173-182.

— 1985. «Orígenes y expansión del español atlántico», *Rábida* 2 (1985): 43-54.

Lauffer, Pierre. 1970. *Un pulchi pa dia*, Curazao.

Laurence, Kemlin M. 1974. «Is Caribbean Spanish a Case of Decreolization?», *Orbis* 23 (1974): 484-499.

Lausberg, Heinrich. 1985. *Lingüística románica*, versión española de J. Pérez Riesco y E. Pascual Rodríguez, 3.ª reimpresión, Madrid, 2 vols.

Lenz, Rodolfo. 1928. *El Papiamento, la lengua criolla de Curazao. La gramática más sencilla*, Santiago de Chile.

— 1940. *Para el conocimiento del español de América (BDH VI)*, Buenos Aires.

Leontiev, A. A. 1974. «Faktory variantnosti rečevyh vyskazyvanij», *Osnovy teorii rečevoj dejatelinosti* 1974: 29-35.

Le Page, R. B., De Camp, David. 1960. *Jamaican Creole - Creole Languages Studies I*, Londres.

Le Page, R. B. ed. 1961. *Proceedings of the Conference on Creole Languages Studies - Creole Languages Studies* II, Londres.

Lessa, Origenes. 1975. *Presença do português no papiamento*, Río de Janeiro.

Lewis, A. 1970. *A Descriptive Analysis of the Palenquero Dialect*, Mona, Jamaica.

Lewy, Ernest. 1956. [Contribución a Martinet], en *PICL*, Londres: 127-129.

Lipsky, John M. 1985. «Creole Spanish and Vestigial Spanish: Evolutionary Parallels», *Linguistics* XXIII (1985): 963-984.

— 1986. «Convergence and Divergence in Bozal Spanish», *Journal of Pidgin and Creole Languages* 1 (1986): 171-203.

— 1987. «Breves notas sobre el español filipino», *AdeL* XXV (1987): 209-219.

— 1987a. «The Construction *Ta* + Infinitive in Caribbean *Bozal* Spanish», *Romance Philology* 40 (1987): 431-450.

— 1988. «Philippine-Creole Spanish: Reassessing the Portuguese Element», *ZRPh* CIV (1988): 24-45.

— 1992. «New Thoughts on the Origins of Zamboangueño (Philippine Creole Spanish)», *Language Sciences*, 14 [1992 (1993)], 3: 197-231.

— 1992a. «Spontaneous Nasalization in the Development of Afro-Hispanic Language», *Journal of Pidgin and Creole Languages*, 7 (1992), 2: 261-305.

— 1993. *On the Non-Creole Basis for Afro-Caribbean Spanish (Research Paper Series of the Latin American Institute)*, University of New Mexico, 24.

— 1993a. «Origin and Development of 'Ta' in Afro-Hispanic Creoles», en Byrne, Holm eds. 1993: 217-231.

— 1994. *A new Perspective on Afro-Dominican Spanish: the Haitian Contribution (Research Paper Series of the Latin American Institute)*, University of New México, 26.

Lope Blanch, Juan M. 1967. «La influencia del sustrato en la fonética del español de México», *RFE* 1967: 145-161.

— 1972. *Estudios sobre el español de México*, México.

— 1989. *Estudios de Lingüística Hispanoamericana*, México.

López Morales, Humberto. 1964. «El supuesto 'africanismo' del español de Cuba», *Archivum* XIV [1964 (1965)]: 202-211.

— 1966. «Elementos africanos en el español de Cuba», *BFE* VI (1966), 20-21: 27-43.

— 1980. «Sobre la pretendida existencia y pervivencia del 'criollo' cubano», *AdeL* XVIII (1980): 85-116.

— 1989. *Sociolingüística*, Madrid.

— 1991. *Investigaciones léxicas sobre el español antillano*, Santiago, República Dominicana.

— 1992. *El español del Caribe*, Madrid.

Maduro, A. J. 1953. *Ensayo pa yega na un ortografia uniforme pa nos papiamentu*, Curazao.

— 1966. *Procedencia di palabranan papiamentu i otro anotacionnan*, 2 tomos, Curazao.

— 1967. *Observacion i apuntenan tocante «El Papiamento. La lengua criolla de Curazao», Santiago de Chile - 1928 di Dr. Rodolfo Lenz*, Curazao.

— 1971. *Bon papiamentu (i un appendix interesante)*, Kòrsou.

— 1973. *Ensayo pa yega na un representashon gráfiko di entonashon di palabranan papiamentu*, Curazao.

— 1979. *Vademecum pa mehorá dikshon*, Kòrsou.

— 1987. *Palenkero i Papiamentu*, Kòrsou.

— 1987a. *Kaboverdiano i Papiamentu*, Kòrsou.

— 1990. *Spreekwoorden en zegswijzen. Nederlands-Spaans-Portugees-Papiaments*, Curazao.

— 1991. *Papiamentu. Indagando i ilustrando*, Kòrsou.

— 1992. *Papiamentu. Di un palu pa otro*, Kòrsou.

Malmberg, B. 1950. *Études sur la phonétique de l'espagnol parlé en Argentine*, Lund-Copenhague-París.

— 1962. «L'extension du castillan et le problème des substrats», en *ACICLLR*, Bucarest: 249-260.

— 1964. «Tradición hispánica e influencia indígena en la fonética hispanoamericana», en *PFLE*, Madrid, t. II: 227-243.

— 1965. *Estudios de fonética hispánica*, Madrid.

Manessy, Gabriel. 1985. «Remarques sur la pluralisation du nom en créole et dans les langues africaines», *Études créoles* VIII (1985), 1-2: 129-143.

Manoliu Manea, Maria. 1971. *Gramatica comparată a limbilor romanice*, Bucarest.

Martinet, André. 1952. «Function, Structure, and Sound Change», *Word* VII (1952): 1-32.

— 1960. *Eléments de linguistique générale*, París.

— 1969. *La linguistique. Guide alphabetique*. París.

— ed. 1968. *Le langage*. Volume publié sous la direction d'..., París.

Martínez Gordo, Isabel. 1982. «Lengua 'bozal' como lengua criolla: un problema lingüístico», *Santiago* 46 (1982): 47-53.

— 1985. «Situaciones de bilingüismo en Cuba: Apuntes para su estudio», *Anuario L/L* 16/1985: 334-344.

Martinus, Arion F. 1990. «De moedertaal als voorwaarde», *De Gids* 7-8 (1990): 558-565.

Martinus, Frank. 1972. *Bibliografie van het Papiamentu*, Curazao - Amsterdam, 1966-1967; 1969-1971/1972 [original mecanografiado multiplicado por ciclostilo].

Maurer, Philippe. 1985. «Le système temporel du papiamento et le système temporel proto-créole de Bickerton», *Amsterdam Creole Studies* 8/1985: 41-66.

— 1986. «Los verbos modales POR, MESTER y KE del papiamento: ¿un caso de transparencia semántica?», en Norbert Boretzky, Werner Enninger, Thomas Stolz eds., *Beiträge zum 2 Essener Kolloquium über «Kreosprachen und Sprachkontakte» vom 29 und 30. 11. 1985 an der Universität Essen*, Bochum: 135-156.

— 1986a. «Le papiamento de Curaçao: un cas de créolisation atypique?, *Études créoles* IX (1986): 97-113.

— 1986b. «El origen del papiamento desde el punto de vista de sus tiempos gramaticales», *Neue Romania* 4/1986: 129-149.

— 1987. «Substrate Influence on the Semantics of the Papiamentu *di*: A Reply to Bickerton 1986», *Journal of Pidgin and Creole Languages* 2 (1987): 239-243.

— 1987a. «La comparaison des morphèmes temporels du papiamento et du palenquero: arguments contre la théorie monogénétique de la genèse des langues créoles», en Maurer-Stolz eds. 1987: 27-70.

— 1988. *Les modifications temporelles et modales du verbe dans le papiamento de Curaçao (Antilles Néerlandaises). Avec une anthologie et un vocabulaire papiamento-français*, Hamburgo.

— 1989. «Les réitérations et réduplications lexicalisées du papiamento: influence du substrat africain?», en N. Boreyzky, W. Enninger, Th. Stolz, eds. 1989. *Vielfalt der Kontakte. Beiträge zum 5. Essener Kolloquium über «Grammatikalisierung: Natürlichkeit und Systemökonomie» vom 6.10 - 8.10 1988 an der Universität Essen*. 1. Band, Bochum: 95-118.

— 1991. «El papiamento de Curazao - un idioma verdaderamente americano», *Papia* (Brasilia) 1-2 (1991): 6-15.

— 1991a. «Die Verschrifung des Papiamentu», en W. Dahmen, O. Gsell, G. Holtus, J. Kramer, M. Metzeltin, O. Winkelmann eds., *Zum Stand der Kodifizierung romanischer Kleinsprachen. Romanistisches Kolloquium V*, Tubinga: 349-361.

— 1993. «Subjunctive Mood in Papiamentu», en Byrne, Holm eds. 1993: 243-250.

— Thomas Stolz eds. 1987. *Varia creolica*, Bochum.

Megenney, W. 1983. «La influencia del portugués en el palenquero colombiano», *Thesaurus* XXXVIII (1983) [separata].

— 1984. «Traces of Portuguese in Three Caribbean Creoles: Evidence in Support of the Monogenetic Theory», *Hispanic Linguistics* 1, 1984: 177-189.

— 1985. «La influencia criollo-portuguesa en el español caribeño», *ALH* I (1985): 157-179.

— 1986. *El palenquero. Un lenguaje post-criollo de Colombia*, Bogotá.

— 1990. *África en Santo Domingo: la herencia lingüística*, Santo Domingo.

Meillet, Antoine. 1942. *Linguistique historique et linguistique générale*, París, t. I.

—, Cohen, M., eds. 1952. *Les langues du monde*, par un groupe de linguistes sous la direction de..., 2.ª ed., París.

Menéndez Pidal, R. 1950. *Orígenes del español. Estado lingüístico de la Península Ibérica hasta el siglo XI*, 3.ª ed., Madrid.

— 1958. *Manual de gramática histórica española*, 10.ª ed., Madrid.
— 1962. «Sevilla frente a Madrid. Algunas precisiones sobre el español de América», en *Estructuralismo e historia. Miscelánea Homenaje a André Martinet*, La Laguna-Canarias, t. III: 99-165.
— 1968. *La lengua de Cristóbal Colón*, 5.ª ed., Madrid.
Mintz, Sidney. 1971. «The Socio-Historical Background to Pidginization and Creolization», en Hymes ed. 1971: 481-496.
Molony, Carol. 1977. «Recent Relexification Processes in Philippine Creole Spanish», en B. Blount, M. Sanches eds. 1977. *Sociocultural Dimensions of Language Change*, Nueva York: 131-160.
— 1977a. «Semantic Changes in Chabacano», en J. Meisel ed., *Langues en contact-pidgins-creoles-Languages in Contact*, Tubinga: 153-166.
— 1978. «Lexical Changes in Philippine Creole Spanish», en W. McCormarck, S. Wurm eds., *Approaches to Language: Anthropological Issues*, La Haya: 401-416.
Montes, José Joaquín. 1962. «Sobre el habla de San Basilio de Palenque (Bolívar, Colombia)», *Thesaurus* XVII (1962): 446-450.
— 1962a. «Sobre la categoría de futuro en el español de Colombia», *Thesaurus* XVII (1962): 527-555.
Morales Carrión, Arturo. 1978. *Auge y decadencia de la trata negrera en Puerto Rico (1820-1860)*, San Juan.
Mugler, France. 1983. *A Comparative Study of the Pronominal System of Romance-Based Creoles*, Michigan.
Mühlhäusler, Peter. 1986. *Pidgin and Creole Linguistics*, Oxford.
Munteanu, Dan. 1974. «Stadiul actual al cercetărilor privind originea idiomului papiamentu», *SCL* XXV (1974), 5: 529-535.
— 1974a. «Observaciones acerca del origen del papiamento», *AdeL* XII (1974): 83-115.
— 1975. «Principii metodologice pentru studiul originii şi evoluţiei idiomului papiamentu», *SCL* XXVI (1975), 1: 63-66.
— 1975a. «Limbi în contact şi limbi creole. Un punct de vedere privind formarea idiomurilor creole», *SCL* XXVI (1975), 4: 391-397.
— 1975b. «Organizarea paradigmei verbale în papiamentu», *SCL* XXVI (1975), 6: 609-615.
— 1978. «Consideraţii asupra unor fenomene consonantice în idiomul papiamentu», *SCL* XXIX (1978), 5: 579-582.

— 1979. «Comparaţie între sistemele consonantice din spaniolă şi papiamentu», *SCL* XXX (1979), 3: 239-245.

— 1980. «Categoria substantivului în idiomul papiamentu - contact şi creolizare», *SCL* XXXI (1980), 4: 435-441.

— 1989. «Organización del paradigma pronominal en el papiamento», *Bulletin de la Societé Roumaine de Linguistique Romane* XVI, *Études romanes publiées à l'occasion du XIX Congrès International de Linguistique et Philologie Romanes (Saint-Jacques de Compostelle, 4-9 septembre 1989)*: 159-167.

— 1991. *El papiamento, origen, evolución y estructura*, Bochum.

— 1992. «Apuntes sobre el origen del papiamento», *ALH* VIII (1992): 189-199.

— 1994. «Sobre el territorio de formación de la lengua rumana», *Philologica Canariensia* 0 (1994): 301-322.

— a. «Aproximaciones al concepto de intertextualidad», en *Homenaje a Ramón Trujillo*, La Laguna [en prensa].

Muñoz Cortés, Manuel. 1958. *El español vulgar. Descripción de sus fenómenos y métodos de corrección*, Madrid.

Naro, Anthony. 1978. «A Study on the Origins of Pidginization», *Language* 54 (1978): 314-347.

Navarro Tomás, Tomás. 1946. *Fonología española*, Nueva York.

— 1948. *El español en Puerto Rico*, Río Piedras.

— 1948a. *Manual de entonación española*, Nueva York.

— 1953. «Observaciones sobre el papiamento», *NRPH* VII (1953): 183-189.

— 1972. *Manual de pronunciación española*, 17.ª ed., Madrid.

Nooyen, R. H. 1979. *Het volk van de grote Manaure de Indianen op de Gigantes-eilanden*, Willemstad.

Ochoa Franco, J. V. 1945. *Consideraciones generales sobre costumbres y lenguaje palenqueros*, Cartagena.

Oroz, Rodolfo. 1966. *La lengua castellana en Chile*, Santiago.

Ortega Cavero, David. 1977. *Diccionario portugués-español, español-portugués*, revisado y puesto al día por Julio da Conceiçœo Fernandes, Barcelona.

Otheguy, Ricardo. 1973. «The Spanish Caribbean: a Creole Perspective», en Bayley, Ch. J. N., Shuy, R. W. eds. 1975. *New Ways of Analyzing Variation in English*, Washington: 323-339.

Owens, J. 1981. «Monogénesis, the Universal and the Particular in Creole Studies», *Anthropological Linguistics XXII* (1981), 3: 97-117.

Palm, J. Ph. de, De Walburg, Pers. 1985. *Encyclopedie van de Nederlandse Antillen*, 2.ª ed. revisada, Zutphen.

Pasarell, Emilio. 1951. *Orígenes y desarrollo de la afición teatral en Puerto Rico*, Río Piedras.

Pelly Medina, María Elena. 1985. «Acerca de los estudios sobre un criollo cubano», *Anuario L/L* 16/1985: 326-333.

Perego, Pierre. 1968. «Les créoles», en Martinet ed. 1968: 608-619.

Pérez Vidal, José. 1955. «Aportación de Canarias a la población de América. Su influencia en la lengua y en la poesía tradicional», *Anuario de Estudios Atlánticos* 1 (1955): 91-197.

Pérez Vigaray, Juan Manuel. 1995. «Reflexiones sobre la composición nominal a propósito del *Crátilo* de Platón», *Philologica Canariensia* 1 (1995): 575-589.

Perl, Matthias. 1982. «Creole Morphsyntax in the Cuban 'habla bozal'», *SCL* XXXIII, 1982, 5: 424-433.

— 1984. «Las estructuras de comunicación de los esclavos negros en Cuba en el siglo XIX», *Islas* 77/1984: 43-59.

— 1985. «El fenómeno de descriollización del 'habla bozal' y el lenguaje coloquial de la variante cubana del español», *ALH* I (1985): 191-201.

— 1988. «Rasgos poscriollos léxicos en el lenguaje coloquial cubano», *Thesaurus* XLIII (1988): 47-64.

— 1989. «Algunos resultados de la comparación de fenómenos morfosintácticos del 'habla bozal', de la 'linguagem dos musseques', del 'palenquero' y de lenguas criollas de base portuguesa», en *Estudios sobre español de América y lingüística afroamericana. Ponencias presentadas en el 45.º Congreso Internacional de Americanistas (Bogotá, Julio de 1985)*, Bogotá: 369-380.

— 1989a. «El 'habla bozal' - ¿una lengua criolla de base española?», *ALH* V (1989): 205-220.

— 1990. «Acerca de la morfosintaxis del 'habla bozal'», *Papia* (Brasilia) 1 (1990): 4-14.

Petrovici, Emil. 1969. «Interpénetration des systèmes linguistiques», en *ACIL X*, Bucarest, t. I: 37-56.

Philipp, Marthe. 1969. «Varieté des idiomes», en Martinet 1969: 397-398.

Pichardo, Esteban. 1976. *Diccionario provincial casi razonado de vozes y frases cubanas*, La Habana.

Ploae Hanganu, Mariana. 1977. «Sobre a base românica no sistema fonético dos crioulos portugueses de África», *RRL* XXII (1977): 211-213.

Pottier, B. 1966. «La formation des parlers créoles», en *Actas do V Colóquio Internacional de Estudos Luso-Brasileiros (Coimbra, 1963)*, Coimbra, t. III: 373-379.

Putte, Florimon van, García, Erica C. 1990. «Where There Is a Message There Is a Way: *Ku* versus *Null* in Papiamentu», *Journal of Pidgin and Creole Languages* 5 (1990), 2: 187-222.

Quesada, Cándida Judith. 1973. «Remanentes de una lengua africana utilizada por la sociedad secreta de los abacuá en Cuba», *Islas* 45/1973: 143-246.

Quilis, Antonio. 1980. «Le sort de l'espagnol aux Philippines: un problème de langues en contact», *RLiR* 44 (1980): 82-107.

— 1982. *El acento español*, México.

— 1986. «Algunos aspectos de la influencia de la lengua española en Filipinas», *ALFAL V*, Caracas: 547-558.

— 1988. «Estructura del léxico chabacano», *Cuadernos del Centro Cultural de la Embajada de España* 21 (1988), Manila: 22-26.

— 1992. «La lengua española en Filipinas. Estado actual y directrices para su estudio», *ALH* VIII (1992): 273-295.

— 1993. «La lengua española en Filipinas y en Guinea Ecuatorial», *Boletín Informativo de la Fundación Juan March* 226 (1993): 3-16.

Rabanales, Ambrosio. 1953. *Introducción al estudio del español de Chile. Determinación del concepto de chilenismo*, Santiago (anejo n.º 1 del *Boletín de Filología*).

— 1961. «Hiato y antihiato en el español vulgar en Chile», *BFUCh* XII [1960 (1961)]: 197-223.

Reyes, Graciela. 1990. *La pragmática lingüística. El estudio del uso del lenguaje*, Barcelona.

Rice, Frank A. ed. 1962. *Study of the Role of Second Language in Asia, Africa and Latin America*, Washington.

Robe, Stanley L. 1960. *The Spanish of Rural Panama*, Los Ángeles.

Rohlfs, Gerhard. 1979. *Estudios sobre el léxico románico*. Reelaboración parcial y notas de Manuel Alvar, Madrid.

Römer, Raúl G. 1974. «Ta kua dje 'Ta'-nan bo ke men?», *Kristòf* I (1974), 5: 217-219.

— 1991. *Studies in Papiamentu Tonology* (*Caribbean Culture Studies* 5), Amsterdam and Kingston.

Rona, José Pedro. 1967. *Geografía y morfología del 'voseo'*, Porto Alegre.

— 1971. «Elementos españoles, portugueses y africanos en el papiamento», *Watapana* (Kòrsou) III (1971), 3: 7-23.

— 1976. «Réhispanisation de langues créoles aux Antilles. Étude sur la divergence et la convergence», en *ACILPhR XIII*, Quebec, t. II: 1015-1025.

Rosario, Rubén del. 1970. *Español de América*, Sharon, Connecticut.

Rosenblat, Ángel. 1962. *El castellano de España y el castellano de América. Unidad y diferenciación*, Caracas.

— 1962a. *Lengua y cultura de Hispanoamérica. Tendencias actuales*, Caracas.

— 1964. «La hispanización de América. El castellano y las lenguas indígenas desde 1492», en *PFLE*, Madrid, t. II: 189-216.

Rosetti, Al. 1965. *Linguistica*, Londres-La Haya-París.

Sala, Marius. 1963. «La Romania Occidentale el la Romania Orientale sur le traitement des sonantes», *Studia linguistica* XVII (1963): 26-39.

— 1965. «La organización de una norma española en el judeo-español», *AdeL* V (1965): 175-182.

— 1970. *Contribuţii la fonetica istorică a limbii române*, Bucarest.

— 1971. *Phonétique et phonologie du judéo-espagnol de Bucarest*, La Haya-París.

— 1974. «Aspecte ale contactului între limbi în domeniul romanic (I)», *SCL* XXV (1974), 5: 583-594.

— 1988. *El problema de las lenguas en contacto*, México.

— 1992. «Unidad y diversidad en el léxico de las lenguas iberorrománicas», en *Scripta Philologica. In honorem Juan M. Lope Blanch*, México, t. II: 225-230.

—, Munteanu, Dan, Neagu, Valeria, Şandru-Olteanu, Tudora. 1977. *El léxico indígena del español americano. Apreciaciones sobre su vitalidad*, México-Bucarest.

—, Munteanu, Dan, Neagu, Valeria, Şandru-Olteanu, Tudora. 1982. *El español de América. I. Léxico*, Bogotá, 2 tomos.

— coord., Bîrlădeanu, Mihaela, Iliescu, M., Macarie, Liliana, Nichita, Ioana, Ploae-Hanganu, Mariana, Theban, Maria, Vintilă-Rădulescu, Ioana. 1988. *Vocabularul reprezentativ al limbilor romanice*, Bucarest.

Salomon, H. P. 1982. «The Earlist Known Document in Papiamentu Contextuality Reconsidered», *Neophilologus* LXIV (1982): 367-376.

Samarin, W. J. 1971. «Salient and Substantive Pidginization», en Hymes ed. 1971: 117-140.

Samper Padilla, José Antonio. 1990. *Estudio sociolingüístico del español de Las Palmas de Gran Canaria*, La Caja de Canarias.

—, Cáceres Lorenzo, M.ª Teresa, González Monllor, Rosa, Munteanu, Dan. 1994. «El español de Canarias y América: aproximación a sus relaciones históricas», comunicación presentada en el *XI Coloquio de Historia Canario-Americana, Las Palmas de Gran Canaria, del 10 al 14 de octubre 1994*.

Sandoval, Alonso de. 1956. *De instauranda aethiopum salute; el mundo de la esclavitud negra en América*, Bogotá.

Sankoff, Gillien. 1980. «Variation, Pidgins and Creoles», en Valdman, Highfield eds. 1980: 139-164.

Saussure, Ferdinand de. 1959. *Curso de lingüística general*, 3.ª ed., Buenos Aires.

Schuchardt, Hugo. 1882-1891. «Kreolische Studien», I-IX, en *Sitzungsberichte der philosophisch-historischen Klasse der kaiserlichen Akademie der Wissenschaften*, Viena.

— 1888-1889. «Beiträge zur Kenntnis des Kreolischen Romanisch», I-IV, *ZRPh* XII (1888), XIII (1889).

Schwegler, Armin. 1989. «Notas etimológicas palenqueras: 'casariambe', 'túngananá', 'agüé', 'monicongo', 'maricongo' y otras voces africanas y pseudo-africanas», *Thesaurus* XLIV (1989): 1-28.

— 1992. *Proposal for Fulbright Project on African Influences in 'Black' Spanish: Cartagena (Colombia)*, Irvine.

Sebeok, T. A. ed. 1968. *Current Trends in Linguistics. t. IV Ibero-American and Caribbean Linguistics*, La Haya-París.

Seco, Rafael. 1954. *Manual de gramática española*, Madrid.

Segre, Cesare. 1982. «Intertestuale / interdiscorsivo. Appunti per una fenomenologia delle fonti», en Di Girolamo, Costanzo, Paccagnella, Ivano eds. 1982. *La parola ritrovata*, Palermo: 15-28.

Siertsema, Berthe. 1971. «Negertalen», *Intermediair* (Holanda) VII (1971): 31-32.

Silva-Corvalán, Carmen. 1986. «Bilingualism and Linguistique Change: The Extension of *estar* in Los Angeles Spanish», *Language* 62 (1986): 587-608.

— 1991. «Spanish Language Attrition in a Contact Situation with English», en Seliger, H. W., Vago, R. eds. 1991. *First Language Attrition: Structural and Theoretical Perspectives*, Cambridge: 151-171.

— 1992. «El español actual en Estados Unidos», en Hernández López, César ed. 1992. *Historia y presente del español de América*, Junta de Castilla y León: 827-856.

— 1993. «Cambios sintácticos en situaciones de contacto lingüístico», ponencia presentada en el *ALFAL X*.

Silva Neto, Serafim da. 1950. «Falares crioulos», *Brasilia*, 5 (1950): 3-28.

Smeulders, Toos F. 1987. *Papiamentu en Onderwijs*, Amsterdam.

Sommerfelt, Alf. 1958. «Sur le rôle du substrat dans l'évolution d'une langue créole», en *Omagiu lui Iorgu Iordan cu prilejul împlinirii a 70 de ani*, Bucarest: 815-817.

— 1958a. «Some Remarks on the Importance of a Substratum in Linguistic Development», en *Estructuralismo e historia. Miscelánea Homenaje a André Martinet*, La Laguna-Canarias, t. II: 213-216.

Sprock, Otto J. E. 1995. *Lenga, ban kuida nos lenga! Algun opservashon tokante idioma papiamentu i nos manera di papia*, Kòrsou.

Stewart, W. A. 1962. «Creole Languages in the Caribbean», en Rice ed. 1962: 34-53.

— 1968. «A Sociolinguistic Typology for Describing National Multilingualism», en Fishman ed. 1968: 531-545.

Stolz, Thomas. 1987. «Verbale Morfosyntax der portuguiesisch basierten Kreols: Ein Beitrag zur historischen Grammatik überseeischer Sprachformen mit portuguiesischem Lexikon», *Iberoamericana* XI (1987): 35-59.

Taylor, Douglas. 1960. «Language Shift or Changing Relationship?», *International Journal of American Linguistics* XXVI (1960): 155-161.

— 1971. «Grammatical and Lexical Affinities of Creoles», en Hymes ed. 1971: 293-296.

Terlingen, J. 1957. «Lengua y literatura españolas en las Antillas Neerlandesas», *BFUCh* IX (1956-1957): 235-262.

Theban, Laurenţiu. 1975. «From Creole Syntax to Universal Semantics», *RRL* XX (1975), 3: 207-224.

— 1975a. «Structures profondes mêlées», *RRL* XX (1975), 4: 429-433.

— 1977. «Indo-românica. Estructuras sintácticas em contacto», *RRL* XXII (1977), 2: 245-248.

Theban, Maria. 1973. «Structura propoziţiei în portugheză şi indoportugheză», *SCL* XXIV (1973), 5: 639-645.

— 1974. «A evolução sintáctica dos dialectos indo-portugueses», *Bulletin de la Societé Roumaine de Linguistique Romane* X (1974): 107-110.

Thompson, Robert Wallace, «A Note on Some Possible Affinities Between the Creole Dialects of the Old World and Those of the New», en Le Page ed. 1961: 107-113.

Toro, Miguel de. 1930. *L'evolution de la langue espagnole en Argentine*, París.

Torre Revello, José. 1962. «La enseñanza de las lenguas a los naturales de América», *Thesaurus* XVII (1962): 501-526.

Toscano Mateus, Humberto. 1953. *El español en el Ecuador*, Madrid.

Tovar, Antonio. 1961. *Catálogo de las lenguas de América del Sur*, Buenos Aires.

Trujillo, Ramón. 1987. «La interpretación semántica: significado y contexto», en *Actas del V Simposio de lengua y literatura españolas para profesores de bachillerato. Sevilla, 15-18 de mayo de 1985*, Sevilla: 1-16.

Uitenbogaard, P. H. J. 1953. *De taal papiamentu en haar oorsprong*, Hilversum.

Uribe Villegas, Óscar. 1972. *Situaciones de multilingüismo en el mundo*, México.

Valdman, Albert. 1970. *Basic Course in Haitian Creole*, Indiana.

— 1971. «The Language Situation in Haiti», en Hymes ed. 1971: 61-64.

—, Highfield, Arnold eds. 1980. *Theoretical Orientations in Creole Studies*, Nueva York.

Valeriano Salazar, Carmen, 1974. *A Comparison of the Papiamento and Jamaican Creole Verbal Systems*, Mc. Gill University, Montreal [tesis doctoral].

Valkhoff, Marius F. 1966. *Studies in Portuguese and Creole with Special Reference to South Africa*, Johannesburgo.

Vidal de Battini, Berta Elena. 1949. *El habla rural de San Luis. Parte I: Fonética, morfología, sintaxis (BDH VII)*, Buenos Aires.

— 1954. *El español de Argentina*, Buenos Aires.

Vidos, B. E. 1968. *Manual de lingüística románica*, Madrid.

Vintilă-Rădulescu, Ioana. 1967. «Remarques sur les idiomes créoles», *RRL* XII (1967), 3: 229-243.

— 1968. «Les idiomes créoles et la linguistique romane», *RRL* XIII (1968), 5: 523-527.

— 1970. «Le rôle des facteurs internes dans la formation des idiomes créoles», en *ACIL X*, Bucarest, t.IV: 813-818.

— 1973. «Cîteva date noi în legătură cu originea, semnificaţia şi primele atestări ale termenului 'creolă'», *SCL* XXIV (1973), 3: 301-304.

— 1973a. *Reorganizarea structurii în creola franceză*, Institutul de Lingvistică, Bucarest [tesis doctoral].

— 1976. *Le créole français*, La Haya-París.

— 1978. «O nouă rezolvare a problemei genezei creolei franceze?», *SCL* XXIX (1978), 5: 619-621.

Voorhoeve, Jan. 1971. «A Note on Reduction and Expansion in Creoles», en Hymes ed. 1971: 189.

Wagner, Max Leopold. 1920. «Amerikanospanisch und Vulgärlatein», *ZRPh* XL (1920): 286-312; 385-404.

— 1927. «El supuesto andalucismo de América y la teoría climatológica», *RFE* 14 (1927): 20-32.

— 1949. *Lingua e dialetti dell'America spagnola*, Florencia.

Weinreich, Uriel. 1953. *Languages in Contact. Findings and Problems*, Nueva York.

— 1958. «On the Compatibility of Genetic Relationship and Convergent Development», *Word* XIV (1958): 374-379.

— 1968. «Unilinguisme et multilinguisme», en Martinet ed. 1968: 647-683.

Whinnom, Keith. 1956. *Spanish Contact Vernaculars in the Philippine Islands*, Hong Kong-Londres.

— 1965. «The Origin of the European-Based Creoles and Pidgins», *Orbis* XIV (1965), 2: 509-527.

— 1971. «Linguistic Hybridization and the 'Special Case' of Pidgins and Creoles», en Hymes ed. 1971: 91-115.

Wijk, H. L. A. van. 1958. *O papiamento, um dialecto crioulo de origem espanhola o portuguesa?*, Leyden.

— 1958a. «Orígenes y evolución del papiamento», *Neophilologus* XLII (1958): 169-182.

Wood, Richard. 1972. «New Light on the Origin of Papiamentu: An Eighteenth-Century Letter», *Neophilologus* LVI (1972): 18-30.

— 1972a. «The Hispanization of a Creole Language: Papiamentu», *Hispania* LV (1972), 4: 857-864.

— 1976. «Pan-Caribbean Lexicon», *American Speech* II (1976), 1-2: 137-142.

Zamora Vicente, Alonso. 1967. *Dialectología española*, 2.ª ed. muy aumentada, Madrid.

Zavala, Silvio. 1967. «Aspectos históricos de los desarrollos lingüísticos hispanoamericanos en la época colonial», en *Jahrbuch für Geschichte von Staat, Wirtschaft und Gesellschaft Lateinamerikas*, Colonia-Graz, t. IV: 17-36.

ÍNDICE GENERAL

Págs.

Págs.